हैरी पॉटर

और रहस्यमयी तहख़ाना

मंजुल पब्लिशिंग हाउस द्वारा हिन्दी में प्रकाशित
जे.के. रोलिंग की अन्य पुस्तकें

हैरी पॉटर और पारस पत्थर
हॉगवर्ट्स में पहला वर्ष

हैरी पॉटर और अज़्काबान का क़ैदी
हॉगवर्ट्स में तीसरा वर्ष

हैरी पॉटर और आग का प्याला
हॉगवर्ट्स में चौथा वर्ष

हैरी पॉटर और मायापंछी का समूह
हॉगवर्ट्स में पाँचवाँ वर्ष

हैरी पॉटर और हाफ़ ब्लड प्रिंस
हॉगवर्ट्स में छटवाँ वर्ष

हैरी पॉटर और मौत के तोहफ़े
हॉगवर्ट्स में सातवाँ वर्ष

हैरी पॉटर

और रहस्यमयी तहख़ाना

जे.के. रोलिंग

अनुवाद : डॉ. सुधीर दीक्षित

MANJUL
मंजुल पब्लिशिंग हाउस

MANJUL

मंजुल पब्लिशिंग हाउस

कॉरपोरेट एवं संपादकीय कार्यालय

• द्वितीय तल, उषा प्रीत कॉम्प्लेक्स, 42 मालवीय नगर, भोपाल-462 003

विक्रय एवं विपणन कार्यालय

• सी-16, सेक्टर 3, नोएडा, उत्तर प्रदेश, 201301

वेबसाइट : www.manjulindia.com

वितरण केन्द्र

अहमदाबाद, बेंगलुरू, कोच्चि, कोलकाता, चेन्नई,
हैदराबाद, मुम्बई, नई दिल्ली, पुणे

जे.के. रोलिंग द्वारा लिखित मूल अंग्रेजी पुस्तक
हैरी पॉटर ऐंड द चेम्बर ऑफ़ सीक्रेट्स का हिन्दी अनुवाद

Harry Potter and the Chamber of Secrets by J. K. Rowling – Hindi edition

यह हिन्दी संस्करण 2005 में पहली बार प्रकाशित
14वीं आवृत्ति 2025

ISBN 978-81-8322-007-1

अनुवाद : डॉ. सुधीर दीक्षित

मुद्रण व जिल्दसाज़ी : थॉमसन प्रेस (इंडिया) लिमिटेड

— समर्पण —

संकट में साथ देने वाले मित्र

सिएन पी. एफ. हैरिस को

अध्याय एक

सबसे बुरा जन्मदिन

यह कोई पहली बार नहीं हुआ था, जब प्रिविट ड्राइव के मकान नंबर चार में नाश्ते के समय बहस हुई हो। वरनॉन डर्स्ली की नींद सुबह जल्दी खुल गई थी। वे अपने भांजे हैरी की मादा उल्लू के चीख़ने की वजह से जाग गए थे।

वे नाश्ते की टेबल पर गरज रहे थे, 'इस हफ़्ते में यह तीसरी बार हुआ है। अगर तुम उस उल्लू को क़ाबू में नहीं रख सकते, तो मैं उसे यहाँ से बाहर निकाल दूँगा!'

हैरी ने एक बार फिर सफ़ाई देने की कोशिश की।

उसने कहा, '*वह बोर हो गई है।* उसे खुले आसमान में उड़ने की आदत है। अगर मैं उसे सिर्फ़ रात को खुला छोड़ दूँ, तो शायद...'

वरनॉन अंकल गुर्राए, 'क्या मैं तुम्हें मूर्ख दिखता हूँ ?' यह बोलते समय तले अंडे का एक टुकड़ा उनकी घनी मूँछों पर लटक रहा था। 'मैं जानता हूँ उस उल्लू को बाहर निकालने के बाद क्या होगा।'

उन्होंने और उनकी पत्नी पेटूनिया ने एक-दूसरे की तरफ़ रहस्यमय अंदाज़ में देखा।

हैरी ने जवाब देने की कोशिश की, परंतु उसके शब्द डर्स्ली के बेटे डडली की लंबी और तेज़ डकार के नीचे दब गए।

'मुझे और नाश्ता चाहिए।'

पेटूनिया आंटी ने अपने भारी-भरकम पुत्र को लाड़ भरी नज़रों से देखते हुए कहा, 'कड़ाही में और नाश्ता रखा है, मेरे लाड़ले। इतने समय बाद तो हमें तुम्हें जी भर कर खिलाने का मौक़ा मिला है... मुझे नहीं लगता कि स्कूल में तुम्हें अच्छा खाना मिलता होगा...'

'पेटूनिया, फ़ालतू की बात मत करो! जब *मैं* स्मेल्टिंग्स में था, तो कभी भूखा नहीं रहा,' वरनॉन अंकल ने जोश से कहा। 'डडली को वहाँ खाने की कमी नहीं रहती होगी, है ना बेटा ?'

डडली इतना मोटा था कि उसके पुट्ठे किचन की कुर्सी के दोनों तरफ़ लटक रहे थे। वह यह सुनकर मूर्खों की तरह मुस्कराया और हैरी की तरफ़ मुड़ा।

'मुझे कड़ाही उठाकर दो।'

हैरी ने चिढ़कर कहा, 'तुम जादुई शब्द बोलना तो भूल ही गए।'

इस सामान्य से वाक्य का पूरे परिवार पर अविश्वसनीय असर हुआ : डडली की साँस रुक गई और वह हाँफते हुए कुर्सी से इतनी तेज़ी से गिरा कि पूरा किचन हिल गया; मिसेज़ डर्स्ली ने चीख़कर अपने मुँह पर हाथ रख लिया; मिस्टर डर्स्ली उछलकर खड़े हो गए और उनकी कनपटी की नसें फड़कने लगीं।

हैरी ने तत्काल कहा, 'मेरा मतलब यह था कि उसने "प्लीज़!" नहीं कहा था। मेरा मतलब और कुछ नहीं था –'

उसके अंकल ग़ुस्से में टेबल पर थूक उड़ाते हुए गरजे, '**मैंने तुमसे कहा था ना कि हमारे घर में जादू का नाम भी मत लेना।**'

'परंतु मैं तो –'

वरनॉन अंकल टेबल पर मुक्का मारते हुए दहाड़े, '**डडली को डराने की तुम्हारी हिम्मत कैसे हुई?**'

'मैं तो सिर्फ़ –'

'**मैंने तुम्हें पहले भी चेतावनी दी थी! मैं यह बर्दाश्त नहीं करूँगा कि इस छत के नीचे तुम्हारी असामान्य हरक़तों का ज़िक्र हो!**'

हैरी ने अपने बैंगनी चेहरे वाले अंकल से नज़रें हटाईं और पीले चेहरे वाली आंटी की तरफ़ देखा, जो डडली को उसके पैरों पर खड़ा करने की कोशिश कर रही थीं।

हैरी बोला, 'ठीक है, *ठीक है...*'

वरनॉन अंकल वापस बैठ गए। बहरहाल, वे अब भी किसी भड़के हुए गेंडे की तरह हाँफ रहे थे और अपनी छोटी, तेज़ आँखों के कोनों से हैरी पर क़रीबी निगाह रखे थे।

जब से हैरी गर्मी की छुट्टियों में घर लौटा था, वरनॉन अंकल उससे इस तरह बर्ताव कर रहे थे मानो वह कोई बम हो, जो किसी भी समय फट सकता है। इसका कारण यह था कि हैरी सामान्य बच्चा *नहीं था*। सच तो यह था कि वह

उतना ही असामान्य था, जितना हुआ जा सकता था।

हैरी पॉटर एक जादूगर था, जो हॉगवर्ट्स जादूगरी और तंत्र के विद्यालय में एक साल तक पढ़ने के बाद घर लौटा था। और अगर डर्स्ली दंपति छुट्टियों में उसके घर आने की वजह से दुखी थे, तो हैरी उनसे भी ज़्यादा दुखी था।

उसे हॉगवर्ट्स की इतनी याद आती थी, जैसे उसके पेट में लगातार दर्द हो रहा हो। उसे महल के रहस्यमयी गलियारों और भूतों की याद आती थी, अपनी जादू की पढ़ाई (शायद जादुई काढ़े के टीचर स्नेप को छोड़कर), उल्लुओं द्वारा लाई जाने वाली डाक, बड़े हॉल में दावतें खाना, टॉवर के कमरे में मसहरीदार पलंग पर सोना, चाबियों और मैदान के रखवाले हैग्रिड के अँधेरे जंगल के पास बने घर तक जाना याद आता था। उसे सबसे ज़्यादा याद क्विडिच की आती थी, जो जादूगरों की दुनिया का सबसे लोकप्रिय खेल था (छह ऊँचे गोलपोस्ट, चार उड़ती गेंदें और जादुई झाड़ुओं पर उड़ते चौदह खिलाड़ी)।

जैसे ही हैरी घर आया था, वैसे ही वरनॉन अंकल ने उसकी मंत्र की सारी किताबें, जादुई छड़ी, दुशाले, कड़ाही और बेहतरीन निम्बस 2000 झाड़ू को सीढ़ी के नीचे वाली अलमारी में ताले में बंद कर दिया था। पूरी गर्मियों में क्विडिच की प्रैक्टिस न करने के कारण अगर हैरी को उसके हाउस की क्विडिच टीम से निकाल दिया जाए, तो डर्स्ली दंपति को इस बात की क्या परवाह थी ? अगर हैरी बिना होमवर्क किए स्कूल जाएगा, तो डर्स्ली दंपति को इससे क्या फ़र्क़ पड़ता था ? डर्स्ली दंपति ऐसे लोग थे, जिन्हें जादूगर मगलू कहते थे (ऐसे लोग जिनकी नसों में जादुई ख़ून की एक बूँद भी नहीं थी)। उनके हिसाब से परिवार में किसी जादूगर का होना सबसे शर्मनाक बात थी। वरनॉन अंकल ने हैरी की उल्लू हेडविग को भी उसके पिंजरे में बंद करके ताला लगा दिया था, ताकि वह जादूगरों की दुनिया में किसी के पास संदेश न ले जा सके।

हैरी का हुलिया बाक़ी परिवार से बिलकुल अलग था। वरनॉन अंकल भारी-भरकम थे, उनकी गर्दन न के बराबर थी और उनकी मूँछें बड़ी तथा काली थीं। पेटूनिया आंटी का चेहरा पतला और घोड़े की तरह था। डडली सुनहरे बालों वाला, गुलाबी और सुअर की तरह मोटा था। दूसरी तरफ़ हैरी छोटा और दुबला था, उसकी आँखें चमकदार हरी थीं और उसके गहरे काले बाल हमेशा बिखरे रहते थे। वह गोल चश्मा पहनता था और उसके माथे पर एक पतला, बिजली गिरने जैसे आकार वाला निशान था।

इस निशान ने ही हैरी को ख़ास तौर पर असामान्य बना दिया था, बाक़ी जादूगरों से भी ज़्यादा असामान्य। यह निशान हैरी के उस बहुत रहस्यमय अतीत की इकलौती निशानी था, जिस वजह से उसे ग्यारह साल पहले डर्स्ली दंपति की

चौखट पर छोड़ा गया था।

एक साल की उम्र में हैरी न जाने कैसे दुनिया के सबसे बड़े शैतानी जादूगर लॉर्ड वोल्डेमॉर्ट के शाप से बच गया था, जिसका नाम लेने में ज़्यादातर जादूगर और जादूगरनियाँ आज भी डरते थे। वोल्डेमॉर्ट के हमले में हैरी के माता-पिता मारे गए, परंतु वह बिजली गिरने जैसे निशान के साथ बच गया, और किसी भी तरह - कोई नहीं जानता कि क्यों - जिस पल वोल्डेमॉर्ट हैरी को नहीं मार पाया, उसी पल उसकी तमाम शक्तियाँ चली गईं।

इसलिए हैरी को उसकी मृत माँ की बहन और उनके पति ने पाला। उसे डर्स्ली परिवार में रहते-रहते दस साल हो चुके थे, परंतु वह यह कभी नहीं समझ पाया कि उसके आस-पास अजीब घटनाएँ क्यों होती रहती थीं। उसे डर्स्ली परिवार की इस कहानी पर विश्वास था कि जिस कार दुर्घटना में उसके माता-पिता मरे थे, उसी में उसके माथे पर यह निशान बना था।

परंतु ठीक एक साल पहले हॉगवर्ट्स से हैरी के नाम एक ख़त आया और सारी सच्चाई सामने आ गई। हैरी जादूगरों के स्कूल में पढ़ने चला गया, जहाँ वह और उसका निशान दोनों ही मशहूर थे... परंतु अब स्कूल की छुट्टियाँ शुरू हो चुकी थीं, इसलिए वह मजबूरन छुट्टियों में डर्स्ली परिवार के साथ रहने के लिए वापस आया था। यहाँ उसके साथ ऐसे कुत्ते की तरह बर्ताव किया जाता था, जो किसी गंदी जगह में लोट लगाकर आया हो।

डर्स्ली परिवार को तो इतना भी याद नहीं था कि आज हैरी का बारहवाँ जन्मदिन है। ज़ाहिर है, उसे उनसे ज़्यादा उम्मीदें भी नहीं थीं। केक की बात तो रहने ही दें, उन्होंने उसे कभी ढंग का तोहफ़ा भी नहीं दिया था। परंतु उसके जन्मदिन को बिलकुल अनदेखा कर देना...

उसी पल वरनॉन अंकल ने अपना गला साफ़ करते हुए महत्वपूर्ण अंदाज़ में कहा, 'जैसा कि हम सब जानते हैं, आज बहुत महत्वपूर्ण दिन है।'

हैरी ने ऊपर की तरफ़ देखा। उसे इस बात पर यक़ीन नहीं हो रहा था।

वरनॉन अंकल ने कहा, 'आज के दिन मैं अपनी ज़िंदगी का सबसे बड़ा सौदा करूँगा।'

हैरी दुबारा अपना टोस्ट खाने लगा। उसने कड़वाहट से सोचा, वरनॉन अंकल अपनी मूर्खतापूर्ण डिनर पार्टी के बारे में बात कर रहे हैं। पिछले पंद्रह दिनों से वे सिर्फ़ इसी के बारे में बातें कर रहे थे। एक अमीर भवन-निर्माता और उसकी पत्नी डिनर पर आ रहे थे और वरनॉन अंकल को उम्मीद थी कि वह भवन-निर्माता उन्हें बहुत बड़ा ऑर्डर देगा (वरनॉन अंकल की कंपनी ड्रिल

बनाती थी)।

वरनॉन अंकल बोले, 'चलो, हम लोग एक बार फिर कार्यक्रम दोहरा लें। हम सब आठ बजे अपनी-अपनी जगह पर होंगे। पेटूनिया, तुम रहोगी – ?'

'यहाँ बैठक में,' पेटूनिया आंटी तत्काल बोलीं, 'अपने घर में उनके स्वागत के लिए तैयार।'

'बहुत बढ़िया। और डडली बेटा तुम ?'

'दरवाज़ा खोलने के इंतज़ार में।' डडली ने चेहरे पर एक बनावटी और भद्दी सी मुस्कान लाते हुए कहा। 'मैसन अंकल-आंटी, लाइए मैं आपके कोट सँभालकर रख दूँ ?'

पेटूनिया आंटी गद्गद् होकर बोलीं, 'वे सोचेंगे कितना *प्यारा* बच्चा है!'

'शाबाश डडली,' वरनॉन अंकल ने कहा। फिर वे हैरी की तरफ़ मुड़े। 'और *तुम* ?'

हैरी ने भावहीन स्वर में जवाब दिया, 'अपने बेडरूम में, बिलकुल चुपचाप, जैसे इस घर में हूँ ही नहीं।'

'बिलकुल ऐसा ही करना,' वरनॉन अंकल ने बुरा सा मुँह बनाकर कहा। 'पेटूनिया, मैं उन लोगों को बैठक में लेकर आऊँगा, तुम्हारा परिचय कराऊँगा और उनके लिए ड्रिंक्स बनाऊँगा। सवा आठ बजे –'

'मैं कहूँगी, "डिनर तैयार है,"' पेटूनिया आंटी बोलीं।

'और डडली बेटा, तुम बोलोगे –'

'मैसन आंटी, आइए मैं आपको डाइनिंग रूम में ले चलूँ ?' डडली ने अपनी मोटी बाँह एक अदृश्य महिला की तरफ़ बढ़ाते हुए कहा।

पेटूनिया आंटी नाक से साँस खींचते हुए बोलीं, 'मेरा आदर्श सभ्य बच्चा।'

'और *तुम* ?' वरनॉन अंकल ने खा जाने वाले अंदाज़ में हैरी से पूछा।

'अपने बेडरूम में, बिलकुल चुपचाप, जैसे इस घर में हूँ ही नहीं,' हैरी ने नीरस अंदाज़ में कहा।

'बिलकुल ऐसा ही करना। अब हमारा लक्ष्य है डिनर के दौरान उनकी तारीफ़ में कुछ वाक्य बोलना। पेटूनिया, तुम इस मौक़े पर क्या कहोगी ?'

'मिस्टर मैसन, वरनॉन ने मुझे बताया है कि आप गोल्फ़ के *बेहतरीन* खिलाड़ी हैं... मिसेज़ मैसन, आपने यह ड्रेस कहाँ से ख़रीदी...'

'बहुत बढ़िया... और डडली बेटा, तुम क्या कहोगे?'

'यह कैसा रहेगा : "हमें स्कूल में अपने आदर्श व्यक्ति पर निबंध लिखना था और मैसन अंकल, *मैंने आपके* बारे में लिखा था।"'

पेटूनिया आंटी और हैरी दोनों के लिए इसे पचाना मुश्किल था। पेटूनिया आंटी की आँखों में आँसू आ गए और उन्होंने अपने बेटे को गले लगा लिया। दूसरी तरफ़, हैरी ने अपना मुँह टेबल के नीचे छुपा लिया, ताकि कोई उसे हँसते हुए न देख ले।'

'और तुम, लड़के?'

हैरी ने अपना चेहरा ऊपर उठाते हुए उसे भावहीन बनाने की पूरी कोशिश की।

उसने कहा, 'अपने बेडरूम में, बिलकुल चुपचाप, जैसे इस घर में हूँ ही नहीं।'

'बिलकुल ऐसा ही करना,' वरनॉन अंकल ने ज़ोर देते हुए कहा। 'मैसन दंपति तुम्हारे बारे में कुछ नहीं जानते और हम चाहते भी नहीं हैं कि उन्हें तुम्हारे बारे में पता चले। पेटूनिया, डिनर ख़त्म होने के बाद तुम मिसेज़ मैसन को कॉफ़ी पिलाने के लिए बैठक में ले जाना और मैं चर्चा को ड्रिल की तरफ़ मोड़ दूँगा। अगर क़िस्मत अच्छी रही, तो *दस बजे की न्यूज़* से पहले मैं समझौते पर दस्तख़त करवाकर उसे लिफ़ाफ़े में बंद करवा लूँगा। कल इस समय हम माजोर्का में हॉलिडे होम ख़रीद रहे होंगे।'

हैरी यह सुनकर बहुत रोमांचित नहीं हुआ। उसे उम्मीद नहीं थी कि डर्स्ली दंपति माजोर्का में उसके साथ प्रिविट ड्राइव से ज़्यादा अच्छा व्यवहार करेंगे।

'तो फिर ठीक है – अब मैं शहर से डडली और अपने लिए डिनर जैकेट लेकर आता हूँ।' और फिर उन्होंने गुर्राकर हैरी से कहा, 'और *तुम*, जब तुम्हारी आंटी सफ़ाई करें, तो उनके रास्ते में मत आना।'

हैरी पिछले दरवाज़े से बाहर चला गया। दिन ख़ुशनुमा और सूरज की रोशनी से भरा था। वह लॉन के पार गया, बगीचे की बेंच पर बैठा और धीमी आवाज़ में गाने लगा, 'हैप्पी बर्थडे टु मी... हैप्पी बर्थडे टु मी...'

न कोई कार्ड, न कोई तोहफ़ा और वह आज की शाम इस तरह गुज़ारेगा, जैसे वह इस दुनिया में हो ही नहीं। वह दुखी मन से झाड़ियों को एकटक देखने लगा। उसे कभी इतना ज़्यादा अकेलापन महसूस नहीं हुआ था। हॉगवर्ट्स की किसी भी चीज़ से ज़्यादा, क्विडिच खेलने से भी ज़्यादा हैरी को अपने सबसे अच्छे

दोस्तों रॉन वीज़्ली और हर्माइनी ग्रेंजर की याद आ रही थी। बहरहाल ऐसा लग रहा था, जैसे उन लोगों को उसकी बिलकुल भी याद नहीं आ रही थी। पूरी गर्मियों में दोनों में से किसी ने भी उसे एक चिट्ठी तक नहीं लिखी थी, जबकि रॉन ने हैरी से कहा था कि वह उसे अपने घर रहने के लिए बुलाएगा।

अनगिनत बार हैरी जादू से हेडविग के पिंजरे का ताला खोलने की कगार पर था और उसके द्वारा रॉन और हर्माइनी को चिट्ठी भेजना चाहता था। परंतु यह इतना महत्वपूर्ण काम नहीं था कि इसके लिए इतना बड़ा जोखिम लिया जाए। नाबालिग़ जादूगरों को स्कूल के बाहर जादू करने की इजाज़त नहीं थी। हैरी ने यह बात डर्स्ली दंपति को नहीं बताई थी। वह जानता था कि वे जादुई छड़ी और जादुई झाड़ू के साथ उसे भी सीढ़ियों के नीचे वाली अलमारी में सिर्फ़ इसलिए बंद नहीं कर रहे थे, क्योंकि उन्हें डर था कि हैरी उन सबको गुबरैले कीड़े में बदल देगा। डर्स्ली परिवार में लौटने के दो सप्ताह बाद तक हैरी अनापशनाप मंत्र बोलता था और उसे तब बहुत मज़ा आता था, जब डडली अपनी जान छुड़ाकर थुलथुल पैरों से कमरे के बाहर भागता था। परंतु रॉन और हर्माइनी की लंबी ख़ामोशी के कारण हैरी अब ख़ुद को जादुई दुनिया से इतना अलग-थलग महसूस कर रहा था कि उसे डडली को सताने में भी मज़ा नहीं आ रहा था - और अब तो रॉन और हर्माइनी उसका जन्मदिन भी भूल गए थे।

हॉगवर्ट्स से अगर एक भी ख़त आ जाए, तो बदले में वह इस समय कुछ भी दे सकता था। किसी भी जादूगरनी या जादूगर के ख़त के बदले में! यहाँ तक कि अपने जानी दुश्मन ड्रेको मैल्फ़ॉय की शक्ल देखकर भी वह एक तरह से ख़ुश ही होगा, क्योंकि उसे यक़ीन हो जाएगा कि यह सब महज एक सपना नहीं था...

ऐसा नहीं था कि उसने हॉगवर्ट्स में पिछले साल मौज-मस्ती ही की हो। साल के आख़िर में हैरी ने किसी और का नहीं, बल्कि लॉर्ड वोल्डेमॉर्ट का सामना किया था। वोल्डेमॉर्ट अब पहले जितना शक्तिशाली तो नहीं था, परंतु वह अब भी डरावना था, अब भी चालाक था, अब भी दुबारा शक्तिशाली बनने की जीतोड़ कोशिश कर रहा था। हैरी दूसरी बार वोल्डेमॉर्ट के चंगुल से बच निकला था, परंतु इस बार वह बिलकुल बाल-बाल बचा था। हालाँकि यह घटना कई सप्ताह पुरानी हो चुकी थी, परंतु अब भी उसकी यादों की वजह से वह रात को जाग जाता था, ठंडे पसीने में नहा जाता था और सोचने लगता था कि वोल्डेमॉर्ट इस समय जाने कहाँ होगा। उसे वोल्डेमॉर्ट का लाल चेहरा और उसकी ग़ुस्से से भरी बड़ी-बड़ी आँखें याद आ जाती थीं...

हैरी अचानक बगीचे की बेंच पर तनकर बैठ गया। वह झाड़ियों को यूँ ही

घूर रहा था – *परंतु अचानक झाड़ियाँ पलटकर उसे घूरने लगीं*। पत्तियों के बीच दो बड़ी हरी आँखें उभर आई थीं।

जैसे ही हैरी उछलकर खड़ा हुआ, लॉन के दूसरी तरफ़ से एक चिढ़ाने वाली आवाज़ तैरती हुई आई।

डडली बतख जैसी चाल चलते हुए उसकी तरफ़ आ रहा था और गा रहा था, 'मैं जानता हूँ, आज कौन सा दिन है।'

बड़ी-बड़ी आँखें झपकीं और ग़ायब हो गईं।

'क्या ?' हैरी ने पूछा। उसने अब भी अपनी आँखें झाड़ियों पर से नहीं हटाईं।

'मैं जानता हूँ, आज कौन सा दिन है,' डडली ने उसके बिलकुल पास आते हुए दोहराया।

'बहुत अच्छे,' हैरी ने कहा। 'चलो, अब तुम्हें सप्ताह के दिन तो याद हो गए।'

डडली ने ताना मारा, 'आज तुम्हारा *जन्मदिन* है। परंतु यह तो बताओ, तुम्हें किसी ने भी कार्ड क्यों नहीं भेजा ? क्या उस अजीब जगह पर तुम्हारा एक भी दोस्त नहीं है ?'

हैरी ने ठंडेपन से जवाब दिया, 'बेहतर होगा कि तुम्हारी माँ यह न सुन लें कि तुम मेरे स्कूल के बारे में बात कर रहे हो।'

डडली ने अपना पैंट ऊपर सरकाया, जो उसकी मोटी कमर से नीचे सरक रहा था।

उसने संदेह भरे स्वर में पूछा, 'तुम झाड़ियों को क्यों घूर रहे थे ?'

हैरी ने कहा, 'मैं यह सोच रहा था कि इनमें आग लगाने के लिए सबसे अच्छा मंत्र कौन सा होगा।'

डडली तत्काल पीछे की ओर लड़खड़ाया और उसके मोटे चेहरे पर दहशत के भाव उभर आए।

'तुम ऐसा नहीं कर सकते। डैडी ने तुम्हें जादू करने के लिए मना किया है। उन्होंने कहा है कि वे तुम्हें घर से बाहर निकाल देंगे। और तुम कहीं दूसरी जगह जाकर रह भी नहीं सकते। तुम्हारा तो कोई *दोस्त* भी नहीं है, जो तुम्हें अपने घर पर–'

'छूमंतर काली कंतर!' हैरी ख़ूँख़ार आवाज़ में मंत्र पढ़ने लगा। 'तेरा वचन न जाए खाली... जल तू जलाल तू...'

'मम्मी... मी... मी...!' डडली चीख़ते हुए जान छुड़ाकर गिरते-पड़ते हुए घर की तरफ़ भागा। **'मम्मी!** देखिए, वह क्या कर रहा है!'

हैरी ने एक पल के इस आनंद की बहुत भारी क़ीमत चुकाई। चूँकि डडली या झाड़ियों को कोई नुक़सान नहीं हुआ था, इसलिए पेटूनिया आंटी समझ गईं कि उसने सचमुच जादू नहीं किया था। फिर भी उन्होंने साबुन लगा फ्राइंग पैन हैरी पर फेंककर दे मारा और उसे झुककर अपना सिर बचाना पड़ा। इसके बाद पेटूनिया आंटी ने उसे बहुत से काम दे दिए और यह भी बता दिया कि जब तक वह काम पूरे नहीं कर लेगा, तब तक उसे खाना नहीं मिलेगा।

जब हैरी खिड़कियाँ साफ़ कर रहा था, कार धो रहा था, लॉन तराश रहा था, फूलों की क्यारियों को व्यवस्थित कर रहा था, गुलाब के पौधों की छँटाई करके उनमें पानी दे रहा था तथा बगीचे की बेंच पर पेंट कर रहा था, तब डडली जीभ लपलपाते हुए आइसक्रीम चाट रहा था और टहलते हुए उसे देख रहा था। आसमान में सूरज तेज़ी से चमक रहा था और उसकी गर्दन के पिछले हिस्से को जला रहा था। हैरी जानता था कि उसे डडली के जाल में नहीं फँसना चाहिए था, परंतु डडली ने बिलकुल वही बात कह दी थी, जो हैरी ख़ुद सोच रहा था... शायद हॉगवर्ट्स में उसका एक भी दोस्त *नहीं* है...

फूलों की क्यारियों में खाद फैलाते समय उसने ग़ुस्से से सोचा, 'काश वे इस समय मशहूर हैरी पॉटर को देख पाते!' उसकी कमर दुख रही थी और चेहरे से पसीने की बूँदें टपक रही थीं।

आख़िर, शाम को साढ़े सात बजे थके-मांदे हैरी ने सुना कि पेटूनिया आंटी उसे आवाज़ लगा रही थीं।

'यहाँ अंदर आओ! और अख़बार पर पैर रखकर आना!'

हैरी ख़ुशी से चमकदार किचन में अंदर आ गया। फ्रिज पर रात की पुडिंग रखी थी : फेंटी हुई क्रीम का एक बड़ा ढेर और मिठाई। ओवन में गोश्त भुन रहा था।

'जल्दी खाओ! मैसन दंपति बस आते ही होंगे!' पेटूनिया आंटी ने उसे फटकारते हुए किचन की टेबल पर रखी ब्रेड की दो स्लाइस और चीज़ के एक टुकड़े की तरफ़ इशारा किया। वे अपनी नारंगी-गुलाबी कॉकटेल ड्रेस पहन चुकी थीं।

हैरी ने हाथ धोकर बेस्वाद भोजन को जैसे-तैसे गले से नीचे उतारा। जिस पल उसने आख़िरी कौर उठाया, पेटूनिया आंटी ने झपटकर उसकी प्लेट हटा दी। 'अपने कमरे में जाओ! जल्दी!'

जब हैरी ड्रॉइंग रूम के दरवाज़े के पास से गुज़रा, तो उसे वरनॉन अंकल और डडली की झलक दिखी, जो डिनर जैकेट पहन चुके थे। वह अभी बस ऊपरी मंज़िल की आख़िरी सीढ़ी तक ही पहुँचा था कि तभी दरवाज़े की घंटी बजी। तत्काल वरनॉन अंकल का तमतमाया हुआ चेहरा सीढ़ियों के नीचे दिखाई दिया।

'याद रखना, लड़के - ज़रा सी भी आवाज़ की तो...'

हैरी दबे पाँव अपने कमरे तक पहुँचा, अंदर गया, दरवाज़ा बंद किया और इसके बाद वह अपने बिस्तर पर लुढ़कने के लिए तैयार था।

समस्या यह थी कि कोई उस पर पहले से ही बैठा हुआ था।

अध्याय दो

डॉबी की चेतावनी

हैरी जैसे-तैसे अपनी चीख़ रोकने में कामयाब हो गया, परंतु यह बहुत क़रीबी मामला था। बिस्तर पर बैठे उस छोटे जीव के कान चमगादड़ जितने बड़े थे। उसकी बाहर निकलती हरी आँखें टेनिस की गेंद जितनी बड़ी थीं। हैरी तुरंत समझ गया कि यही जीव सुबह बगीचे की झाड़ियों में से उसे देख रहा था।

जब वे एक-दूसरे की तरफ़ घूर रहे थे, तभी हैरी को हॉल से आने वाली डडली की आवाज़ सुनाई दी।

'मैसन अंकल-आंटी, लाइए मैं आपके कोट सँभालकर रख दूँ ?'

वह जीव बिस्तर से उतरा और उसने अभिवादन में अपना सिर इतना नीचे झुकाया कि उसकी लंबी पतली नाक गलीचे को छूने लगी। वह एक ऐसी चीज़ पहने था, जो किसी तकिए के पुराने कवर जैसी दिख रही थी, जिसमें हाथ-पैर डालने के लिए छेद कर दिए गए हों।

हैरी ने परेशानी भरे अंदाज़ में कहा, 'आह - हैलो।'

'हैरी पॉटर!' उस जीव ने ऊँचे सुर वाली आवाज़ में कहा, जिसे सुनते ही हैरी को विश्वास हो गया कि यह आवाज़ सीढ़ियों के नीचे तक ज़रूर पहुँचेगी। 'डॉबी बहुत समय से आपसे मिलना चाहता था, सर... यह बड़े सम्मान की बात है...'

'ध-धन्यवाद,' हैरी ने कहा और दीवार के किनारे से चलते हुए अपनी कुर्सी में धँस गया। इस कुर्सी के पास ही वह बड़ा पिंजरा रखा था, जिसमें हेडविग सो रही थी। हैरी पूछना चाहता था, 'तुम क्या हो ?' परंतु फिर उसने सोचा कि ऐसा पूछना असभ्यता होगी, इसलिए उसने पूछा, 'तुम कौन हो ?'

उस विचित्र जीव ने जवाब दिया, 'डॉबी, सर। सिर्फ़ डॉबी। डॉबी, एक घरेलू जिन्न।'

'अच्छा – सचमुच ?' हैरी ने कहा। 'देखो, मुझे ग़लत मत समझना, परंतु – मेरे बेडरूम में घरेलू जिन्न के आने के लिए यह कोई बहुत अच्छा समय नहीं है।'

ड्रॉइंग रूम से पेटूनिया आंटी की तेज़ बनावटी हँसी सुनाई दे रही थी। घरेलू जिन्न ने अपना सिर लटका लिया।

हैरी ने तुरंत कहा, 'ऐसी बात नहीं है कि मुझे तुमसे मिलकर ख़ुशी नहीं हुई, परंतु क्या तुम किसी ख़ास कारण से यहाँ आए हो ?'

'ओह, हाँ, सर,' डॉबी ने गंभीरता से कहा, 'डॉबी आपको यह बताने आया है, सर... यह मुश्किल है, सर... डॉबी समझ नहीं पा रहा है कि कहाँ से शुरू करे...'

'बैठ जाओ,' हैरी ने बिस्तर की तरफ़ इशारा करते हुए विनम्रता से कहा।

वह दहशत में आ गया, जब घरेलू जिन्न फूट-फूटकर रोने लगा... और ज़ोर-ज़ोर से आवाज़ें निकालते हुए आँसू बहाने लगा।

'ब-बैठ जाऊँ!' घरेलू जिन्न दहाड़ें मारकर रो रहा था। *'कभी नहीं... कभी भी नहीं...'*

हैरी को लग रहा था, जैसे नीचे से आ रही आवाज़ें अब बीच-बीच में रुकने लगी थीं।

वह फुसफुसाया, 'माफ़ करना। मैं तुम्हें दुखी नहीं करना चाहता था।'

'दुखी और डॉबी को!' घरेलू जिन्न की जैसे साँस अटक गई। 'डॉबी को *कभी* किसी जादूगर ने बैठने के लिए *नहीं* कहा – वो भी *अपने साथ* –'

हैरी '*श...श...श*' कहते हुए एक साथ जिन्न को चुप करने और ख़ुद ख़ुश दिखने की कोशिश कर रहा था। उसने डॉबी को दुबारा बिस्तर पर बिठाया, जहाँ वह हिचकी लेते हुए बैठ गया। वह किसी बड़ी और बहुत बदसूरत गुड़िया की तरह दिख रहा था। आख़िरकार उसने ख़ुद को सँभाला और फिर अपनी बड़ी आँखों में आँसू भरकर हैरी को भक्ति-भाव से एकटक देखने लगा।

हैरी ने उसे ख़ुश करने की कोशिश करते हुए कहा, 'तब तो तुम्हें अच्छे जादूगर नहीं मिले होंगे।'

डॉबी ने अपना सिर हिलाया। फिर बिना किसी चेतावनी के वह उछला और अपना सिर तेज़ी से खिड़की पर पटकने लगा। साथ ही वह चिल्लाता जा रहा था, '*बुरा* डॉबी! *बुरा* डॉबी!'

'मत करो – यह तुम क्या कर रहे हो ?' हैरी गुर्राया और उसने उछलकर डॉबी को दुबारा बिस्तर पर खींच लिया। इस उठापटक से हेडविग जाग गई। एक

बार तेज़ी से चीख़ने के बाद वह पिंजरे की छड़ों पर बेतहाशा पंख मारने लगी।

'डॉबी को ख़ुद को सज़ा देना ही थी, सर,' घरेलू जिन्न ने भेंगे अंदाज़ में देखते हुए कहा। 'डॉबी ने अपने मालिक की बुराई की थी, सर...'

'तुम्हारा मालिक ?'

'वह जादूगर परिवार, जहाँ डॉबी ग़ुलाम है, सर... डॉबी एक घरेलू जिन्न है। डॉबी ज़िंदगी भर उस परिवार की ग़ुलामी करने के लिए मजबूर है...'

'क्या उन्हें पता है कि तुम यहाँ आए हो ?' हैरी ने उत्सुकता से पूछा।

डॉबी काँप गया।

'अरे नहीं सर, बिलकुल नहीं... आपसे मिलने आने के लिए डॉबी ख़ुद को बहुत बुरी सज़ा देगा। इसके लिए डॉबी अपने कान ओवन में बंद करेगा। अगर उन्हें कभी पता पड़ जाए, सर–'

'परंतु अगर तुमने अपने कान ओवन में बंद कर लिए, तो क्या उनका ध्यान इस तरफ़ नहीं जाएगा ?'

'डॉबी को इस बारे में शक है, सर। डॉबी किसी न किसी बात के लिए हमेशा ख़ुद को सज़ा देता रहता है, सर। वे डॉबी को यह करने देते हैं, सर। कई बार तो वे डॉबी को ख़ुद को सज़ा देने की याद भी दिलाते हैं...'

'परंतु तुम उन्हें छोड़ क्यों नहीं देते ? वहाँ से भाग क्यों नहीं जाते ?'

'घरेलू जिन्न को आज़ाद करना पड़ता है, सर। और वह परिवार डॉबी को कभी आज़ाद नहीं करेगा... डॉबी को मरते दम तक उस परिवार की ग़ुलामी करना पड़ेगी, सर...'

हैरी उसे घूरने लगा।

हैरी बोला, 'और मैं इस बात पर परेशान हो रहा था कि मुझे यहाँ चार सप्ताह और रुकना पड़ेगा। तुम्हारी बात सुनकर तो डर्स्ली दंपति लगभग इंसान लगने लगे हैं। क्या कोई तुम्हारी मदद कर सकता है ? क्या मैं ऐसा कर सकता हूँ ?'

यह कहते ही हैरी एकदम समझ गया कि उसे यह नहीं कहना चाहिए था, क्योंकि डॉबी एक बार फिर ज़ोर-ज़ोर से कृतज्ञता के आँसू बहाने लगा।

हैरी बेचैन होकर फुसफुसाया, 'मेहरबानी करके शांत रहो। अगर डर्स्ली दंपति ने सुन लिया, अगर उन्हें पता चल गया कि तुम यहाँ हो...'

'हैरी पॉटर पूछ रहे हैं कि क्या वे डॉबी की मदद कर सकते हैं... डॉबी ने आपकी महानता के बारे में सुना था सर, परंतु डॉबी को यह पता नहीं था कि

आप इतने दयालु हैं...'

हैरी का चेहरा लाल हो गया। उसने कहा, 'तुमने मेरी महानता के बारे में जो भी सुना है, वह सब बकवास है। मैं हॉगवर्ट्स में अपनी क्लास में फ़र्स्ट तक नहीं आया, हर्माइनी आई थी, वह-'

परंतु उसने वाक्य अधूरा छोड़ दिया, क्योंकि हर्माइनी के बारे में सोचना कष्टकारी था।

'हैरी पॉटर विनम्र और सज्जन हैं,' डॉबी ने सम्मान से कहा। उसकी गेंद जैसी आँखें अब चमक रही थीं। 'हैरी पॉटर ने उस जादूगर को हराने का ज़िक्र तक नहीं किया, जिसका हम नाम नहीं ले सकते।'

हैरी बोला, 'वोल्डेमॉर्ट ?'

डॉबी अपने चमगादड़ जैसे कानों पर हाथ ठोंकते हुए दर्द भरी आवाज़ में बोला, 'उसका नाम मत लीजिए, सर! नाम मत लीजिए!'

'सॉरी,' हैरी ने तुरंत कहा। 'मैं बहुत से लोगों को जानता हूँ, जो उसका नाम लेना पसंद नहीं करते। मेरा दोस्त रॉन...'

वह एक बार फिर रुक गया। रॉन के बारे में सोचना भी कष्टकारी था।

डॉबी हैरी की तरफ़ झुका और उसकी आँखें किसी हेडलाइट की तरह चौड़ी दिख रही थीं।

वह भरे गले से बोला, 'डॉबी ने सुना है कि अभी कुछ सप्ताह पहले ही हैरी पॉटर उस शैतानी जादूगर से दूसरी बार टकराया था... और *एक बार फिर* हैरी पॉटर बच गया।'

हैरी ने सिर झुकाया और डॉबी की आँखें अचानक आँसुओं से चमकने लगीं।

'आह सर,' उसने हाँफते हुए कहा। गंदे तकिए जैसी जो चीज़ उसने पहन रखी थी, उसके कोने से अपना मुँह पोंछते हुए वह आगे बोला, 'हैरी पॉटर बहादुर और साहसी है! वह बहुत से ख़तरों को जीत चुका है! परंतु डॉबी हैरी पॉटर को बचाने आया है, उसे सावधान करने आया है, चाहे बाद में डॉबी को इसके लिए अपने कान ओवन में बंद करना पड़ें... *हैरी पॉटर को हॉगवर्ट्स वापस नहीं जाना चाहिए।*'

एक ख़ामोशी सी छा गई, जो सिर्फ़ नीचे की मंज़िल से आ रही छुरी-काँटों और वरनॉन अंकल की आवाज़ों से टूट रही थी।

'क-क्या ?' हैरी ने हकलाते हुए कहा। 'परंतु मुझे वापस जाना ही होगा। स्कूल एक सितंबर से शुरू होगा। इसी कारण तो मुझे यह सब बर्दाश्त करने की

शक्ति मिल रही है। तुम नहीं जानते कि यहाँ रहना कितना मुश्किल है। मेरी जगह *इन लोगों की दुनिया* में नहीं है। मेरी जगह तुम्हारी दुनिया में – हॉगवर्ट्स में – है।'

'नहीं, नहीं, नहीं,' डॉबी ने चूँ-चूँ करते हुए कहा और इतनी तेज़ी से अपना सिर हिलाया कि उसके कान फड़फड़ाने लगे। 'हैरी पॉटर को वहीं रुकना चाहिए, जहाँ वह सुरक्षित रहे। वह इतना ज़्यादा महान है, इतना ज़्यादा नेक है कि उसे गँवाया नहीं जा सकता। अगर हैरी पॉटर हॉगवर्ट्स जाएगा, तो उसकी जान को ख़तरा है।'

हैरी ने आश्चर्य से पूछा, 'क्यों ?'

'एक साज़िश है, हैरी पॉटर। इस साल हॉगवर्ट्स जादूगरी और तंत्र के विद्यालय में भयानक घटनाएँ होने वाली हैं,' डॉबी फुसफुसाया और अचानक काँप गया। 'डॉबी यह बात महीनों से जानता है, सर। हैरी पॉटर को अपनी जान जोख़िम में नहीं डालना चाहिए। आपकी ज़िंदगी बहुत क़ीमती है, सर!'

हैरी ने तत्काल पूछा, 'कौन सी भयानक घटनाएँ ? यह साज़िश कौन कर रहा है ?'

डॉबी ने गला रुँधने जैसी एक अजीब सी आवाज़ निकाली और पागलों की तरह अपना सिर दीवार पर पटकने लगा।

हैरी चिल्लाया 'ठीक है!' और उसने डॉबी को रोकने के लिए उसकी बाँह पकड़ ली। 'मैं समझ गया, तुम नहीं बता सकते। परंतु तुम *मुझे* चेतावनी क्यों दे रहे हो ?' अचानक उसके मन में एक अप्रिय विचार आया। 'ज़रा ठहरो – कहीं इसका संबंध वोल – माफ़ करना – तुम-जानते-हो-कौन से तो नहीं है ? तुम सिर्फ़ हाँ या ना में सिर हिला दो,' उसने तेज़ी से जोड़ा, जब डॉबी का सिर एक बार फिर चिंताजनक रूप से दीवार के पास पहुँचा।

डॉबी ने धीमे से इंकार में अपना सिर हिलाया।

'नहीं – *वह नहीं है, जिसका नाम नहीं लिया जा सकता,* सर।'

परंतु डॉबी की आँखें चौड़ी थीं और ऐसा लग रहा था, जैसे वह हैरी को कोई सुराग़ देने की कोशिश कर रहा हो। बहरहाल, हैरी को कुछ समझ में नहीं आया।

'उसका कोई भाई तो नहीं है ?'

डॉबी ने एक बार फिर इंकार में सिर हिलाया। अब उसकी आँखें पहले से भी ज़्यादा चौड़ी हो गई थीं।

'तो फिर, मुझे नहीं पता कि हॉगवर्ट्स में भयानक घटनाएँ और कौन

करवा सकता है,' हैरी बोला। 'मेरा मतलब है, एक बात तो यह है कि वहाँ डम्बलडोर हैं – तुम डम्बलडोर को तो जानते होगे, नहीं क्या?'

डॉबी ने अपना सिर झुकाया।

'एल्बस डम्बलडोर हॉगवर्ट्स के अब तक के सबसे महान हेडमास्टर हैं। डॉबी यह बात जानता है, सर। डॉबी ने यह भी सुन रखा है कि जब तुम-जानते-हो-कौन अपनी शक्तियों के शिखर पर था, तब भी वह डम्बलडोर से ज़्यादा शक्तिशाली नहीं था। परंतु सर,' डॉबी की आवाज़ बहुत महत्वपूर्ण फुसफुसाहट में बदल गई, 'ऐसी शक्तियाँ हैं, जिनका डम्बलडोर कभी... ऐसी शक्तियाँ हैं, जिनका कोई भला जादूगर कभी...'

और इससे पहले कि हैरी उसे रोक पाए, डॉबी ने बिस्तर से कूदकर हैरी का टेबल लैंप उठाया और उसे अपने सिर पर मारने लगा। साथ में वह कानफोड़ू चीख़ें भी निकालता जा रहा था।

अचानक नीचे की मंज़िल पर ख़ामोशी छा गई। हैरी का दिल तूफ़ानी रफ़्तार से भागने लगा। दो सेकंड बाद उसने सुना कि वरनॉन अंकल हॉल में यह कहते हुए ऊपर आ रहे थे, 'लगता है डडली ने एक बार फिर अपना टेलीविज़न चालू छोड़ दिया है, बदमाश कहीं का!'

'जल्दी! अलमारी में!' हैरी ने फुसफुसाते हुए कहा। इसके बाद उसने डॉबी को जल्दी से अलमारी के अंदर ठूँस दिया और जब कमरे के दरवाज़े का हैंडल घूमा, तब तक वह झपटकर बिस्तर पर लेट चुका था।

दाँत किटकिटाकर अपना चेहरा हैरी के बिलकुल क़रीब लाते हुए वरनॉन अंकल बोले, '*शैतान* - के - नाती - तुम - क्या - कर - रहे - थे? तुमने मेरे मोटू-पतलू के चुटकुले का मज़ा किरकिरा कर दिया... अब अगर तुमने एक भी आवाज़ निकाली, तो तुम यह इच्छा करने लगोगे कि काश तुम कभी पैदा ही नहीं हुए होते!'

वे कमरे से उलटे पैर लौट गए।

काँपते हुए हैरी ने डॉबी को अलमारी से बाहर निकाला।

उसने कहा, 'देखा, यहाँ पर कैसा माहौल है? अब तो तुम्हें समझ में आ गया होगा कि मुझे दुबारा हॉगवर्ट्स क्यों जाना पड़ेगा? वही इकलौती जगह है, जहाँ मेरे – यानी मैं *सोचता* हूँ, जहाँ मेरे दोस्त हैं।'

'दोस्त, जो हैरी पॉटर को *ख़त* भी नहीं लिखते?' डॉबी ने चालाकी से पूछा।

'मुझे उम्मीद है कि वे सिर्फ़ – परंतु ज़रा ठहरो,' हैरी ने त्योरियाँ चढ़ाकर

पूछा, '*तुम* यह बात कैसे जानते हो कि मेरे दोस्त मुझे ख़त नहीं लिख रहे हैं?'

डॉबी ने अपने पैर इधर-उधर किए।

'हैरी पॉटर, डॉबी पर ग़ुस्सा मत करना - डॉबी ने यह हैरी पॉटर की भलाई के लिए किया था...'

'क्या तुमने मेरे ख़त बीच में रोक लिए थे?'

घरेलू जिन्न बोला, 'डॉबी के पास आपके सारे ख़त रखे हैं, सर।' तेज़ी से हैरी की पहुँच से बाहर हटते हुए उसने अपने तकिए के कवर के भीतर से (जिसे वह पहने हुए था) चिट्ठियों का मोटा पुलिंदा निकाला। इन चिट्ठियों में हैरी ने हर्माइनी की साफ़-सुथरी लिखावट पहचान ली। उसे रॉन की गंदी लिखाई भी दिख रही थी और एक घसीटामार घिचपिच भी, जो हॉगवर्ट्स के मैदान के रखवाले हैग्रिड की लिखावट लग रही थी।

डॉबी ने हैरी की तरफ़ चिंता से देखते हुए पलकें झपकाईं।

'हैरी पॉटर, ग़ुस्सा मत होना... डॉबी को आशा थी... अगर हैरी पॉटर को लगा कि उसके दोस्त उसे भूल गए हैं... तो वह दुबारा स्कूल नहीं जाएगा, सर...'

हैरी, सुन नहीं रहा था। वह चिट्ठियों की तरफ़ झपटा, परंतु डॉबी उसकी पहुँच से दूर हट गया।

'हैरी पॉटर को सारे ख़त मिल सकते हैं सर, अगर वह डॉबी से वायदा करे कि वह हॉगवर्ट्स नहीं जाएगा। देखिए सर, यह एक ऐसा जोखिम है, जो आपको नहीं लेना चाहिए! बस इतना कह दीजिए सर कि आप वापस नहीं जाएँगे!'

'नहीं,' हैरी ने ग़ुस्से से कहा। 'मुझे मेरे दोस्तों के ख़त दो!'

'तब तो डॉबी के पास कोई और रास्ता नहीं है,' घरेलू जिन्न दुखी स्वर में बोला।

इससे पहले कि हैरी हिल भी सके, डॉबी बेडरूम के दरवाज़े की तरफ़ लपका, उसे खोला - और तेज़ी से दौड़कर सीढ़ियाँ उतरने लगा।

सूखते मुँह और धड़कते दिल के साथ हैरी उसके पीछे कूदा और उसने कोशिश की कि कोई आवाज़ न हो। वह आख़िरी छह सीढ़ियाँ एक छलाँग में कूद गया और हॉल के गलीचे पर बिल्ली की तरह जाकर गिरा। उसने डॉबी को हर तरफ़ ढूँढ़ने की कोशिश की। उसने सुना, डाइनिंग रूम में वरनॉन अंकल कह रहे हैं, '...मिस्टर मैसन, पेटूनिया को अमेरिकी प्लंबरों वाला वह मज़ेदार क़िस्सा तो सुनाइए। वह उसे सुनने के लिए बेताब है...'

हैरी हॉल से दौड़ता हुआ किचन में घुसा और उसे लगा कि उसकी जान निकल गई है।

पेटूनिया आंटी की बनाई हुई बेहतरीन पुडिंग, क्रीम और मिठाई का पहाड़ छत के पास हवा में तैर रहा था। डॉबी एक अलमारी के ऊपर कोने में दुबका हुआ था।

हैरी ने टर्र-टर्र जैसी आवाज़ में कहा, 'नहीं, प्लीज़... वे मुझे जान से मार डालेंगे...'

'हैरी पॉटर कहे कि वह दुबारा स्कूल नहीं जाएगा-'

'डॉबी... प्लीज़...'

'कहिए, सर...'

'मैं नहीं कह सकता!'

डॉबी ने उसे दुख भरी निगाहों से देखा।

'तब तो डॉबी को यह करना ही पड़ेगा, सर... हैरी पॉटर के भले के लिए।'

दिल दहलाने वाली आवाज़ के साथ पुडिंग फ़र्श पर गिरी। काँच का बर्तन टूटने की वजह से क्रीम खिड़कियों और दीवारों पर फैल गई। छड़ी घुमाने जैसी आवाज़ के साथ डॉबी ग़ायब हो गया।

डाइनिंग रूम से चीख़ें सुनाई दीं और वरनॉन अंकल तेज़ी से किचन में घुसे। उन्होंने देखा कि हैरी सदमे में खड़ा था और सिर से पैर तक पेटूनिया आंटी की पुडिंग में नहा गया था।

पहले तो ऐसा लगा, जैसे वरनॉन अंकल सारी घटना की सफ़ाई देने में सफल हो जाएँगे ('हमारा भांजा है - थोड़ा पागल है - अजनबियों से मिलना इसे पसंद नहीं है, इसलिए हम इसे ऊपर की मंज़िल पर ही रखते हैं...')। वरनॉन अंकल हैरान-परेशान मेहमानों को वापस डाइनिंग रूम में ले गए और हैरी से वायदा किया कि मैसन दंपति के जाने के बाद वे कोड़े मार-मारकर उसकी चमड़ी उधेड़ देंगे। जाते-जाते उन्होंने उसे एक झाड़ू पकड़ा दी। पेटूनिया आंटी ने फ्रीज़र से थोड़ी आइसक्रीम खोजकर निकाली और हैरी, जो अब भी काँप रहा था, किचन साफ़ करने में जुट गया।

वरनॉन अंकल अब भी अपना सौदा करने में कामयाब हो जाते - अगर बीच में उल्लू नहीं आया होता।

पेटूनिया आंटी डिनर के बाद मेहमानों के सामने मिंट रख रही थीं कि तभी एक बड़ा करैल उल्लू पंख फड़फड़ाते हुए डाइनिंग रूम की खिड़की से अंदर

घुसा और मिसेज़ मैसन के सिर पर एक चिट्ठी टपकाकर बाहर उड़ गया। मिसेज़ मैसन किसी राक्षसी की तरह चिंघाड़ीं और पागलों की तरह चीख़ती हुई घर से बाहर भाग गईं। मिस्टर मैसन डर्स्ली दंपति को सिर्फ़ यह बताने के लिए रुके कि उनकी पत्नी पक्षियों से बुरी तरह डरती थीं और उन्होंने यह भी कहा कि उन्हें यह मज़ाक़ पसंद नहीं आया था।

हैरी किचन में सहारे के लिए झाड़ू पकड़कर खड़ा था कि तभी वरनॉन अंकल उसके पास आए और उनकी छोटी आँखों में शैतानी चमक थी।

'इसे पढ़ो!' उन्होंने दुष्टता से फुफकारते हुए कहा। वे उल्लू के टपकाए हुए ख़त को लहरा रहे थे। 'चलो - इसे पढ़ो!'

हैरी ने उसे अपने हाथ में ले लिया। उसमें जन्मदिन की बधाइयाँ नहीं थीं।

प्रिय मिस्टर पॉटर,

हमें यह गुप्त सूचना मिली है कि आपके निवास पर आज रात नौ बजकर बारह मिनट पर वायु-विचरण मंत्र का प्रयोग हुआ है।

जैसा कि आप जानते हैं, नाबालिग़ जादूगरों को स्कूल के बाहर मंत्रों के प्रयोग की इजाज़त नहीं है। भविष्य में अगर आपने किसी मंत्र का प्रयोग किया, तो आपको स्कूल से निष्कासित किया जा सकता है (नाबालिग़ जादूगरी पर तार्किक प्रतिबंध अधिनियम, 1875, खंड स)।

हम आपको यह भी याद दिलाना चाहेंगे कि जादू की ऐसी कोई भी गतिविधि, जिसे ग़ैर-जादुई समुदाय (मगलुओं) द्वारा देखे जाने का ख़तरा हो, अंतरराष्ट्रीय जादूगर संगठन के गोपनीयता अधिनियम के अनुच्छेद 13 के अंतर्गत एक गंभीर अपराध है।

अपनी छुट्टियों का आनंद लें!

आपकी
माफ़ाल्डा हॉपकर्क
जादू का अनुचित प्रयोग कार्यालय
जादू मंत्रालय

हैरी ने पत्र पढ़ने के बाद ऊपर की तरफ़ देखा और थूक निगला।

'तुमने तो हमें यह बताया ही नहीं था कि तुम्हें स्कूल से बाहर जादू करने की इजाज़त नहीं है,' यह कहते समय वरनॉन अंकल की आँखों में पागलपन की चमक साफ़ दिख रही थी। 'मुझे लगता है, शायद तुम इसका ज़िक्र करना भूल गए होगे... तुम्हारे दिमाग़ से उतर गया होगा...'

वे एक बड़े बुलडॉग की तरह दाँत निकालते हुए हैरी की तरफ़ झुक रहे थे। 'अब मैं तुम्हें एक ख़बर सुनाना चाहता हूँ, लड़के... मैं तुम्हें ऊपर ताले में बंद कर रहा हूँ... तुम अब दुबारा कभी उस स्कूल में नहीं जाओगे... कभी नहीं ... और अगर तुमने जादू से बाहर निकलने की कोशिश की - तो वे तुम्हें स्कूल से निकाल देंगे!'

इसके बाद पागलों की तरह हँसते हुए वे हैरी को घसीटकर ऊपर की मंज़िल तक ले गए।

वरनॉन अंकल अपने बुरे वायदे जितने ही बुरे निकले। अगली सुबह उन्होंने हैरी की खिड़कियों पर छड़ें लगवाने के लिए एक आदमी को पैसे दिए। उन्होंने उसके बेडरूम के दरवाज़े पर कैट-फ़्लैप अपने हाथों से लगाया, ताकि दिन में तीन बार थोड़ा सा भोजन अंदर धकेला जा सके। वे हैरी को सुबह-शाम सिर्फ़ बाथरूम के लिए बाहर निकालते थे। इसके अलावा वह चौबीसों घंटे अपने कमरे में बंद रहता था।

*

तीन दिन बाद भी डर्स्ली दंपति किसी तरह की छूट देने के मूड में नहीं दिख रहे थे और हैरी को इस स्थिति से बाहर निकलने का कोई रास्ता दिखाई नहीं दे रहा था। वह अपने बिस्तर पर लेटकर खिड़की पर लगी छड़ों के पीछे सूरज को डूबते हुए देख रहा था और दुखी मन से सोच रहा था कि उसके साथ न जाने क्या होने वाला है।

ख़ुद को जादू से बाहर निकालने से भी क्या फ़ायदा होगा, अगर ऐसा

करने के बाद उसे हॉगवर्ट्स से निकाल दिया जाए? परंतु प्रिविट ड्राइव में जीवन अब तक की सबसे निराशाजनक स्थिति में पहुँच गया था। अब जब डर्स्ली दंपति यह जान गए थे कि हैरी उन्हें नींद में चमगादड़ नहीं बना देगा, तो उसका इकलौता हथियार भी हाथ से चला गया था। डॉबी ने हैरी को हॉगवर्ट्स की भयानक घटनाओं से तो बचा लिया था, परंतु जिस तरह से घटनाएँ हो रही थीं, उससे ऐसा लगता था कि वह शायद भूखा मर जाएगा।

कैट-फ़्लैप की आवाज़ आई और पेटूनिया आंटी का हाथ दिखाई दिया, जिसने सूप का एक कटोरा कमरे के अंदर खिसकाया। हैरी की अंतड़ियाँ भूख के मारे कुलबुला रही थीं। वह बिस्तर से कूदा और उसने लपककर कटोरा उठा लिया। सूप बर्फ़ की तरह ठंडा था, परंतु एक घूँट में ही उसने आधा सूप गटक लिया। फिर वह कमरे के दूसरी तरफ़ रखे हेडविग के पिंजरे के पास गया और कटोरे में नीचे पड़ी गीली सब्ज़ियाँ निकालकर हेडविग की ख़ाली तश्तरी में रख दीं। हेडविग ने अपने पंख फड़फड़ाकर हैरी को बहुत हिक़ारत से देखा।

हैरी ने उदासी से कहा, 'मुझे चोंच दिखाने से कोई फ़ायदा नहीं है, हमारे पास बस इतना ही है।'

उसने अपने ख़ाली कटोरे को फ़र्श पर कैट-फ़्लैप के बग़ल में रख दिया और फिर से बिस्तर पर लेट गया। सूप पीने से पहले वह जितना भूखा था, न जाने क्यों सूप पीने के बाद उसे पहले से भी ज़्यादा भूख लग रही थी।

मान लें वह किसी तरह चार सप्ताह तक और ज़िंदा रह ले, परंतु अगर वह हॉगवर्ट्स न पहुँचे, तो क्या होगा? क्या किसी को यह पता करने के लिए भेजा जाएगा कि वह क्यों नहीं लौटा? क्या वे कभी डर्स्ली दंपति को उसे भेजने के लिए राज़ी कर पाएँगे?

कमरे में अँधेरा छा रहा था। वह थका हुआ था, उसका पेट भूख से कुलबुला रहा था, उसका दिमाग़ उन्हीं सवालों पर चकरघिन्नी होता जा रहा था, जिनका कोई जवाब नहीं था ...और फिर हैरी एक बेचैन सी नींद में सो गया।

उसने सपना देखा कि वह एक चिड़ियाघर में एक पिंजरे में क़ैद है। उसके पिंजरे पर लगे बोर्ड पर 'नाबालिग़ जादूगर' लिखा है। लोग छड़ों के पार से उसे देख रहे हैं और वह भूखा तथा कमज़ोर हालत में भूसे के बिस्तर पर पड़ा हुआ है। उसे भीड़ में डॉबी का चेहरा दिखता है और वह मदद माँगने के लिए चिल्लाता है, परंतु डॉबी बोलता है, 'हैरी पॉटर यहाँ सुरक्षित है, सर!' और फिर ग़ायब हो जाता है। इसके बाद उसे डर्स्ली दंपति दिखते हैं और डडली उसके पिंजरे की छड़ों को खड़खड़ाते हुए उस पर हँसता है।

जब खड़खड़ाहट से उसका सिर भन्नाने लगा, तो हैरी बुदबुदाया, 'इसे

बंद करो... मुझे अकेला छोड़ दो ... यह सब रहने दो ... मैं सोने की कोशिश कर रहा हूँ...'

उसने अपनी आँखें खोलीं। चंद्रमा की रोशनी खिड़की की छड़ों से अंदर आ रही थी। और छड़ों के उस पार से कोई उसकी तरफ़ देख रहा *था* : उसके चेहरे पर चकत्ते थे, उसके बाल लाल थे और उसकी नाक लंबी थी।

हैरी की खिड़की के बाहर रॉन वीज़्ली था, जो अंदर झाँक रहा था।

अध्याय तीन

रॉन का घर

'रॉन!' हैरी दबी आवाज़ में बोला। फिर वह दबे पाँव खिड़की तक आया और उसके पल्ले को ऊपर उठाया, ताकि छड़ों के बीच से बात हो सके। 'रॉन तुम कैसे – क्या – ?'

हैरी जो देख रहा था, जब उसे उसका मतलब समझ में आया, तो उसका मुँह खुला रह गया। फ़ीरोज़ी रंग की एक पुरानी कार *हवा में* खड़ी हुई थी और रॉन उसकी पिछली खिड़की से बाहर झुका हुआ था। आगे की सीट पर रॉन से बड़े जुड़वाँ भाई फ्रेड और जॉर्ज थे, जो हैरी की तरफ़ देखकर मुस्करा रहे थे।

'सब ठीक है, हैरी ?'

रॉन ने पूछा, 'क्या बात है ? तुमने मेरी चिट्ठियों का जवाब क्यों नहीं दिया ? मैंने तुम्हें बारह बार अपने घर आने का संदेश भिजवाया था। फिर डैडी ने घर पर बताया कि मगलुओं के सामने जादू करने की वज़ह से जादू मंत्रालय ने तुम्हें चेतावनी दी है...'

'वह मैंने नहीं किया – और उन्हें कैसे पता चला ?'

'वे जादू मंत्रालय में काम करते हैं,' रॉन ने कहा। 'तुम *जानते* हो, हमें स्कूल से बाहर मंत्रों का प्रयोग नहीं करना चाहिए–'

'यह बात तुम कह रहे हो ?' हैरी हवा में झूलती हुई कार की तरफ़ घूरते हुए बोला।

रॉन ने कहा, 'अरे, यह उस गिनती में नहीं आएगा, हमने तो यह कार सिर्फ़ उधार ली है। यह डैडी की कार है। *हमने* इस पर जादू नहीं किया है। परंतु जिन मगलुओं के साथ तुम रहते हो, उनके सामने जादू करना...'

'मैंने तुमसे कहा ना, मैंने जादू नहीं किया – परंतु पूरी बात समझाने में बहुत वक़्त लगेगा। देखो, क्या तुम हॉगवर्ट्स में जाकर यह बता सकते हो कि मेरे

अंकल-आंटी ने मुझे ताले में बंद कर रखा है और वे मुझे वापस नहीं लौटने दे रहे हैं? ज़ाहिर है, मैं ख़ुद को जादू से बाहर नहीं निकाल सकता, क्योंकि मंत्रालय यह सोचेगा कि मैंने तीन दिन में दूसरी बार मंत्र का प्रयोग किया है, इसलिए-'

'फालतू की बातें मत करो,' रॉन बोला, 'हम तुम्हें अपने साथ घर ले जाने के लिए आए हैं।'

'परंतु तुम भी मुझे जादू से बाहर नहीं निकाल सकते-'

'हमें उसकी ज़रूरत नहीं पड़ेगी,' रॉन ने अपना सिर अगली सीट की तरफ़ झटके के साथ घुमाकर मुस्कराते हुए कहा। 'तुम भूल रहे हो कि मेरे साथ कौन हैं।'

'इसे छड़ों में बाँध दो,' फ्रेड ने हैरी की तरफ़ रस्सी का एक सिरा उछालते हुए कहा।

'अगर डर्स्ली दंपति जाग गए, तो मुझे जान से मार डालेंगे,' हैरी रस्सी को छड़ में बाँधते हुए बोला।

'चिंता मत करो,' फ्रेड ने कार स्टार्ट करते हुए कहा, 'और पीछे हट जाओ।'

हैरी पीछे हटकर छाया में हेडविग के पास खड़ा हो गया। ऐसा लग रहा था जैसे हेडविग को यह एहसास हो गया था कि यह काम कितना महत्वपूर्ण है, इसलिए वह स्थिर और ख़ामोश रही। कार के इंजन की गड़गड़ाहट तेज़ होती गई और जब फ्रेड ने कार हवा में तेज़ी से आगे बढ़ाई, तो अचानक धमाके की आवाज़ के साथ छड़ें खिड़की से अलग हो गईं। हैरी लपककर खिड़की के पास पहुँचा। उसने देखा कि छड़ें ज़मीन से कुछ फ़ुट ऊपर लटक रही थीं और हाँफता हुआ रॉन उन्हें कार में ऊपर की तरफ़ खींच रहा था। तनावग्रस्त हैरी ने कान लगाकर सुना, परंतु उसे डर्स्ली दंपति के बेडरूम से कोई आवाज़ सुनाई नहीं दी।

जब रॉन ने छड़ें कार की पिछली सीट पर रख लीं, तो फ्रेड ने कार पीछे करके हैरी की खिड़की से चिपकाकर खड़ी कर दी।

रॉन बोला, 'अंदर आ जाओ।'

'परंतु मेरा हॉगवर्ट्स का सामान... मेरी छड़ी... मेरी जादुई झाड़ू...'

'ये सब सामान कहाँ रखा है?'

'सीढ़ियों के नीचे वाली अलमारी में ताले में बंद है और मैं इस कमरे से बाहर नहीं निकल सकता-'

'कोई दिक्क़त नहीं है,' जॉर्ज आगे की सीट से बोला। 'रास्ते से हट जाओ, हैरी।'

फ़्रेड और जॉर्ज सावधानीपूर्वक खिड़की से होते हुए हैरी के कमरे में आए। जब जॉर्ज अपनी जेब से एक साधारण हेयरपिन निकालकर उससे ताला खोलने लगा, तो हैरी ने सोचा, इन लोगों का लोहा मानना होगा।

फ़्रेड बोला, 'बहुत से जादूगर सोचते हैं कि मगलुओं की यह तरकीब सीखना समय की बर्बादी है। परंतु हमें लगता है यह एक ऐसी कला है, जिसे सीखना बहुत फ़ायदेमंद है, हालाँकि इसमें समय ज़्यादा लगता है।'

एक हलकी क्लिक की आवाज़ के साथ दरवाज़ा खुल गया।

जॉर्ज फुसफुसाया, 'अब हम तुम्हारा संदूक लेकर आते हैं। तब तक तुम कमरे से अपना सारा ज़रूरी सामान बटोरकर रॉन को दे दो।'

जब जुड़वाँ भाई अँधेरे में सीढ़ियों पर उतरने लगे, तो हैरी ने उन्हें धीमे स्वर में चेतावनी दी, 'सबसे नीचे वाली सीढ़ी से बचकर जाना, वह आवाज़ करती है।'

हैरी कमरे में चारों तरफ़ भागा और उसने अपना सारा सामान बटोरकर खिड़की में से रॉन को दे दिया। फिर वह संदूक को सीढ़ियों से ऊपर उठाकर लाने में फ़्रेड और जॉर्ज की मदद करने लगा। हैरी को वरनॉन अंकल के खाँसने की आवाज़ सुनाई दी।

आख़िरकार वे तीनों हाँफते हुए ऊपर पहुँचे। फिर हैरी के कमरे से होते हुए वे संदूक को खुली खिड़की तक ले गए। फ़्रेड कार में पहुँचकर रॉन के साथ मिलकर संदूक खींचने लगा। हैरी और जॉर्ज कमरे की तरफ़ से संदूक धका रहे थे। एक-एक इंच करके संदूक खिड़की से बाहर खिसकने लगा।

वरनॉन अंकल दुबारा खाँसे।

कार के अंदर से संदूक खींच रहे फ़्रेड ने हाँफते हुए कहा, 'थोड़ा सा और ... बस एक ज़ोर का धक्का...'

हैरी और जॉर्ज ने संदूक पर अपने कंधों का पूरा ज़ोर लगाया और वह खिड़की से होता हुआ कार की पिछली सीट पर पहुँच गया।

'ठीक है, अब हम चलते हैं,' जॉर्ज फुसफुसाया।

परंतु जैसे ही हैरी खिड़की की चौखट पर चढ़ा, अचानक पीछे से उल्लू की ज़ोरदार चीख़ सुनाई दी। इसके तत्काल बाद उसने वरनॉन अंकल के गरजने की आवाज़ सुनी।

'यह बेहूदा उल्लू!'

'मैं हेडविग को तो भूल ही गया था!'

जब तक हैरी कमरे में वापस आया, तब तक बाहर का बल्ब जल चुका था। उसने हेडविग का पिंजरा उठाया, भागकर खिड़की तक आया और पिंजरा रॉन को दे दिया। वह खिड़की की मुंडेर पर चढ़ ही रहा था कि तभी वरनॉन अंकल ने खुले ताले वाले दरवाज़े पर हथौड़ा मारा – और वो झटके से खुल गया।

एक पल के लिए तो वरनॉन अंकल दरवाज़े पर ही किसी मूर्ति की तरह स्तब्ध खड़े रह गए। फिर भड़के हुए साँड की तरह गरजते हुए उन्होंने हैरी की तरफ़ छलाँग लगाई और उसके पैर के पंजे को पकड़ लिया।

रॉन, फ्रेड और जॉर्ज हैरी के हाथ पकड़कर अपनी पूरी ताक़त से खींचने लगे।

'पेटूनिया,' वरनॉन अंकल गरजे, 'वह भाग रहा है! *वह भाग रहा है!*'

वीज़्ली बंधुओं ने एक ज़ोरदार झटका दिया और हैरी का पैर वरनॉन अंकल की पकड़ से छूट गया। जैसे ही हैरी कार में आया और उन लोगों ने दरवाज़ा बंद किया, रॉन चीख़ा, 'गाड़ी भगाओ, फ्रेड!' और कार चाँद की तरफ़ बढ़ने लगी।

हैरी को यक़ीन नहीं हो रहा था – वह आज़ाद था। उसने कार की खिड़की का काँच नीचे कर लिया और रात की हवा उसके बाल उड़ाने लगी। उसने मुड़कर प्रिविट ड्राइव की छोटी होती जा रही छतों की तरफ़ देखा। वरनॉन अंकल, पेटूनिया आंटी तथा डडली मुँह फाड़कर हैरी की खिड़की से बाहर लटककर झाँक रहे थे।

हैरी चिल्लाया, 'अगली गर्मियों में मिलेंगे!'

वीज़्ली बंधु हँसी के मारे दोहरे हो गए और हैरी मुँह फाड़कर मुस्कराते हुए अपनी सीट पर आराम से बैठ गया।

उसने रॉन से कहा, 'हेडविग को बाहर निकाल दो। वह हमारे पीछे उड़ सकती है। उसे एक ज़माने से अपने पंख फैलाने का मौक़ा नहीं मिला है।'

जॉर्ज ने रॉन को हेयरपिन दी और एक पल बाद हेडविग ख़ुशी से खिड़की के बाहर उड़ रही थी। वह किसी उड़ते हुए भूत की तरह लग रही थी।

'तो – अब पूरी कहानी सुनाओ, हैरी ?' रॉन ने अधीरता से कहा। 'क्या हुआ था ?'

हैरी ने उन लोगों को डॉबी के बारे में सारी बातें बताईं। उसने उन्हें डॉबी की चेतावनी और पुडिंग की दुर्घटना के बारे में बताया। जब उसने अपनी बात पूरी कर ली, तो सदमे भरी एक लंबी ख़ामोशी छा गई।

आख़िरकार फ़्रेड बोला, 'बड़ा संदिग्ध मामला है।'

जॉर्ज सहमत था, 'निश्चित रूप से चालबाज़ी है। तो उसने तुम्हें यह नहीं बताया कि यह साज़िश कौन कर रहा था?'

हैरी ने कहा, 'मुझे नहीं लगता कि वह बता सकता था। मैंने तुमसे कहा ना, हर बार जब भी वह कोई महत्वपूर्ण बात बताने वाला होता था, तो वह दीवार पर अपना सिर ठोंकने लगता था।'

उसने देखा कि फ़्रेड और जॉर्ज एक-दूसरे की तरफ़ देख रहे थे।

'क्या तुम्हें लगता है कि वह मुझसे झूठ बोल रहा था?' हैरी ने पूछा।

फ़्रेड ने कहा, 'इसे इस तरह से देखो - घरेलू जिन्नों के पास भी जादू की काफ़ी शक्ति होती है, परंतु आम तौर पर वे अपने मालिकों की अनुमति के बिना इसका प्रयोग नहीं कर सकते। मेरा अंदाज़ा है कि डॉबी को तुम्हारे पास इसलिए भेजा गया था, ताकि तुम हॉगवर्ट्स वापस न लौटो। किसी ने तुम्हारे साथ मज़ाक़ किया है। क्या स्कूल में तुम्हारा कोई दुश्मन है?'

'हाँ,' हैरी और रॉन तत्काल एक साथ बोले।

'ड्रेको मैल्फ़ॉय,' हैरी ने स्पष्ट किया। 'वह मुझसे नफ़रत करता है।'

'ड्रेको मैल्फ़ॉय?' जॉर्ज ने मुड़ते हुए पूछा। 'लूसियस मैल्फ़ॉय का बेटा तो नहीं?'

'वही होगा, यह कोई बहुत प्रचलित सरनेम नहीं है।' हैरी बोला। 'क्यों?'

'मैंने डैडी को उसके बारे में बातें करते सुना है,' जॉर्ज बोला। 'वह तुम-जानते-हो-कौन का बहुत बड़ा समर्थक है।'

'और जब तुम-जानते-हो-कौन ग़ायब हो गया,' फ़्रेड हैरी की तरफ़ गर्दन मोड़ते हुए बोला, 'तो लूसियस मैल्फ़ॉय यह कहते हुए वापस लौट आया कि उसे ग़लत समझा गया था। फालतू की बक़वास - डैडी सोचते हैं कि वह तुम-जानते-हो-कौन के सबसे ख़ास लोगों में से एक था।'

हैरी ने मैल्फ़ॉय परिवार के बारे में ये अफ़वाहें पहले भी सुनी थीं और उन्हें सुनकर उसे ज़रा भी आश्चर्य नहीं हुआ। ड्रेको मैल्फ़ॉय के सामने डडली डर्स्ली एक दयालु, विचारशील और संवेदनशील बच्चा नज़र आता था।

हैरी ने कहा, 'मैं नहीं जानता कि मैल्फ़ॉय परिवार के पास कोई घरेलू जिन्न है भी या नहीं...'

फ़्रेड बोला, 'देखो, जो भी उसका मालिक होगा, वह कोई पुराना जादूगर

परिवार होगा और बहुत अमीर होगा।'

'हाँ, मम्मी हमेशा कहती हैं कि काश हमारे पास कपड़ों पर प्रेस करने के लिए घरेलू जिन्न होता,' जॉर्ज ने कहा। 'परंतु हमारे पास तो बस अटारी में एक गंदा बूढ़ा पिशाच है और बगीचे में बौने हैं। घरेलू जिन्न बहुत पुरानी जागीरों और महलों जैसी जगहों पर रहते हैं। वह हमारे घर जैसी जगह पर नहीं मिल सकता...'

हैरी ख़ामोश था। चूँकि ड्रेको मैल्फ़ॉय के पास हर चीज़ आम तौर पर सर्वश्रेष्ठ होती थी और उसका परिवार बहुत अमीर था, इसलिए वह यह कल्पना भी कर सकता था कि मैल्फ़ॉय एक बड़ी जागीर के महल में अकड़कर चल रहा है। परिवार के सेवक को भेजकर हैरी को हॉगवर्ट्स पहुँचने से रोकने की हरक़त भी ठीक वैसी ही थी, जो मैल्फ़ॉय कर सकता था। क्या हैरी इतना मूर्ख था कि उसने डॉबी की बातों को गंभीरता से ले लिया था?

रॉन ने कहा, 'चाहे जो हो, मुझे ख़ुशी है कि हम तुम्हें लेने पहुँच गए। जब तुमने मेरे एक भी ख़त का जवाब नहीं दिया, तो मैं सचमुच चिंतित हो रहा था। मैं पहले तो यही सोचता रहा कि यह एरल की ग़लती थी-'

'एरल कौन है?'

'हमारा उल्लू। वह बहुत बूढ़ा हो गया है। यह पहली बार नहीं होगा, जब वह ख़त न पहुँचा पाया हो। इसलिए मैंने हर्मीज़ को उधार लेने की कोशिश की-'

'किसको?'

'उस उल्लू को, जिसे मम्मी-डैडी ने पर्सी को प्रिफ़ेक्ट बनने पर ख़रीदकर दिया था,' फ़्रेड आगे की सीट से बोला।

'परंतु पर्सी उसे उधार देने को तैयार नहीं हुआ,' रॉन ने बताया। 'उसने कहा कि उसे उसकी ज़रूरत थी।'

जॉर्ज ने त्योरियाँ चढ़ाते हुए कहा, 'पर्सी इन छुट्टियों में बहुत अजीब व्यवहार कर रहा है। वह बहुत सी चिट्ठियाँ भेज रहा है और ज़्यादातर समय अपने कमरे में बंद रहता है... मेरा मतलब है कोई अपने प्रिफ़ेक्ट वाले बिल्ले को आख़िर कितनी बार पॉलिश कर सकता है... तुम पश्चिम दिशा में ज़्यादा आगे जा रहे हो, फ़्रेड,' उसने डैशबोर्ड पर लगे दिशासूचक यंत्र की तरफ़ इशारा करते हुए कहा। फ़्रेड ने स्टीयरिंग घुमाया।

'क्या तुम्हारे डैडी जानते हैं कि तुम उनकी कार लाए हो?' हैरी ने पूछा, और जवाब का अंदाज़ा लगा लिया।

'अरे नहीं,' रॉन ने कहा। 'उन्हें रात को ऑफ़िस में काम था। उम्मीद है कि हम गैरेज में कार वापस खड़ी कर देंगे और माँ को भी यह पता नहीं चल पाएगा कि हमने कार उड़ाई थी।'

'वैसे तुम्हारे डैडी जादू मंत्रालय में क्या काम करते हैं?'

रॉन ने कहा, 'वे सबसे बोरिंग विभाग में काम करते हैं, मगलू वस्तु दुरुपयोग विभाग में।'

'क्या?'

'इसका संबंध जादूगरों द्वारा मगलुओं की चीज़ों पर जादू करने से है, ताकि कहीं वे बाद में ग़लती से किसी मगलू दुकान या घर पर न पहुँच जाएँ। जैसे पिछले साल एक बूढ़ी जादूगरनी मर गई और उसका टी सेट मगलुओं की पुरानी वस्तुओं की दुकान में पहुँच गया। एक मगलू महिला उसे ख़रीदकर घर ले गई और उसमें अपने मित्रों को चाय पिलाने लगी। यह एक बुरे सपने की तरह था – डैडी को हफ़्तों तक ओवरटाइम करना पड़ा।'

'हुआ क्या था?'

'केतली बेक़ाबू हो गई। उसने उबलती हुई चाय सब तरफ़ फैला दी। यही नहीं, एक आदमी अस्पताल में भर्ती हुआ, क्योंकि शुगर क्यूब उठाने वाले चिमटे ने उसकी नाक को कसकर पकड़ लिया था। डैडी को पागलों की तरह काम करना पड़ा। ऑफ़िस में वे और बूढ़े पर्किन्स ही थे, जिन्हें इस मामले को दबाने के लिए याददाश्त मिटाने के मंत्र पढ़ना पड़े और बाक़ी सारी चीज़ें करनी पड़ीं...'

'परंतु तुम्हारे डैडी... यह कार...'

फ़्रेड हँसा, 'हाँ, डैडी मगलुओं की हर चीज़ के दीवाने हैं। हमारा गैरेज मगलुओं के सामान से भरा है। वे उनका पुर्ज़ा-पुर्ज़ा खोलकर उन पर मंत्र पढ़ते हैं और पुर्ज़ों को फिर से जोड़ देते हैं। अगर वे अपने ही घर पर छापा मारें, तो उन्हें ख़ुद को सीधे गिरफ़्तार करना पड़ेगा। इससे माँ ग़ुस्से में पागल हो जाती हैं।'

जॉर्ज ने विंडस्क्रीन से नीचे झाँकते हुए कहा, 'वो रही मुख्य सड़क। हम वहाँ दस मिनट में पहुँच जाएँगे... यह ठीक भी रहेगा, क्योंकि उजाला होने वाला है...'

पूर्व दिशा के आसमान में हलकी गुलाबी चमक दिखने लगी थी।

फ़्रेड ने कार थोड़ी नीचे की। अब हैरी को खेतों और पेड़ों की काली आकृतियाँ दिखीं।

जॉर्ज ने कहा, 'हम अपने गाँव के थोड़ा बाहर हैं, जिसका नाम है ऑटरी सेंट कैचपोल...'

उड़ने वाली कार नीचे उतरती गई। चमकते लाल सूरज का किनारा पेड़ों के बीच से चमक रहा था।

'उतर गए!' फ़्रेड बोला, जब कार हलके झटके के साथ ज़मीन पर उतरी। वे एक छोटे अहाते में एक टूटे-फूटे गैरेज के पास उतरे थे। और तब हैरी ने पहली बार रॉन का घर देखा।

यह ऐसा दिख रहा था, मानो कभी पत्थर से बना सुअर का बड़ा दड़बा रहा हो और बाद में इसमें यहाँ-वहाँ अतिरिक्त कमरे बनाए गए हों, जब तक कि यह कई मंज़िल ऊँचा नहीं बन गया हो। रॉन का घर इतना टेढ़ा दिख रहा था, जैसे जादू के बल पर खड़ा हो (हैरी ने सोचा, हो सकता है यह जादू के बल पर ही खड़ा हो)। चार-पाँच धुएँ वाली चिमनियाँ लाल छत के ऊपर टिकी हुई थीं। प्रवेश द्वार के पास ज़मीन पर एक तिरछा साइनबोर्ड लगा था, जिस पर लिखा था, 'द बरो।' घर के प्रवेश द्वार के पास वेलिंगटन जूतों का ढेर लगा था और एक बहुत ज़ंग लगी कड़ाही रखी थी। कई मोटी भूरी मुर्गियाँ आँगन में चोंच मारती हुई घूम रही थीं।

रॉन बोला, 'घर कोई ख़ास नहीं है।'

'यह तो बहुत *बढ़िया* है,' हैरी ने प्रिविट ड्राइव के बारे में सोचते हुए ख़ुशी-ख़ुशी कहा।

वे कार से उतरकर बाहर आ गए।

फ़्रेड बोला, 'अब हम बिलकुल चुपचाप ऊपर की मंज़िल पर चलते हैं और इंतज़ार करते हैं कि मम्मी हमें नाश्ते के लिए बुलाएँ। फिर रॉन, तुम सीढ़ियाँ उतरते हुए नीचे आना और कहना, "मम्मी, देखो रात को कौन आया है!" फिर वे हैरी को देखकर ख़ुश हो जाएँगी और किसी को भी यह पता नहीं चलेगा कि हमने कार उड़ाई थी।'

'ठीक है,' रॉन बोला। 'आ जाओ हैरी, मेरा कमरा वहाँ है-'

रॉन के चेहरे का रंग अचानक मटमैला हरा हो गया। उसकी आँखें घर पर जमी हुई थीं। बाक़ी तीनों पीछे देखने के लिए घूमे।

मिसेज़ वीज़्ली मुर्गियों को तितर-बितर करते हुए आँगन पार करती हुई आ रही थीं। ख़ास बात यह थी कि नाटी, मोटी और दयालु चेहरे वाली यह महिला इस समय ख़ूँख़ार शेरनी की तरह दिख रही थी।

'*आह,*' फ़्रेड बोला।

'ओह डियर,' जॉर्ज ने कहा।

मिसेज़ वीज़्ली उनके सामने आकर रुक गईं। कमर पर हाथ रखकर वे

अपराधी भाव वाले एक चेहरे से अपराधी भाव वाले दूसरे चेहरे की तरफ़ देख रही थीं। उन्होंने फूलों के प्रिंट वाला एप्रन पहन रखा था और उनकी जेब से एक छड़ी बाहर निकल रही थी।

'तो,' उन्होंने कहा।

'गुड मॉर्निंग मम्मी,' जॉर्ज ऐसी आवाज़ में बोला, जो उसके हिसाब से बहुत जोशीली और सम्मोहक थी।

मिसेज़ वीज़्ली क़हर ढाने वाले अंदाज़ में फुसफुसाईं, 'तुम्हें पता है, मैं कितनी चिंता कर रही थी?'

'सॉरी, मम्मी, परंतु देखिए, हमें यह करना ही था-'

मिसेज़ वीज़्ली के तीनों बेटे उनसे लंबे थे, परंतु अपनी माँ के ग़ुस्से के सामने उनकी गर्दनें झुक गईं।

'बिस्तर ख़ाली! कोई चिट्ठी नहीं! कार ग़ायब... दुर्घटना हो सकती थी ... मैं चिंता के मारे पागल हो रही थी... परंतु तुम्हें ज़रा भी परवाह है? ... जब तक मैं ज़िंदा हूँ, यह नहीं चलेगा... ज़रा ठहरो, तुम्हारे डैडी को लौटने दो। हमें कभी बिल, चार्ली या पर्सी के साथ ऐसी दिक़्क़त नहीं हुई...'

'पर्सी तो आदर्श है,' फ्रेड बुदबुदाया।

'पर्सी को देखकर तुम भी तो कुछ शिक्षा ले सकते हो!' मिसेज़ वीज़्ली फ्रेड के सीने में एक उँगली चुभोते हुए चीखीं। 'तुम्हारी जान जा सकती थी, कोई तुम्हें *देख* सकता था, तुम्हारे पिता की *नौकरी* जा सकती थी-'

ऐसा लगा, जैसे उनकी डाँट घंटों तक चली। चिल्ला-चिल्लाकर जब मिसेज़ वीज़्ली का गला बैठ गया, तब कहीं जाकर वे हैरी की तरफ़ मुड़ीं, जो पीछे दुबक गया था।

उन्होंने कहा, 'तुम्हें देखकर मैं बहुत ख़ुश हूँ मेरे बच्चे, अंदर आओ और नाश्ता कर लो।'

वे पलटकर घर के अंदर चली गईं। हैरी घबराकर रॉन की तरफ़ देखने लगा, परंतु जब रॉन ने उसका उत्साह बढ़ाते हुए सिर हिलाया, तो हैरी उनके पीछे चल दिया।

किचन छोटा था और उसमें जगह कम थी। ठीक बीच में लकड़ी की टेबल-कुर्सियाँ रखी थीं। हैरी चारों तरफ़ देखते हुए एक कुर्सी के कोने पर बैठ गया। वह इससे पहले कभी किसी जादूगर के घर में नहीं गया था।

उसके सामने एक दीवारघड़ी लगी थी, जिसमें सिर्फ़ एक ही काँटा था और उसमें अंक भी नहीं थे। उनके बजाय इसके किनारे पर इस तरह की बातें लिखी

थीं, जैसे 'चाय बनाने का समय,' 'मुर्गियों को दाना डालने का समय' और 'तुम्हें देर हो गई है।' ऊपर की अलमारी में पुस्तकें तीन लाइनों में गहराई तक एक के ऊपर एक लगी हुई थीं। पुस्तकों के शीर्षक कुछ इस तरह थे - *'अपने ख़ुद के बनाए पनीर पर जादू करें,' 'बेकिंग का जादू'* और *'एक मिनट में दावत - जादू से!'* और अगर हैरी के कान उसे धोखा नहीं दे रहे थे, तो सिंक के पास रखे पुराने रेडियो ने अभी यह घोषणा की थी कि जल्दी ही 'जादूगरनियों का फ़रमाइशी कार्यक्रम पेश होने वाला है, जिसमें 'लोकप्रिय जादूगरनी सेलिस्टिना वारबेक गाएँगी।'

मिसेज़ वीज़्ली चारों तरफ़ घूमते हुए खड़खड़ कर रही थीं और थोड़ी लापरवाही से नाश्ता बना रही थीं। अपने बेटों को ग़ुस्से से घूरते हुए उन्होंने फ्राइंग पैन में कबाब डाले। रह-रहकर वे इस तरह की बातें बुदबुदा रही थीं, जैसे 'नहीं जानती थी कि तुम्हारे ऐसे इरादे थे' और '*कभी* इस पर यक़ीन *नहीं* किया होता।'

'इसमें *तुम्हारी* कोई ग़लती नहीं है,' उन्होंने हैरी को आश्वस्त किया और उसकी प्लेट में आठ-नौ कबाब डाल दिए। 'आर्थर और मैं भी तुम्हें लेकर परेशान थे। अभी पिछली रात को ही हम बातें कर रहे थे कि अगर तुम शुक्रवार तक रॉन की चिट्ठी का जवाब नहीं दोगे, तो हम तुम्हें ख़ुद लेने आएँगे। परंतु यह तो हद हो गई' (अब वे उसकी प्लेट में तीन तले अंडे रख रही थीं), 'एक ग़ैरकानूनी कार उड़ाकर आधे देश की सैर करना - कोई भी तुम्हें देख सकता था-'

उन्होंने लापरवाही से सिंक में रखे बर्तनों की तरफ़ अपनी छड़ी हिलाई। बर्तन अपने आप साफ़ होने लगे और उनके टकराने की हलकी-हलकी आवाज़ें आने लगीं।

'आसमान में *बादल* थे, मम्मी!' फ्रेड बोला।

'खाते समय अपना मुँह बंद रखो!' मिसेज़ वीज़्ली ने डाँटते हुए कहा।

जॉर्ज ने कहा, 'मम्मी, वे उसे भूखा रख रहे थे!'

'और तुम भी चुप रहो!' मिसेज़ वीज़्ली बोलीं, परंतु यह सुनने के बाद वे थोड़ी नरमी से हैरी के लिए ब्रेड काटकर उस पर मक्खन लगाने लगीं।

उसी पल एक ऐसा व्यवधान हुआ, जिससे बातचीत का विषय ही बदल गया। लाल बालों वाली एक छोटी लड़की लंबी नाइटड्रेस में किचन में आई, चीख़ी और दौड़कर बाहर चली गई।

रॉन ने धीमे से हैरी को बताया, 'जिनी। मेरी बहन। वह पूरी गर्मियों भर तुम्हारे बारे में बातें करती रही है।'

'हाँ हैरी, वह तुम्हारा ऑटोग्राफ़ लेना चाहेगी,' फ्रेड ने मुस्कराते हुए कहा, परंतु तभी उसकी आँखें अपनी माँ की आँखों से मिलीं और उसने आगे कुछ कहे बगैर अपनी प्लेट पर चेहरा झुका लिया। चारों प्लेटें ख़ाली होने तक किसी ने कुछ भी नहीं कहा, जिसमें आश्चर्यजनक रूप से बहुत कम समय लगा।

फ्रेड जम्हाई लेते हुए बोला, 'ओफ्फो, मैं थक गया हूँ।' उसने अपना छुरी-काँटा रखते हुए कहा, 'मुझे लगता है कि अब मैं सो जाऊँ और-'

'तुम नहीं सोओगे,' मिसेज़ वीज़्ली ने उसकी बात काटते हुए कहा। 'तुम अपनी ग़लती की वजह से सारी रात जागे हो। तुम आज बगीचे के बौनों का सफ़ाया करोगे; वे फिर हाथ से निकलते जा रहे हैं।'

'ओह, मम्मी-'

'और तुम दोनों भी,' उन्होंने रॉन और जॉर्ज पर क़हर ठाती निगाहें डालते हुए कहा। परंतु हैरी की तरफ़ देखते हुए वे बोलीं, 'तुम सोने जा सकते हो, बेटे। तुमने इनसे उस कमबख़्त कार को उड़ाने के लिए नहीं कहा था।'

परंतु हैरी को नींद नहीं आ रही थी, इसलिए वह जल्दी से बोला, 'मैं रॉन की मदद करूँगा; मैंने कभी बौनों का सफ़ाया होते नहीं देखा है।'

'मदद करने का तुम्हारा इरादा बहुत अच्छा है बेटे, परंतु यह बहुत नीरस काम है,' मिसेज़ वीज़्ली ने कहा। 'चलो देखते हैं, इस विषय पर लॉकहार्ट क्या कहते हैं।'

उन्होंने अलमारी में रखी किताबों के ढेर से एक भारी किताब खींचकर निकाली। जॉर्ज ने दर्द भरी आह निकाली।

'मम्मी, हमें मालूम है बगीचे से बौनों का सफ़ाया कैसे किया जाता है।'

हैरी ने मिसेज़ वीज़्ली के हाथों में रखी पुस्तक का कवर देखा। उस पर चमकदार सुनहरे अक्षरों में ये शब्द लिखे थे : *गिल्ड्रॉय लॉकहार्ट की घरेलू कीटनाशक मार्गदर्शिका।* आगे एक बड़ा चित्र था, जिसमें उड़ते सुनहरे बालों और चमकती नीली आँखों वाला एक बहुत ही आकर्षक जादूगर था। जैसा जादू की दुनिया में हमेशा होता था, चित्र हिल रहा था। हैरी समझ गया कि यही गिल्ड्रॉय होगा। वह जादूगर सबकी तरफ़ ढीठ अंदाज़ में आँख मारता रहा और मिसेज़ वीज़्ली उसे देखकर ख़ुश होती रहीं।

उन्होंने कहा, 'बड़े कमाल के जादूगर हैं। घरेलू कीटों के बारे में वे सब कुछ जानते हैं। इस पुस्तक का जवाब नहीं...'

फ्रेड ने सबको सुनाई देने वाली फुसफुसाहट में कहा, 'मम्मी लॉकहार्ट की बहुत बड़ी फ़ैन हैं।'

मिसेज़ वीज़्ली के गाल थोड़े गुलाबी हो गए, जब वे बोलीं, 'बेवकूफ़ों जैसी बातें मत करो। अच्छा ठीक है, अगर तुम सोचते हो कि तुममें लॉकहार्ट से ज़्यादा ज्ञान है, तो तुम जाओ और यह काम करके बता दो। जब मैं बगीचे की जाँच करने आऊँगी, तब अगर मुझे वहाँ एक भी बौना मिल गया, तो तुम्हारी ख़ैर नहीं है।'

उबासी लेते और बड़बड़ाते हुए वीज़्ली बंधु धीमे क़दमों से बाहर की तरफ़ चल दिए। हैरी उनके पीछे था। बगीचा बड़ा था और हैरी के हिसाब से यह बिलकुल वैसा ही था, जैसा बगीचे को होना चाहिए। डर्स्ली दंपति को यह पसंद नहीं आया होता – इसमें बहुत खरपतवार उग आई थी और घास भी बहुत बड़ी हो चुकी थी। इसकी दीवारों के चारों तरफ़ गाँठदार पेड़ थे। हर क्यारी में ऐसे पौधे लगे थे, जिन्हें हैरी ने पहले कभी नहीं देखा था और मेंढकों से भरा एक बड़ा हरा तालाब था।

'क्या तुम जानते हो कि मगलुओं के बगीचों में भी बौने होते हैं,' हैरी ने लॉन पार करते समय रॉन को बताया।

'हाँ, मैंने उन चीज़ों को देखा है, जिसे मगलू बौना समझते हैं,' रॉन ने कहा और अपने सिर को एक झाड़ी में अंदर डालते हुए कहा। 'जैसे क्रिसमस के समय उगने वाले मछली पकड़ने की छड़ी जैसे मोटे और नाटे पौधे...'

ज़ोरदार हाथापाई की आवाज़ आई, झाड़ी हिली और रॉन सीधा खड़ा हो गया। '*यह* एक बौना है,' उसने संजीदगी से कहा।

'मुझे छोड़ दो! मुझे छोड़ दो!' बौना चीख़ा।

यह बौना क्रिसमस के समय उगने वाले पौधे की तरह क़तई नहीं था। यह छोटा और चमड़े जैसा दिख रहा था, जिसका बड़ा, गाँठदार और गंजा सिर बिलकुल आलू जैसा था। रॉन ने उसे एक हाथ की दूरी पर पकड़े रखा। इस बीच बौना अपने सींगदार छोटे पैरों से उसे मारने की कोशिश कर रहा था। रॉन ने उसे टखनों के पास से पकड़ा और उलटा लटका दिया।

रॉन बोला, 'यही करना पड़ता है।' उसने बौने को अपने सिर के ऊपर उठाया ('मुझे छोड़ दो!') और फंदे की तरह लंबे चक्कर में गोल-गोल घुमाने लगा। हैरी के चेहरे पर सदमे के भाव देखकर रॉन ने आगे कहा, 'इससे उन्हें चोट नहीं पहुँचती – आपको बस उन्हें सचमुच चकराना होता है, ताकि वे दुबारा अपने बिल का रास्ता न खोज सकें।'

फिर उसने बौने के टखने छोड़ दिए : वह हवा में बीस फ़ुट उड़ा और धम्म की आवाज़ के साथ बागड़ के उस पार मैदान में जाकर गिरा।

'कोई ख़ास नहीं है,' फ्रेड बोला। 'मैं शर्त लगा सकता हूँ कि मेरा बौना उस ठूँठ के पार जाकर गिरेगा।'

हैरी ने जल्दी ही यह सीख लिया कि बौनों के लिए दुखी नहीं होना चाहिए। जब उसने अपना पहला बौना पकड़ा, तो उसने फ़ैसला किया कि वह उसे सिर्फ़ बागड़ के पार फेंकेगा, परंतु बौने ने उसकी कमज़ोरी भाँप ली और अपने ब्लेड की तरह नुकीले दाँत हैरी की उँगली में गड़ा दिए। हैरी को उसे ख़ुद से दूर हटाने के लिए बहुत कोशिश करना पड़ी, जब तक कि यह आवाज़ नहीं आई –

'वाह, हैरी – यह पचास फ़ुट दूर गिरा होगा...'

हवा जल्दी ही उड़ते हुए बौनों से भर गई।

'देखो, उनमें ज्यादा बुद्धि नहीं होती,' जॉर्ज ने पाँच-छह बौनों को एक साथ पकड़ते हुए कहा। 'जैसे ही उन्हें पता चलता है कि बौनों का सफ़ाया हो रहा है, तो वे इसे देखने के लिए बाहर निकल आते हैं। अब तक तो उन्हें अंदर रहना सीख लेना चाहिए था।'

जल्दी ही, मैदान में गिरे बहुत सारे बौने अलग-अलग लाइनें बनाकर दूर जाने लगे; उनके छोटे कंधे झुके हुए थे।

जब वे बौनों को मैदान के दूसरी तरफ़ की बागड़ में ग़ायब होते देख रहे थे, तो रॉन बोला, 'वे दुबारा लौट आएँगे। उन्हें यह जगह बहुत पसंद है... डैडी उनके प्रति बहुत नर्म हैं, उन्हें बौने बहुत मज़ेदार लगते हैं...'

तभी अगला दरवाज़ा धड़ाम से बंद हुआ।

'वे लौट आए हैं!' जॉर्ज ने कहा। 'डैडी घर आ गए हैं!'

वे लोग बगीचे से जल्दी-जल्दी भागते हुए घर में घुस गए।

मिस्टर वीज़्ली अपना चश्मा उतार चुके थे और आँखें बंद करके किचन में एक कुर्सी पर बैठे थे। वे दुबले थे और गंजे हो रहे थे, परंतु उनके सिर पर जो थोड़े-बहुत बाल बचे थे, वे भी उनके बच्चों की तरह ही लाल थे। वे लंबा हरा दुशाला पहने थे, जो यात्रा की वजह से धूल और सिलवटों से भरा था।

जब सब बच्चे उनके चारों तरफ़ बैठ गए, तो वे चाय की केतली को टटोलते हुए बुदबुदाए, 'आज बहुत काम था। नौ छापे मारे। नौ! और बूढ़े मन्डंगस फ़्लेचर ने मुझ पर तब हमला करने की कोशिश की, जब मेरी पीठ उसकी तरफ़ थी...'

मिस्टर वीज़्ली ने चाय का एक लंबा घूँट लिया और आह भरी।

फ्रेड ने उत्सुकता से पूछा, 'कुछ मिला, डैडी ?'

मिस्टर वीज़्ली ने उबासी लेते हुए कहा, 'मुझे सिर्फ़ कुछ सिकुड़ने वाली चाबियाँ और एक काटने वाली केतली मिली। कुछ बहुत गंभीर सामान भी था, जो मेरे विभाग में नहीं आता था। मॉर्टलेक को कुछ बहुत अजीब सी बिल्लियों के बारे में पूछताछ के लिए हिरासत में ले लिया गया है, परंतु भगवान का शुक्र है कि यह प्रायोगिक मंत्रों की समिति का काम है...'

जॉर्ज ने पूछा, 'कोई दरवाज़े की चाबियों को सिकुड़ने वाली क्यों बनाता है?'

'सिर्फ़ मगलुओं को परेशान करने के लिए,' मिस्टर वीज़्ली ने आह भरते हुए कहा। 'उन्हें ऐसी चाबी बेच दो, जो सिकुड़ते-सिकुड़ते ग़ायब हो जाए, ताकि जब उन्हें उसकी ज़रूरत पड़े, तो वह उन्हें कभी न मिले। ... ज़ाहिर है, किसी को इस बात के लिए अपराधी सिद्ध करना बहुत कठिन होता है, क्योंकि कोई भी मगलू यह मानने को तैयार नहीं होगा कि उसकी चाबी सिकुड़ती रहती है – वे इस बात पर ज़ोर देते हैं कि उनकी चाबी हमेशा उनसे खो जाती है। भगवान उनका भला करे, वे जादू को नज़रअंदाज़ करने के लिए किसी भी हद तक जा सकते हैं, चाहे वह उनकी आँखों के सामने ही क्यों न हो रहा हो... परंतु तुम यक़ीन नहीं करोगे कि हमारे जादूगर किस तरह की चीज़ों पर जादू करते हैं–'

'जैसे कारों पर?'

मिसेज़ वीज़्ली आ गई थीं और एक लंबे पोकर को तलवार की तरह लहरा रही थीं। मिस्टर वीज़्ली की आँखें तत्काल खुल गईं। वे अपराधी भाव से अपनी पत्नी को घूरते रहे।

'क-कार, मॉली?'

'हाँ आर्थर, कार,' मिसेज़ वीज़्ली बोलीं और उनकी आँखों से जैसे चिंगारियाँ निकल रही थीं। 'ज़रा कल्पना करो कि एक जादूगर एक ज़ंग लगी पुरानी कार ख़रीदता है और अपनी पत्नी से कहता है कि वह सिर्फ़ इसके पुर्ज़े अलग-अलग करके यह देखना चाहता है कि यह किस तरह काम करती है, जबकि *दरअसल* वह इसे *उड़ाने* के लिए इस पर जादू करना चाहता है।'

मिस्टर वीज़्ली पलकें झपकाने लगे।

'डार्लिंग, मैं सोचता हूँ, तुम्हें यह मालूम होना चाहिए कि वह यह काम कानून के भीतर रहकर कर रहा है, हालाँकि यह बेहतर होता कि वह अपनी पत्नी को सच्चाई बता देता... तुम्हें यह पता नहीं है कि कानून में एक बचाव का रास्ता है... जब तक कि वह कार को उड़ाने का *इरादा* न रखता हो, तब तक यह तथ्य कि कार उड़ *सकती* है, उसे अपराधी नहीं–'

मिसेज़ वीज़्ली चिल्लाकर बोलीं, 'आर्थर वीज़्ली, जब तुमने यह कानून लिखा था, तो तुमने जान-बूझकर इसमें बचाव का यह रास्ता छोड़ा था! ताकि तुम अपने गैरेज में मगलुओं के कबाड़ के साथ उठापटक करते रहो! और तुम्हारी जानकारी के लिए मैं बता दूँ कि हैरी आज सुबह उसी कार में आया है, जिसे तुम उड़ाने का इरादा नहीं रखते थे!'

'हैरी ?' मिस्टर वीज़्ली ने सपाट अंदाज़ में पूछा। 'कौन हैरी ?'

उन्होंने चारों तरफ़ देखा। हैरी को देखते ही वे उछल पड़े।

'हे भगवान, क्या यह हैरी पॉटर है ? तुमसे मिलकर बहुत ख़ुशी हुई, रॉन ने तुम्हारे बारे में बहुत कुछ बताया है-'

'तुम्हारे बेटे कल रात को कार उड़ाकर हैरी के घर तक गए और वहाँ से उसे ले आए!' मिसेज़ वीज़्ली चिल्लाईं। 'इस बारे में तुम्हें क्या कहना है ?'

'क्या सचमुच ?' मिस्टर वीज़्ली ने उत्सुकता से पूछा। 'कार कैसी उड़ी ? मेरा - मेरा मतलब है,' परंतु जब उन्होंने मिसेज़ वीज़्ली की आँखों से अंगारे निकलते देखे, तो अटकते हुए बोले, 'तुमने बहुत ग़लत काम किया है, लड़कों - सचमुच बहुत ग़लत काम किया है...'

जैसे ही मिसेज़ वीज़्ली किसी बड़े मेंढक की तरह फूलने लगीं, रॉन ने हैरी से बुदबुदाकर कहा, 'हम इन्हें आपस में यह मामला निबटाने देते हैं।'

वे किचन से बाहर निकले और एक सँकरे गलियारे से होते हुए ऊबड़-खाबड़ सीढ़ियों पर आए, जो लहराती हुई घर के ऊपरी हिस्से में जा रही थीं। तीसरी मंज़िल पर एक दरवाज़ा आधा खुला था। हैरी को उसमें से चमकती भूरी आँखें दिखीं, जो उसकी तरफ़ घूर रही थीं। इसके बाद दरवाज़ा जल्दी से बंद हो गया।

'जिनी,' रॉन बोला। 'तुम नहीं जानते कि उसका शर्माना कितनी अजीब बात है। वह आम तौर पर कभी चुप नहीं रहती-'

वे दो मंज़िल और चढ़े, जब तक कि एक ऐसे दरवाज़े पर नहीं पहुँच गए, जिसका पेंट उखड़ा था और जिस पर एक छोटी तख़्ती लगी थी, 'रोनाल्ड का कमरा।'

हैरी अंदर घुसा। उसका सिर कमरे की लगभग ढलवाँ छत को छू रहा था और उसने पलकें झपकाईं। ऐसा लग रहा था जैसे वह किसी भट्टी में घुस गया हो, क्योंकि रॉन के कमरे की लगभग हर चीज़ भड़कीले नारंगी रंग की थी : बिस्तर की चादर, दीवारें, यहाँ तक कि छत भी। फिर हैरी को एहसास हुआ कि रॉन ने फटे-पुराने वॉलपेपर को सात जादूगरनियों और जादूगरों के पोस्टर से

पूरी तरह ढँक रखा था, जो सब भड़कीले नारंगी दुशाले पहने थे, जादुई झाड़ुएँ थामे थे और उत्साह से हाथ हिला रहे थे।

'तुम्हारी क्विडिच टीम?' हैरी ने पूछा।

'द चडली कैनन्स,' रॉन ने नारंगी चादर की तरफ़ इशारा करते हुए कहा, जिस पर काले अक्षरों में दो बड़े सी लिखे थे और एक तेज़ गति से चलता तोप का गोला बना था। 'लीग में नवें स्थान पर।'

रॉन की स्कूल की मंत्रों वाली किताबों का ढेर एक कोने में अस्त-व्यस्त तरीक़े से लगा था। पास ही कॉमिक्स का ढेर था, जिन सभी में *पागल मगलू मार्टिन मिग्स के रहस्यमय कारनामे* थे। रॉन की जादुई छड़ी मछली के टैंक के ऊपर पड़ी थी, जो खिड़की की दहलीज़ पर रखा था और मेंढक के अंडों से भरा था। उसके बग़ल में रॉन का मोटा भूरा चूहा स्कैबर्स लेटा था, जो सूरज की रोशनी में झपकी ले रहा था।

हैरी फ़र्श पर पड़े अपने आप फिंटने वाले ताश के पत्तों की गड्डी को लाँघते हुए छोटी खिड़की से बाहर देखने लगा। बहुत नीचे मैदान में उसे बौनों का झुंड दिख रहा था, जो एक-एक करके बगीचे की बागड़ के अंदर दुबारा घुस रहे थे। फिर वह रॉन की तरफ़ देखने के लिए पलटा, जो उसकी तरफ़ लगभग अधीरता से देख रहा था, जैसे उसकी राय जानने का इंतज़ार कर रहा हो।

'यह थोड़ा छोटा है,' रॉन ने तत्काल कहा। 'उस कमरे की तरह नहीं है, जो उन मगलुओं के साथ रहते समय तुम्हारे पास था। और मैं सीधे अटारी में रहने वाले पिशाच के नीचे रहता हूँ, जो हमेशा पाइप को ज़ोर-ज़ोर से बजाता रहता है और चीख़ता रहता है...'

परंतु हैरी एक चौड़ी मुस्कान के साथ बोला, 'मैं जितने भी घरों में रहा हूँ, यह उनमें सबसे अच्छा घर है।'

रॉन के कान गुलाबी हो गए।

अध्याय चार

किताबों की दुकान

रॉन के घर का माहौल प्रिविट ड्राइव के माहौल से बिलकुल अलग था। डर्स्ली परिवार क़ायदे और क़रीने से रखी चीज़ों को पसंद करता था, जबकि वीज़्ली परिवार में अजीब और अप्रत्याशित चीज़ें सामान्य समझी जाती थीं। जब हैरी ने किचन में लगे आईने में पहली बार देखा, तो वह स्तब्ध रह गया, क्योंकि उसके देखते ही आईना चिल्लाया, *'गंदे कहीं के, अपनी शर्ट अंदर करो।'* अटारी के पिशाच को जब भी घर में शांति महसूस होती थी, तो वह चीख़ने लगता था और पाइप पटक देता था। फ्रेड और जॉर्ज के कमरे में होने वाले छुटपुट धमाके भी बिलकुल सामान्य समझे जाते थे। बहरहाल, हैरी को रॉन के परिवार में सबसे असामान्य बात यह नहीं लगी कि आईना बोलता था या पिशाच हल्ला मचाता था; उसे सबसे असामान्य बात यह लगी कि वहाँ सब लोग उसे पसंद करते थे।

मिसेज़ वीज़्ली उसके मोज़ों की दुर्दशा पर चिंता व्यक्त करती थीं और हर बार डाइनिंग टेबल पर उसे ज़्यादा खिलाने की कोशिश करती थीं। मिस्टर वीज़्ली डाइनिंग टेबल पर हैरी को अपने पास बैठाना पसंद करते थे, ताकि वे मगलुओं के जीवन के बारे में उस पर सवालों की बमबारी कर सकें। उनके मन में यह जानने की जिज्ञासा थी कि बिजली के प्लग और डाक सेवा कैसे काम करते हैं।

जब हैरी ने उन्हें बताया कि टेलीफ़ोन का प्रयोग कैसे किया जाता है, तो वे बोले, *'अद्भुत! बुद्धिमत्तापूर्ण!* कमाल है, मगलुओं ने जादू के बिना अच्छी तरह जीने के कितने सारे तरीक़े खोज लिए हैं।'

रॉन के घर पहुँचने के लगभग एक सप्ताह बाद एक ख़ुशनुमा सुबह हैरी को हॉगवर्ट्स से एक संदेश मिला। जब हैरी और रॉन नाश्ते के लिए डाइनिंग टेबल पर पहुँचे, तो वहाँ मिस्टर और मिसेज़ वीज़्ली तथा जिनी पहले से ही बैठे थे। जिस पल जिनी ने हैरी को देखा, उसने हड़बड़ी में अपनी दलिए की कटोरी ज़ोरदार आवाज़ के साथ फ़र्श पर गिरा दी। यह अक्सर होता था! जब भी हैरी

कमरे में घुसता था, तो जिनी के हाथ से चीज़ें छूटकर ज़मीन पर गिर जाती थीं। वह कटोरी उठाने के लिए टेबल के नीचे झुकी और जब उसका चेहरा ऊपर आया, तो वह डूबते सूरज की तरह चमक रहा था। हैरी ऐसा अभिनय करते हुए बैठ गया, जैसे उसने यह देखा ही न हो। फिर उसने वह टोस्ट ले लिया, जो मिसेज़ वीज़्ली ने उसकी ओर बढ़ाया था।

मिस्टर वीज़्ली बोले, 'स्कूल से ख़त आए हैं!' उन्होंने हैरी और रॉन की तरफ़ पीले चर्मपत्र के एक जैसे लिफ़ाफ़े बढ़ाए, जिन पर हरी स्याही से लिखा हुआ था। 'हैरी, डम्बलडोर पहले से ही जानते हैं कि तुम यहाँ हो। उनसे कुछ छुपा नहीं रहता। तुम दोनों के भी ख़त आए हैं,' उन्होंने आख़िरी वाक्य फ्रेड और जॉर्ज से कहा, जो अंदर आ गए थे। वे अब भी अपने पायजामों में ही थे।

जब उन लोगों ने अपने ख़त पढ़े, तो कुछ समय के लिए वहाँ ख़ामोशी छाई रही। हैरी के ख़त में लिखा था कि वह पहले की तरह एक सितंबर को किंग्स क्रॉस स्टेशन से हॉगवर्ट्स एक्सप्रेस पकड़े। अगले साल उसे जिन नई पुस्तकों की ज़रूरत पड़ेगी, उनकी सूची भी साथ लगी थी :

सेकंड ईयर के विद्यार्थियों को निम्न पुस्तकों की आवश्यकता होगी :

- *मंत्रों की मानक किताब, भाग 2* : मिरान्डा गोशॉक
- *ख़तरनाक परी को भगाना* : गिल्ड्रॉय लॉकहार्ट
- *पिशाचों के साथ भटकना* : गिल्ड्रॉय लॉकहार्ट
- *चुड़ैलों के साथ छुट्टियाँ* : गिल्ड्रॉय लॉकहार्ट
- *दैत्यों के साथ सफ़र* : गिल्ड्रॉय लॉकहार्ट
- *ख़ून पीने वाले पिशाचों के साथ ख़तरनाक समुद्री यात्राएँ* : गिल्ड्रॉय लॉकहार्ट
- *आदम भेड़ियों के साथ भ्रमण* : गिल्ड्रॉय लॉकहार्ट
- *हिम मानव के साथ एक वर्ष* : गिल्ड्रॉय लॉकहार्ट

फ्रेड ने जब अपनी किताबों की सूची पूरी पढ़ ली, तो वह हैरी के कंधे के ऊपर से झाँककर उसकी सूची पढ़ने लगा।

वह बोला, 'तो तुम्हें भी लॉकहार्ट की सारी किताबें लाने के लिए कहा गया है! लगता है गुप्त कलाओं से रक्षा का नया टीचर उनका बहुत बड़ा फ़ैन है – मैं शर्त लगा सकता हूँ कि वह टीचर ज़रूर कोई जादूगरनी होगी।'

यह कहते ही फ्रेड की नज़रें अपनी माँ से मिलीं और वह तत्काल मुरब्बा

खाने में व्यस्त हो गया।

जॉर्ज ने अपने माता-पिता को कनखियों से देखते हुए कहा, 'ये किताबें सस्ती नहीं होंगी। लॉकहार्ट की किताबें सचमुच महँगी होती हैं ...'

'हम व्यवस्था कर लेंगे,' मिसेज़ वीज़्ली बोलीं, परंतु वे चिंतित लग रही थीं।

'मुझे आशा है कि हमें जिनी की कई चीज़ें सेकंड-हैंड मिल जाएँगी।'

यह सुनकर हैरी ने जिनी से पूछा, 'अच्छा, तो तुम भी इस साल हॉगवर्ट्स में पढ़ोगी?'

उसने सहमति में सिर हिलाया। शर्म के मारे जिनी का चेहरा भी उसके बालों की तरह लाल दिखने लगा और घबराहट में उसने अपनी कोहनी मक्खन के कटोरे में डुबा दी। ख़ुशक़िस्मती से हैरी के सिवाय किसी और ने यह नहीं देखा, क्योंकि उसी समय रॉन का बड़ा भाई पर्सी अंदर आ गया था। वह पूरी तरह तैयार हो चुका था और हॉगवर्ट्स प्रिफ़ेक्ट का उसका बिल्ला उसके बुने हुए जैकेट पर पिन से लगा था।

पर्सी ने तेज़ी से कहा, 'गुड मॉर्निंग। बड़ा सुहावना दिन है।'

वह एकमात्र ख़ाली कुर्सी पर बैठ गया, परंतु तत्काल ही उछलकर खड़ा भी हो गया। उसने हाथ डालकर अपने नीचे से भूरे पंखों का एक रोएँदार डस्टर उठाया – कम से कम हैरी तो यही समझा था, जब तक कि उसने यह नहीं देखा कि डस्टर साँस ले रहा था।

'एरल!' यह कहते हुए रॉन ने पर्सी से मरियल उल्लू को ले लिया और उसके पंख के नीचे से एक पत्र निकाला। '*आख़िर* वह हर्माइनी का जवाब ले ही आया। मैंने हर्माइनी को ख़त लिखकर बताया था कि हम तुम्हें डर्स्ली परिवार से आज़ाद कराने की कोशिश करने वाले हैं।'

रॉन एरल को पिछले दरवाज़े के ठीक पास रखे स्टैंड की ओर ले गया और उसे वहाँ पर खड़े करने की कोशिश की, परंतु एरल एकदम से गिर गया, इसलिए रॉन ने उसे लिटा दिया और बुदबुदाया, 'बेचारा!' फिर वह हर्माइनी का ख़त खोलकर ज़ोर से पढ़ने लगा :

प्रिय रॉन, और हैरी, अगर तुम भी वहाँ हो,

मुझे आशा है कि सब कुछ अच्छी तरह से हो गया होगा और हैरी ठीक होगा। और रॉन, मुझे यह भी आशा है कि तुमने उसे बाहर निकालने के लिए कोई

ग़ैर-कानूनी काम नहीं किया होगा, क्योंकि इससे हैरी भी मुश्किल में पड़ जाएगा। मैं सचमुच चिंतित हूँ और अगर हैरी ठीक-ठाक है, तो मुझे तत्काल ख़बर भेजना। परंतु शायद यह बेहतर होगा कि तुम किसी दूसरे उल्लू को भेजो, क्योंकि मुझे लगता है कि एक और यात्रा में इस उल्लू का दम निकल जाएगा।

ज़ाहिर है, मैं स्कूल की पढ़ाई में बहुत व्यस्त हूँ ('यह कैसे हो सकता है?' रॉन ने दहशत में कहा। 'हमारी तो छुट्टियाँ चल रही हैं!')। हम अगले बुधवार को नई पुस्तकें ख़रीदने के लिए लंदन जाएँगे। क्यों न हम लोग छूमंतर गली में मिलें?

जितनी जल्दी हो सके, मुझे बताओ कि क्या हो रहा है प्रेम सहित, हर्माइनी।

'ठीक है, यह बिलकुल ठीक रहेगा। हम भी बुधवार को चलकर तुम्हारा सामान ख़रीद लेते हैं,' मिसेज़ वीज़्ली ने टेबल साफ़ करते हुए कहा। 'वैसे आज तुम्हारी क्या योजना है ? तुम लोग क्या करने वाले हो ?'

हैरी, रॉन, फ्रेड और जॉर्ज पहाड़ी पर बने वीज़्ली परिवार के छोटे बाड़े में जाने की योजना बना रहे थे। बाड़े के चारों तरफ़ पेड़ लगे थे, इसलिए नीचे के गाँव से वह जगह नहीं दिखती थी। इसका यह मतलब था कि अगर वे ज़्यादा ऊँचाई पर न उड़ें, तो वहाँ क्विडिच की प्रैक्टिस कर सकते थे। वे क्विडिच की असली गेंदों का प्रयोग नहीं कर सकते थे, क्योंकि अगर वे उनके हाथ से छूटकर गाँव में पहुँच जातीं, तो उनका स्पष्टीकरण देना मुश्किल होता। इसके बजाय उन्होंने एक-दूसरे की तरफ़ सेवफल फेंके। वे बारी-बारी से हैरी की निम्बस 2000 पर चढ़े, जो निश्चित रूप से सर्वश्रेष्ठ झाड़ू थी। रॉन की पुरानी शूटिंग स्टार का तो यह हाल था कि तितलियाँ भी अक्सर इससे तेज़ उड़कर पास से निकल जाती थीं।

पाँच मिनट बाद वे पहाड़ी पर चढ़ रहे थे और उनके कंधों पर झाड़ुएँ थीं। उन्होंने पर्सी से पूछा था कि क्या वह भी उनके साथ चलना चाहता है, परंतु उसने कहा कि वह व्यस्त है। हैरी ने पर्सी को अब तक सिर्फ़ खाने या नाश्ते के वक़्त ही देखा था। बाक़ी समय वह अपने कमरे में ही बंद रहता था।

फ्रेड ने त्योरियाँ चढ़ाते हुए कहा, 'काश मुझे पता चल जाता कि उसके इरादे क्या हैं। वह अब पहले जैसा नहीं है, बल्कि बदला-बदला लग रहा है। तुम्हारे आने से एक दिन पहले ही उसकी परीक्षा के परिणाम आए थे। उसे बारह ओ.डब्ल्यू.एल. मिले हैं, परंतु वह ज़रा भी ख़ुश नहीं हुआ।'

हैरी के चेहरे पर परेशानी के भाव देखकर जॉर्ज ने स्पष्ट किया, 'ऑर्डिनरी विज़ार्डिंग लेवल। बिल को भी बारह मिले थे। अगर हम सतर्क नहीं रहे, तो हमारे परिवार का एक और सदस्य हेड बॉय बन जाएगा। मुझे नहीं लगता कि मैं इस शर्म को झेल पाऊँगा।'

भाइयों में बिल वीज़्ली सबसे बड़ा था। वह और उससे छोटा भाई चार्ली पहले ही हॉगवर्ट्स से निकल चुके थे। हैरी उन दोनों से कभी नहीं मिला था, परंतु वह जानता था कि चार्ली रूमानिया में ड्रैगनों का अध्ययन कर रहा था और बिल मिस्र में जादूगरों के बैंक यानी ग्रिन्गॉट के लिए काम कर रहा था।

जॉर्ज ने कुछ समय बाद कहा, 'मैं नहीं जानता कि मम्मी-डैडी इस साल हमारी किताबों का ख़र्चा कैसे उठा पाएँगे। लॉकहार्ट की किताबों के पाँच सेट! और जिनी को दुशाले, छड़ी और बाक़ी सब चीज़ों की भी ज़रूरत पड़ेगी ...'

हैरी कुछ नहीं बोला। वह थोड़ा परेशान महसूस कर रहा था। लंदन में ग्रिन्गॉट के भूमिगत तहख़ाने में उसके पास एक छोटा सा ख़ज़ाना था, जो उसके माता-पिता उसके लिए छोड़ गए थे। ज़ाहिर है, वह सिर्फ़ जादूगरों की दुनिया में ही अमीर था। मगलुओं की दुकानों में जादूगरों की मुद्रा यानी गैलियन्स, सिकल्स और नट्स का प्रयोग नहीं हो सकता था। उसने डर्स्ली परिवार से कभी ग्रिन्गॉट के अपने बैंक ख़ाते का ज़िक्र नहीं किया था। उसे लगता था कि जादू की दुनिया की बाक़ी चीज़ों से उन्हें कितनी ही दहशत होती हो, परंतु शायद सोने के बड़े ढेर से उन्हें दहशत नहीं होगी।

*

मिसेज़ वीज़्ली ने अगले बुधवार को सबको जल्दी जगा दिया। सबने जल्दी से छह-छह बेकन सैंडविच खाकर अपने कोट पहने। इसके बाद मिसेज़ वीज़्ली ने किचन के स्टैंड से फूलदान उठाया और उसके अंदर झाँककर देखा।

वे आह भरते हुए बोलीं, 'यह ख़त्म हो रहा है। हमें आज थोड़ा और ख़रीदना पड़ेगा ... अच्छा चलो! पहले मेहमान! हैरी बेटा, हम लोग तुम्हारे बाद आएँगे!'

और उन्होंने फूलदान हैरी के सामने कर दिया।

हैरी उन सबको घूरता रहा और वे भी उसे एकटक देख रहे थे।

फिर उसने हकलाते हुए कहा, 'प-पर मुझे करना क्या है?'

रॉन अचानक बोला, 'वह पहले कभी छू पाउडर से नहीं गया है। माफ़ करना हैरी, मैं यह तो भूल ही गया था।'

मिस्टर वीज़्ली बोले, 'छू पाउडर से कभी नहीं गए? फिर तुम पिछले साल अपने स्कूल का सामान ख़रीदने के लिए छूमंतर गली तक कैसे गए थे?'

'मैं ट्रेन से गया था –'

'क्या सचमुच?' मिस्टर वीज़्ली ने उत्सुकता से कहा। 'क्या वहाँ पर *एस्केपेटर्स* यानी स्वचलित सीढ़ियाँ थीं? बिलकुल ठीक-ठीक बताओ किस तरह –'

'*अभी* नहीं, आर्थर,' मिसेज़ वीज़्ली बोलीं। 'छू पाउडर उससे बहुत जल्दी पहुँचाता है। परंतु अब क्या होगा, अगर हैरी पहले कभी छू पाउडर से नहीं गया है –'

फ्रेड बोला, 'वह ठीक तरह से पहुँच जाएगा, मम्मी। हैरी, पहले हमें देखो कि हम कैसे जाते हैं।'

उसने फूलदान से चुटकी भर चमकता हुआ पाउडर निकाला, आग के पास पहुँचा और पाउडर को लपटों में फेंक दिया।

गरज की आवाज़ के साथ आग पन्ने की तरह हरी हो गई और फ्रेड से भी ज़्यादा ऊँची लपटें निकलने लगीं। फ्रेड सीधे लपटों के अंदर चला गया और चिल्लाकर बोला, 'छूमंतर गली!' और फिर वह ग़ायब हो गया।

जब जॉर्ज फूलदान में अपना हाथ डाल रहा था, तो मिसेज़ वीज़्ली ने हैरी को सलाह दी, 'बिलकुल साफ़ बोलना, बेटा। और यह भी ध्यान रखना कि सही अँगीठी से ही बाहर निकलो ...'

'कौन सी सही चीज़?' हैरी ने घबराते हुए पूछा, जब आग गरजी और जॉर्ज भी ग़ायब हो गया।

'देखो, बहुत से जादूगरों की अँगीठियाँ खुली रहती हैं, जिनमें से चुनना पड़ता है। परंतु अगर तुमने साफ़ बोला है, तो चिंता करने की कोई बात नहीं है।'

'वह ठीक-ठाक पहुँच जाएगा मॉली, अब उसे ज़्यादा मत सताओ,' मिस्टर वीज़्ली ने छू पाउडर लेते हुए कहा।

'परंतु अगर वह ग़ुम गया, तो मैं उसके अंकल-आंटी को क्या जवाब दूँगी?'

हैरी ने उन्हें आश्वस्त किया, 'उन्हें कोई फ़र्क़ नहीं पड़ेगा। अगर मैं किसी

चिमनी के ऊपर पहुँच जाऊँ, तो डडली को यह सुनकर बहुत मज़ा आ जाएगा। इस बारे में चिंता न करें।'

'अच्छा ... ठीक है ... तुम आर्थर के बाद जाना,' मिसेज़ वीज़्ली बोलीं। 'देखो, जब तुम आग के अंदर पहुँच जाओ, तो बिलकुल साफ़ बोलना कि तुम्हें कहाँ जाना है –'

'और अपनी कोहनी भी अंदर की तरफ़ रखना,' रॉन ने सलाह दी।

'और अपनी आँखें भी बंद रखना,' मिसेज़ वीज़्ली बोलीं। 'राख –'

'हिलना-डुलना मत। वरना तुम ग़लत अँगीठी से बाहर निकल जाओगे–'

'परंतु घबराना मत! और सही जगह पर पहुँचने से पहले जल्दबाज़ी में बाहर निकलने की कोशिश मत करना। जब तक तुम फ्रेड और जॉर्ज को देख न लो, तब तक इंतज़ार करना।'

इन सब बातों को अपने दिमाग़ में याद रखने की बहुत कोशिश करते हुए हैरी ने छू पाउडर की चुटकी भरी। फिर वह आग के बिलकुल क़रीब पहुँचा। उसने एक गहरी साँस ली, पाउडर को लपटों पर डाला और आगे क़दम बढ़ाया। आग गर्म हवा की तरह लग रही थी। उसने जैसे ही अपना मुँह खोला, तत्काल उसके गले में बहुत सी गर्म राख घुस गई।

उसने खाँसते हुए कहा, 'शू-शू-मंतर गली।'

ऐसा लगा जैसे किसी बड़े भँवर ने उसे चूस लिया हो। वह बहुत तेज़ी से गोल-गोल घूम रहा था ... उसके कानों में गरज सुनाई दे रही थी, जो कान के पर्दे फोड़ने वाली थी ... उसने अपनी आँखें खुली रखने की कोशिश की, परंतु हरी लपटों में तेज़ी से घूमने के कारण उसे चक्कर आने लगे ... कोई कठोर चीज़ उसकी कोहनी से टकराई और उसने कोहनी जल्दी से अंदर कर ली। वह अब भी गोल-गोल घूम रहा था, लगातार घूम रहा था ... अब उसे ऐसा लग रहा था, जैसे ठंडे हाथ उसके चेहरे पर तमाचे मार रहे हों ... अपने चश्मे से अधखुली आँखों से देखने पर उसे अँगीठियों की धुँधली क़तार और उनके पार कमरे दिखे ... उसके पेट में बेकन सैंडविच हिलडुल रहे थे ... उसने अपनी आँखें दुबारा बंद कर लीं और वह चाहता था कि यह सब रुक जाए, और फिर – वह ठंडे पत्थर पर चेहरे के बल गिर गया और उसने अपने चश्मे को टूटते हुए महसूस किया।

हैरी का सिर चकरा रहा था। उसे चोट लगी थी। वह राख में पूरी तरह सना हुआ था। लड़खड़ाते हुए वह अपने पैरों पर खड़ा हुआ। अपने टूटे चश्मे को उठाकर उसने अपनी आँखों के सामने रखा। वह बिलकुल अकेला था और उसे इस बात का क़तई अंदाज़ा नहीं था कि वह *कहाँ* था। वह तो सिर्फ़ इतना बता

सकता था कि वह किसी जादूगर की बड़ी और कम रोशनी वाली दुकान की पत्थर की अँगीठी में खड़ा था। बहरहाल इस दुकान में जिस तरह का सामान रखा था, उसमें से एक के भी हॉगवर्ट्स की सूची में शामिल होने की दूर-दूर तक संभावना नहीं थी।

पास ही में एक काँच का शोकेस रखा था, जिसमें बिछी गद्दी पर एक टूटा हुआ सूखा हाथ रखा था। उसके पास ही ख़ून से सनी ताश की गड्डी और घूरती हुई काँच की आँखें भी रखी थीं। शैतानी मुखौटे दीवारों से नीचे देख रहे थे। काउंटर पर इंसानों की हड्डियों का ढेर रखा था और छत से ज़ंग लगे नुकीले यंत्र लटक रहे थे। इससे भी बुरी बात यह थी कि धूल भरी दुकान की खिड़की से हैरी को यह साफ़ नज़र आ रहा था कि बाहर जो अँधेरी और सँकरी सड़क दिख रही थी, वह छूमंतर गली नहीं है।

उसने सोचा, वह जितनी जल्दी बाहर निकल सके, उतना ही बेहतर है। उसकी नाक अब भी दुख रही थी, क्योंकि गिरते समय नाक पत्थर से बुरी तरह टकराई थी। हैरी ने चुपचाप दरवाज़े की तरफ़ तेज़ी से क़दम बढ़ाए, परंतु वह अभी आधी दूर तक भी नहीं पहुँच पाया था कि तभी काँच के दरवाज़े के पार उसे दो लोग दिखाई दिए। उनमें से एक ऐसा था, जिससे हैरी इस स्थिति में क़तई नहीं मिलना चाहता था, जबकि वह रास्ता भटक गया था, राख में सना था और टूटा हुआ चश्मा पहने था। वह व्यक्ति कोई और नहीं, ड्रेको मैल्फ़ॉय था।

हैरी ने तत्काल चारों तरफ़ देखा। उसे बाईं तरफ़ एक बड़ी काली अलमारी दिखी। वह लपककर उसके अंदर घुस गया और दरवाज़े बंद कर लिए। उसने दरवाज़े में सिर्फ़ छोटी सी दरार छोड़ दी थी, ताकि वह बाहर देख सके। कुछ पल बाद घंटी बजी और मैल्फ़ॉय ने दुकान के अंदर क़दम रखा।

उसके पीछे जो व्यक्ति अंदर आया, वह उसके पिता ही हो सकते थे। उनका चेहरा भी उतना ही पीला और नुकीला था तथा उनकी आँखें भी वैसी ही ठंडी और भूरी थीं। मिस्टर मैल्फ़ॉय काउंटर तक आए और अलसाए अंदाज़ में शोकेस में रखे सामान को देखा। फिर उन्होंने काउंटर पर रखी घंटी बजाई और अपने पुत्र की तरफ़ मुड़ते हुए कहा, 'ड्रेको, कोई चीज़ छूना मत।'

मैल्फ़ॉय, जो उस समय काँच की आँख को उठाने ही वाला था, बोला, 'मैं सोच रहा था कि आप यहाँ से मेरे लिए कोई तोहफ़ा ख़रीदने वाले हैं।'

'मैंने तुमसे कहा था कि मैं तुम्हारे लिए उड़ने वाली झाड़ू ख़रीद दूँगा,' उसके पिता बोले और अपनी उँगलियों से काउंटर पर तबला बजाने लगे।

मैल्फ़ॉय ने चिढ़कर ग़ुस्से से कहा, 'अगर मुझे अपने हाउस की टीम में शामिल नहीं किया गया, तो झाड़ू ख़रीदने का क्या फ़ायदा ? हैरी पॉटर को पिछले

साल निम्बस 2000 मिल गई थी। उसे डम्बलडोर ने गरुड़द्वार की तरफ़ से खेलने की विशेष अनुमति दी थी। इसलिए नहीं क्योंकि वह बहुत अच्छा खेलता है ... बल्कि सिर्फ़ इसलिए क्योंकि वह *मशहूर* है ... माथे पर एक मूर्खतापूर्ण *निशान* होने की वजह से मशहूर ...'

मैल्फ़ॉय नीचे झुककर एक शेल्फ़ को ग़ौर से देखने लगा, जिसमें खोपड़ियाँ भरी थीं।

'... हर कोई सोचता है कि वह इतना *स्मार्ट* है, अपने *निशान* और अपनी *जादुई झाड़ू* के साथ इतना चमत्कारी है –'

'तुम यह बात मुझे पहले भी कम से कम दस बार बता चुके हो,' मिस्टर मैल्फ़ॉय ने अपने पुत्र को क़हर ढाती नज़रों से देखते हुए कहा, 'और मैं तुम्हें याद दिला दूँ, यह – समझदारी – नहीं है कि लोगों को लगे कि हम हैरी पॉटर को पसंद नहीं करते हैं, जबकि ज़्यादातर जादूगर उसे अपना हीरो मानते हैं, क्योंकि उसने सबसे बड़े शैतानी जादूगर को हराया है – आह, मिस्टर बोर्गिन।'

एक झुका हुआ व्यक्ति काउंटर के पीछे प्रकट हो गया था। वह अपने चिपचिपे बालों को चेहरे से हटाते हुए उन पर हाथ फेर रहा था।

बोर्गिन ने अपने बालों की तरह ही चिकनी-चुपड़ी आवाज़ में कहा, 'मिस्टर मैल्फ़ॉय, बहुत ख़ुशी हुई कि एक बार फिर आपसे मुलाक़ात हो गई। मैं धन्य हो गया – और मास्टर मैल्फ़ॉय भी आए हैं – बड़े सौभाग्य की बात है। मैं आपकी क्या सेवा कर सकता हूँ ? मैं आपको कुछ ख़ास चीज़ें दिखाता हूँ, जो आज ही आई हैं और उनकी क़ीमत भी ज़्यादा नहीं है –'

मिस्टर मैल्फ़ॉय बोले, 'मिस्टर बोर्गिन, मैं आज ख़रीदने नहीं, बेचने आया हूँ।'

'बेचने ?' बोर्गिन के चेहरे की मुस्कान थोड़ी कम हो गई।

'ज़ाहिर है, आपने सुना ही होगा कि मंत्रालय आजकल बहुत छापे मार रहा है,' मिस्टर मैल्फ़ॉय ने यह कहते हुए अंदर वाली जेब से चर्मपत्र का रोल निकालकर उसे खोला, ताकि बोर्गिन उसे पढ़ सके। 'अगर मंत्रालय ने मेरे घर छापा मारा, तो वहाँ पर कुछ ऐसा सामान है, जो मुझे मुश्किल में डाल सकता है ...'

बोर्गिन ने लटकने वाला चश्मा अपनी नाक पर चढ़ाकर सूची पर नज़र डाली।

'निश्चित रूप से मंत्रालय आपको कष्ट देने की ज़ुर्रत नहीं करेगा, सर ?'

मिस्टर मैल्फ़ॉय का होंठ सिकुड़ गया।

'वे अब तक मेरे घर की चौखट तक नहीं आए हैं। मैल्फ़ॉय नाम का अब भी कुछ सम्मान होता है, परंतु मंत्रालय दिनोदिन ज़्यादा दख़लंदाज़ी कर रहा है। किसी नए मगलू संरक्षण अधिनियम के बारे में अफ़वाहें फैल रही हैं – बेशक इसके पीछे उस नीच, मगलू प्रेमी, मूर्ख आर्थर वीज़्ली का ही हाथ होगा –'

हैरी को अपने अंदर ग़ुस्से का तेज़ झोंका महसूस हुआ।

'–और जैसा आप देख सकते हैं, इनमें से कुछ ज़हर *ऐसे* हैं –'

'ज़ाहिर है, मैं समझता हूँ, सर,' बोर्गिन ने कहा। 'मुझे देखने दें...'

'क्या मैं *वह* ले सकता हूँ?' गद्दी पर रखे सूखे हाथ की तरफ़ इशारा करते हुए ड्रेको बीच में बोला।

बोर्गिन ने मिस्टर मैल्फ़ॉय की सूची पर से ध्यान हटाया और ड्रेको के पास लपकते हुए कहा, 'अच्छा, वह-हाथ-जो-संपत्ति-दिलाए! बस इसके अंदर एक मोमबत्ती डालो और वह मोमबत्ती सिर्फ़ इसे थामे रखने वाले को ही रोशनी देगी! चोर-उचक्कों का सबसे अच्छा दोस्त! आपके बेटे की पसंद बहुत बढ़िया है, सर।'

'बोर्गिन, मुझे आशा है कि मेरा बेटा चोर-उचक्के से बेहतर बनेगा,' मिस्टर मैल्फ़ॉय ने ठंडे लहज़े में कहा। मिस्टर बोर्गिन तत्काल बोले, 'मेरा मतलब यह नहीं था, सर, क़तई नहीं था –'

'हालाँकि अगर उसके स्कूल के नंबर नहीं सुधरेंगे,' मिस्टर मैल्फ़ॉय और भी ठंडे लहज़े में बोले, 'तो वह शायद चोर-उचक्के के सिवाय और कुछ बन भी नहीं पाएगा।'

ड्रेको ने पलटकर कहा, 'इसमें मेरी कोई ग़लती नहीं है। हर्माइनी ग्रेंजर सारे टीचर्स की चहेती है –'

मिस्टर मैल्फ़ॉय ने फटकारते हुए कहा, 'तुम्हें शर्म आना चाहिए कि मगलू परिवार की एक लड़की हर विषय में तुमसे ज़्यादा नंबर लाई है।'

'हा!' हैरी ने मन ही मन कहा और वह यह देखकर ख़ुश था कि ड्रेको शर्मिंदा भी था और क्रोधित भी।

बोर्गिन ने अपनी चिकनी-चुपड़ी आवाज़ में कहा, 'सब जगह यही हाल है। शुद्ध ख़ून वाले जादूगरों का महत्व हर जगह घटता जा रहा है –'

मिस्टर मैल्फ़ॉय ने अपने लंबे नथुने फुलाते हुए कहा, 'परंतु मेरी नज़रों में नहीं।'

'मेरी नज़रों में भी नहीं सर,' बोर्गिन ने बहुत नीचे झुकते हुए कहा।

'अगर ऐसा है, तो हम एक बार फिर मेरी सूची पर आ जाएँ,' मिस्टर मैल्फ़ॉय ने थोड़े रूखेपन से कहा। 'मैं थोड़ी जल्दी में हूँ, बोर्गिन। मुझे आज कहीं

और जाकर एक महत्वपूर्ण काम करना है।'

वे मोल-भाव करने लगे। हैरी घबरा गया, जब उसने यह देखा कि ड्रेको उसकी छुपने की जगह के क़रीब आता जा रहा था और दुकान में रखे सामानों को ग़ौर से देख रहा था। वह फाँसी के फंदे की लंबी रस्सी को देखने के लिए रुका। फिर वह मोतियों के बहुत शानदार नेकलेस पर लगे कार्ड को पढ़ने लगाः *चेतावनी : इसे न छुएँ। शापित - अब तक उन्नीस मगलू मालकिनों की जान ले चुका है।*

ड्रेको मुड़ा और उसे अपने ठीक सामने अलमारी दिखी। वह आगे बढ़ा... उसने हैंडल की तरफ़ अपना हाथ बढ़ाया ...

'ठीक है,' मिस्टर मैल्फ़ॉय ने काउंटर पर कहा। 'चलो, ड्रेको!'

जब ड्रेको पलटा, तो हैरी ने अपनी आस्तीन से माथे का पसीना पोंछा।

'मिस्टर बोर्गिन, आपका दिन अच्छा गुज़रे। सामान देने के लिए मैं कल अपनी जागीर पर आपका इंतज़ार करूँगा।'

जिस पल दरवाज़ा बंद हुआ, बोर्गिन ने अपना चिकना-चुपड़ा अंदाज़ छोड़ दिया।

'आपका भी दिन अच्छा गुज़रे, मिस्टर मैल्फ़ॉय। और अगर लोग जो कहते हैं, वह सच है, तो आपकी *जागीर* में जितना सामान छुपा है, उसका आधा भी आपने मुझे नहीं बेचा है ...'

बुरे स्वर में बड़बड़ाते हुए बोर्गिन पीछे के कमरे में ग़ायब हो गया। हैरी ने एक मिनट तक इंतज़ार किया कि कहीं वह वापस न आ जाए। फिर वह बिना कोई आवाज़ किए अलमारी से बाहर निकला और काँच के शोकेस को पार करता हुआ दुकान के दरवाज़े से बाहर निकल गया।

अपने चेहरे पर टूटे चश्मे को पकड़कर उसने चारों तरफ़ देखा। वह एक गंदी सी गली में था, जो गुप्त कलाओं को समर्पित दुकानों से भरी थी। बोर्गिन एंड बर्क्स नाम की जिस दुकान से वह अभी-अभी निकला था, वह सबसे बड़ी दिख रही थी। बहरहाल, उसे अपने ठीक सामने वाली दुकान की भयानक खिड़की में प्रदर्शन के लिए रखी खोपड़ियाँ दिखीं। दो दुकान छोड़कर एक बड़े पिंजरे में दैत्याकार काली मकड़ियाँ रखी थीं। दो घटिया से दिखने वाले जादूगर दुकान के प्रवेश द्वार की छाया में खड़े होकर उसे देख रहे थे और आपस में बुदबुदाकर बातें कर रहे थे। आशंकित महसूस करते हुए हैरी चल दिया। उसने अपने चश्मे को सीधे थामे रखने की कोशिश की और आशा की कि वह किसी तरह वहाँ से निकलने का रास्ता खोज ही लेगा।

ज़हरीली मोमबत्तियाँ बेचने वाली दुकान के ऊपर लकड़ी का एक पुराना बोर्ड था, जिस पर लिखे सड़क के नाम से उसे पता चला कि वह छूमंतर गली में नहीं, बल्कि शूमंतर गली में था। इससे हैरी को कोई मदद नहीं मिली, क्योंकि उसने कभी इस गली का नाम नहीं सुना था। बहरहाल वह इतना ज़रूर समझ गया कि वीज़्ली परिवार के यहाँ आग में उसके मुँह में राख भर गई थी, इसलिए वह पर्याप्त स्पष्टता से नहीं बोल पाया था। शांत बने रहने की कोशिश करते हुए वह सोच रहा था कि क्या किया जाए।

'बच्चे, तुम खो गए हो क्या?' उसके कान में एक आवाज़ आई, जिसे सुनकर वह उछल पड़ा।

एक बूढ़ी जादूगरनी उसके सामने खड़ी थी। उसके हाथ में एक भयानक ट्रे थी, जो इंसान के साबुत नाख़ूनों से भरी दिख रही थी। जब जादूगरनी ने हैरी की तरफ़ कुटिल दृष्टि डाली, तो उसके काई भरे दाँत स्पष्ट दिख रहे थे। हैरी पीछे हटा।

'मैं ठीक हूँ, धन्यवाद,' उसने कहा। 'मैं तो बस –'

'*हैरी!* तुम वहाँ क्या कर रहे हो?'

हैरी का दिल उछलने लगा। जादूगरनी भी उछल पड़ी और उसके हाथ की ट्रे से बहुत से नाख़ून उसके पैरों पर गिर पड़े। वह ग़ालियाँ देने लगी, जब हैग्रिड यानी हॉगवर्ट्स के मैदान के रखवाले का विशाल शरीर उनकी तरफ़ आया। उसकी बीटल जैसी काली आँखें उसकी बड़ी और घनी दाढ़ी के ऊपर चमक रही थीं।

'हैग्रिड!' हैरी ने राहत की साँस छोड़ते हुए कहा, 'मैं ग़ुम गया था... छू पाउडर ...'

हैग्रिड ने हैरी की गर्दन पकड़कर उसे जादूगरनी से दूर खींचा, जिससे जादूगरनी की ट्रे को धक्का लगा और वह नीचे गिर गई। जादूगरनी की चीख़ें सारे रास्ते उनके पीछे-पीछे घुमावदार गली में आती रहीं, जब तक कि वे सूरज की चमकती रोशनी में नहीं पहुँच गए। हैरी को दूर एक जानी-पहचानी, बर्फ़ जैसी सफ़ेद संगमरमर की इमारत दिखी : ग्रिन्गॉट बैंक। हैग्रिड उसे सीधे छूमंतर गली में ले आया था।

हैग्रिड ने रूखेपन से कहा, 'तुम्हारी हालत बहुत ख़राब है!' फिर उसने हैरी के कपड़ों से राख झाड़ने के लिए इतनी ताक़त से उसकी पीठ पर हाथ मारा कि हैरी औषधियों की दुकान के बाहर रखे ड्रैगन के गोबर के पीपे में गिरते-गिरते बचा। 'शूमंतर गली में भटक रहे थे। हम नहीं आते तो – बहुत ख़तरनाक जगह है, हैरी – नहीं चाहते कि कोई तुम्हें वहाँ देखे –'

'मुझे *इस बात का* एहसास हो गया था,' हैरी ने कहा और जब हैग्रिड ने दुबारा उसकी राख झाड़ने की कोशिश की, तो वह झुककर बच गया। 'मैंने तुम्हें बताया ना कि मैं खो गया था – वैसे तुम वहाँ क्या कर रहे थे ?'

'हम वहाँ घोंघों की दवा लेने गए थे,' हैग्रिड ने गुर्राते हुए कहा। 'वे स्कूल की सब्ज़ियाँ खा जाते हैं। तुम अकेले तो नहीं आए हो ?'

हैरी ने स्पष्ट किया, 'मैं वीज़्ली परिवार के घर पर ठहरा हूँ, परंतु हम अलग-अलग हो गए। मुझे जाकर उन्हें खोजना होगा ...'

वे साथ-साथ सड़क पर चलने लगे।

हैग्रिड ने पूछा, 'तुमने हमारे ख़त का जवाब क्यों नहीं दिया ?' हैरी को उसके साथ चलने के लिए दौड़ना पड़ रहा था (हैग्रिड के विशालकाय जूतों के एक क़दम की बराबरी करने के लिए उसे तीन क़दम चलना पड़ता था)। हैरी ने डॉबी और डर्स्ली परिवार की सारी कहानी सुनाई।

'बदमाश मगलू,' हैग्रिड गुर्राया। 'अगर हमें पता होता –'

'हैरी! हैरी! ऊपर यहाँ पर!' एक आवाज़ आई।

जब हैरी ने ऊपर देखा, तो ग्रिन्गॉट की सफ़ेद सीढ़ियों के सबसे ऊपर उसे हर्माइनी ग्रेंजर खड़ी दिखी। वह उनसे मिलने के लिए सीढ़ियों से धड़धड़ाती हुई नीचे उतर आई; उसके घने भूरे बाल उसके पीछे लहरा रहे थे।

'तुम्हारे चश्मे को क्या हो गया है ? हैलो, हैग्रिड ... ओह, तुम दोनों से दुबारा मिलना कितना *अच्छा* लगा ... क्या तुम ग्रिन्गॉट में आ रहे हो, हैरी ?'

हैरी बोला, 'जैसे ही मुझे वीज़्ली परिवार मिल जाएगा, मैं वहीं आऊँगा।'

'तब तो तुम्हें ज़्यादा देर इंतज़ार नहीं करना पड़ेगा,' हैग्रिड ने दाँत निकालते हुए कहा।

हैरी और हर्माइनी ने चारों तरफ़ देखा। भीड़ भरी सड़क पर रॉन, फ्रेड, जॉर्ज, पर्सी और मिस्टर वीज़्ली भागते हुए आ रहे थे।

'हैरी,' मिस्टर वीज़्ली हाँफते हुए बोले, 'हमें *आशा* थी कि तुम बस एक अँगीठी दूर ही गए होगे ...' उन्होंने अपने चमकते गंजे सिर को पोंछा। 'मॉली का चिंता के मारे बुरा हाल है – वह भी पीछे आ रही है।'

'तुम कहाँ बाहर निकले ?' रॉन ने पूछा।

हैग्रिड ने मुँह बनाते हुए कहा, 'शूमंतर गली में।'

'बहुत अच्छे!' फ्रेड और जॉर्ज एक साथ बोले।

रॉन ने ईर्ष्या से कहा, 'हमें वहाँ जाने की इजाज़त कभी नहीं मिली।'

हैग्रिड गुर्राया, 'और हमें लगता है कभी मिलना भी नहीं चाहिए।'

उसी समय मिसेज़ वीज़्ली भागकर आती दिखीं। उनके एक हाथ में हैंडबैग तेज़ी से झूल रहा था और दूसरे हाथ से जिनी बस किसी तरह चिपकी हुई थी।

'ओह, हैरी – ओह, मेरे बच्चे – तुम कहीं भी पहुँच सकते थे –'

साँस लेने के लिए रुकते हुए उन्होंने अपने बैग से कपड़ों का बड़ा ब्रश निकाला। ब्रश से वे उस राख को झाड़ने लगीं, जिसे हैग्रिड साफ़ नहीं कर पाया था। मिस्टर वीज़्ली ने हैरी का चश्मा लिया और उसे अपनी छड़ी से एक बार ठोंककर वापस कर दिया। चश्मा अब बिलकुल नए जैसा लग रहा था।

'अब हम चलते हैं,' हैग्रिड बोला, जिसका हाथ मिसेज़ वीज़्ली छोड़ ही नहीं रही थीं ('शूमंतर गली! अगर तुम उसे वहाँ नहीं मिले होते, हैग्रिड!')। 'हॉगवर्ट्स में मिलते हैं!' और वह क़दम बढ़ाते हुए दूर चला गया। भीड़ भरी सड़क पर उसका सिर ही नहीं, कंधे भी बाक़ी लोगों से ज़्यादा ऊँचे दिख रहे थे।

'ज़रा सोचो तो सही, बोर्गिन एंड बर्क्स दुकान में मुझे कौन दिखा?' ग्रिन्गॉट की सीढ़ियों पर चढ़ते वक़्त हैरी ने रॉन और हर्माइनी से पूछा। 'मैल्फ़ॉय और उसके डैडी।'

'क्या लूसियस मैल्फ़ॉय ने कुछ ख़रीदा?' उनके पीछे चल रहे मिस्टर वीज़्ली ने तुरंत पूछा।

'नहीं, वे अपना सामान बेचने आए थे।'

'इसका मतलब है कि अब उसे चिंता हो रही है,' मिस्टर वीज़्ली ने गहरी संतुष्टि के भाव से कहा। 'ओह, किसी चीज़ के लिए लूसियस मैल्फ़ॉय को पकड़ने में मुझे कितना मज़ा आएगा ...'

'बेहतर होगा कि तुम सँभलकर काम करो, आर्थर,' मिसेज़ वीज़्ली तेज़ी से बोलीं, जब पिशाच ने सिर झुकाते हुए उन्हें दरवाज़े से बैंक में प्रवेश करवाया। 'वह परिवार ख़तरनाक है। अपने मुँह में इतना बड़ा निवाला मत भर लेना, जिसे तुम चबा नहीं पाओ।'

'तो तुम्हें नहीं लगता कि मैं लूसियस मैल्फ़ॉय से टक्कर ले सकता हूँ?' मिस्टर वीज़्ली ने ग़ुस्से से कहा, परंतु उसी समय उन्हें हर्माइनी के माता-पिता दिख गए, जिससे उनका ध्यान हट गया। हर्माइनी के माता-पिता कुछ परेशान से काउंटर पर खड़े थे, जो संगमरमर के बड़े हॉल में पूरे आगे तक था। वे इस बात का इंतज़ार कर रहे थे कि हर्माइनी उनका परिचय करवाए।

'वाह, आप लोग तो *मगलू* हैं!' मिस्टर वीज़्ली ने ख़ुश होते हुए कहा।

'इस ख़ुशी में एक-एक पेग पीना चाहिए! आपके हाथ में क्या है? अच्छा, तो आप लोग मगलुओं के धन को बदल रहे हैं। मॉली, देखो!' उन्होंने मिस्टर ग्रेंजर के हाथ में रखे दस पौंड के नोटों की तरफ़ रोमांचित स्वर में संकेत किया।

'हम तुमसे लौटकर यहीं मिलते हैं,' रॉन हर्माइनी से बोला, जब ग्रिन्गॉट का एक और पिशाच हैरी तथा वीज़्ली परिवार को उनकी भूमिगत तिजोरियों की ओर ले गया।

तिजोरियों तक पहुँचने के लिए पिशाच-चलित छोटी गाड़ियों से जाना पड़ता था। ये गाड़ियाँ बैंक की भूमिगत सुरंगों में रेल की छोटी पटरियों पर तेज़ी से भागती थीं। हैरी को वीज़्ली परिवार की तिजोरी तक नीचे की तूफ़ानी यात्रा में मज़ा आया, परंतु जब उनकी तिजोरी खुली, तो उसे बहुत भयानक एहसास हुआ। इतना भयानक एहसास तो उसे शूमंतर गली में भी नहीं हुआ था। अंदर चाँदी के सिकल्स की बहुत छोटी ढेरी थी और सोने का सिर्फ़ एक गैलियन था। मिसेज़ वीज़्ली ने तिजोरी के कोनों में अच्छी तरह टटोलकर देखा और फिर सारे सिक्के अपने बैग में भर लिए। हैरी को तब और भी बुरा लगा, जब सब लोग उसकी तिजोरी के सामने पहुँचे। उसने कोशिश की कि वह बाक़ी लोगों को यह न देखने दे कि अंदर कितना सारा धन है, इसीलिए उसने जल्दी से अपने चमड़े के बैग में कुछ मुट्ठी सिक्के डाल लिए।

बाहर संगमरमर की सीढ़ियों पर लौटने के बाद वे सब अलग-अलग हो गए। पर्सी अस्पष्टता से बुदबुदाया कि उसे नई क़लम ख़रीदना है। फ्रेड और जॉर्ज को हॉगवर्ट्स का अपना मित्र ली जॉर्डन दिख गया। मिसेज़ वीज़्ली और जिनी सेकंड हैंड दुशालों की दुकान में जा रही थीं। मिस्टर वीज़्ली इस बात पर ज़ोर दे रहे थे कि ग्रेंजर दंपति 'रिसती कड़ाही' में उनके साथ एक-एक पेग पीने चलें। 'हम सब एक घंटे में किताबों की दुकान "फ़्लरिश एंड ब्लॉट्स" में मिलते हैं। वहाँ तुम्हारी स्कूल की किताबें ख़रीदना है,' मिसेज़ वीज़्ली ने जिनी के साथ जाते हुए कहा। इसके बाद उन्होंने चिल्लाकर जुड़वाँ भाइयों से कहा, 'और शूमंतर गली में क़दम भी मत रखना!'

हैरी, रॉन और हर्माइनी पैबंद लगी घुमावदार सड़क पर चहलक़दमी करने लगे। हैरी की जेब में सोने, चाँदी और काँसे के सिक्कों से भरी थैली ख़ुशी से खनखना रही थी तथा ख़र्च होने के लिए चिल्ला रही थी। इसलिए उसने तीन बड़ी स्ट्रॉबेरी और पीनट-बटर आइसक्रीम ख़रीद ली, जिसे मज़े लेकर चूसते हुए उन्होंने गली की आकर्षक दुकानों की खिड़कियों में रखा सामान देखा। रॉन ने 'क्वालिटी क्विडिच सप्लाइज़' की खिड़कियों में चडली कैनन टीम के दुशालों का पूरा सेट हसरत भरी निगाहों से तब तक देखा, जब तक कि हर्माइनी उसे

घसीटकर स्याही और चमड़े का काग़ज़ ख़रीदने नहीं ले गई। गैम्बल एंड जेप्स विज़ार्डिंग जोक शॉप में उन्हें फ्रेड, जॉर्ज और ली जॉर्डन दिखे, जो 'डॉ. फ़िलिबस्टर के जादुई पटाख़ों (जो नमी में भी चलेंगे और गर्मी नहीं करेंगे)' पर लट्टू हो रहे थे। फिर उन्हें कबाड़ के सामान की एक छोटी दुकान दिखी, जिसमें टूटी छड़ियाँ भरी थीं, पीतल के ढुलमुल तराज़ू रखे थे और जादुई काढ़ों के धब्बे लगे पुराने चोगे रखे थे। वहाँ उन्हें पर्सी मिला, जो एक छोटी और बहुत ही नीरस किताब में गहराई से डूबा हुआ था, जिसका शीर्षक था, '*शक्ति हासिल करने वाले प्रिफ़ेक्ट्स*।'

रॉन ने पुस्तक के पिछले कवर पर पढ़ा, '*हॉगवर्ट्स के प्रिफ़ेक्ट्स और उनके बाद के कैरियरों का अध्ययन*। ऐसा लगता है यह बहुत *दिलचस्प* होगी ...'

'दफ़ा हो जाओ,' पर्सी ने झुँझलाते हुए कहा।

'ज़ाहिर है, पर्सी बहुत महत्वाकांक्षी है, उसने सारी योजना बना ली है... वह जादू मंत्री बनना चाहता है ...' रॉन ने हैरी और हर्माइनी को धीमे से बताया, जब उन्होंने पर्सी को अकेला छोड़ दिया।

एक घंटे बाद वे 'फ़्लरिश एंड ब्लॉट्स' की तरफ़ चल दिए। किताबों की दुकान की तरफ़ जाने वाले वे अकेले नहीं थे। जब वे पास पहुँचे, तो उन्हें यह देखकर हैरानी हुई कि दरवाज़े के बाहर काफ़ी भीड़ थी और लोग भीतर घुसने के लिए धक्का-मुक्की कर रहे थे। इसका कारण उन्हें तब समझ में आया, जब उन्होंने ऊपर लटकते हुए बैनर को देखा।

गिल्डरॉय लॉकहार्ट
अपनी आत्मकथा
मेरा जादू
की प्रतियों पर ऑटोग्राफ़ देंगे
आज दोपहर 12.30 *से* 4.30 *बजे तक*

'हम उनसे सचमुच मिल सकते हैं!' हर्माइनी चीख़ी। 'मेरा मतलब है, उन्होंने हमारी लगभग सारी पुस्तकें लिखी हैं!'

भीड़ में ज़्यादातर जादूगरनियाँ थीं, जो मिसेज़ वीज़्ली की उम्र की होंगी। एक परेशान सा दिख रहा जादूगर दरवाज़े पर खड़े होकर कह रहा था, 'शांति बनाए रखें, देवियो... देखिए धक्का-मुक्की न करें... किताबों का ध्यान रखें...'

हैरी, रॉन और हर्माइनी अंदर घुस गए। दुकान के अंदर तक लोगों की लंबी लाइन लगी थी, जहाँ गिल्ड्रॉय लॉकहार्ट अपनी पुस्तकों पर ऑटोग्राफ़ दे रहे थे। उन तीनों ने *ख़तरनाक परी को भगाना* की एक-एक प्रति झपटकर उठाई और सरकते हुए उस लाइन में गए, जहाँ वीज़्ली परिवार मिस्टर और मिसेज़ ग्रेंजर के साथ खड़ा था।

मिसेज़ वीज़्ली बोलीं, 'ओह, तुम लोग आ गए। अब सब ठीक है।' उनकी साँस तेज़ी से चल रही थी और वे अपने बालों पर हाथ फेर रही थीं। 'वे हमें एक मिनट में दिख जाएँगे ...'

धीरे-धीरे गिल्ड्रॉय लॉकहार्ट उन्हें दिखाई देने लगे। वे एक टेबल के सामने बैठे थे। उनके चारों तरफ़ उनकी तस्वीरें लगी थीं, जो लोगों को आँख मार रही थीं और चमकते सफ़ेद दाँत दिखा रही थीं। वास्तविक लॉकहार्ट चमकता नीला दुशाला पहने थे, जो उनकी आँखों के रंग से पूरी तरह मेल खा रहा था। उनका जादूगरों का नुकीला हैट उनके लहराते बालों पर आकर्षक अंदाज़ में लगा था।

एक छोटा, चिड़चिड़ा सा दिखने वाला आदमी चारों तरफ़ फुदकते हुए एक बड़े काले कैमरे से फ़ोटो ले रहा था। जब भी फ़्लैश चमकता था, तो हर बार चौंधियाने वाली चमक होती थी और उसके कैमरे से बैंगनी धुआँ बाहर निकलता था।

वह आदमी पीछे हटकर बेहतर तस्वीर खींचना चाहता था, इसलिए उसने रॉन से गुर्राकर कहा, 'रास्ते से हट जाओ। मैं *दैनिक जादूगर* के लिए फ़ोटो खींच रहा हूँ।'

'बहुत बड़ी बात है,' रॉन ने अपना पैर मलते हुए कहा, जिस पर फ़ोटोग्राफ़र चढ़ गया था।

गिल्ड्रॉय लॉकहार्ट ने उसकी बात सुनकर अपनी नज़रें उठाईं। पहले तो उन्हें रॉन दिखा - और फिर उन्होंने हैरी को देखा। वे उसे कुछ समय तक एकटक देखते रहे। फिर वे उछलकर खड़े हुए और ज़ोर से चिल्लाए, 'कहीं यह हैरी पॉटर तो नहीं ?'

भीड़ में हलचल होने लगी। लोग रोमांचित स्वर में कानाफूसी करने लगे। लॉकहार्ट ने आगे की तरफ़ छलाँग लगाई, हैरी की बाँह पकड़ी और उसे खींचकर आगे ले गए। भीड़ ख़ुशी से तालियाँ बजाने लगी। हैरी का चेहरा लाल हो गया, जब लॉकहार्ट ने फ़ोटोग्राफ़र की तरफ़ हाथ उठाकर इशारा किया, जो पागलों की तरह फ़ोटो खींच रहा था और वीज़्ली परिवार पर लगातार धुआँ उड़ाता जा रहा था।

लॉकहार्ट ने अपने चमकते दाँतों के बीच से कहा, 'हैरी, ज़रा अच्छी तरह

से मुस्कराओ। मैं और तुम इकट्ठे पहले पेज पर छपने क़ाबिल हैं।'

जब उन्होंने आख़िरकार हैरी का हाथ छोड़ा, तो हैरी की उँगलियाँ लगभग सुन्न हो चुकी थीं। उसने वीज़्ली परिवार के पास दुबारा जाने की कोशिश की, परंतु लॉकहार्ट ने उसके कंधों के चारों ओर अपनी बाँह डाली और उसे अपनी बग़ल में कसकर जकड़ लिया।

उन्होंने हाथ हिलाकर भीड़ को चुप होने का इशारा किया और फिर ज़ोर से बोले, 'देवियो और सज्जनो, यह एक महान क्षण है! मैं कुछ समय से एक घोषणा करना चाहता था और यह उसके लिए आदर्श क्षण है!

'आज जब हैरी किताबों की दुकान में आया, तो वह सिर्फ़ मेरी जीवनी ख़रीदना चाहता था – जो मैं उसे ख़ुशी-ख़ुशी तोहफ़े में दे रहा हूँ – बिलकुल मुफ़्त –' भीड़ ने एक बार फिर तालियाँ बजाईं, '– तब उसे यह *मालूम नहीं* था,' लॉकहार्ट ने आगे कहा और हैरी को एक हलका सा झटका दिया, जिससे उसका चश्मा फिसलकर उसकी नाक के बिलकुल सिरे पर आ गया, 'कि उसे जल्दी ही मेरी पुस्तक *मेरा जादू* से अधिक, बहुत अधिक मिलने वाला है। सच तो यह है कि उसे और उसके स्कूल के साथियों को असली, मैं यानी मैं ख़ुद मिलने वाला हूँ। हाँ, देवियो और सज्जनो, मुझे यह घोषणा करने में बहुत ख़ुशी और गर्व हो रहा है कि इस सितंबर में मैं हॉगवर्ट्स जादू और तंत्र के विद्यालय में गुप्त कलाओं से रक्षा का टीचर बनने जा रहा हूँ!'

भीड़ ने हर्षध्वनि की और तालियाँ बजाईं। हैरी को गिल्ड्रॉय लॉकहार्ट की सारी किताबें तोहफ़े में दी गईं। उनके वज़न से थोड़ा लड़खड़ाते हुए वह लोगों की नज़रों से दूर हटकर दुकान के उस सिरे तक रास्ता बनाने में सफल हो गया, जहाँ जिनी अपनी नई कड़ाही के पास खड़ी थी।

हैरी ने किताबें उसकी कड़ाही में डालीं और उसकी तरफ़ देखते हुए बुदबुदाया, 'इन्हें तुम रखो, मैं अपनी किताबें ख़रीद लूँगा –'

तभी उसे एक आवाज़ सुनाई दी, 'शर्त लगा सकता हूँ पॉटर, कि इस सबसे तुम बहुत ख़ुश हुए होगे!' पॉटर को आवाज़ पहचानने में कोई दिक्क़त नहीं हुई। जब वह सीधे तनकर खड़ा हुआ, तो उसने ड्रेको मैल्फ़ॉय को अपने ठीक सामने खड़ा पाया। मैल्फ़ॉय के चेहरे पर उसकी चिर-परिचित व्यंग्यात्मक मुस्कान थी।

'*मशहूर* हैरी पॉटर,' मैल्फ़ॉय बोला। 'वह *किताबों की दुकान* में भी जाता है, तो उसका फ़ोटो अख़बार के पहले पन्ने पर छपता है।'

'उसे अकेला छोड़ दो, वह यह सब नहीं चाहता था!' जिनी बोली। हैरी के सामने वह पहली बार कुछ बोली थी। वह मैल्फ़ॉय को ग़ुस्से से घूर रही थी।

'अरे वाह पॉटर, तुमने अपने लिए *गर्लफ्रेंड* भी ढूँढ़ ली है!' मैल्फ़ॉय ने कहा। जिनी का चेहरा शर्म के मारे लाल हो गया। रॉन और हर्माइनी ने भी स्थिति को भाँप लिया था और वे लॉकहार्ट की किताबों के ढेर को लेकर भीड़ में से रास्ता बनाते हुए वहाँ आ रहे थे।

'अच्छा, तो तुम हो,' रॉन ने मैल्फ़ॉय की तरफ़ ऐसे देखते हुए कहा, जैसे वह कोई बेकार सी चीज़ हो, जो उसके जूते के तले से चिपक गई हो। 'शर्त लगा सकता हूँ कि तुम हैरी को यहाँ देखकर हैरान हो गए होगे, है ना ?'

'उतना हैरान नहीं हुआ वीज़्ली, जितना कि तुम्हें किसी दुकान में देखकर हुआ,' मैल्फ़ॉय ने पलटकर जवाब दिया। 'मुझे लगता है कि तुम्हारे माता-पिता को ये किताबें ख़रीदने के बाद एक महीने तक भूखा रहना पड़ेगा।'

रॉन का चेहरा भी उतना ही लाल हो गया, जितना इस समय जिनी का था। उसने भी अपनी किताबें कड़ाही में डाल दीं और फिर वह सीधे मैल्फ़ॉय की तरफ़ बढ़ा, परंतु हर्माइनी और हैरी ने उसकी जैकेट के पिछले हिस्से को पकड़ लिया।

'रॉन!' मिस्टर वीज़्ली ने फ्रेड और जॉर्ज से मुश्किल से आगे निकलते हुए कहा। 'तुम क्या कर रहे हो ? यहाँ बहुत गर्मी है। चलो, बाहर चलते हैं।'

'ओह, ओह, ओह - आर्थर वीज़्ली।'

यह मिस्टर मैल्फ़ॉय की आवाज़ थी। उन्होंने अपना हाथ ड्रेको के कंधे पर रख दिया और वे भी उसी की तरह व्यंग्य से मुस्कराने लगे।

'लूसियस,' मिस्टर वीज़्ली ने ठंडेपन से सिर हिलाते हुए कहा।

'सुना है, मंत्रालय में आजकल बहुत व्यस्त हो,' मिस्टर मैल्फ़ॉय बोले। 'इतने सारे छापे ... मुझे उम्मीद है तुम्हें ओवरटाइम मिल रहा होगा।'

वे जिनी की कड़ाही की तरफ़ बढ़े और उन्होंने लॉकहार्ट की चमकती पुस्तकों के बीच से बहुत पुरानी और ख़स्ताहाल *'रूप-परिवर्तन की शुरुआती किताब'* निकाली।

मिस्टर मैल्फ़ॉय ने कहा, 'साफ़ दिख रहा है कि तुम्हें ओवरटाइम नहीं मिल रहा है। जादूगरों की इज्ज़त मिट्टी में मिलाने से क्या फ़ायदा, वीज़्ली, अगर उसके पैसे भी न मिलें ?'

मिस्टर वीज़्ली का चेहरा रॉन और जिनी से भी ज़्यादा लाल हो गया।

'जादूगरों की इज्ज़त किस बात से मिट्टी में मिलती है, इस बारे में हमारे विचार बिलकुल अलग हैं,' वे बोले।

'ज़ाहिर है,' मिस्टर मैल्फ़ॉय ने कहा और उनकी पीली आँखें घूमकर

मिस्टर और मिसेज़ ग्रेंजर पर ठहर गईं, जो दहशत से यह वाक़या देख रहे थे। 'तुम भी कैसे लोगों के साथ उठते-बैठते हो, वीज़्ली ... और मैं सोचता था कि तुम्हारा परिवार इससे नीचे नहीं गिर सकता था –'

धातु के टकराने की आवाज़ आई, जब जिनी की कड़ाही लुढ़क गई। मिस्टर वीज़्ली ने मिस्टर मैल्फ़ॉय पर छलाँग लगा दी थी और किताबों की अलमारी की तरफ़ धक्का मारकर अलमारी से टकरा दिया था। मंत्रों की दर्जनों भारी पुस्तकें उन दोनों के सिर पर तेज़ी से गिरीं। फ्रेड और जॉर्ज चिल्ला रहे थे, 'उसे छोड़ना मत, डैडी!' मिसेज़ वीज़्ली चीख़ रही थीं, 'नहीं आर्थर, नहीं!' पीछे की तरफ़ भीड़ में भगदड़ सी मची थी, जो दूसरी अलमारियों से किताबें गिरा रही थी। दुकान का कर्मचारी कह रहा था, 'सज्जनो, मेहरबानी करके शांत हो जाएँ – मेहरबानी करके शांत हो जाएँ!' और तभी इन सब आवाज़ों से ज़्यादा तेज़ आवाज़ सुनाई दी, 'सज्जनो, अलग हो जाएँ, अलग हो जाएँ –'

हैग्रिड किताबों के समुद्र के बीच से तैरता हुआ उनकी तरफ़ आ रहा था। एक ही पल में उसने मिस्टर वीज़्ली और मिस्टर मैल्फ़ॉय को अलग कर दिया। मिस्टर वीज़्ली का होंठ कट गया था और मिस्टर मैल्फ़ॉय की आँख पर *ज़हरीले कुकुरमुत्तों का एनसाइक्लोपीडिया* से चोट लगी थी। मिस्टर मैल्फ़ॉय अब भी जिनी की रूप-परिवर्तन की पुरानी किताब पकड़े थे। उन्होंने इसे जिनी की तरफ़ बढ़ाया और उनकी आँखें दुर्भावना से चमक रही थीं।

'लो, लड़की – अपनी किताब लो – तुम्हारे पिता तुम्हें इससे अच्छी किताब नहीं दिला सकते –'

हैग्रिड की पकड़ से आज़ाद होते हुए उन्होंने ड्रेको की तरफ़ इशारा किया और दुकान से बाहर निकल गए।

'तुम्हें उसे नज़रअंदाज़ कर देना चाहिए था आर्थर,' हैग्रिड ने अपने दुशाले की सलवटों को ठीक कर रहे मिस्टर वीज़्ली को इतना ऊपर उठा दिया कि उनके पैर हवा में लटकने लगे। 'पूरा का पूरा परिवार बेकार है, सब लोग यह बात जानते हैं। एक भी मैल्फ़ॉय इस लायक नहीं है कि उसकी बात पर ध्यान दिया जाए। ख़राब ख़ून, यही इसका कारण है। अब चलो – यहाँ से बाहर चलते हैं।'

दुकान के कर्मचारी ने उन्हें ऐसे देखा, जैसे वह उन्हें बाहर निकलने से रोकना चाहता हो। परंतु वह मुश्किल से हैग्रिड की कमर तक आ रहा था, इसलिए उसने अपने इस विचार पर अमल न करने में ही समझदारी समझी। वे लोग सड़क पर तेज़ी से चलने लगे। ग्रेंजर परिवार डर के मारे काँप रहा था और मिसेज़ वीज़्ली ग़ुस्से से आग-बबूला हो रही थीं।

'अपने बच्चों के सामने तुमने बहुत *बढ़िया* उदाहरण पेश किया ... सबके सामने *मारा-मारी* करना ... गिल्ड्रॉय लॉकहार्ट ने *क्या* सोचा होगा ...'

'वे तो ख़ुश थे,' फ़्रेड बोला। 'जब हम बाहर निकल रहे थे, तब आपने उनकी बात नहीं सुनी ? वे *दैनिक जादूगर* के पत्रकार से बोल रहे थे कि वह अपनी ख़बर में इस लड़ाई का ज़िक्र ज़रूर करे - उन्होंने कहा कि इससे उनका बहुत अच्छा प्रचार होगा।'

बहरहाल रिसती कड़ाही की अँगीठी की तरफ़ लौटते समय उन सबके चेहरे की चमक फीकी थी। यहाँ से हैरी, वीज़्ली परिवार और उनके द्वारा ख़रीदा गया सारा सामान छू पाउडर के सहारे रॉन के घर जाने वाला था। उन्होंने ग्रेंजर दंपति से विदा ली, जो वहाँ से निकलकर दूसरी ओर की मगलू सड़क पर जा रहे थे। मिस्टर वीज़्ली उनसे यह पूछना चाहते थे कि बस स्टॉप कैसे काम करते हैं, परंतु मिसेज़ वीज़्ली के चेहरे के भावों को देखकर उन्होंने यह सवाल नहीं पूछा।

छू पाउडर की चुटकी भरने से पहले हैरी ने अपना चश्मा उतारा और उसे अपनी जेब में सुरक्षित रख लिया। निश्चित रूप से यात्रा करने का यह उसका मनपसंद तरीक़ा नहीं था।

अध्याय पाँच

लड़ाकू पेड़

जब गर्मी की छुट्टियाँ जल्दी से ख़त्म हो गईं, तो हैरी को अच्छा नहीं लगा। हालाँकि वह हॉगवर्ट्स लौटने के लिए बेताब था, परंतु रॉन के घर में बिताया यह महीना उसकी ज़िंदगी का सबसे सुखद समय था। जब उसने डर्स्ली परिवार के बारे में सोचा और यह भी कि अगली बार प्रिविट ड्राइव में जाने पर वे लोग उसके साथ कैसा सलूक करेंगे, तो रॉन से ईर्ष्या होना स्वाभाविक था।

रॉन के घर में उनकी आख़िरी शाम को मिसेज़ वीज़्ली ने ज़ायक़ेदार खाना तैयार किया, जिसमें हैरी की सभी मनपसंद चीज़ें शामिल थीं। उस रात का डिनर मुँह में पानी लाने वाली ट्रिकल पुडिंग पर ख़त्म हुआ। फ्रेड और जॉर्ज ने अंत में फ़िलिबस्टर पटाख़े चलाए, जिन्होंने किचन में लाल और नीले सितारे भर दिए। ये सितारे कम से कम आधे घंटे तक छत से निकलकर दीवारों पर टकराते रहे। फिर गर्म चॉकलेट का आख़िरी कप पीने और बिस्तर पर जाने का समय आ गया।

अगली सुबह उन्हें अपने काम निबटाने में बहुत समय लगा। हालाँकि वे मुर्गे की बाँग के साथ ही जाग गए थे, परंतु न जाने क्यों उन्हें हर काम में कुछ ज़्यादा ही समय लग रहा था। मिसेज़ वीज़्ली का मूड ख़राब था, क्योंकि उन्हें अतिरिक्त मोज़ों और पंख वाली क़लमों की तलाश में इधर से उधर भागना पड़ रहा था। सब सीढ़ियों पर एक-दूसरे से टकरा रहे थे। वे पूरी तरह कपड़े भी नहीं पहन पाए थे और अपने हाथों में आधे टोस्ट लिए थे। मिस्टर वीज़्ली की गर्दन तो टूटते-टूटते बची। जब वे जिनी का संदूक कार में रखने के लिए दालान पार कर रहे थे, तभी उनके रास्ते में एक मुर्गी आ गई और वे गिरते-गिरते बचे।

हैरी को समझ में नहीं आ रहा था कि आठ लोग, छह बड़े संदूक, दो उल्लू और एक चूहा छोटी सी फ़ोर्ड एंग्लिया कार में कैसे समा सकते हैं। ज़ाहिर है, उसने यह अनुमान कार की उन ख़ूबियों को जाने बिना लगाया था, जिन्हें मिस्टर वीज़्ली ने जोड़ा था।

'मॉली से एक शब्द भी मत बोलना,' वे हैरी के कान में फुसफुसाए। इसके बाद उन्होंने उसे डिक्की खोलकर दिखाया कि किस तरह उन्होंने इसे जादू से बड़ा कर लिया था, ताकि सारे संदूक आसानी से समा जाएँ।

जब आख़िरकार वे सब कार में बैठ गए, तो मिसेज़ वीज़्ली ने पिछली सीट की तरफ़ निगाह डाली, जहाँ हैरी, रॉन, फ्रेड, जॉर्ज और पर्सी आराम से बैठे थे। यह देखकर वे बोलीं, 'हम मगलुओं को जितना समझदार समझते हैं, वे उससे कहीं ज़्यादा समझदार हैं, है ना?' वे और जिनी अगली सीट पर बैठ गईं, जो इतनी फैल गई थी कि पार्क की बेंच लग रही थी। 'मेरा मतलब है, बाहर से देखकर कोई नहीं कह सकता कि अंदर इतनी जगह होगी, है ना?'

मिस्टर वीज़्ली ने इंजन चालू किया और कार घर के अहाते से रेंगती हुई बाहर निकल गई। हैरी ने घर को आख़िरी बार देखने के लिए गर्दन घुमाई। वह अभी मुश्किल से इतना ही सोच पाया था कि न जाने कब वह इसे दुबारा देख पाएगा, तभी वे वहाँ वापस लौट आए; जॉर्ज फ़िलिबस्टर पटाख़ों का डिब्बा भूल गया था। उसके पाँच मिनट बाद वे एक बार फिर अहाते में रुके, ताकि फ्रेड भागकर अपनी जादुई झाड़ू ला सके। वे अभी मुख्य सड़क तक पहुँचने ही वाले थे कि तभी जिनी चीख़ी कि उसकी डायरी छूट गई थी। जब तक जिनी कार में लौटी, तब तक उन लोगों को बहुत देर हो चुकी थी और वे चिड़चिड़े भी हो चुके थे।

मिस्टर वीज़्ली ने पहले घड़ी को देखा और फिर अपनी पत्नी को।

'मॉली डियर –'

'*नहीं*, आर्थर।'

'किसी को पता भी नहीं चलेगा। इसमें मैंने अदृश्य करने वाला छोटा सा बटन लगा रखा है। किसी को नज़र आए बगैर हम आसमान में पहुँच जाएँगे और उसके बाद हम बादलों के ऊपर उड़ सकते हैं। हम वहाँ पर दस मिनट में पहुँच जाएँगे और किसी को पता भी नहीं चलेगा ...'

'*मैंने कहा न, नहीं* आर्थर, दिन के उजाले में नहीं।'

वे पौने ग्यारह बजे किंग्स क्रॉस स्टेशन पहुँचे। मिस्टर वीज़्ली भागकर सड़क के उस पार गए, ताकि संदूकों के लिए ट्रॉली ला सकें। फिर सब लोग तेज़ी से स्टेशन के अंदर चल दिए।

हैरी ने पिछले साल भी हॉगवर्ट्स एक्सप्रेस पकड़ी थी। सबसे मुश्किल था प्लेटफ़ॉर्म नंबर पौने दस तक पहुँचना, जो मगलुओं को दिखाई नहीं देता था। इसके लिए बस इतना करना होता था कि आप प्लेटफ़ॉर्म नंबर नौ और दस को अलग करने वाले ठोस बैरियर से होकर चलते चले जाएँ। आप बैरियर से

टकराते नहीं थे, परंतु यह काम बहुत सावधानी से करना पड़ता था, ताकि कोई भी मगलू आपको अदृश्य होते न देख पाए।

'सबसे पहले पर्सी जाएगा,' मिसेज़ वीज़्ली ने बेचैनी से ऊपर लगी घड़ी की तरफ़ देखते हुए कहा, जो बता रही थी कि बैरियर से होकर गुज़रने और ग़ायब होने के लिए उनके पास सिर्फ़ पाँच मिनट का समय था।

पर्सी तेज़ी से आगे बढ़ा और ग़ायब हो गया। इसके बाद मिस्टर वीज़्ली गए और उनके पीछे फ़्रेड तथा जॉर्ज।

मिसेज़ वीज़्ली ने हैरी और रॉन से कहा, 'मैं जिनी को ले जाती हूँ और तुम दोनों ठीक मेरे पीछे आना।' उन्होंने जिनी का हाथ पकड़ा और वे आगे बढ़ीं। पलक झपकते ही वे जा चुकी थीं।

रॉन ने हैरी से कहा, 'हम इकट्ठे चलते हैं, हमारे पास सिर्फ़ एक मिनट बचा है।'

हैरी ने अच्छी तरह से देख लिया कि हेडविग का पिंजरा उसके संदूक के ऊपर सुरक्षित रखा था। फिर उसने अपनी ट्रॉली को बैरियर के ठीक सामने रखा। वह पूरी तरह आत्मविश्वास से भरा हुआ था। इसमें उसे उतनी परेशानी महसूस नहीं हो रही थी, जितनी कि छू पाउडर का प्रयोग करते समय हुई थी। वे दोनों अपनी ट्रॉली के हैंडल पर नीचे झुके और बैरियर की तरफ़ चल पड़े। उनकी गति बढ़ रही थी। बैरियर से कुछ फ़ुट की दूरी पर पहुँचकर वे दौड़ने लगे और –

धड़ाम!

दोनों ट्रॉलियाँ बैरियर से टकराकर उछलीं और पीछे की तरफ़ गिर गईं। रॉन का संदूक एक ज़ोरदार धमाके के साथ फ़र्श से टकराया और हैरी तो ज़मीन पर गिर गया। हेडविग का पिंजरा चमकते फ़र्श पर लुढ़क गया और वह ग़ुस्से से चीख़ रही थी। आस-पास के लोग उन्हें घूरने लगे और पास से गुज़र रहे एक गार्ड ने चिल्लाकर कहा, 'ओए, तुम लोग क्या कर रहे हो?'

'हमारे हाथ से ट्रॉली फिसल गई,' हैरी हाँफते हुए बोला, जब उसने अपनी पसलियों को पकड़ते हुए उठने की कोशिश की। रॉन हेडविग के पिंजरे को उठाने के लिए भागा, जो इतना कोहराम मचा रही थी कि पास खड़े लोग जानवरों पर होने वाले अत्याचार के बारे में बातें करने लगे थे।

'हम अंदर क्यों नहीं जा पाए?' हैरी ने रॉन से फुसफुसाकर पूछा।

'मुझे नहीं पता –'

रॉन ने उत्तेजित होकर चारों तरफ़ देखा। दर्जनों उत्सुक लोग अब भी

उन्हें देख रहे थे।

रॉन फुसफुसाया, 'हमारी ट्रेन छूटने वाली है। मुझे यह समझ में नहीं आ रहा है कि दरवाज़ा क्यों बंद हो गया ...'

हैरी ने बड़ी घड़ी की तरफ़ देखा और उसके पेट की गहराई में उबकाई जैसा एहसास होने लगा। दस सेकंड ... नौ सेकंड ...

उसने सावधानी से अपनी ट्रॉली आगे बढ़ाई, जब तक कि यह सीधे बैरियर से नहीं टिक गई और फिर अपनी पूरी ताक़त से उसे धकेला। दीवार अब भी ठोस थी।

तीन सेकंड ... दो सेकंड ... एक सेकंड ...

'चली गई,' रॉन बोला और वह स्तब्ध था। 'ट्रेन चली गई। अगर मम्मी-डैडी वापस नहीं आ पाए, तो क्या होगा ? क्या तुम्हारे पास मगलुओं के पैसे हैं ?'

हैरी ने खोखली हँसी हँसते हुए कहा, 'डर्स्ली परिवार ने मुझे लगभग छह साल से जेबख़र्च नहीं दिया है।'

रॉन ने अपने कान ठंडे बैरियर से लगाए।

वह तनाव भरे स्वर में बोला, 'कोई आवाज़ नहीं आ रही है। अब हम क्या करें ? मैं नहीं जानता कि मम्मी-डैडी को वापस आने में कितना वक़्त लगेगा।'

उन्होंने चारों तरफ़ देखा। लोग अब भी उन्हें देख रहे थे, ख़ासकर इसलिए क्योंकि हेडविग लगातार चीख़ रही थी।

'मुझे लगता है बेहतर यही होगा कि हम कार के पास चलकर उनका इंतज़ार करें,' हैरी बोला। 'लोग हमें बहुत ही अजीब निगाहों से देख रहे हैं -'

'हैरी!' रॉन ने कहा। अब उसकी आँखें चमक रही थीं, 'कार!'

'कार ?'

'हम कार उड़ाकर हॉगवर्ट्स पहुँच सकते हैं!'

'परंतु मुझे लगता है कि -'

'हम फँस गए हैं, ठीक है ? और हमें स्कूल पहुँचना है, है ना ? और अगर सचमुच आपातकालीन स्थिति हो, तो नाबालिग़ जादूगरों को भी जादू करने की इजाज़त है, अनुच्छेद उन्नीस या अधिनियम की कोई और धारा ...'

हैरी का दहशत का भाव अचानक रोमांच में बदल गया।

'क्या तुम कार उड़ा सकते हो ?'

'कोई दिक़्क़त नहीं है,' रॉन बाहर निकलने वाले दरवाज़े की तरफ़ अपनी

ट्रॉली धकेलते हुए बोला। 'चलो, हम चलते हैं। अगर हम जल्दी करेंगे, तो हॉगवर्ट्स एक्सप्रेस के पीछे-पीछे चल सकते हैं।'

वे उत्सुक मगलुओं की भीड़ के बीच से होते हुए स्टेशन से बाहर निकले तथा उस बग़ल वाली सड़क पर पहुँच गए, जहाँ पुरानी फ़ोर्ड एंग्लिया खड़ी थी।

रॉन ने अपनी छड़ी को ख़ास तरीक़े से ठोंककर कार की गुफा जैसी डिक्की का लॉक खोला। उन्होंने अपने संदूक उसके अंदर डाले, हेडविग का पिंजरा पिछली सीट पर रखा और ख़ुद आगे बैठ गए।

रॉन ने अपनी छड़ी एक बार ठोंककर कार चालू की, 'यह देख लो कि कोई देख तो नहीं रहा है।' हैरी ने अपना सिर खिड़की से बाहर निकाला : आगे वाली मुख्य सड़क पर कारें तेज़ी से आ-जा रही थीं, परंतु उनकी गली ख़ाली थी।

उसने कहा, '**ठीक है**।'

रॉन ने डैशबोर्ड पर लगा छोटा सा सफ़ेद बटन दबाया। उनके चारों तरफ़ की कार अदृश्य हो गई - और साथ ही वे भी। हैरी को महसूस हो रहा था कि उसके नीचे की सीट हिल रही थी, उसे इंजन की आवाज़ सुनाई दे रही थी, उसे यह एहसास हो रहा था कि उसके हाथ घुटनों पर रखे थे और उसकी नाक पर चश्मा लगा था, परंतु उसे अब अपना शरीर नज़र नहीं आ रहा था। वह सिर्फ़ दो आँखें बन चुका था, जो पार्क की हुई कारों से भरी गंदी सड़क पर ज़मीन से कुछ फ़ुट ऊपर तैर रही थीं।

उसके दाहिनी तरफ़ से रॉन की आवाज़ आई, 'चलो, चलते हैं।'

जब कार ऊपर उड़ने लगी, तो उनके एक तरफ़ का मैदान और दूसरी तरफ़ की गंदी इमारतें नीचे छूट गईं और ओझल हो गईं। कुछ ही पल में पूरा लंदन नीचे धुएँ में चमकता दिख रहा था।

फिर एक धड़ाक की आवाज़ आई और कार, हैरी तथा रॉन दुबारा दिखने लगे।

'ओहो,' रॉन अदृश्य करने वाले बटन को ठोंकते हुए बोला, 'यह ख़राब हो गया है -'

दोनों ने उस पर मुक्के मारे। कार फिर अदृश्य हो गई, परंतु कुछ ही समय बाद दुबारा दिखने लगी।

'पकड़े रहो!' रॉन चीख़ा और उसने अपना पैर एक्सीलरेटर पर तेज़ी से दबाया। वे नीचे मँडरा रहे रुई जैसे बादलों में घुस गए और हर चीज़ कोहरे में घिरकर धुँधली हो गई।

'अब क्या करें ?' हैरी चारों तरफ़ से हमला कर रहे बादलों के ठोस ढेर

के बीच अपनी आँखें मिचमिचाते हुए बोला।

रॉन ने कहा, 'हमें ट्रेन को देखना होगा, ताकि यह पता चल सके कि हमें किस दिशा में जाना है।'

'एक बार फिर नीचे चलो - जल्दी -'

वे दुबारा बादलों के नीचे आए और अपनी सीट पर उचक-उचककर नीचे धरती की ओर देखते रहे -

'मुझे ट्रेन दिख गई!' हैरी चीख़ा। 'ठीक सामने देखो - वहाँ पर!'

नीचे हॉगवर्ट्स एक्सप्रेस किसी लाल साँप की तरह तेज़ी से भागी जा रही थी।

रॉन ने कहा, 'उत्तर दिशा में,' और उसने डैशबोर्ड पर लगे दिशासूचक यंत्र की जाँच की। '***ठीक है***, हमें लगभग हर आधा घंटे बाद इसे देखना पड़ेगा। पकड़े रहो ...' और वे बादलों के बीच से होते हुए ऊपर की तरफ़ उड़ चले। एक मिनट बाद वे बादलों से निकलकर सूरज की चमकदार रोशनी में आ गए।

अब वे एक अलग ही दुनिया में थे। कार के पहिए रोएँदार बादल के समुद्र को मथ रहे थे। आँखें चौंधिया देने वाले सूरज के नीचे आसमान चमकीला और नीला था।

रॉन बोला, 'हमें अब बस इस बात की चिंता करना है कि हम किसी हवाई जहाज़ से न टकरा जाएँ।'

उन्होंने एक-दूसरे की तरफ़ देखा और हँसने लगे। वे बहुत देर तक हँसते रहे।

ऐसा लग रहा था जैसे वे कोई शानदार सपना देख रहे हों। हैरी ने सोचा कि यह यात्रा करने का निश्चित रूप से सबसे अच्छा तरीक़ा है : कार में चमकते सूरज की रोशनी के साथ बर्फ़ीले बादल के भँवर और कँगूरों के पार जाना, जबकि सामने टॉफ़ी का मोटा पैकेट रखा हो। हैरी इस संभावना पर विचार करके भी ख़ुश हो रहा था कि जब वे हॉगवर्ट्स के महल के सामने वाले सुंदर लॉन में शानदार तरीक़े से उतरेंगे, तब फ्रेड और जॉर्ज कितनी ईर्ष्या से उन्हें देखेंगे।

उत्तर दिशा में और आगे बढ़ते हुए वे समय-समय पर ट्रेन की खोज-ख़बर लेते रहे। जब भी वे बादलों से नीचे आते थे, तो हर बार उन्हें एक अलग दृश्य दिखाई पड़ता था। लंदन अब बहुत पीछे छूट गया था, इसके बाद उन्हें साफ़ हरे खेत दिखाई दिए, फिर चौड़ी बैंगनी बंजर भूमि, फिर गाँव जिनमें छोटे चर्च थे और एक बड़ा शहर जिसमें रंग-बिरंगी कारें चींटियों की तरह रेंगती नज़र आ रही थीं।

बहरहाल, कुछ घंटों के बाद हैरी को यह मानना पड़ा कि आनंद कम हो

रहा था। टॉफ़ियाँ खाने की वजह से उसे बहुत प्यास लग रही थी, परंतु उनके पास पीने के लिए कुछ नहीं था। उसने और रॉन ने अपने स्वेटर उतार दिए, परंतु पसीने के कारण हैरी की टी-शर्ट उसकी सीट से चिपक रही थी और उसका चश्मा उसकी नाक पर आए पसीने की वजह से नीचे फिसल रहा था। उसने अब बादलों की शानदार आकृति को देखना बंद कर दिया था। इस समय वह मीलों नीचे जा रही ट्रेन के बारे में हसरत से सोच रहा था, जहाँ वह मोटी जादूगरनी की ट्रॉली से बर्फ़ जैसा ठंडा कद्दू का जूस ख़रीद सकता था। वे लोग प्लेटफ़ॉर्म नंबर पौने दस तक *क्यों* नहीं पहुँच पाए थे?

रॉन ने घंटों बाद बुझी आवाज़ में कहा, 'अब .ज्यादा दूर नहीं होगा, है ना?' अब सूरज बादलों के फ़र्श पर डूबने लगा था, जो गहरे गुलाबी रंग का हो चुका था। 'एक बार फिर नीचे उतरकर ट्रेन की जाँच करते हैं?'

ट्रेन अब भी उनके ठीक नीचे थी और घुमावदार रास्ते से बर्फ़ से ढँके पहाड़ के पार जा रही थी। बादलों की छतरी के नीचे .ज्यादा अँधेरा था।

रॉन ने एक्सीलरेटर पर अपना पैर रखा और एक बार फिर कार ऊपर उठाई; परंतु तभी कार का इंजन आवाज़ करने लगा।

हैरी और रॉन ने घबराकर एक-दूसरे की तरफ़ देखा।

'इंजन शायद थक गया है,' रॉन बोला। 'इसने इतनी लंबी यात्रा पहले कभी नहीं की ...'

और उन दोनों ने ही ऐसा अभिनय किया, जैसे घर्र-घर्र की यह तेज़ होती आवाज़ उन्हें सुनाई नहीं दे रही हो। आसमान लगातार काला होता जा रहा था और सितारे चमकने लगे थे। हैरी ने दुबारा अपना स्वेटर पहन लिया। उसने गाड़ी की झनझनाहट के कारण विंडस्क्रीन के काँपते वाइपर को अनदेखा कर दिया, जो मानो हिलकर अपना विरोध प्रकट कर रहा था।

रॉन ने कहा, '.ज्यादा दूर नहीं है।' यह बात उसने हैरी से कम और कार से .ज्यादा कही थी। 'अब .ज्यादा दूर नहीं है।' और फिर उसने घबराए अंदाज़ में डैशबोर्ड को थपथपाया।

जब वे कुछ समय बाद फिर से बादलों के नीचे आए, तो उन्हें अँधेरे के बीच आँखें गड़ाकर देखना पड़ा, ताकि किसी परिचित वस्तु को देखकर पता लगा सकें कि वे कहाँ थे।

'वहाँ!' हैरी की चीख़ से रॉन और हेडविग उछल पड़े। 'सीधे सामने!'

दूर काले आसमान के नीचे कुछ रेखाएँ नज़र आ रही थीं। झील के किनारे चट्टानों पर बने हॉगवर्ट्स के ऊँचे महल के कई कँगूरे और टॉवर खड़े दिख रहे थे।

परंतु कार थरथराने लगी थी और उसकी रफ़्तार कम हो रही थी।

'चलो भी,' रॉन ने कार को प्रेरित करते हुए कहा और स्टियरिंग व्हील को एक हलका सा झटका दिया, 'बस वहाँ पहुँच ही गए, बस थोड़ा सा और –'

इंजन दर्द भरी आवाज़ में कराहा। बोनट के अंदर से धुएँ की लकीरें निकलने लगीं। जब वे झील की ओर उड़े, तो हैरी ने पाया कि वह अपनी सीट के किनारों को कसकर पकड़े था।

कार ने बुरी तरह झटका दिया। जब हैरी ने अपनी खिड़की से बाहर झाँका, तो उसे एक मील नीचे पानी की चिकनी, काली, काँच जैसी सतह दिखी। स्टियरिंग व्हील पर रॉन की उँगलियों की गाँठें सफ़ेद हो गई थीं। कार एक बार फिर झटके देने लगी थी।

'रुकना मत,' रॉन बुदबुदाया।

वे झील के ऊपर थे ... महल ठीक सामने था ... रॉन ने एक्सीलरेटर पर और दबाव डाला।

परंतु तभी एक ज़ोरदार खड़खड़ाहट हुई और आख़िरी झटका देकर इंजन बंद हो गया।

'ओहो,' रॉन उस ख़ामोशी में बोला।

कार मुँह के बल नीचे गिरने लगी। अब वे तेज़ी से गिरते हुए सीधे महल की ठोस दीवार की तरफ़ जा रहे थे।

'नहहहहहीं!' रॉन चीख़ा। उसने स्टियरिंग व्हील को ज़ोर से घुमाया। वे पत्थर की काली दीवार से कुछ इंच से टकराते-टकराते बचे। फिर कार एक बड़े गोले में घूमी और धुँधले ग्रीनहाउसों के ऊपर उड़ने लगी, फिर सब्ज़ियों के बगीचे के ऊपर, फिर काले लॉन के ऊपर और इस दौरान वे लगातार नीचे आ रहे थे।

रॉन ने स्टियरिंग व्हील छोड़ दिया और पीछे की जेब से अपनी छड़ी बाहर निकाली।

वह चीख़ा, **'रुक जाओ! रुक जाओ!'** उसने डैशबोर्ड और विंडस्क्रीन पर छड़ी मारी, परंतु कार अब भी नीचे गिर रही थी और ज़मीन जैसे उनकी तरफ़ ऊपर उड़ती हुई आ रही थी ...

'देखो सामने पेड़ है!' हैरी चीख़ा और स्टियरिंग व्हील की तरफ़ झपटा, परंतु बहुत देर हो चुकी थी –

धड़ाम।

कान फोड़ने वाली आवाज़ के साथ कार पेड़ से टकराई। वे पेड़ के मोटे तने से टकराए थे और एक ज़ोरदार झटके के साथ ज़मीन पर आ चुके थे। मुड़े

हुए बोनट के नीचे से धुआँ निकल रहा था, हेडविग दहशत में चीख़ रही थी, विंडस्क्रीन से टकराने के कारण हैरी के सिर पर गोल्फ़ की गेंद जितना बड़ा गूमड़ा उभर आया था और उसकी दाईं तरफ़ रॉन ने एक हलकी मायूस कराह निकाली।

'तुम **ठीक** तो हो ?' हैरी ने व्यग्रता से पूछा।

'मेरी छड़ी,' रॉन ने काँपती आवाज़ में कहा। 'मेरी छड़ी को देखो।'

छड़ी के लगभग दो टुकड़े हो गए थे। इसका निचला सिरा लटक रहा था और यह सिर्फ़ कुछ तिनकों के सहारे ही आपस में जुड़ी थी।

हैरी ने यह कहने के लिए अपना मुँह खोला कि यक़ीनन स्कूल के टीचर उसकी छड़ी ठीक कर देंगे, परंतु उसके मुँह से शब्द बाहर नहीं निकल पाए। उसी पल, कोई चीज़ हमला कर रहे साँड जितनी ताक़त से उसकी तरफ़ वाले कार के दरवाज़े से टकराई, जिससे वह उछलकर रॉन की तरफ़ पहुँच गया। उसी समय छत पर भी उतना ही ज़ोरदार प्रहार हुआ।

'क्या हो रहा है – ?'

रॉन हाँफते हुए विंडस्क्रीन से बाहर देखने लगा। हैरी ने मुड़कर समय रहते देख लिया कि अजगर जितनी मोटी एक शाखा अंदर घुसने वाली है। जिस पेड़ से वे टकराए थे, वह उन पर हमला कर रहा था। उसका तना अब झुक गया था और उसकी गाँठदार शाखाएँ जहाँ तक पहुँच सकती थीं, वहाँ तक पहुँचकर हर तरफ़ से कार पर प्रहार कर रही थीं।

'आआआह!' रॉन बोला, जब दूसरी मुड़ी हुई शाखा ने उसकी तरफ़ वाले दरवाज़े को पिचका दिया। विंडस्क्रीन अब गाँठदार टहनियों के प्रहारों की वजह से थरथरा रही थी। ग़ुस्सैल साँड जैसी शाखा छत पर बुरी तरह प्रहार किए जा रही थी और ऐसा लग रहा था कि छत टूटने ही वाली थी –

'बचकर भागो!' रॉन चिल्लाया और उसने पूरी ताक़त से दरवाज़े को धकेला, परंतु अगले ही पल वह हैरी की गोद में आकर गिरा, क्योंकि ऊपर से आने वाली शाखा ने उसे ज़ोरदार झटका दिया था।

'हमारा काम तमाम हो गया!' वह दर्द से कराहा। छत धँसने लगी थी, परंतु अचानक कार थरथराने लगी – इंजन दुबारा चालू हो गया था।

'*पलटो!*' हैरी चीख़ा और कार तेज़ी से पीछे की तरफ़ चल दी। पेड़ अब भी उन पर हमला करने की कोशिश कर रहा था। उन्हें उसकी जड़ों के चटकने की आवाज़ आ रही थी, जैसे वह ख़ुद को उखाड़ रहा हो। जब वे उसकी पहुँच से बाहर निकल रहे थे, तब भी वह उन पर प्रहार करने की पूरी कोशिश कर रहा था।

रॉन हाँफते हुए बोला, 'बहुत क़रीबी मामला था। शाबाश कार।'

बहरहाल, कार की बर्दाश्त करने की सीमा ख़त्म हो गई थी। दो ज़बर्दस्त झटकों के साथ दरवाज़े खुल गए और हैरी ने महसूस किया कि उसकी सीट के किनारे भी बाहर की तरफ़ खुल गए थे। अगले ही पल वह गीली ज़मीन पर पड़ा हुआ था। गिरने की ज़ोरदार आवाज़ों ने उसे बताया कि कार डिक्की से उनका सामान निकालकर बाहर फेंक रही थी। हेडविग का पिंजरा हवा में उड़ता हुआ आया और खुल गया। ग़ुस्से भरी ज़ोरदार चीख़ के साथ वह उसमें से बाहर निकली और पीछे मुड़कर देखे बिना महल की तरफ़ तेज़ी से उड़ गई। फिर पिचकी हुई, खरोंचों से भरी और धुआँ उड़ाती कार अँधेरे में घरघराने लगी। उसकी पिछली बत्तियाँ ग़ुस्से से चमक रही थीं।

'वापस आओ!' रॉन पीछे से अपनी टूटी छड़ी लहराते हुए चिल्लाया। 'डैडी मुझे मार डालेंगे!'

परंतु कार आख़िरी बार धुआँ उड़ाते हुए और आवाज़ करते हुए उनकी नज़रों से ओझल हो गई।

'तुमने देखा हमारी *क़िस्मत* कितनी ख़राब थी ?' रॉन ने दुखी आवाज़ में कहा और झुककर अपने चूहे स्कैबर्स को उठाया। 'हम किसी भी पेड़ से टकरा सकते थे, परंतु हमें उसी पेड़ से टकराना था, जो पलटकर हम पर हमला करे।'

उसने मुड़कर उस लड़ाकू पेड़ को देखा, जो अब भी ख़तरनाक तरीक़े से अपनी शाखाएँ हिला रहा था।

'चलो छोड़ो,' हैरी ने थके स्वर में कहा, 'बेहतर होगा कि हम स्कूल की तरफ़ चलें ...'

यह उस तरह का भव्य आगमन नहीं था, जिसकी उन्होंने कल्पना की थी। उनके शरीर अकड़े हुए, ठंडे और चोटग्रस्त थे। उन्होंने अपने-अपने संदूक का सिरा पकड़ा और उन्हें घसीटते हुए घास भरी चढ़ाई पर चढ़ने लगे। वे बलूत की लकड़ी के बड़े दरवाज़े की ओर बढ़ रहे थे।

'मुझे लगता है दावत शुरू हो चुकी है,' रॉन बोला। उसने अपना संदूक अगली सीढ़ियों के मुहाने पर छोड़ दिया। उसे चमकदार रोशनी से भरी एक खिड़की दिखी, जिसमें से भीतर झाँकने के लिए वह चुपचाप उसके पास पहुँचा। 'अरे हैरी, यहाँ आकर देखो - चुनने की रस्म हो रही है!'

हैरी तुरंत वहाँ पहुँच गया। फिर वह और रॉन दोनों ही बड़े हॉल में झाँकने लगे।

चार लंबी भीड़ भरी टेबलों के ऊपर असंख्य मोमबत्तियाँ बीच हवा में मँडरा रही थीं, जिनसे सुनहरी प्लेटें और प्याले चमक रहे थे। हमेशा असली

आसमान जैसी दिखने वाली जादुई छत चमकते सितारों से भरी थी।

हॉगवर्ट्स की नुकीली काली टोपियों की भरमार के बीच से हैरी ने फ़र्स्ट ईयर के डरे हुए विद्यार्थियों को हॉल में लंबी लाइन में खड़े देखा। उनमें जिनी भी थी, जो लाल रंग के वीज़्ली बालों के कारण आसानी से पहचान में आ गई। पास ही में चश्मा लगाने वाली जादूगरनी प्रोफ़ेसर मैक्गॉनेगल थीं। उनके बाल कसकर बँधे थे और वे नए विद्यार्थियों के सामने हॉगवर्ट्स की मशहूर बोलती टोपी स्टूल पर रख रही थीं।

फटी, गंदी और पैबंद लगी यह सदियों पुरानी टोपी हर साल नए विद्यार्थियों को हॉगवर्ट्स के चार हाउसों (गरुड़द्वार, मेहनतकश, चीलघात और नागशक्ति) के लिए चुनती थी। हैरी को इसे पहनने का अनुभव अच्छी तरह याद था। ठीक एक साल पहले उसने इसे पहनकर इंतज़ार किया था और वह इसके निर्णय को लेकर दहशत में था कि तभी टोपी उसके कान में ज़ोर से बुदबुदाई थी। कुछ भयानक पलों तक तो उसे यह डर सताता रहा कि टोपी उसे नागशक्ति में भेजने वाली है, जहाँ से काले जादूगर और जादूगरनियाँ सबसे अधिक संख्या में निकलते थे - परंतु अंत में वह गरुड़द्वार में गया था, जहाँ रॉन, हर्माइनी और बाक़ी वीज़्ली भाई थे। पिछले साल हैरी और रॉन की वजह से गुरुड़द्वार ने हाउस चैंपियनशिप जीती थी और सात साल में पहली बार नागशक्ति को हराया था।

एक बहुत छोटे, चूहे जैसे बाल वाले लड़के को टोपी अपने सिर पर रखने के लिए बुलाया गया। हैरी की नज़रें उसके पास से होती हुई वहाँ पहुँच गईं, जहाँ हेडमास्टर प्रोफ़ेसर डम्बलडोर स्टाफ़ टेबल से चुनने की रस्म देख रहे थे। उनकी लंबी सफ़ेद दाढ़ी और आधे चाँद के आकार का चश्मा मोमबत्ती की रोशनी में तेज़ चमक रहा था। कुछ दूरी पर हैरी को गिल्ड्रॉय लॉकहार्ट दिखे, जो हलके नीले रंग का दुशाला पहने थे। और आख़िरी छोर पर खिचड़ी बालों वाला विशालकाय हैग्रिड था, जो अपने प्याले से लंबा घूँट ले रहा था।

'ज़रा देखो तो सही ...' हैरी रॉन से बुदबुदाकर बोला। 'स्टाफ़ टेबल पर एक कुर्सी ख़ाली है ... स्नेप कहाँ है?'

प्रोफ़ेसर सीवियरस स्नेप हैरी के सबसे कम प्रिय शिक्षक थे। हैरी भी स्नेप का सबसे कम प्रिय छात्र था। क्रूर, व्यंग्यात्मक और ख़ुद के हाउस यानी नागशक्ति के विद्यार्थियों को छोड़कर बाक़ी सब विद्यार्थियों द्वारा नापसंद किए जाने वाले स्नेप जादुई काढ़े का विषय पढ़ाते थे।

'शायद बीमार हों!' रॉन ने आशा से कहा।

'शायद हॉगवर्ट्स छोड़कर चले गए हों,' हैरी बोला, 'क्योंकि उन्हें एक

बार *फिर* गुप्त कलाओं से रक्षा का टीचर नहीं बनाया गया!'

'या फिर उन्हें *निकाल* दिया गया हो!' रॉन ने जोशीली आवाज़ में कहा। 'मेरा मतलब है, सब लोग उनसे नफ़रत करते हैं –'

'या हो सकता है,' उनके पीछे से एक बहुत ठंडी आवाज़ आई, 'वे यह सुनना चाहते हों कि तुम दोनों स्कूल की ट्रेन में क्यों नहीं आए ?'

हैरी पलटकर घूमा। वहाँ पर ठंडी हवा में लहरा रहे काले दुशाले में सीवियरस स्नेप खड़े थे। वे दुबले थे। उनकी चमड़ी पीली तथा नाक मुड़ी हुई थी और कंधे तक झूलते उनके लंबे बाल काले और चिपचिपे थे। इस समय स्नेप ऐसे अंदाज़ में मुस्करा रहे थे, जिसे देखते ही हैरी तत्काल समझ गया कि वह और रॉन बहुत गंभीर संकट में फँस चुके हैं।

'मेरे पीछे आओ,' स्नेप ने कहा।

एक-दूसरे की तरफ़ देखने की हिम्मत भी नहीं करते हुए हैरी और रॉन स्नेप के पीछे-पीछे चल दिए। वे सीढ़ियाँ चढ़कर गूँजते हुए प्रवेश हॉल में गए, जो जलती मशालों से रोशन था। बड़े हॉल से पकवानों की ज़ायक़ेदार ख़ुशबू आ रही थी, परंतु स्नेप उन्हें गर्मी और रोशनी से दूर सँकरी सीढ़ियों की ओर ले गए, जो तहख़ाने तक ले जाती थीं।

'अंदर!' स्नेप ने ठंडे गलियारे के दरवाज़े को आधा खोलते हुए इशारा किया।

वे काँपते हुए स्नेप के ऑफ़िस में घुसे। काली दीवारों पर शेल्फ़ बने थे, जिन पर काँच के बड़े मर्तबान रखे थे। उनमें बहुत सी वीभत्स चीज़ें तैर रही थी, परंतु सच तो यह था कि हैरी इस समय उनका नाम भी नहीं जानना चाहता था। अँगीठी बुझी हुई और ख़ाली थी। स्नेप ने दरवाज़ा बंद किया और उनकी तरफ़ देखने के लिए मुड़े।

'तो,' उन्होंने धीमे से कहा, 'मशहूर हैरी पॉटर और उसके वफ़ादार सहयोगी वीज़्ली को ट्रेन से आना अच्छा नहीं लगा। यहाँ पर *धमाके* के साथ आना चाहते थे, है ना बच्चो ?'

'नहीं सर, ऐसा किंग्स क्रॉस के बैरियर के कारण हुआ, वह –'

'ख़ामोश!' स्नेप ने ठंडे लहज़े में कहा। 'तुम लोगों ने कार का क्या किया ?'

रॉन ने थूक गटका। यह पहली बार नहीं था, जब हैरी को यह एहसास हुआ हो कि स्नेप मन की बातें पढ़ सकते थे। बहरहाल एक पल बाद हैरी को इसका कारण समझ में आ गया, जब स्नेप ने आज का *सांध्य जादूगर*

अख़बार खोला।

'तुम्हें मगलुओं ने देखा था,' उन्होंने फुफकारते हुए उन दोनों को अख़बार की हेडलाइन दिखाई : '**उड़ने वाली फ़ोर्ड एंग्लिया ने मगलुओं को अचंभे में डाला।**' उन्होंने ऊँचे स्वर में पढ़ना शुरू किया। '"लंदन में दो मगलुओं को विश्वास है कि उन्होंने एक पुरानी कार को पोस्टऑफ़िस के टॉवर के ऊपर उड़ते देखा ... दोपहर में नॉरफ़ोक में अपने कपड़े बाहर डालने के लिए आईं मिसेज़ हेटी बेलिस ... पीबल्स के मिस्टर एंगस फ़्लीट ने पुलिस को सूचना दी" ... कुल मिलाकर छह या सात मगलू। मुझे लगता है कि *तुम्हारे* पिता मगलू वस्तु दुरुपयोग विभाग में काम करते हैं?' वे रॉन की ओर देखकर कुटिलता से मुस्कराते हुए बोले। 'और... उन्हीं का बेटा ...'

हैरी को ऐसा लगा, जैसे उसके पेट में लड़ाकू पेड़ की एक बड़ी शाखा घुस गई हो। अगर किसी को यह पता चल गया कि मिस्टर वीज़्ली ने अपनी कार पर जादू किया था ... उसने इस बारे में तो सोचा ही नहीं था ...

स्नेप ने आगे कहा, 'पार्क की तलाशी लेने के बाद मैंने यह पाया कि बहुत ही मूल्यवान लड़ाकू पेड़ को काफ़ी नुक़सान पहुँचाया गया है।'

'हमने पेड़ को जितना नुक़सान पहुँचाया है, उससे कहीं ज़्यादा नुक़सान उसने *हमें* पहुँचाया है –' रॉन के मुँह से निकला।

'ख़ामोश!' स्नेप ने गुर्राते हुए कहा। 'यह बहुत ही दुर्भाग्यपूर्ण है कि तुम लोग मेरे हाउस में नहीं हो और तुम्हें स्कूल से निकालने का निर्णय लेना मेरे हाथ में नहीं है। मैं जाकर ऐसे लोगों को बुला लाता हूँ, जिनके पास यह सुखद निर्णय लेने की शक्ति है। तब तक तुम लोग यहीं इंतज़ार करोगे।'

हैरी और रॉन ने सफ़ेद चेहरे से एक-दूसरे को घूरा। हैरी की भूख ग़ायब हो चुकी थी। अब उसका जी मचलाने लगा था। उसने स्नेप की डेस्क के पीछे रखे शेल्फ़ पर हरे द्रव में रखी बड़ी लिसलिसी चीज़ की तरफ़ न देखने की कोशिश की। अगर स्नेप प्रोफ़ेसर मैक्गॉनेगल को बुलाने गए थे, जो गरुड़द्वार हाउस की प्रमुख थीं, तो उनकी स्थिति कोई ख़ास बेहतर नहीं कही जा सकती थी। वे स्नेप से ज़्यादा निष्पक्ष थीं, परंतु इसके बावज़ूद वे बहुत कठोर थीं।

दस मिनट बाद स्नेप लौटे और निश्चित रूप से उनके साथ प्रोफ़ेसर मैक्गॉनेगल ही थीं। हैरी ने प्रोफ़ेसर मैक्गॉनेगल को पहले भी कई बार नाराज़ देखा था, परंतु या तो वह भूल गया था कि उनका मुँह कितना पतला दिख सकता था या फिर उसने उन्हें पहले कभी इतना नाराज़ नहीं देखा था। उन्होंने अंदर आते ही अपनी छड़ी उठाई। हैरी और रॉन पीछे हट गए, परंतु उन्होंने छड़ी से सिर्फ़ ख़ाली अँगीठी की तरफ़ इशारा किया, जिसमें अचानक आग की लपटें

निकलने लगीं।

'बैठो,' वे बोलीं और वे दोनों आग के पास रखी कुर्सियों पर बैठ गए।

'बताओ,' उन्होंने कहा; उनका चश्मा ख़तरनाक तरीक़े से चमक रहा था।

रॉन ने कहानी बताना शुरू की, जो यहाँ से शुरू होती थी कि स्टेशन के बैरियर ने उन्हें अंदर नहीं घुसने दिया।

'... तो प्रोफ़ेसर, हमारे पास और कोई विकल्प नहीं था, हम ट्रेन में नहीं बैठ सकते थे।'

'तुम लोगों ने हमें उल्लू के माध्यम से चिट्ठी क्यों नहीं भेजी ? मुझे यक़ीन है कि *तुम्हारे* पास उल्लू है ?' प्रोफ़ेसर मैक्गॉनेगल ने हैरी से ठंडे लहज़े में कहा।

हैरी मुँह फाड़े उनकी तरफ़ देखता रह गया। अब जब उन्होंने यह बात कह दी थी, तो यह बिलकुल साफ़ लग रहा था कि उन्हें यही करना चाहिए था।

'यह मेरे – यह मेरे दिमाग़ में ही नहीं आया –'

'ज़ाहिर है,' प्रोफ़ेसर मैक्गॉनेगल बोलीं।

ऑफ़िस के दरवाज़े पर किसी ने दस्तक दी और पहले से ज़्यादा ख़ुश नज़र आ रहे स्नेप ने उसे खोला। वहाँ हेडमास्टर प्रोफ़ेसर डम्बलडोर खड़े थे।

हैरी का पूरा शरीर सुन्न पड़ गया। डम्बलडोर असामान्य रूप से गंभीर दिख रहे थे। उन्होंने अपनी बहुत मुड़ी नाक के नीचे से उन्हें देखा। हैरी के मन में अचानक यह इच्छा जागी कि काश इस समय भी लड़ाकू पेड़ रॉन और उस पर प्रहार कर रहा होता, तो कितना अच्छा होता!

एक लंबी ख़ामोशी छाई रही। फिर डम्बलडोर बोले, 'स्पष्ट कीजिए कि आपने ऐसा क्यों किया।'

अगर वे चिल्लाते, तो हैरी को इतना बुरा नहीं लगता, परंतु उनकी आवाज़ में निराशा का भाव सुनकर उसे बहुत बुरा लगा। किसी कारण से वह डम्बलडोर से नज़रें नहीं मिला पा रहा था और इसके बजाय वह उनके घुटनों की तरफ़ देखकर बोल रहा था। उसने डम्बलडोर को हर चीज़ बताई, सिवाय इसके कि मिस्टर वीज़्ली उस जादुई कार के मालिक थे। उसने ऐसा जताया, जैसे उसे और रॉन को स्टेशन के बाहर एक उड़ने वाली कार खड़ी मिल गई थी। वह जानता था कि डम्बलडोर तत्काल असलियत समझ जाएँगे, परंतु डम्बलडोर ने कार के बारे में कोई सवाल नहीं पूछा। जब हैरी ने अपनी बात पूरी कर ली, तो वे सिर्फ़ अपने चश्मे से उन्हें घूरते रहे।

रॉन ने हताशा भरे स्वर में कहा, 'तो हम जाएँ और अपना सामान

ले आएँ।'

प्रोफ़ेसर मैक्गॉनेगल गरजीं, 'तुम यह क्या बोल रहे हो, वीज़्ली ?'

'आप हमें स्कूल से निकाल रहे हैं, है ना ?' रॉन ने कहा।

हैरी ने जल्दी से डम्बलडोर की तरफ़ देखा।

'आज नहीं, मिस्टर वीज़्ली,' डम्बलडोर बोले। 'परंतु मैं तुम दोनों को उस ग़लती की गंभीरता से परिचित करवाना चाहता हूँ, जो तुमने की है। मैं आज ही तुम दोनों के परिवारों को ख़त लिखूँगा। मैं तुम्हें यह चेतावनी भी देना चाहता हूँ कि अगर तुमने दुबारा ऐसी हरक़त की, तो मेरे पास तुम्हें निकालने के अलावा और कोई विकल्प नहीं होगा।'

स्नेप का चेहरा ऐसा दिख रहा था, जैसे उसे क्रिसमस मनाने से रोक दिया गया हो। उसने अपना गला साफ़ करते हुए कहा, 'प्रोफ़ेसर डम्बलडोर, इन लड़कों ने नाबालिग़ जादूगरी के नियमों को तोड़ा है, एक पुराने और बेशक़ीमती पेड़ को गंभीर नुक़सान पहुँचाया है... निश्चित रूप से इस तरह के गंभीर अपराध के लिए ...'

'इन लड़कों की सज़ा तय करने का फ़ैसला प्रोफ़ेसर मैक्गॉनेगल के हाथ में है, सीवियरस,' डम्बलडोर ने शांति से कहा। 'ये उनके हाउस में हैं और इसलिए उनकी ज़िम्मेदारी हैं।' वे प्रोफ़ेसर मैक्गॉनेगल की ओर मुड़े, 'मुझे दावत में वापस जाना है, मिनर्वा। मुझे कुछ नोटिस पढ़कर सुनाने हैं। आओ सीवियरस, एक बहुत ज़ायक़ेदार दिखने वाला कस्टर्ड टार्ट है, जिसे मैं चखना चाहता हूँ।'

अपने ऑफ़िस से जबरन बाहर ले जाए जाते समय स्नेप ने हैरी और रॉन को बहुत ख़ूँख़ार निगाहों से देखा। अब वे दोनों प्रोफ़ेसर मैक्गॉनेगल के साथ अकेले थे, जो अब भी किसी ग़ुस्सैल बाज की तरह उन्हें देख रही थीं।

'वीज़्ली, बेहतर होगा कि तुम अस्पताल जाओ, तुम्हारे घावों से ख़ून निकल रहा है।'

'ज़्यादा चोट नहीं लगी है,' रॉन ने कहा और जल्दी से अपनी आँख के ऊपर के घाव को आस्तीन से पोंछा। 'प्रोफ़ेसर, मैं अपनी बहन का चुनाव देखना चाहता था –'

'चुनने की रस्म पूरी हो चुकी है,' प्रोफ़ेसर मैक्गॉनेगल बोलीं। 'तुम्हारी बहन भी गरुड़द्वार में है।'

'यह बहुत अच्छा हुआ,' रॉन बोला।

'और गरुड़द्वार की बात आई है तो –' प्रोफ़ेसर मैक्गॉनेगल तेज़ी से बोलीं, परंतु हैरी बीच में ही बोल पड़ा : 'प्रोफ़ेसर, जब हमने कार ली थी, तब

सत्र शुरू नहीं हुआ था, इसलिए - इसलिए गरुड़द्वार के पॉइंट कम नहीं होना चाहिए, प्लीज़ ?' उसने बात पूरी करने के बाद चिंता से उनकी तरफ़ देखा।

प्रोफ़ेसर मैक्गॉनेगल ने उस पर पैनी निगाह डाली, परंतु उसे विश्वास था कि वे पल भर के लिए मुस्कराई थीं। चाहे जो हो, उनका मुँह कम पतला दिख रहा था।

'मैं गरुड़द्वार के पॉइंट कम नहीं करूँगी,' वे बोलीं और हैरी का दिल काफ़ी हलका हो गया, 'परंतु तुम दोनों को सज़ा ज़रूर मिलेगी।'

यह हैरी की उम्मीद से कहीं बेहतर था। जहाँ तक डम्बलडोर के डर्स्ली परिवार को ख़त लिखने का सवाल था, उसका उसे कोई डर नहीं था। हैरी बहुत अच्छी तरह जानता था कि वे तो इस बात से बहुत निराश होंगे कि लड़ाकू पेड़ ने उसका कचूमर क्यों नहीं निकाल दिया।

प्रोफ़ेसर मैक्गॉनेगल ने अपनी छड़ी दुबारा उठाई और स्नेप की डेस्क की तरफ़ हिलाई। सैंडविचों की एक बड़ी प्लेट, चाँदी के दो प्याले और बर्फ़ डले कद्दू के जूस का एक जग *खट्ट की आवाज़* के साथ वहाँ प्रकट हो गए।

'तुम लोग यहाँ पर खा लो और फिर सीधे अपने कमरे में जाओ,' वे बोलीं। 'मुझे भी दावत में जाना है।'

जब उनके पीछे दरवाज़ा बंद हुआ, तो रॉन ने एक लंबी, धीमी सीटी बजाई।

उसने सैंडविच को झपटकर उठाते हुए कहा, 'मुझे तो लगा था जैसे हमारा काम तमाम हो गया।'

'मुझे भी ऐसा ही लगा था,' हैरी भी एक सैंडविच उठाते हुए बोला।

'तुमने देखा हमारी क़िस्मत कितनी ख़राब थी ?' रॉन चिकन और हैम को मुँह में भरे-भरे बोला। 'फ़्रेड और जॉर्ज ने कार को पाँच-छह बार उड़ाया होगा, परंतु उन्हें आज तक किसी मगलू ने नहीं देखा।' उसने अपने मुँह का निवाला निगलकर एक और बड़ा कौर ठूँस लिया। 'हम लोग बैरियर में से *क्यों* नहीं निकल पाए ?'

हैरी ने कंधे उचकाए। 'हमें अब सोच-समझकर क़दम उठाना होगा,' वह कद्दू के जूस का घूँट कृतज्ञता से पीते हुए बोला। 'काश हम दावत में जा पाते ...'

'वे नहीं चाहती थीं कि हम शान झाड़ें,' रॉन ने समझदारी से कहा। 'नहीं चाहती थीं कि लोग यह सोचें कि कार उड़ाकर आना कोई शाबाशी की बात है।'

जब उन्होंने भरपेट सैंडविच खा लिए (ख़ाली होने पर प्लेट अपने आप

दुबारा भरती रही), तो वे उठे और ऑफ़िस से बाहर निकलकर गरुड़द्वार टॉवर के जाने-पहचाने रास्ते पर चल दिए। महल में शांति थी; ऐसा लग रहा था जैसे दावत ख़त्म हो चुकी थी। वे बुदबुदाती तस्वीरों और चरमराते कवचों के पास से गुज़रे और पत्थर की सँकरी सीढ़ियों पर चढ़े, जब तक कि वे उस जगह पर नहीं पहुँच गए, जहाँ गरुड़द्वार टॉवर का प्रवेशद्वार छुपा हुआ था। यह प्रवेशद्वार गुलाबी रेशमी पोशाक पहनने वाली एक बहुत मोटी औरत की ऑइल पेंटिंग के पीछे था।

जब वे पास आए, तो मोटी औरत ने पूछा, 'पासवर्ड।'

'अर -' हैरी बोला।

वे नए साल का पासवर्ड नहीं जानते थे, क्योंकि वे अब तक गरुड़द्वार के किसी प्रिफ़ेक्ट से नहीं मिले थे, परंतु उन्हें तत्काल मदद मिल गई। उन्हें अपने पीछे तेज़ी से आते क़दमों की आवाज़ सुनाई दी। उन्होंने पलटकर देखा : हर्माइनी भागती हुई उनकी तरफ़ आ रही थी।

'तो तुम लोग *यहाँ* हो! तुम अब तक कहाँ थे ? बहुत *मूर्खतापूर्ण* अफ़वाहें फैल रही थीं - कोई कह रहा था कि तुम्हें उड़ती हुई *कार* टकराने के कारण स्कूल से निकाल दिया गया है।'

'देखो, हम अब तक स्कूल में हैं, हमें यहाँ से निकाला नहीं गया है,' हैरी ने उसे आश्वस्त किया।

'तुम कहीं यह तो नहीं कह रहे हो कि तुम यहाँ पर कार *उड़ाकर* आए हो ?' हर्माइनी बोली। उसकी आवाज़ भी प्रोफ़ेसर मैक्गॉनेगल जितनी ही गंभीर थी।

'भाषण छोड़ो,' रॉन ने अधीरता से कहा, 'और हमें नया पासवर्ड बताओ।'

'पासवर्ड तो "वैटलबर्ड" है,' हर्माइनी ने अधीरता से कहा, 'परंतु मुद्दे की बात यह नहीं है -'

बहरहाल उसके शब्द अधूरे ही रह गए, क्योंकि मोटी औरत की तस्वीर हट गई और वहाँ पर अचानक तालियों की गड़गड़ाहट सुनाई दी। ऐसा लग रहा था जैसे पूरा गरुड़द्वार हाउस अब तक जाग रहा था और भीड़ भरे गोलाकार हॉल में इकट्ठा था। सभी तिरछी टेबलों और आवाज़ करने वाली कुर्सियों पर बैठकर उनके आने का इंतज़ार कर रहे थे। हैरी और रॉन को भीतर खींचने के लिए तस्वीर के छेद से हाथ बाहर निकले तथा हर्माइनी को उनके पीछे अपने आप चलकर आने के लिए छोड़ दिया गया।

'बहुत बढ़िया,' ली जॉर्डन चीखा। 'अद्भुत! क्या शानदार आगमन! कार

उड़ाकर सीधे लड़ाकू पेड़ से टकरा दी! लोग इस बारे में बरसों तक बातें करते रहेंगे!'

'तुमने बहुत बढ़िया काम किया,' फ़िफ़्थ ईयर में पढ़ने वाले एक विद्यार्थी ने हैरी से कहा, जिससे अब तक हैरी की एक भी बार बातचीत नहीं हुई थी। किसी ने उसकी पीठ ठोंकी, जैसे उसने अभी-अभी मैराथन जीती हो। फ़्रेड और जॉर्ज भीड़ से धक्का-मुक्की करते हुए आगे आए और एक साथ बोले, 'तुमने हमें वापस क्यों नहीं बुलाया ?' रॉन का चेहरा लाल हो गया, वह शर्म से दाँत दिखा रहा था, परंतु हैरी को वहाँ एक ऐसा चेहरा भी दिख रहा था, जो क़तई ख़ुश नज़र नहीं आ रहा था। पर्सी कुछ रोमांचित नए विद्यार्थियों के सिरों के ऊपर से दिख रहा था और वह क़रीब आने की कोशिश कर रहा था, ताकि उन्हें वहाँ से दफ़ा कर सके। हैरी ने रॉन की पसलियों में हाथ चुभाकर पर्सी की तरफ़ इशारा किया। रॉन को तत्काल बात समझ में आ गई।

'ऊपर जाना होगा - थोड़े थक गए हैं,' वह बोला और वे दोनों कमरे के दूसरी ओर के दरवाज़े की तरफ़ रास्ता बनाने लगे, जो घुमावदार सीढ़ियों और कमरे तक जाता था।

'गुड नाइट,' हैरी हर्माइनी की तरफ़ देखकर बोला, जिसके चेहरे पर भी वैसी ही त्योरियाँ चढ़ी हुई थीं, जैसी पर्सी के चेहरे पर थीं।

वे किसी तरह हॉल के दूसरी तरफ़ पहुँचने में कामयाब हो गए, हालाँकि अब भी विद्यार्थी उनकी पीठ थपथपा रहे थे। वे तेज़ी से सीढ़ियाँ चढ़े, सीधे ऊपर पहुँचे और आख़िरकार अपने पुराने कमरे के दरवाज़े तक पहुँच गए, जहाँ अब 'सेकंड ईयर' का बोर्ड टँगा था। वे अपने जाने-पहचाने गोल आकार के कमरे में दाख़िल हुए, जिसमें पाँच मसहरीदार पलंग लगे थे, जिन पर लाल मख़मली पर्दे लगे थे। कमरे में ऊँची और सँकरी खिड़कियाँ थीं। उनके संदूक वहाँ पहले ही पहुँच चुके थे और उनके बिस्तर के पास रखे थे।

रॉन अपराधी भाव से हैरी की तरफ़ दाँत दिखाने लगा।

'मैं जानता हूँ कि मुझे इसमें इतना मज़ा नहीं आना चाहिए, पर -'

कमरे का दरवाज़ा खुला और सेकंड ईयर के बाक़ी बच्चे अंदर आए : सीमस फ़िनिगन, डीन थॉमस और नेविल लाँगबॉटम।

'*अविश्वसनीय!*' सीमस ने दमकते हुए कहा।

'आश्चर्यजनक,' डीन बोला।

'अद्भुत,' नेविल ने श्रद्धाभाव से कहा।

हैरी अब मजबूर हो गया। वह भी दाँत दिखाने लगा।

अध्याय छह

गिल्ड्रॉय लॉकहार्ट

बहरहाल, अगले दिन हैरी के दाँत शायद ही दिखे होंगे। बड़े हॉल में नाश्ते के समय से ही बुरी घटनाएँ होने लगी थीं। चार लंबी हाउस टेबलों पर दलिए से भरे कटोरे थे, तली हिलसा मछली की प्लेटें थीं, टोस्ट के पहाड़ लगे थे, अंडों और मांस के व्यंजन थे तथा सबसे ऊपर जादुई छत थी (जहाँ आज एक बोझिल तथा बादल भरा दिन था)। हैरी और रॉन गरुड़द्वार की टेबल पर हर्माइनी के पास बैठ गए, जिसके हाथ में *ख़ून पीने वाले पिशाचों के साथ ख़तरनाक समुद्री यात्राएँ* पुस्तक खुली थी, जो दूध के जग से टिकी थी। उसने थोड़ी सख़्ती से उनसे 'गुड मॉर्निंग' कहा, जिससे हैरी समझ गया कि वह अब भी उनके हॉगवर्ट्स आने के तरीक़े से ख़ुश नहीं थी। दूसरी तरफ़ नेविल लाँगबॉटम ने ख़ुश होकर उनका स्वागत किया। नेविल गोल चेहरे वाला वह लड़का था, जिसके साथ अक्सर दुर्घटनाएँ होती रहती थीं। हैरी आज तक किसी ऐसे व्यक्ति से नहीं मिला था, जिसकी याददाश्त नेविल से ज़्यादा ख़राब हो।

'डाक आने का समय हो गया है। मुझे लगता है कि दादी मेरा वह सामान भिजवा देंगी, जो मैं भूल आया हूँ।'

हैरी ने दलिया खाना शुरू ही किया था कि तभी ऊपर से पंख फड़फड़ाने की आवाज़ सुनाई दी। लगभग सौ उल्लू तेज़ी से अंदर घुसकर हॉल में मंडराने लगे तथा बतियाते हुए विद्यार्थियों पर ख़त और पैकेट गिराने लगे। एक बड़ा और मोटा सा पार्सल नेविल के सिर पर टकराया। और एक पल बाद ही एक बड़ी और भूरी चीज़ हर्माइनी के जग में गिरी, जिससे उन सब पर दूध छलक गया।

'एरल!' रॉन बोला और उसने लथपथ उल्लू के पैर पकड़कर उसे जग से बाहर निकाला। एरल बेहोश होकर वहीं टेबल पर गिर पड़ा। उसके पैर हवा में थे और उसकी चोंच में एक गीला लाल लिफ़ाफ़ा था।

'अरे नहीं –' रॉन हाँफते हुए चीख़ा।

'कुछ नहीं हुआ। वह अब भी ज़िंदा है,' हर्माइनी एरल को अपनी उँगली की नोक से धीरे से कुरेदती हुई बोली।

'नहीं, चिंता उसकी नहीं है – *इसकी* है।'

रॉन लाल लिफ़ाफ़े की तरफ़ इशारा कर रहा था। हैरी को यह लिफ़ाफ़ा सामान्य दिख रहा था, परंतु रॉन और नेविल दोनों ही इसकी तरफ़ ऐसे देख रहे थे, जैसे उन्हें इसके किसी भी पल फटने की उम्मीद हो।

'बात क्या है ?' हैरी ने पूछा।

'उन्होंने मुझे ग़ुस्से से भरा भोंपू भेजा है,' रॉन धीमे से बोला।

'रॉन, बेहतर होगा कि तुम इसे खोल लो,' नेविल डरते हुए फुसफुसाया। 'अगर तुम इसे नहीं खोलोगे, तो परिणाम और भी बुरा होगा। मेरी दादी ने एक बार मुझे भोंपू भेजा था और मैंने उसे नज़रअंदाज़ कर दिया था और फिर –' उसने थूक गटका, 'वह भयानक था।'

हैरी ने उनके दहशत भरे चेहरों से नज़रें हटाकर लाल लिफ़ाफ़े की तरफ़ देखा।

उसने पूछा, 'भोंपू क्या होता है ?'

परंतु रॉन का पूरा ध्यान तो उस चिट्ठी पर ही था, जिसके कोनों पर से धुआँ निकलने लगा था।

'इसे खोल लो,' नेविल ने आग्रह किया। 'यह कुछ ही मिनटों में ख़त्म हो जाएगा।'

रॉन ने अपना काँपता हुआ हाथ आगे बढ़ाया और लिफ़ाफ़े को एरल की चोंच से निकालकर उसे खोला। नेविल ने अपने कानों में उँगलियाँ ठूँस लीं। पल भर में हैरी समझ गया कि उसने ऐसा क्यों किया। एक पल के लिए तो उसे लगा जैसे इसमें विस्फोट हो गया था। एक ज़ोरदार धमाके की आवाज़ बड़े हॉल में भर गई, जिसकी वजह से छत की धूल तक हिल गई।

'... कार चुराकर ले गए। अगर तुम्हें स्कूल से निकाल भी दिया जाता, तब भी मुझे हैरानी नहीं होती। जब तक तुम मेरी पकड़ में नहीं आते हो, तब तक ख़ैर मनाओ। मुझे नहीं लगता तुमने इस बारे में ज़रा भी सोचा होगा कि कार को ग़ायब देखकर तुम्हारे पिता और मुझे कैसा लगा होगा ...'

मिसेज़ वीज़्ली की चीख़ें सामान्य से सौ गुना तेज़ थीं। इस वजह से टेबल पर रखी प्लेटें और चम्मचें खड़खड़ाने लगीं तथा पत्थर की दीवारों से कानफोड़ू

प्रतिध्वनि होने लगी। पूरे हॉल के लोग मुड़-मुड़ कर देख रहे थे कि भोंपू किसके नाम आया था। शर्म के मारे रॉन अपनी कुर्सी में इतना नीचे झुक गया कि सिर्फ़ उसका लाल सिर ही नज़र आ रहा था।

'... कल रात को डम्बलडोर का ख़त आया। मुझे लग रहा था कि तुम्हारे डैडी तो शर्म से मर जाएँगे। हमने तुम्हें ऐसे संस्कार नहीं दिए थे, जो तुम इस तरह का व्यवहार करो। तुम्हारी और हैरी दोनों की जान भी जा सकती थी ...'

हैरी यही सोच रहा था कि उसका नाम कब आएगा है। उसने बहुत कोशिश की कि वह इस तरह दिखे, जैसे उसने कान के पर्दे फोड़ने वाली वह आवाज़ सुनी ही नहीं थी।

'... तुमने बहुत ग़लत काम किया। ऑफ़िस में तुम्हारे डैडी की जाँच चल रही है। यह सब तुम्हारी ग़लती की वजह से हुआ है। अब अगर तुमने एक भी ग़लत क़दम उठाया, तो हम कान पकड़कर तुम्हें स्कूल से सीधे घर ले आएँगे।'

एक ख़ामोशी छा गई। लाल लिफ़ाफ़ा, जो रॉन के हाथ से पहले ही छूट चुका था, अब आग की लपटों में बदलकर राख बन गया। हैरी और रॉन स्तब्ध बैठे थे, जैसे कोई तूफ़ानी लहर अभी-अभी उनके ऊपर से गुज़र गई हो। कुछ लोग हँसने लगे और धीरे-धीरे बातों का शोर फिर से सुनाई देने लगा।

हर्माइनी ने *ख़ून पीने वाले पिशाचों के साथ ख़तरनाक समुद्री यात्राएँ* बंद कर दी और रॉन के सिर के ऊपरी हिस्से को देखा।

'रॉन, मैं नहीं जानती कि तुम क्या उम्मीद कर रहे थे, परंतु तुम्हें –'

'मुझसे यह मत कहना कि मैंने हरकत ही ऐसी की थी कि यह सज़ा मिले।' रॉन ने पलटकर कहा।

हैरी ने अपनी दलिए की प्लेट दूर खिसकाई। वह अपराधबोध से सुलग रहा था। ऑफ़िस में मिस्टर वीज़्ली की जाँच हो रही थी। मिस्टर और मिसेज़ वीज़्ली ने इन गर्मियों ने उसके लिए इतना कुछ किया था, इसके बाद भी ...

परंतु उसे इस बारे में सोचने का ज़्यादा समय नहीं मिला। प्रोफ़ेसर मैक्गॉनेगल टाइमटेबल बाँटने के लिए गरुड़द्वार की टेबल पर आ गईं। हैरी ने अपना टाइमटेबल लिया और देखा कि उन्हें जड़ी-बूटियों का ज्ञान की क्लास में मेहनतकश हाउस के बच्चों के साथ पढ़ना है।

हैरी, रॉन और हर्माइनी महल से इकट्ठे निकले, बगीचे को पार किया और ग्रीनहाउसों की तरफ़ बढ़े, जहाँ जादुई पौधे रखे जाते थे। कम से कम भोंपू

ने एक अच्छी चीज़ की थी : हर्माइनी को यह लगा कि उन्हें अब पर्याप्त सज़ा मिल चुकी है और इसलिए वह फिर से दोस्ताना व्यवहार करने लगी थी।

जब वे ग्रीनहाउसों के पास आए, तो उन्होंने देखा कि बाक़ी बच्चे बाहर खड़े होकर प्रोफ़ेसर स्प्राउट का इंतज़ार कर रहे हैं। हैरी, रॉन और हर्माइनी वहाँ आकर खड़े ही हुए थे कि तभी प्रोफ़ेसर स्प्राउट लॉन के पार से आती दिखाई दीं। उनके साथ गिल्ड्रॉय लॉकहार्ट भी थे। प्रोफ़ेसर स्प्राउट के दोनों हाथों में पट्टियाँ बँधी थी। अपराधबोध की एक और लहर के साथ हैरी ने दूर दिख रहे लड़ाकू पेड़ को देखा, जिसकी कई शाखाओं पर पट्टियाँ बँधी थीं।

प्रोफ़ेसर स्प्राउट एक गोल-मटोल और नाटी जादूगरनी थीं, जो अपने उड़ते बालों पर पैबंद लगा हैट पहनती थीं। आम तौर पर उनके कपड़ों पर बहुत सी मिट्टी लगी रहती थी और उनके नाख़ून देखकर तो पेटूनिया आंटी बेहोश ही हो जातीं। दूसरी तरफ़ गिल्ड्रॉय लॉकहार्ट अपने लहराते फ़ीरोज़ी दुशाले में आकर्षक दिख रहे थे। सही अंदाज़ में लगे सुनहरी धारी वाले फ़ीरोज़ी हैट के नीचे उनके सुनहरे बाल चमक रहे थे।

'ओह, हैलो!' लॉकहार्ट विद्यार्थियों की तरफ़ देखकर मुस्कराए। 'प्रोफ़ेसर स्प्राउट को बस यह दिखा रहा था कि लड़ाकू पेड़ का इलाज करने का सही तरीक़ा क्या है! परंतु तुम लोग यह मत सोचने लगना कि मुझे जड़ी-बूटियों के बारे में उनसे ज़्यादा ज्ञान है! ऐसा इसलिए है क्योंकि मुझे अपनी यात्राओं में बहुत से अजीब पौधे देखने का मौक़ा मिला है ...'

'बच्चो, आज हम ग्रीनहाउस नंबर तीन में चलेंगे!' प्रोफ़ेसर स्प्राउट ने कहा। हालाँकि आम तौर वे बहुत ख़ुश रहती थीं, परंतु आज वे बहुत चिड़चिड़ी लग रही थीं।

विद्यार्थियों में उत्साह भरी फुसफुसाहट शुरू हो गई। इससे पहले उन्होंने सिर्फ़ ग्रीनहाउस नंबर एक में काम किया था। ग्रीनहाउस नंबर तीन में ज़्यादा दिलचस्प और ख़तरनाक पौधे थे। प्रोफ़ेसर स्प्राउट ने अपनी बेल्ट से एक बड़ी चाबी निकालकर दरवाज़े का ताला खोला। हैरी को गीली मिट्टी और खाद की ख़ुशबू आई, जो छत से लटके कुछ विशालकाय, छाते के आकार वाले फूलों की तेज़ ख़ुशबू से मिल गई थी। वह रॉन और हर्माइनी के पीछे अंदर जाने ही वाला था कि तभी लॉकहार्ट ने अपना हाथ आगे बढ़ाया।

'हैरी! मैं तुमसे एक बात कहना चाहता हूँ! प्रोफ़ेसर स्प्राउट, अगर हैरी दो मिनट देर से आए, तो आप बुरा तो नहीं मानेंगी?'

प्रोफ़ेसर स्प्राउट की भृकुटी से यह साफ़ ज़ाहिर था कि वे बुरा मानेंगी, परंतु लॉकहार्ट ने कहा, 'तो मैं इसे ले जाता हूँ,' और उन्होंने ग्रीनहाउस के

दरवाज़े को लगभग उनके मुँह पर बंद कर दिया।

'हैरी,' लॉकहार्ट ने कहा। उनके बड़े सफ़ेद दाँत सूरज की रोशनी में चमक रहे थे, जब उन्होंने अपना सिर हिलाते हुए कहा, 'हैरी, हैरी, हैरी।'

हैरी पूरी तरह से भौचक्का था, इसलिए वह कुछ नहीं बोल पाया।

'जब मैंने सुना - ज़ाहिर है, यह सब मेरी ग़लती थी। मेरी इच्छा हो रही थी कि मैं ख़ुद को लात मारूँ।'

हैरी को बिलकुल भी समझ में नहीं आ रहा था कि लॉकहार्ट किस बारे में बोल रहे हैं। वह यह बात कहने ही वाला था कि तभी लॉकहार्ट आगे बोले, 'मैं नहीं जानता कि मुझे इससे बड़ा झटका कब लगा था। हॉगवर्ट्स में कार उड़ाकर आना! देखो, ज़ाहिर है, मैं तत्काल समझ गया कि तुमने ऐसा क्यों किया। एक मील दूर से ही बात समझ में आ रही थी। हैरी, हैरी, *हैरी*।'

यह बहुत बड़ी बात थी कि चुप रहते समय भी वे किस तरह अपने चमकीले दाँत दिखा सकते थे।

'मैंने तुम्हें शोहरत का स्वाद चखा दिया था, है ना ?' लॉकहार्ट ने कहा। 'तुम्हें *चस्का* लगा दिया था। तुम्हारी तस्वीर मेरे साथ अख़बार के पहले पन्ने पर छप गई और दुबारा अख़बार में छपने के लिए तुमसे ज़रा भी सब्र नहीं हुआ।'

'नहीं प्रोफ़ेसर, देखिए -'

'हैरी, हैरी, हैरी,' लॉकहार्ट ने आगे हाथ बढ़ाकर उसके कंधे को जकड़ते हुए कहा। *'मैं समझता हूँ।* यह स्वाभाविक है कि एक बार स्वाद चखने के बाद तुम थोड़ी और शोहरत पाना चाहो - और इसके लिए मैं ख़ुद को दोष देता हूँ कि मैंने तुम्हें इसका स्वाद चखाया। क्योंकि यह तो तुम्हारे दिमाग़ पर चढ़ना ही था - परंतु देखो बच्चे, तुम *उड़ने वाली कारों* का इस्तेमाल करके लोगों की नज़रों में नहीं चढ़ सकते। थोड़ा धीरज रखो, ठीक है ? जब तुम बड़े हो जाओगे, तो इस सबके लिए बहुत समय होगा। हाँ, हाँ, मैं जानता हूँ कि तुम क्या सोच रहे हो! "लॉकहार्ट के लिए यह ठीक है, वे तो पहले से ही अंतरराष्ट्रीय ख्याति प्राप्त जादूगर हैं!" परंतु जब मैं बारह साल का था, तो मैं उतना ही सामान्य था, जितने कि तुम इस समय हो। दरअसल, मैं तो यह कहूँगा कि मैं तुमसे भी ज़्यादा सामान्य था! मेरा मतलब है कि कुछ लोगों ने तुम्हारे बारे में सुना है, है ना ? तुम-जानते-हो-कौन वाले मामले में!' उन्होंने हैरी के माथे के बिजली जैसे निशान की तरफ़ देखा। 'मैं जानता हूँ, मैं जानता हूँ, कि यह उतना अच्छा तो नहीं है जितना कि *चुड़ैल साप्ताहिक* की सर्वप्रिय मुस्कान का लगातार पाँच बार विजेता होना, जो मैं हूँ - परंतु फिर भी यह एक *शुरुआत* है, हैरी, यह एक *शुरुआत* है।'

उन्होंने हैरी को ख़ुश होकर आँख मारी और वहाँ से चल दिए। हैरी कुछ पल तक स्तब्ध खड़ा रहा, फिर उसे याद आया कि उसे तो ग्रीनहाउस में होना चाहिए, इसलिए उसने दरवाज़ा खोला और चुपचाप अंदर चला गया।

प्रोफ़ेसर स्प्राउट ग्रीनहाउस के बीचोबीच एक बेंच जैसे ढाँचे के पीछे खड़ी थीं, जिस पर लगभग बीस जोड़ी रंग-बिरंगे कानरक्षक यंत्र रखे थे। जब हैरी आकर रॉन और हर्माइनी के बीच खड़ा हो गया, तो वे बोलीं, 'आज हम मंत्रकवच को ज़मीन में गाड़ेंगे। मंत्रकवच की ख़ूबियाँ किसे मालूम हैं ?'

किसी को भी इस बात से आश्चर्य नहीं हुआ कि हर्माइनी का हाथ सबसे पहले हवा में उठ गया।

'मंत्रकवच या मैंडेगोरा किसी मंत्र से बेजान किए गए लोगों को पहले जैसा बना देता है,' हर्माइनी बोली, जो इस तरह बोल रही थी जैसे उसे पूरी पुस्तक ज़बानी याद हो, 'यह उन लोगों को पहले जैसा बना देता है, जिन्हें शाप दिया गया हो या जिनका रूप-परिवर्तन कर दिया गया हो।'

'बहुत बढ़िया। गरुड़द्वार को दस पॉइंट,' प्रोफ़ेसर स्प्राउट बोलीं। 'मंत्रकवच ज़्यादातर ज़हर उतारने वाले काढ़ों का अनिवार्य तत्व है, परंतु यह ख़तरनाक भी है। इसका कारण कौन बता सकता है ?'

जब हर्माइनी का हाथ एक बार फिर उठा, तो वो हैरी के चश्मे से टकराते-टकराते बचा।

उसने तत्काल कहा, 'मंत्रकवच की तेज़ चीख़ सुनने वाला मर भी सकता है।'

'बिलकुल ठीक। गरुड़द्वार को दस पॉइंट और,' प्रोफ़ेसर स्प्राउट बोलीं। 'हमारे पास जो मंत्रकवच हैं, वे अभी बहुत छोटे हैं।'

बहुत सी गहरी ट्रे रखी थीं, जिनकी तरफ़ प्रोफ़ेसर स्प्राउट ने बोलते समय इशारा किया। हर विद्यार्थी खिसककर आगे आया, ताकि अच्छी तरह से देख सके। वहाँ पर बैंगनी हरे रंग के लगभग सौ गुच्छेदार छोटे पौधे रखे थे। हैरी को वे सामान्य पौधों जैसे दिख रहे थे और उसे ज़रा भी समझ में नहीं आ रहा था कि मंत्रकवच की 'तेज़ चीख़' से हर्माइनी का क्या मतलब था।

प्रोफ़ेसर स्प्राउट बोलीं, 'सब अपने-अपने कानरक्षक पहन लो।'

जब सबने ऐसे कानरक्षक उठाने की कोशिश की, जो गुलाबी और रोएँदार न हों, तो छीनाझपटी का माहौल बन गया।

'जब मैं तुमसे कानरक्षक पहनने को कहूँ, तो अच्छी तरह देख लेना कि कान *पूरी तरह* ढँक गए हैं,' प्रोफ़ेसर स्प्राउट बोलीं। 'जब उन्हें उतारना सुरक्षित

होगा, तो मैं अँगूठा ऊपर करके तुम्हें इशारा कर दूँगी। ठीक है – अब कानरक्षक *पहन लो*।'

हैरी ने अपना कानरक्षक पहन लिया। उसकी वजह से उसे सुनाई देना बलकुल बंद हो गया। प्रोफ़ेसर स्प्राउट ने अपने कानों पर गुलाबी रोएँदार कानरक्षक पहना, दुशाले की बाँहें चढ़ाईं, एक गुच्छेदार पौधे को कसकर पकड़ा और ज़ोर से उखाड़ा।

हैरी के मुँह से हैरानी की ज़ोरदार चीख़ निकली, जो किसी को सुनाई नहीं दी।

जड़ों की जगह ज़मीन से एक छोटा, कीचड़ से सना और बहुत बदसूरत बच्चा बाहर निकला। पत्तियाँ उसके सिर में से उग रही थीं। वह हलका हरा था, उसकी चमड़ी चित्तीदार थी और यह स्पष्ट था कि वह अपने फेफड़ों की पूरी ताक़त से चीख़ रहा था।

प्रोफ़ेसर स्प्राउट ने अपनी टेबल के नीचे से एक बड़ा गमला निकाला और उसमें मंत्रकवच को तेज़ी से गाड़ दिया। इसके बाद वे उस पर तब तक काली, नम खाद डालती रहीं, जब तक कि सिर्फ़ उसकी गुच्छेदार पत्तियाँ ही बाहर रह गईं। प्रोफ़ेसर स्प्राउट ने अपने हाथ पर लगी खाद साफ़ की, अँगूठा ऊपर करके उन सबको इशारा किया और अपना कानरक्षक भी उतार दिया।

'चूँकि हमारे मंत्रकवच बहुत छोटे हैं, इसलिए उनकी चीख़ें अभी जानलेवा नहीं हैं,' प्रोफ़ेसर स्प्राउट ने शांति से कहा, जैसे उन्होंने अभी-अभी जो काम किया था, वह पौधों में पानी डालने से ज़्यादा रोमांचक नहीं था। 'बहरहाल, उनकी चीख़ें कई घंटों के लिए बेहोश कर सकती हैं। मुझे विश्वास है कि तुम सब लोग स्कूल वापस आने के बाद पहले दिन होश में रहना चाहते हो, इसलिए इनके साथ काम करते समय अपने कानरक्षक ठीक तरीक़े से पहने रहना। जब उन्हें उतारने का समय होगा, तो मैं तुम्हें इशारा कर दूँगी।

'एक ट्रे पर चार लोग काम करें – यहाँ पर बहुत सारे गमले हैं – वहाँ पर बोरों में खाद रखी है – और ज़हरीले टेंटेकुला से बचकर रहना, उसके दाँत निकल रहे हैं।'

उन्होंने यह बोलते समय एक नोकदार गहरे लाल रंग के पौधे को एक तेज़ थप्पड़ मारा, जिसने अपने लंबे दाँत अंदर खींच लिए, जो धीमे-धीमे उनके कंधे के ऊपर आते जा रहे थे।

हैरी, रॉन और हर्माइनी की ट्रे में मेहनतकश हाउस का एक घुँघराले बालों वाला लड़का भी काम करने लगा। हैरी उसे शक्ल से जानता था, परंतु उनमें पहले कभी बातचीत नहीं हुई थी।

उसने हैरी से हाथ मिलाते हुए उत्साह से कहा, 'मेरा नाम जस्टिन फ़िंच-फ़्लेचली है। ज़ाहिर है मैं जानता हूँ कि तुम कौन हो, मशहूर हैरी पॉटर... और आप हैं हर्माइनी ग्रेंजर - हर विषय में अव्वल ...' (हर्माइनी का चेहरा उससे हाथ मिलाते समय ख़ुशी से चमक रहा था) 'और रॉन वीज़्ली। वह उड़ने वाली कार आपकी ही थी।'

रॉन नहीं मुस्कराया। ज़ाहिर था, वह अब तक भोंपू की फटकार को भूला नहीं था।

'लॉकहार्ट भी बहुत कमाल की चीज़ हैं, है ना?' जस्टिन ने ख़ुशी-ख़ुशी कहा, जब वे अपने पौधों के गमलों में ड्रैगन के गोबर की खाद डालने लगे। 'गज़ब के बहादुर इंसान हैं। क्या तुम लोगों ने उनकी किताबें पढ़ी हैं? अगर मुझे टेलीफ़ोन बूथ में आदम भेड़िए ने घेर लिया होता, तो मैं तो डर के मारे मर ही जाता, परंतु उन्होंने ठंडे दिमाग़ से काम लिया और - धड़ाक - बहुत ही *शानदार।*

'तुम लोगों को पता है, मुझे एटन में भी एडमिशन मिल रहा था। परंतु मैं बता नहीं सकता कि वहाँ जाने के बजाय यहाँ आकर मैं कितना ख़ुश हूँ! ज़ाहिर है, माँ थोड़ी निराश हुई थीं, परंतु जब मैंने उन्हें लॉकहार्ट की पुस्तकें पढ़वाईं, तो उन्हें यह समझ में आ गया कि परिवार में पूरी तरह प्रशिक्षित जादूगर का होना कितना उपयोगी हो सकता है ...'

इसके बाद उन्हें बात करने का ज़्यादा मौक़ा नहीं मिला। उनके कानरक्षक एक बार फिर कान पर पहुँच गए थे। अब उन्हें अपने-अपने मंत्रकवच के पौधे पर पूरा ध्यान देने की ज़रूरत थी। प्रोफ़ेसर स्प्राउट ने इस काम को बहुत आसानी से कर दिया था, परंतु यह उतना आसान नहीं था। मंत्रकवचों को धरती से बाहर आना अच्छा नहीं लगता था, परंतु ऐसा लगता था कि एक बार बाहर आ जाने के बाद उन्हें धरती के अंदर वापस लौटना भी अच्छा नहीं लगता था। वे छटपटाने लगे, लात मारने लगे, अपने नुकीले छोटे मुक्के चलाने लगे और अपने दाँत किटकिटाने लगे। एक मोटे मंत्रकवच को गमले में गाड़ने में हैरी को पूरे दस मिनट लग गए।

क्लास के अंत तक सबकी तरह हैरी भी पसीने में लथपथ था, मिट्टी में सना था और दर्द के मारे उसका बुरा हाल था। वे वापस महल की ओर घिसटकर गए, ताकि जल्दी से अपने शरीर पर लगी गंदगी साफ़ कर लें। और इसके बाद गरुड़द्वार के विद्यार्थी रूप-परिवर्तन की क्लास की ओर तेज़ी से चल दिए।

प्रोफ़ेसर मैक्गॉनेगल की क्लास में हमेशा बहुत मेहनत करना पड़ती थी, परंतु आज की क्लास ख़ास तौर पर मुश्किल थी। ऐसा लग रहा था कि हैरी ने पिछले साल जो कुछ भी सीखा था, वह सब गर्मी की छुट्टियों में उसके दिमाग़

से रिसकर बाहर निकल गया था। उसे एक बीटल कीड़े को बटन में बदलना था, परंतु वह सारा समय अपने बीटल को व्यायाम ही कराता रहा, क्योंकि बीटल उसकी छड़ी से बचने के लिए टेबल पर इधर से उधर कूदता रहा।

रॉन को तो और भी ज़्यादा समस्याओं का सामना करना पड़ रहा था। उसने अपनी छड़ी को स्पेलोटेप से जोड़ तो लिया था, परंतु ऐसा लग रहा था जैसे छड़ी को जो नुक़सान हुआ था, उसे ठीक करना संभव नहीं था। यह किसी भी समय चरचराने और चिंगारी निकालने लगती थी। और जब भी रॉन अपने बीटल के रूप-परिवर्तन का प्रयास करता था, तो छड़ी उसे मोटे भूरे धुएँ के बादल में ढँक लेती थी, जिसमें से सड़े अंडों की बदबू आती थी। चूँकि रॉन यह नहीं देख पाया कि वह क्या कर रहा था, इसलिए उसने दुर्घटनावश अपने बीटल को अपनी कोहनी से पीस डाला और उसे एक नया बीटल माँगना पड़ा। प्रोफ़ेसर मैक्गॉनेगल इस बात से ख़ुश नहीं हुईं।

लंच की घंटी सुनकर हैरी को राहत मिली। उसे अपना दिमाग़ किसी निचुड़े हुए स्पंज की तरह लग रहा था। हर विद्यार्थी लाइन में क्लास से बाहर निकल गया, सिवाय उसके और रॉन के, जो अपनी छड़ी को तेज़ी से टेबल पर पटक रहा था।

'बेवकूफ़ ... बेकार ... चीज़ ...'

जब उसकी छड़ी से पटाख़े की तरह धमाकों की ज़ोरदार आवाज़ें निकलीं, तो हैरी ने सुझाव दिया, 'घर ख़त लिखकर दूसरी मँगवा लो।'

रॉन अपनी फुफकारती छड़ी को बैग में ठूँसते हुए बोला, 'हाँ, हाँ, क्यों नहीं! और वहाँ से एक और भोंपू चला आएगा कि *तुम्हारी ही ग़लती की वजह से तुम्हारी छड़ी टूटी है* -'

वे लंच करने गए। वहाँ रॉन का मूड और भी ख़राब हो गया। हर्माइनी ने उन दोनों को बेहतरीन कोट बटन दिखाए, जिन्हें उसने रूप-परिवर्तन की क्लास में बनाया था।

'आज दोपहर को कौन सी क्लास है ?' हैरी ने विषय बदलते हुए पूछा।

हर्माइनी ने तत्काल जवाब दिया, 'गुप्त कलाओं से रक्षा।'

रॉन ने हर्माइनी का टाइमटेबल छीनते हुए पूछा, 'तुमने टाइमटेबल में लॉकहार्ट की सारी क्लासों के चारों तरफ़ दिल का आकार *क्यों* बना रखा है ?'

हर्माइनी ने उसके हाथ से टाइमटेबल छीन लिया और उसका चेहरा लाल सुर्ख़ हो गया।

उन्होंने लंच ख़त्म किया और वे बाहर निकल गए। आसमान बादलों से

भरा था। हर्माइनी पत्थर की सीढ़ी पर बैठ गई और उसने अपना मुँह एक बार फिर *ख़ून पीने वाले पिशाचों के साथ ख़तरनाक समुद्री यात्राएँ* नामक किताब में छुपा लिया। हैरी और रॉन खड़े होकर कुछ मिनट तक क्विडिच के बारे में बातें करते रहे, तभी हैरी को यह एहसास हुआ कि कोई उसे ग़ौर से देख रहा है। ऊपर नज़रें उठाने पर उसे वह छोटा, चूहे जैसे बालों वाला लड़का नज़र आया, जिसे उसने पिछली रात को बोलती टोपी पहनते देखा था। वह हैरी को एकटक देख रहा था, जैसे हैरी को देखते ही वह पत्थर की मूर्ति में बदल गया हो। उसके हाथ में साधारण मगलू कैमरे जैसी चीज़ दिख रही थी और जैसे ही हैरी ने उसकी तरफ़ देखा, उसका चेहरा लाल हो गया।

'कैसे हो, हैरी ? मैं – मैं कॉलिन क्रीवी हूँ,' उसने हाँफते हुए और संकोच से एक क़दम आगे बढ़ाते हुए कहा। 'मैं भी गरुड़द्वार में हूँ। क्या तुम्हें लगता है – कि यह सही रहेगा अगर – मैं तुम्हारा एक फ़ोटो खींच लूँ ?' उसने अपने कैमरे को उठाते हुए आशा से कहा।

'फ़ोटो ?' हैरी ने सपाट अंदाज़ में पूछा।

'ताकि मैं यह साबित कर सकूँ कि मैं तुमसे मिला हूँ,' कॉलिन क्रीवी ने थोड़ा और आगे बढ़ते हुए उत्सुकता से कहा। 'मैं तुम्हारे बारे में सब कुछ जानता हूँ। सबने मुझे बता दिया है कि जब तुम-जानते-हो-कौन ने तुम्हें मारने की कोशिश की थी, तो तुम किस तरह बचे थे, किस तरह वह ग़ायब हो गया और किस तरह तुम्हारे माथे पर अब भी बिजली जैसा निशान है' (उसकी आँखें हैरी के निशान पर पहुँच गईं), 'और मेरे कमरे में रहने वाले एक लड़के का कहना है कि अगर मैं फ़िल्म को सही काढ़े में डालकर धोऊँगा, तो फ़ोटो *हिलने* लगेंगे,' कॉलिन ने रोमांचित होकर कँपकँपाती गहरी साँस खींची और कहा, 'यहाँ पर पर्याप्त रोशनी है, है ना ? मुझे पता ही नहीं था कि मैं जो अजीब हरकतें करता था, वह जादू है जब तक कि मुझे हॉगवर्ट्स का ख़त नहीं मिला। मेरे डैडी ग्वाले हैं। उन्हें भी इस पर यक़ीन नहीं हुआ। इसलिए मैं घर पर भेजने के लिए कुछ फ़ोटो ले रहा हूँ। और यह सचमुच अच्छा रहेगा, अगर मैं तुम्हारी एक फ़ोटो –' उसने हैरी को आग्रह भरी नज़रों से देखा, '– अगर तुम्हारा मित्र फ़ोटो खींच दे, तो मैं फ़ोटो में तुम्हारे पास खड़ा रह सकता हूँ ? और फिर, क्या तुम उस पर ऑटोग्राफ़ दे सकते हो ?'

'*ऑटोग्राफ़ वाले फ़ोटो ?* तुम अब अपने *फ़ोटो पर ऑटोग्राफ़* देने लगे हो, पॉटर ?'

ड्रेको मैल्फ़ॉय की तेज़ और बेहद कटु आवाज़ पूरे प्रांगण में गूँज गई। वह सीधे कॉलिन के पीछे रुक गया था। उसके आस-पास उसके लंबे-चौड़े और ठग

जैसे दिखने वाले उसके दोस्त क्रैब तथा गॉइल खड़े थे।

'सब लोग लाइन में लग जाओ!' मैल्फ़ॉय भीड़ की तरफ़ देखकर चिल्लाया। 'हैरी पॉटर अपने ऑटोग्राफ़ वाले फ़ोटो बाँट रहा है!'

'नहीं, मैं नहीं बाँट रहा हूँ,' हैरी ने ग़ुस्से से कहा; उसकी मुट्ठियाँ तन रही थीं। 'चुप हो जाओ, मैल्फ़ॉय।'

'आप जल रहे हैं,' कॉलिन बोला, जिसका पूरा शरीर क्रैब की गर्दन जितना मोटा होगा।

'जल रहा हूँ?' मैल्फ़ॉय बोला, जिसे अब और तेज़ चिल्लाने की ज़रूरत नहीं थी, क्योंकि प्रांगण में खड़े आधे विद्यार्थी उसकी बातें ध्यान से सुन रहे थे। 'किससे? मैं अपने माथे पर एक गंदा सा निशान नहीं चाहता, धन्यवाद। मैं नहीं मानता कि दिमाग़ पर घाव होने से कोई ख़ास बन जाता है।'

क्रैब और गॉइल मूर्खों की तरह खी-खी कर रहे थे।

'मैल्फ़ॉय, घोंघे खाओ,' रॉन ने ग़ुस्से से कहा। क्रैब ने हँसना बंद कर दिया और अपनी मोटी उँगलियों को ख़तरनाक तरीक़े से मलना शुरू कर दिया।

मैल्फ़ॉय ने व्यंग्य से कहा, 'ध्यान रखना, वीज़्ली। बेहतर होगा कि तुम कोई बखेड़ा मोल न लो, वरना तुम्हारी मम्मी यहाँ आएँगी और तुम्हें स्कूल से निकाल ले जाएँगी।' उसने नक़ल करते हुए तीखी और पैनी आवाज़ में कहा, *'अब अगर तुमने एक भी ग़लत क़दम उठाया –'*

पास खड़े नागशक्ति के फ़िफ़्थ ईयर के विद्यार्थी यह सुनकर ठहाके लगाने लगे।

मैल्फ़ॉय ने अपने चेहरे पर बनावटी मुस्कराहट लाते हुए कहा, 'वीज़्ली को तुम्हारे ऑटोग्राफ़ वाला फ़ोटो ज़रूर पसंद आएगा, पॉटर। वह उसके पूरे घर से ज़्यादा मूल्यवान होगा।'

रॉन ने अपनी स्पेलोटेप लगी छड़ी बाहर निकाली, परंतु तभी हर्माइनी *ख़ून पीने वाले पिशाचों के साथ ख़तरनाक समुद्री यात्राएँ* किताब झटके से बंद करते हुए फुसफुसाई, 'उधर देखो!'

'वहाँ क्या हो रहा है, वहाँ क्या हो रहा है?' गिल्ड्रॉय लॉकहार्ट उनकी तरफ़ तेज़ी से चले आ रहे थे और उनका फ़ीरोज़ी दुशाला उनके पीछे लहरा रहा था। 'ऑटोग्राफ़ वाले फ़ोटो कौन दे रहा है?'

हैरी ने बोलने की कोशिश की, परंतु तभी लॉकहार्ट ने उसके कंधे पर अपनी बाँह रखकर उसकी बोलती बंद कर दी और चहकते हुए बोले, 'यह पूछने की ज़रूरत नहीं थी! हम एक बार फिर मिल गए, हैरी!'

लॉकहार्ट के पास सटकर खड़े होते हुए और अपमान से जलते हुए हैरी ने देखा कि मैल्फ़ॉय दाँत दिखाते हुए भीड़ में शामिल हो गया।

'चलो कॉलिन,' लॉकहार्ट ने कॉलिन की तरफ़ मुस्कराकर कहा, 'इससे अच्छी बात क्या हो सकती है कि तुम हम दोनों का फ़ोटो खींचो और *हम दोनों* ही उस पर अपने ऑटोग्राफ़ दे दें।'

कॉलिन ने हड़बड़ी में अपना कैमरा उठाया और फ़ोटो खींचा, तभी उनके पीछे घंटी बजी, जिसने दोपहर की क्लासों के शुरू होने का संकेत दिया।

'अब आप लोग चलिए, अपनी-अपनी क्लास में जाइए,' लॉकहार्ट ने भीड़ से कहा और वे हैरी के साथ वापस महल की ओर चल दिए। इस वक़्त हैरी की इच्छा हो रही थी कि काश वह कोई अच्छा सा अदृश्य होने वाला मंत्र जानता, क्योंकि वह अब भी लॉकहार्ट की बग़ल में जकड़ा हुआ था।

'समझदार के लिए इशारा काफ़ी है, हैरी,' लॉकहार्ट ने पिता की तरह समझाने वाले अंदाज़ में कहा, जब वे बाज़ू वाले दरवाज़े से इमारत में दाख़िल हुए। 'मैंने आज तो क्रीवी के सामने बात सँभाल ली - अगर वह मेरा फ़ोटो भी खींचेगा, तो तुम्हारे स्कूल के साथी यह नहीं सोचेंगे कि तुम हवा में उड़ने लगे हो ...'

हैरी के हकलाए हुए स्पष्टीकरण को अनसुना करते हुए लॉकहार्ट उसे एक गलियारे में घसीटकर ले गए, जहाँ घूरते विद्यार्थी लाइन में खड़े थे और फिर वे उसे सीढ़ियों से ऊपर ले गए।

'मुझे बस इतना कहना है कि तुम्हारे कैरियर के इस मोड़ पर ऑटोग्राफ़ देना या फ़ोटो बाँटना समझदारी नहीं है - अगर साफ़ कहा जाए, तो इससे ऐसा लगता है, जैसे तुममें घमंड आ गया है। हो सकता है आगे चलकर ऐसा भी समय आ जाए, जब तुम जहाँ भी जाओगे, मेरी ही तरह तुम्हें भी अपने साथ बहुत से फ़ोटो रखना पड़ें, परंतु -' उन्होंने घुरघुराकर हँसते हुए कहा, 'मुझे नहीं लगता कि तुम अभी उस मुक़ाम पर पहुँच गए हो।'

अब वे लॉकहार्ट के क्लासरूम में पहुँच चुके थे, इसलिए लॉकहार्ट ने आख़िरकार हैरी को छोड़ दिया। हैरी ने अपने कपड़े ठीक किए और क्लास की सबसे पीछे वाली लाइन में बैठने के लिए दौड़ लगा दी। वहाँ वह अपने सामने लॉकहार्ट की सातों किताबों का ढेर लगाने में जुट गया, ताकि वह असली लॉकहार्ट को देखने से बच सके।

क्लास के बाक़ी विद्यार्थी बातें करते हुए अंदर आए। उनमें रॉन और हर्माइनी भी थे, जो हैरी के अगल-बगल में बैठ गए।

रॉन बोला, 'तुम्हारा चेहरा ऐसा लग रहा है, जैसे इस पर ऑमलेट बनाया जा सकता है। बेहतर होगा कि क्रीवी जिनी से न मिले, वरना वे मिलकर हैरी पॉटर फ़ैन क्लब शुरू कर देंगे।'

'चुप रहो,' हैरी ने झिड़कते हुए कहा। वह बिलकुल नहीं चाहता था कि लॉकहार्ट 'हैरी पॉटर फ़ैन क्लब' के बारे में सुन लें।

जब पूरी क्लास बैठ गई, तो लॉकहार्ट ने ज़ोर से अपना गला साफ़ किया और सब ख़ामोश हो गए। वे आगे बढ़े और उन्होंने नेविल लाँगबॉटम की *दैत्यों के साथ सफ़र* किताब हाथ में लेकर ऊपर उठाई, ताकि उसके कवर पर छपी ख़ुद की आँख मारती तस्वीर सबको दिखा सकें।

'मैं,' उन्होंने इसकी तरफ़ इशारा करते हुए और आँख मारते हुए कहा, 'गिल्ड्रॉय लॉकहार्ट, मर्लिन संस्था पास, थर्ड क्लास, गुप्त शक्ति सुरक्षा समिति का सम्मानित सदस्य और चुड़ैल *साप्ताहिक* के सर्वप्रिय मुस्कान पुरस्कार का पाँच बार विजेता – परंतु मैं इसके बारे में बात नहीं करता हूँ। ख़तरनाक परी मेरी *मुस्कान* देखकर थोड़े ही भागी थी।'

उन्होंने इंतज़ार किया कि विद्यार्थी हँसें, परंतु कुछ ही विद्यार्थी हँसे और वह भी फीके अंदाज़ में।

'मैं देख रहा हूँ कि तुम सबने मेरी किताबों का पूरा सेट ख़रीद लिया है – बहुत बढ़िया। मैंने सोचा है कि हम आज एक छोटी क्विज़ से क्लास शुरू करेंगे। इस बारे में चिंता करने की कोई ज़रूरत नहीं है – मैं सिर्फ़ यह पता लगाना चाहता हूँ कि तुमने किताबें कितनी अच्छी तरह पढ़ी हैं और तुम्हारे दिमाग़ में कितना घुसा है ...'

टेस्ट पेपर बाँटने के बाद वे क्लास में सामने की तरफ़ आए और बोले, 'तुम्हारे पास तीस मिनट हैं। शुरू कर दो, *अभी!*'

हैरी ने अपने प्रश्नपत्र पर नज़र डाली और पढ़ा :

1. *गिल्ड्रॉय लॉकहार्ट का सबसे पसंदीदा रंग कौन सा है?*
2. *गिल्ड्रॉय लॉकहार्ट की गोपनीय महत्वाकांक्षा क्या है?*
3. *आपकी राय में गिल्ड्रॉय लॉकहार्ट की अभी तक की सबसे बड़ी उपलब्धि कौन सी है?*

सवाल आगे बढ़ते गए, जो तीन काग़ज़ों पर लिखे थे और सबसे आख़िर में यह सवाल था :

54. गिल्ड्रॉय लॉकहार्ट का जन्मदिन कब है और उनके लिए आदर्श तोहफ़ा क्या होगा ?

आधे घंटे बाद लॉकहार्ट ने उन सबकी कॉपियाँ इकट्ठी कीं और क्लास के सामने उन्हें उलट-पलटकर देखा।

'त...त...त - तुममें से शायद किसी को भी यह याद नहीं रहा कि मेरा सबसे पसंदीदा रंग नीला है। मैंने यह *हिम मानव के साथ एक वर्ष* किताब में बताया है। और तुममें से कई लोगों को *आदम भेड़ियों के साथ भ्रमण* किताब को ज़्यादा ध्यान से पढ़ने की ज़रूरत है - मैंने उसके बारहवें अध्याय में साफ़-साफ़ कहा है कि मेरे जन्मदिन का आदर्श तोहफ़ा जादूगरों और मगलुओं के बीच सद्भाव होगा - हालाँकि मैं पुरानी ऑग्डेन फ़ायरव्हिस्की की बड़ी बोतल के लिए भी मना नहीं करूँगा!'

लॉकहार्ट ने विद्यार्थियों की तरफ़ देखकर एक बार फिर शरारत से आँख मारी। रॉन अब चेहरे पर अविश्वास के भाव लेकर लॉकहार्ट को घूर रहा था। सामने बैठे सीमस फ़िनिगन और डीन थॉमस ख़ामोशी से हँसते हुए हिल रहे थे। दूसरी तरफ़, हर्माइनी लॉकहार्ट की बातों को पूरी तन्मयता से सुन रही थी और जब उन्होंने उसका नाम लिया तो वह चौंक गई।

'... परंतु मिस हर्माइनी ग्रेंजर जानती हैं कि मेरी छुपी हुई महत्वाकांक्षा बुराई की दुनिया को ख़त्म करना है और अपने ख़ुद के बनाए केश-शृंगार के जादुई काढ़े को बेचना है - बहुत समझदार लड़की है! दरअसल -' उन्होंने उसकी पूरी कॉपी देखते हुए कहा, 'पूरे नंबर! मिस हर्माइनी ग्रेंजर कहाँ हैं ?'

हर्माइनी ने अपना काँपता हुआ हाथ उठाया।

'बहुत बढ़िया!' लॉकहार्ट ने मुस्कराते हुए कहा। 'बहुत ही बढ़िया! इसके लिए गरुड़द्वार को दस पॉइंट! और अब, असली काम की बातें ...'

वे अपनी टेबल के पीछे झुके और उस पर एक बड़ा पिंजरा उठाकर रख दिया, जो ढँका हुआ था।

'अब - सावधान रहना! मेरा काम है तुम्हें जादू की दुनिया के सबसे बुरे जीवों के ख़िलाफ़ प्रशिक्षण देना! इस कमरे में तुम्हारा सामना सबसे भयानक चीज़ों से होगा। सिर्फ़ इतना जान लो कि जब तक मैं यहाँ हूँ, तब तक तुम्हें कोई नुक़सान नहीं पहुँच सकता। मैं बस इतना चाहता हूँ कि तुम लोग शांत रहना।'

न चाहते हुए भी हैरी अपनी पुस्तकों के ढेर पर आगे की तरफ़ झुक गया, ताकि पिंजरे को अच्छी तरह से देख सके। लॉकहार्ट ने पिंजरे को ढँकने वाले कपड़े पर एक हाथ रखा। डीन और सीमस ने अब हँसना बंद कर दिया। नेविल

अगली लाइन में अपनी सीट पर दुबका हुआ था।

लॉकहार्ट ने धीमी आवाज़ में कहा, 'बस इतना ध्यान रखना कि तुम लोग चीख़ना मत। इससे वे चिढ़ जाएँगे।'

जब लॉकहार्ट ने ढँकने वाला कपड़ा हटाया, तो पूरी क्लास ने अपनी साँस रोक ली।

'हाँ,' उन्होंने नाटकीय अंदाज़ में कहा। *'अभी-अभी पकड़े गए नन्हे पिशाच।'*

सीमस फ़िनिगन ख़ुद पर क़ाबू नहीं रख पाया। वो घुरघुराकर हँस पड़ा, जिसे लॉकहार्ट भी दहशत भरी चीख़ मानने की ग़लती नहीं कर सकते थे।

'हाँ?' उन्होंने सीमस की ओर मुस्कराते हुए पूछा।

'ये - ये बहुत *ख़तरनाक* तो नहीं दिखते हैं, है ना?' सीमस का गला रुँध गया।

'इतने विश्वास के साथ मत बोलो!' लॉकहार्ट ने चिढ़कर सीमस की तरफ़ उँगली दिखाते हुए कहा। 'नन्हे पिशाच बहुत उत्पात मचा सकते हैं!'

पिशाच बिजली की तरह नीले थे और लगभग आठ इंच ऊँचे थे। उनके चेहरे नुकीले थे और आवाज़ इतनी तीखी थी, जैसे बहुत से तोते चिंचिया रहे हों। जिस पल उन्हें ढँकने वाला कपड़ा हटाया गया, उन्होंने बकबकाना और पिंजरे में चारों तरफ़ उछल-कूद मचाना शुरू कर दिया। वे पिंजरे की छड़ों को खींचकर खड़खड़ाने लगे और अजीब चेहरे बनाकर अपने आसपास के विद्यार्थियों को चिढ़ाने लगे।

'ठीक है,' लॉकहार्ट ने ज़ोर से कहा। 'आओ देखते हैं कि तुम इनका सामना किस तरह करते हो?' और फिर उन्होंने पिंजरा खोल दिया।

नन्हे पिशाचों के बाहर निकलते ही कोहराम मच गया। पलक झपकते ही वे रॉकेटों की तरह हर दिशा में चल दिए। दो पिशाचों ने नेविल के कान पकड़कर उसे हवा में उठा लिया। कुछ तो सीधे खिड़की का काँच फोड़ते हुए उसके पार निकल गए और उन्होंने पिछली लाइन में बैठे विद्यार्थियों पर काँच के टुकड़ों की बारिश कर दी। बाक़ी पिशाच कमरे में तोड़-फोड़ करने लगे और उन्होंने गुस्सैल गैंडे से भी ज़्यादा सफलता से यह काम किया। उन्होंने स्याही की बोतलें उठाईं और पूरी क्लास में उनका छिड़काव कर दिया। उन्होंने किताबों और काग़ज़ों के चिथड़े उड़ा दिए, दीवार पर लगी तस्वीरें फाड़ डालीं, कचरे की टोकरी उलट दी, बैग और किताबें उठाकर टूटी खिड़की के पार फेंक दीं। कुछ ही मिनट में आधी क्लास अपनी टेबलों के नीचे छुप गई थी और नेविल छत पर लगे झूमर से लटक रहा था।

'आगे आओ, उन्हें पकड़कर बंद करो, उन्हें पकड़कर बंद करो, वे तो सिर्फ़ नन्हे पिशाच हैं ...' लॉकहार्ट चिल्लाए।

उन्होंने अपनी आस्तीनें चढ़ाईं, अपनी छड़ी हिलाई और चीख़े, *'पापी पिशाचम् मुक्ति प्रदानम्!'*

इसका ज़रा भी असर नहीं हुआ। एक पिशाच ने लॉकहार्ट की छड़ी छीनकर खिड़की के बाहर फेंक दी। लॉकहार्ट ने थूक निगला और अपनी टेबल के नीचे छुपने के लिए छलाँग लगाई। इस प्रयास में वे नेविल के नीचे दबकर धराशायी होते-होते बचे, क्योंकि एक सेकंड बाद ही झूमर के टूट जाने की वजह से नेविल ज़मीन पर आ गिरा था।

तभी घंटी बजी और विद्यार्थी बाहर निकलने के लिए पागलों की तरह दरवाज़े की तरफ़ दौड़े। इसके बाद जो तुलनात्मक शांति हुई, उस दौरान लॉकहार्ट सीधे खड़े हुए। उन्होंने हैरी, रॉन और हर्माइनी की तरफ़ देखा, जो लगभग दरवाज़े पर पहुँच चुके थे और उनसे बोले, 'देखो, मैं यह चाहता हूँ कि तुम तीनों बाक़ी बचे पिशाचों को पिंजरे में बंद कर दो।' वे उनके पास से चलते हुए बाहर निकले और बाहर पहुँचते ही उन्होंने तत्काल दरवाज़ा बंद कर दिया।

'क्या अब भी तुम्हें उनकी बातों पर विश्वास है?' रॉन बिलबिलाया, जब एक पिशाच ने उसके कान में दर्दनाक तरीक़े से काट लिया।

हर्माइनी ने स्थिरीकरण मंत्र से दो पिशाचों को स्थिर करके उन्हें पिंजरे में डालते हुए कहा, 'वे तो हमें बस थोड़ा सा असली अनुभव देना चाहते हैं।'

'क्या सचमुच ?' हैरी ने कहा, जो एक पिशाच को पकड़ने की कोशिश कर रहा था, परंतु वह पिशाच उसकी पहुँच से बाहर अपनी जीभ निकालकर नाच रहा था। 'हर्माइनी, उन्हें बिलकुल पता नहीं था कि वे क्या कर रहे थे।'

'बकवास,' हर्माइनी बोली। 'तुमने उनकी किताबें पढ़ी हैं - उन सब आश्चर्यजनक कारनामों के बारे में सोचो, जो उन्होंने किए हैं ...'

रॉन बुदबुदाया, 'वे *कहते* हैं कि उन्होंने वे कारनामे किए हैं।'

अध्याय सात

बदज़ात और अदृश्य आवाज़

अगले कुछ दिनों तक हैरी का बहुत सा समय इस काम में बीता कि जब भी वह गिल्ड्रॉय लॉकहार्ट को किसी गलियारे में आते देखता था, तो वह उनकी नज़रों से बचकर छुप जाता था। कॉलिन क्रीवी से बचना इससे ज़्यादा मुश्किल काम था, क्योंकि उसे हैरी का पूरा टाइमटेबल याद था। कॉलिन को जीवन में सबसे ज़्यादा मज़ा इस बात में मिलता था कि वह दिन में छह-सात बार हैरी से कहे, 'सब ठीक है, हैरी ?' और बदले में यह जवाब सुने, 'हैलो, कॉलिन,' भले ही हैरी के इन शब्दों में उसकी चिढ़ स्पष्ट सुनाई दे रही हो।

हेडविग अब भी कार दुर्घटना को लेकर नाराज़ थी और रॉन की छड़ी अब भी सही तरह से काम नहीं कर रही थी। शनिवार की सुबह को तो इसने हद कर दी, जब यह सम्मोहन की क्लास में रॉन के हाथ से छूट गई और सीधे जाकर नाटे बूढ़े प्रोफ़ेसर फ़्लिटविक की आँखों के बीचोबीच में लगी। जहाँ छड़ी टकराई थी, वहाँ तत्काल एक बड़ा हरा गूमड़ उभर आया। इस तरह, एक के बाद एक कई बुरी घटनाओं को झेलने के बाद हैरी को ख़ुशी हुई कि सप्ताह ख़त्म हो गया। वह, रॉन और हर्माइनी शनिवार की सुबह हैग्रिड के यहाँ जाने की योजना बना रहे थे। बहरहाल, हैरी का इरादा सुबह जितने बजे उठने का था, गरुड़द्वार की क्विडिच टीम के कप्तान ऑलिवर वुड ने उसे उससे कुछ घंटे पहले ही हिलाकर उठा दिया।

हैरी ने अलसाए अंदाज़ में पूछा, 'क - क्या हो गया ?'

'क्विडिच की प्रैक्टिस करना है!' वुड ने कहा। 'चलो तैयार हो जाओ!'

हैरी ने अधखुली आँखों से खिड़की की तरफ़ देखा। गुलाबी और सुनहरे आसमान के पार धुंध की पतली परत दिख रही थी। अब जागने के बाद उसे यह समझ में नहीं आ रहा था कि वह चिड़ियों के इतने तेज़ शोर के बावज़ूद कैसे सोया था।

'ऑलिवर,' हैरी ने अस्फुट अंदाज़ में कहा, 'अभी तो सूरज भी नहीं उगा है।'

'बिलकुल,' वुड बोला। वह सिक्सथ ईयर का लंबा-तगड़ा विद्यार्थी था और इस समय उसकी आँखों में उत्साह की चमक थी। 'यह हमारे नए ट्रेनिंग कार्यक्रम का हिस्सा है। तैयार हो जाओ, अपनी झाड़ू उठाओ और मैदान में आ जाओ,' वुड ने जोश से कहा। 'बाक़ी किसी टीम ने अब तक प्रैक्टिस शुरू नहीं की है। यह काम इस साल सबसे पहले हम करेंगे ...'

ऊँघते हुए और हलके से काँपते हुए हैरी बिस्तर से नीचे उतरा और अपने क्विडिच के कपड़े खोजने लगा।

'शाबाश,' वुड बोला। 'पंद्रह मिनट में पिच पर मिलते हैं।'

जब हैरी को अपना लाल दुशाला मिल गया और उसने ठंड से बचने के लिए ऊपर से अपना चोगा भी डाल लिया, तो उसने रॉन को एक चिट्ठी में घसीटकर लिखा कि वह कहाँ जा रहा है। इसके बाद वह हॉल की घुमावदार सीढ़ियों से नीचे उतरा। उसकी निम्बस 2000 उसके कंधे पर रखी थी। वह अभी तस्वीर के छेद तक ही पहुँचा था कि तभी पीछे से खटखट की आवाज़ हुई। हैरी ने पलटकर देखा कि कॉलिन क्रीवी घुमावदार सीढ़ियों पर भागता हुआ नीचे आ रहा था, उसके गले में कैमरा तेज़ी से झूल रहा था और वह अपने हाथ में कुछ पकड़े हुए था।

'मैंने किसी को सीढ़ियों पर तुम्हारा नाम लेते सुना था, हैरी! देखो मेरे पास क्या है! मैंने फ़ोटो धुलवा लिए हैं। मैं तुम्हें फ़ोटो दिखाना चाहता था –'

हैरी ने अलसाए अंदाज़ से उस फ़ोटो को देखा, जो कॉलिन ने उसकी नाक के नीचे बढ़ा रखा था।

ब्लैक एंड व्हाइट फ़ोटो हिल रहा था। इसमें लॉकहार्ट किसी का हाथ कसकर खींच रहे थे। हैरी पहचान गया कि यह उसी का हाथ था। हैरी यह देखकर ख़ुश हुआ कि फ़ोटो में वह जमकर संघर्ष कर रहा है और कैमरे के फ्रेम में आने से इंकार कर रहा है। फिर हैरी ने देखा कि लॉकहार्ट ने हार मान ली और वे हाँफते हुए तस्वीर के सफ़ेद कोने में गिर गए।

कॉलिन ने उत्सुकता से पूछा, 'क्या तुम इस पर ऑटोग्राफ़ दे दोगे?'

'नहीं,' हैरी ने साफ़ मना कर दिया। उसने आसपास देखकर इस बात की तसल्ली कर ली कि कमरा सचमुच ख़ाली था। 'माफ़ करना कॉलिन, मैं ज़रा जल्दी में हूँ – क्विडिच की प्रैक्टिस करने जाना है।'

वह तस्वीर के छेद में से बाहर निकलने लगा।

'अरे वाह! रुको, मैं भी चलता हूँ! मैंने पहले कभी क्विडिच नहीं देखा!'

कॉलिन उसके पीछे-पीछे छेद से बाहर निकल आया।

हैरी ने जल्दी से कहा, 'तुम बोर हो जाओगे,' परंतु कॉलिन ने उसकी बात को अनसुना कर दिया; उसका चेहरा रोमांच से चमक रहा था।

'तुम पिछले सौ साल में किसी हाउस की तरफ़ से खेलने वाले सबसे कम उम्र के खिलाड़ी हो, है ना, हैरी?' कॉलिन ने उसके पास फुदकते हुए कहा। 'तुम बहुत अच्छा खेलते होगे। मैं कभी हवा में नहीं उड़ा हूँ। क्या यह मुश्किल होता है? क्या यह तुम्हारी ख़ुद की झाड़ू है? क्या यह सबसे अच्छी झाड़ू है?'

हैरी नहीं जानता था कि कॉलिन से पीछा कैसे छुड़ाया जाए। वह बहुत ज़्यादा बड़बड़ करने वाली परछाई की तरह उसके पीछे लगा था।

'मुझे सचमुच नहीं पता कि क्विडिच क्या होता है,' कॉलिन ने हाँफते हुए कहा। 'क्या यह सच है कि इसमें चार गेंदें होती हैं? और उनमें से दो गेंदें खिलाड़ियों को उनकी झाड़ुओं पर से गिराने की कोशिश में चारों तरफ़ उड़ती रहती हैं?'

'हाँ,' हैरी ने भारी मन से कहा। अब उसने हारकर कॉलिन को क्विडिच के जटिल नियम समझाने का फ़ैसला कर लिया। 'उन गेंदों को पहलवान कहते हैं। हर टीम में दो मारक होते हैं, जो पहलवानों को अपनी टीम के खिलाड़ियों से दूर रखने के लिए उन्हें अपने बल्ले से मारते हैं। फ़्रेड और जॉर्ज गरुड़द्वार के मारक हैं।'

'और बाक़ी की गेंदें किसलिए होती हैं?' कॉलिन ने पूछा। इस दौरान वह दो सीढ़ियाँ फिसलकर लड़खड़ा गया, क्योंकि वह मुँह खोलकर हैरी की तरफ़ देख रहा था।

'सबसे बड़ी लाल गेंद को तूफ़ान कहते हैं। इससे गोल किए जाते हैं। हर टीम में तीन धावक होते हैं, जो तूफ़ान को एक-दूसरे की तरफ़ फेंकते हैं और इसे पिच के छोर पर बने गोलपोस्ट के बीच से निकालने की कोशिश करते हैं। गोलपोस्ट यानी तीन ऊँचे खंभे, जिनके कोनों पर रिंग लगे होते हैं।'

'और चौथी गेंद -'

'सुनहरी गेंद होती है,' हैरी बोला। 'यह बहुत छोटी और बहुत ही तेज़ होती है और इसे पकड़ना मुश्किल होता है। परंतु खोजी को इसे पकड़ना ही होता है, क्योंकि क्विडिच का मैच तब तक ख़त्म नहीं होता, जब तक कि सुनहरी गेंद न पकड़ ली जाए। और जिस टीम का खोजी सुनहरी गेंद को पकड़ता है, वह अपनी टीम के लिए डेढ़ सौ पॉइंट जीत लेता है।'

'और तुम गरुड़द्वार के खोजी हो, है ना?' कॉलिन ने श्रद्धा भरे भाव से कहा।

'हाँ,' हैरी बोला, जब वे महल से बाहर निकले और ओस में भीगी घास पर चलने लगे। 'और एक रक्षक भी होता है। वह गोल की रक्षा करता है। क्विडिच दरअसल बस इतना ही है।'

परंतु कॉलिन ने हैरी से सवाल पूछना बंद नहीं किया। वह ढलवाँ लॉन से क्विडिच की पिच तक हैरी से लगातार सवाल पूछता गया और हैरी उससे तभी पीछा छुड़ा पाया, जब वह चेंजिंग रूम के पास पहुँच गया। पीछे से कॉलिन सुरीली आवाज़ में बोला, 'हैरी, मैं जाकर एक अच्छी सी जगह पर बैठ जाता हूँ!' और वह तेज़ी से दर्शक दीर्घा की तरफ़ बढ़ गया।

गरुड़द्वार की बाक़ी टीम पहले ही चेंजिंग रूम में आ चुकी थी। वुड इकलौता खिलाड़ी था, जो पूरी तरह जागा हुआ दिख रहा था। फ्रेड और जॉर्ज वीज़्ली की आँखें फूली हुई थीं तथा बाल बिखरे थे। वे फ़ोर्थ ईयर की एलिसिया स्पिनेट के पास बैठे थे, जो अपने पीछे की दीवार से टिककर झपकी ले रही थी। उसकी साथी धावक केटी बेल और एंजेलिना जॉनसन भी उनके ठीक सामने बैठी उबासियाँ ले रही थीं।

'तो तुम आ गए हैरी, तुम्हें देर कैसे हो गई?' वुड ने उसे देखते ही पूछा। 'अब, पिच पर चलने से पहले मैं तुम लोगों से जल्दी से कुछ चर्चा करना चाहता हूँ, क्योंकि मैंने गर्मियों में एक बिलकुल नया ट्रेनिंग प्रोग्राम तैयार किया है। मैं सोचता हूँ कि अगर हम इसके अनुसार खेलेंगे, तो हमें जीतने से कोई नहीं रोक सकता ...'

वुड के हाथ में क्विडिच की पिच का एक बड़ा चित्र था, जिस पर अलग-अलग रंगों की स्याही से कई रेखाएँ, तीर और क्रॉस के निशान बने थे। उसने अपनी छड़ी बाहर निकाली और बोर्ड को थपथपाया; तीर चित्र पर इल्लियों की तरह हिलने-डुलने लगे। जब वुड अपनी नई रणनीति के बारे में भाषण देने लगा, तो फ्रेड वीज़्ली का सिर सीधे एलिसिया स्पिनेट के कंधे पर गिर गया और वह खर्राटे भरने लगा।

पहले बोर्ड को समझाने में वुड को लगभग बीस मिनट लग गए, परंतु उसके नीचे एक और बोर्ड था और उसके नीचे तीसरा बोर्ड भी रखा था। जब वुड लगातार बोलता रहा, तो हैरी की भी झपकी लग गई।

'तो,' वुड ने आख़िरकार बहुत देर बाद हैरी को सुखद सपने से जगाया। जब हैरी यह सपना देख रहा था कि वह इस पल महल में नाश्ते में क्या खा रहा होगा, तभी वुड ने उससे पूछा, 'क्या सब पूरी बात समझ गए? कोई सवाल?'

'मैं एक सवाल पूछना चाहता हूँ, ऑलिवर,' जॉर्ज ने कहा, जो चौंककर जाग गया था। 'तुम ये सब बातें हमें कल क्यों नहीं बता सकते थे, जब हम जाग रहे थे?'

वुड यह सुनकर ख़ुश नहीं हुआ।

'अब, सब लोग ध्यान से यह बात सुन लें,' उसने उन सबको ग़ुस्से से घूरते हुए कहा, 'हमें पिछले साल क्विडिच कप जीतना चाहिए था। हमारी टीम सबसे अच्छी थी, परंतु दुर्भाग्य से कुछ ऐसी परिस्थितियाँ आ गईं, जिन पर हमारा नियंत्रण नहीं था ...'

हैरी अपराधी भाव से अपनी जगह पर कसमसाया। पिछले साल जब फ़ाइनल मैच खेला जाने वाला था, तब वह अस्पताल में बेहोश पड़ा था। इस वजह से गरुड़द्वार का एक महत्वपूर्ण खिलाड़ी कम हो गया और उन्हें तीन सौ सालों में सबसे बुरी हार झेलना पड़ी।

वुड ने एक पल ठहरकर ख़ुद को नियंत्रित किया। यह स्पष्ट था कि पिछली हार अब भी उसे यातना दे रही थी।

'तो, इस साल हम पहले से ज़्यादा कड़ी मेहनत करेंगे ... ठीक है, अब हम चलते हैं और अपनी नई योजना के हिसाब से प्रैक्टिस करते हैं!' वुड चीख़ा, उसने अपनी झाड़ू उठाई और सबसे पहले चेंजिंग रूम से बाहर निकला। अब भी उबासी लेती हुई बाक़ी की टीम डगमगाते क़दमों से उसके पीछे-पीछे चल दी।

वे लोग चेंजिंग रूम में इतनी ज़्यादा देर तक रहे थे कि अब सूरज पूरी तरह निकल आया था, हालाँकि धुंध के अवशेष अब भी स्टेडियम की घास पर दिख रहे थे। जब हैरी चलकर पिच पर पहुँचा, तो उसने रॉन और हर्माइनी को स्टैंड में बैठे देखा।

'तुम्हारा खेल अभी तक ख़त्म नहीं हुआ?' रॉन ने अविश्वास से पूछा।

'अभी तो शुरू भी नहीं हुआ है,' हैरी बोला। वह ईर्ष्या से टोस्ट और जैम को देख रहा था, जो रॉन और हर्माइनी बड़े हॉल से लेकर आए थे। 'वुड हमें नई रणनीतियाँ सिखा रहा था।'

फिर वह अपनी झाड़ू पर चढ़ गया और ज़मीन पर पैर मारकर हवा में ऊपर उठा। सुबह की ठंडी हवा उसके चेहरे पर पड़ी और इसने उसे वुड के लंबे भाषण से ज़्यादा असरदार तरीक़े से जाग्रत कर दिया। क्विडिच पिच पर वापस लौटना बहुत अद्भुत अनुभव था। फ्रेड और जॉर्ज के साथ रेस लगाते हुए वह पूरी गति से स्टेडियम के चारों ओर उड़ा।

जब वे कोने पर मुड़े, तो फ्रेड ने पूछा, 'यह अजीब सी क्लिक की आवाज़

कैसी है ?'

हैरी ने दर्शक दीर्घा में देखा। कॉलिन बहुत ऊँची सीट पर बैठा था। उसका कैमरा ऊपर की तरफ़ था और वह एक के बाद एक धड़ाधड़ तस्वीरें ले रहा था, जिसकी आवाज़ ख़ाली स्टेडियम में अजीब तेज़ी से गूँज रही थी।

कॉलिन तीखी आवाज़ में चिल्लाया, 'इस तरफ़ देखो, हैरी! इस तरफ़!'

फ्रेड ने पूछा, 'वह कौन है ?'

'पता नहीं,' हैरी ने झूठ बोल दिया और अपनी रफ़्तार तेज़ कर दी, जो उसे कॉलिन से उतनी दूर ले गई, जितनी दूर जाना संभव था।

जब वुड हवा को चीरते हुए उनकी तरफ़ आया, तो उसने त्योरियाँ चढ़ाकर कहा, 'यह क्या हो रहा है ? वह फ़र्स्ट ईयर का छात्र तस्वीरें क्यों ले रहा है ? मुझे यह अच्छा नहीं लग रहा है। हो सकता है वह नागशक्ति का जासूस हो, जो हमारे नए ट्रेनिंग प्रोग्राम के बारे में पता लगाने की कोशिश कर रहा हो।'

'वह गरुड़द्वार में है,' हैरी तत्काल बोला।

'और नागशक्ति को किसी जासूस की ज़रूरत नहीं है, ऑलिवर,' जॉर्ज ने कहा।

वुड ने चिढ़ते हुए पूछा, 'तुम ऐसा कैसे कह सकते हो ?'

'क्योंकि वे यहाँ ख़ुद मौज़ूद हैं,' जॉर्ज ने ज़मीन की तरफ़ इशारा करते हुए कहा।

हरे दुशालों में कुछ लोग अपने हाथों में जादुई झाड़ू लेकर पिच पर चल रहे थे।

'मुझे यक़ीन नहीं हो रहा है!' वुड ने ग़ुस्से से फुफकारते हुए कहा। 'आज के लिए पिच मैंने ली है! हम इस बारे में देखते हैं!'

वुड तेज़ी से ज़मीन पर उतरा। ग़ुस्से में वह थोड़ी ज्यादा ही तेज़ी से ज़मीन से टकराया, इसलिए उतरते समय वह थोड़ा सा लड़खड़ा गया। हैरी, फ्रेड और जॉर्ज भी उसके पीछे उतर आए।

'फ़्लिंट!' वुड नागशक्ति के कप्तान की तरफ़ देखकर गरजा। 'यह हमारी प्रैक्टिस का समय है! हमने आज के लिए पिच ख़ास तौर पर ली है! अब आप लोग यहाँ से जा सकते हैं!'

मार्कस फ़्लिंट देखने में वुड से भी तगड़ा था। उसके चेहरे पर दैत्यों जैसी चालाकी का भाव उभरा, जब उसने जवाब दिया, 'हम सबके लिए पर्याप्त जगह है, वुड।'

एंजेलिना, एलिसिया और केटी भी वहाँ आ गईं। नागशक्ति की टीम में कोई लड़की नहीं थी – पूरी टीम कंधे से कंधा मिलाकर गरुड़द्वार के ठीक सामने खड़ी हो गई।

'परंतु मैंने पिच बुक की है,' वुड ने ग़ुस्से में थूकते हुए कहा। 'मैंने पिच बुक की है!'

'आह,' फ़्लिंट बोला, 'परंतु मेरे पास प्रोफ़ेसर स्नेप की विशेष अनुमति है। *मैं प्रोफ़ेसर एस. स्नेप नागशक्ति की टीम को आज क्विडिच पिच पर प्रैक्टिस करने की अनुमति देता हूँ, ताकि वे अपने नए खोजी को प्रशिक्षण दे सकें।'*

'तुम्हें नया खोजी मिल गया?' वुड ने मूल मुद्दे से दूर जाते हुए पूछा, 'कहाँ?'

और उनके सामने खड़े छह बड़े लड़कों के पीछे से सातवाँ छोटा लड़का निकला, जिसके पीले और नुकीले चेहरे का रोम-रोम मुस्करा रहा था। वह ड्रेको मैल्फ़ॉय था।

'कहीं तुम लूसियस मैल्फ़ॉय के बेटे तो नहीं हो?' फ़्रेड ने मैल्फ़ॉय को नापसंदगी के भाव से देखते हुए पूछा।

'अजीब बात है कि तुमने ड्रेको के डैडी का नाम लिया,' फ़्लिंट ने कहा, जब नागशक्ति की पूरी टीम दाँत निकालकर मुस्कराने लगी। 'मैं दिखाता हूँ कि उन्होंने नागशक्ति की टीम को कितनी उदारता से तोहफ़ा दिया है।'

उन सातों ने अपनी झाड़ुएँ आगे कीं। सुबह की धूप में गरुड़द्वार के खिलाड़ियों की नाक के नीचे सात बेहद चमकदार और बिलकुल नए हैंडल चमकने लगे, जिन पर सुंदर सुनहरे अक्षरों में लिखा था 'निम्बस 2001'।

'बिलकुल नया मॉडल है। अभी पिछले महीने ही आया है,' फ़्लिंट ने लापरवाही से कहते हुए अपनी झाड़ू के सिरे से धूल का एक कण साफ़ किया। 'मुझे विश्वास है कि यह पुरानी 2000 सीरीज़ से काफ़ी तेज़ है। और जहाँ तक पुरानी क्लीनस्वीप झाड़ू का सवाल है,' उसने फ़्रेड और जॉर्ज की तरफ़ गंदे तरीक़े से देखते हुए कहा, जिनके हाथ में क्लीनस्वीप फ़ाइव झाड़ू थी, 'उसे तो यह बिलकुल साफ़ कर देती है।'

एक पल के लिए तो गरुड़द्वार की टीम के किसी भी खिलाड़ी की समझ में नहीं आया कि क्या कहा जाए। मैल्फ़ॉय इतने ज़्यादा दाँत दिखा रहा था कि उसकी ठंडी आँखें बहुत छोटी होकर छेद के बराबर दिखने लगी थीं।

'अरे देखो, पिच पर कब्ज़ा,' फ़्लिंट बोला।

रॉन और हर्माइनी घास का मैदान पार करके यह देखने आ रहे थे कि क्या

हो रहा है।

'क्या हो रहा है ?' रॉन ने हैरी से पूछा। 'तुम खेल क्यों नहीं रहे हो ? और *ये* यहाँ क्या कर रहा है ?'

वह मैल्फ़ॉय की तरफ़ देख रहा था, जिसने नागशक्ति की क्विडिच टीम का दुशाला पहन रखा था।

'मैं नागशक्ति का नया खोजी हूँ, वीज़्ली,' मैल्फ़ॉय गर्व से बोला। 'सब उन झाड़ुओं को हसरत से देख रहे हैं, जो मेरे डैडी ने हमारी टीम को दी हैं।'

रॉन का मुँह खुला रह गया, जब उसने अपने सामने सात बेहतरीन जादुई झाड़ुएँ देखीं।

'अच्छी हैं, है ना ?' मैल्फ़ॉय रेशमी अंदाज़ में बोला। 'परंतु शायद गरुड़द्वार की टीम भी चंदा इकट्ठा करके नई झाड़ुएँ ख़रीद सकती है। तुम लोग अपनी क्लीनस्वीप फ़ाइव झाड़ुओं को बेच सकते हो और मुझे उम्मीद है कि कोई संग्रहालय उन्हें ख़रीद लेगा।'

नागशक्ति की पूरी टीम ठहाके लगाने लगी।

'कम से कम गरुड़द्वार का कोई भी खिलाड़ी रिश्वत देकर टीम में नहीं आया है। *सब* अपनी क़ाबिलियत के दम पर आए हैं।' हर्माइनी ने तेज़ी से कहा।

मैल्फ़ॉय के चेहरे का गर्वीला अंदाज़ डगमगाने लगा।

'तुम्हारी राय किसने पूछी थी, घटिया, मक्कार, बदज़ात,' उसने थूक दिया।

हैरी को तत्काल समझ में आ गया कि मैल्फ़ॉय ने कोई सचमुच बुरी बात कह दी थी, क्योंकि उसके शब्दों पर एकदम बवाल मच गया। फ़्लिंट को तेज़ी से मैल्फ़ॉय के सामने आना पड़ा, ताकि फ्रेड और जॉर्ज को उस पर कूदने से रोका जा सके। एलिसिया चीख़ी, *'तुम्हारी हिम्मत कैसे हुई ?'* और रॉन ने दुशाले में हाथ डालकर अपनी छड़ी निकाली और चिल्लाया, 'तुम्हें इसकी सज़ा मिलेगी, मैल्फ़ॉय!' और उसने फ़्लिंट की बाँह के नीचे से जादुई छड़ी निकालकर मैल्फ़ॉय के चेहरे के सामने कर दी।

स्टेडियम में एक ज़ोरदार धमाके की आवाज़ गूँजी और रॉन की छड़ी के ग़लत छोर से हरी रोशनी बाहर निकली। यह रोशनी रॉन के पेट से टकराई और उसे घास पर पीछे की ओर धकेलकर गिरा दिया।

'रॉन! रॉन! तुम ठीक तो हो!' हर्माइनी चिल्लाई।

रॉन ने बोलने के लिए अपना मुँह खोला, परंतु शब्द बाहर नहीं निकले। इसके बजाय उसे एक ज़ोरदार डकार आई और कई घोंघे उसके मुँह से बाहर

निकलकर उसकी गोद में आ गिरे।

नागशक्ति के खिलाड़ियों का हँसी के मारे बुरा हाल था। फ़्लिंट हँसते-हँसते दोहरा हो गया था और सहारे के लिए अपनी नई झाड़ू पर टिका हुआ था। मैल्फ़ॉय के दोनों हाथ और दोनों पैर ज़मीन पर थे तथा वह अपनी मुट्ठी से ज़मीन ठोंक रहा था। गरुड़द्वार के खिलाड़ी रॉन के आस-पास इकट्ठे हो गए थे, जिसके मुँह से डकार के साथ चमकते बड़े घोंघे बाहर निकालते जा रहे थे। ऐसा लग रहा था कि कोई भी उसे छूना नहीं चाहता था।

'बेहतर होगा कि हम उसे हैग्रिड के यहाँ ले चलें। उसका घर सबसे पास है,' हैरी ने हर्माइनी से कहा, जिसने बहादुरी से सिर हिलाया। उन दोनों ने रॉन के हाथ पकड़कर उसे उठाया।

'क्या हुआ, हैरी? क्या हुआ? क्या वह बीमार है? परंतु तुम उसे ठीक कर दोगे, है ना?' कॉलिन अपनी सीट से दौड़कर नीचे उतर आया था और जब वे पिच से दूर जाने लगे, तो वह उनके आस-पास ही नाचता रहा। रॉन ने एक लंबी साँस छोड़ी और उसके मुँह से कई घोंघे निकलकर टपक गए।

'ऊ...ऊ...ऊह,' कॉलिन ने मंत्रमुग्ध होकर अपना कैमरा उठाया। 'क्या तुम उसे स्थिर पकड़े रख सकते हो, हैरी?'

'रास्ते से हट जाओ, कॉलिन!' हैरी ने ग़ुस्से से कहा। वह और हर्माइनी रॉन को सहारा देकर स्टेडियम से बाहर ले गए। और फिर वे अँधेरे जंगल की तरफ़ वाले मैदान को पार करने लगे।

जब हैग्रिड का घर नज़र आने लगा, तो हर्माइनी बोली, 'बस वहाँ पहुँच ही गए, रॉन। तुम एक मिनट में ठीक हो जाओगे ... बस पहुँच ही गए...'

वे हैग्रिड के घर से बीस फ़ुट की दूरी पर होंगे कि तभी उसके घर का दरवाज़ा खुला। परंतु दरवाज़े से बाहर निकलने वाला व्यक्ति हैग्रिड नहीं था। बहुत हलके बैंगनी रंग का दुशाला पहने गिल्ड्रॉय लॉकहार्ट तेज़ क़दमों से बाहर निकले।

'जल्दी से इसके पीछे छुप जाओ,' हैरी ने फुसफुसाते हुए कहा और रॉन को घसीटकर पास वाली झाड़ी के पीछे कर लिया। हर्माइनी को भी मन मारकर उनके पीछे आना पड़ा।

'यह बहुत आसान है, बशर्ते तुम्हें पता हो कि इसे कैसे किया जाता है!' लॉकहार्ट हैग्रिड से ज़ोर से बोल रहा था। 'अगर तुम्हें मदद की ज़रूरत हो, तो तुम जानते हो कि मैं कहाँ मिलूँगा! मैं तुम्हें अपनी एक पुस्तक भिजवा दूँगा - मुझे हैरानी है कि तुमने अब तक मेरी एक भी किताब नहीं पढ़ी। मैं आज रात को एक पुस्तक पर ऑटोग्राफ़ देकर उसे भिजवा दूँगा। अच्छा, अलविदा!' और वे तेज़

क़दमों से महल की तरफ़ चल दिए।

हैरी ने तब तक इंतज़ार किया, जब तक कि लॉकहार्ट ओझल नहीं हो गए। फिर उसने रॉन को झाड़ी से बाहर खींचा और हैग्रिड के सामने वाले दरवाज़े तक ले गया। उन्होंने जल्दी से दरवाज़ा खटखटाया।

हैग्रिड ने तुरंत दरवाज़ा खोला। वह बहुत चिड़चिड़ा दिख रहा था, परंतु जैसे ही उसने देखा कि बाहर कौन था, उसके चेहरे पर चमक आ गई।

'सोच रहा था कि तुम लोग हमसे मिलने जाने कब आओगे - अंदर आओ, अंदर आओ - जब तुमने दरवाज़ा खटखटाया, तो हमें लगा कि शायद प्रोफ़ेसर लॉकहार्ट दुबारा लौट आए हैं।'

हैरी और हर्माइनी ने चौखट पार करने में रॉन की मदद की। अब वे अंदर पहुँच चुके थे। हैग्रिड के घर में एक ही कमरा था, जिसके एक कोने में बड़ा बिस्तर था और दूसरे कोने में चटक आग दहक रही थी। हैरी ने रॉन को कुर्सी पर बिठाते हुए हैग्रिड को यह बताया कि रॉन के मुँह से घोंघे निकल रहे हैं, परंतु इस बात से हैग्रिड ज़रा भी विचलित नहीं हुआ।

'अंदर रहने से तो अच्छा है कि बाहर निकल जाएँ,' उसने ख़ुशी से कहा और रॉन के सामने ताँबे का एक बड़ा कूड़ादान रख दिया। 'उन्हें बाहर निकाल दो, रॉन।'

'मैं नहीं सोचती कि उनके ख़त्म होने का इंतज़ार करने के अलावा कुछ किया जा सकता है,' हर्माइनी ने चिंता से कहा, जब उसने रॉन को कूड़ेदान पर झुकते देखा। 'इस शाप देने वाले मंत्र को पढ़ना सर्वश्रेष्ठ परिस्थितियों में भी मुश्किल है, पर टूटी छड़ी के साथ तो ...'

हैग्रिड फुर्ती से इधर-उधर घूम रहा था और उनके लिए चाय बना रहा था। उसका बड़ा शिकारी कुत्ता फ़ैंग हैरी के ऊपर लार टपका रहा था।

'हैग्रिड, लॉकहार्ट तुमसे क्या कह रहे थे?' हैरी ने फ़ैंग का कान खुजाते हुए पूछा।

'हमें सिखा रहा था कि ख़तरनाक जल-बेताल को कुएँ से बाहर कैसे निकाला जाए,' हैग्रिड ने गुर्राते हुए अपनी टेबल से आधे पंख नुचे हुए मुर्गे को हटाया तथा केतली नीचे रख दी। 'जैसे हम यह करना नहीं जानते हों। और किसी ख़तरनाक परी के बारे में अनापशनाप बक रहा था, जिसे उसने भगाया था। अगर उसका कहा एक शब्द भी सच है, तो हम अपनी केतली खा जाएँगे।'

हैग्रिड हॉगवर्ट्स के किसी टीचर की बुराई नहीं करता था, इसलिए हैरी

ने उसकी तरफ़ हैरानी से देखा। बहरहाल, हर्माइनी ने सामान्य से .ज्यादा ऊँची आवाज़ में कहा, 'मुझे लगता है कि तुम थोड़ा अन्याय कर रहे हो। ज़ाहिर है प्रोफ़ेसर डम्बलडोर ने उन्हें इस काम के लिए सर्वश्रेष्ठ व्यक्ति माना है –'

'वह इस काम के लिए *इकलौता* व्यक्ति था,' हैग्रिड ने उनकी तरफ़ ट्रिकल टॉफ़ी की प्लेट बढ़ाते हुए कहा, जबकि रॉन फचफच की आवाज़ निकालते हुए कूड़ेदान में कफ़ गिराता रहा। 'और हमारा मतलब है *इकलौता*। गुप्त कलाओं से रक्षा के टीचर के पद के लिए कोई मिल ही नहीं रहा था। देखो, लोग यहाँ आने के लिए बहुत उत्सुक नहीं हैं। वे यह सोचने लगे हैं कि यह पद शापित है। अब तक कोई भी लंबे समय तक यहाँ नहीं टिक पाया है। तो अब हमें बताओ,' हैग्रिड ने रॉन की तरफ़ सिर घुमाते हुए कहा, 'रॉन किसे शाप दे रहा था?'

'मैल्फ़ॉय ने हर्माइनी को कुछ कहा था। वह सचमुच बुरी बात रही होगी, क्योंकि उसे सुनकर सब ग़ुस्से से पागल हो गए थे।'

'वह सचमुच बुरी बात *थी*,' रॉन ने टेबल के ऊपर सिर उठाते हुए भर्राई आवाज़ में कहा। वह पीला और पसीना-पसीना हो रहा था। 'मैल्फ़ॉय ने उसे "बदज़ात" कहा, हैग्रिड –'

रॉन अचानक गोता लगाकर ओझल हो गया, जब उसे घोंघों की नई लहर आती महसूस हुई। हैग्रिड को यह सुनकर गहरा धक्का लगा।

उसने गुर्राते हुए हर्माइनी से पूछा, 'उसने ऐसा कहा!'

'हाँ,' वह बोली। 'परंतु मैं नहीं जानती कि इसका क्या मतलब है। वैसे मुझे यह तो लगा कि यह ग़ाली थी...'

'यह उसके दिमाग़ में आने वाली सबसे अपमानजनक बात है,' रॉन ने अपना सिर दुबारा उठाते हुए और हाँफते हुए कहा। 'बदज़ात एक सचमुच गंदी ग़ाली है, जो मगलुओं के यहाँ पैदा होने वाले व्यक्ति को दी जाती है – मगलू यानी ऐसे लोग जो जादू न जानते हों। कुछ ऐसे जादूगर हैं – जैसे मैल्फ़ॉय परिवार – जो सोचते हैं कि वे बाक़ी सब लोगों से बेहतर हैं, क्योंकि उनका ख़ून शुद्ध है।' उसने एक छोटी डकार ली और इस बार सिर्फ़ एक घोंघा उसके फैले हुए हाथ पर गिरा। उसने इसे कूड़ेदान में डाला और आगे कहा, 'मेरा मतलब है, बाक़ी जादूगर जानते हैं कि इससे कोई फ़र्क़ नहीं पड़ता। नेविल लाँगबॉटम को देखो – उसका ख़ून शुद्ध है, फिर भी वह कड़ाही को ठीक तरह से नहीं रख सकता है।'

'और ऐसा कोई मंत्र नहीं है, जो हमारी हर्माइनी नहीं पढ़ सकती,' हैग्रिड गर्व से बोला, जिससे हर्माइनी के चेहरे पर गुलाबी रंग की चमक आ गई।

'किसी को भी बदज़ात कहना बहुत अपमानजनक बात है,' रॉन अपने काँपते हाथ से भौंह का पसीना पोंछते हुए बोला। 'गंदा ख़ून। घटिया ख़ून। यह पागलपन है। आज के अधिकांश जादूगरों का ख़ून वैसे भी पूरी तरह शुद्ध नहीं बचा है। अगर हमने मगलुओं से शादी नहीं की होती, तो हम लोग कब के ख़त्म हो चुके होते।'

उसने उबकाई ली और वह एक बार फिर ओझल हो गया।

'अच्छा रॉन, मैं तुम्हें दोष नहीं देता कि तुमने उसे शाप देने की कोशिश की,' हैग्रिड ने कूड़ेदान में गिरते घोंघों की आवाज़ से ऊँची आवाज़ में कहा। 'परंतु शायद यह अच्छा ही हुआ कि तुम्हारी टूटी छड़ी की वजह से तुम्हारा शाप उलट गया। अगर तुमने मैल्फ़ॉय को शाप दे दिया होता, तो हमें लगता है कि लूसियस मैल्फ़ॉय भागकर स्कूल आ जाता। कम से कम तुम मुश्किल में तो नहीं फँसे।'

हैरी इस बात की तरफ़ इशारा करना चाहता था कि मुँह से गिरते घोंघों से बुरी मुश्किल कौन सी होगी, परंतु वह ऐसा नहीं कर पाया। हैग्रिड की ट्रिकल टॉफ़ी ने उसके जबड़ों को चिपका दिया था।

'हैरी,' हैग्रिड अचानक बोला, जैसे उसके मन में अचानक यह विचार आया हो, 'तुमसे एक बात पर झगड़ना है। हमने सुना है कि तुम ऑटोग्राफ़ वाले फ़ोटो बाँट रहे हो। ऐसा कैसे हो गया कि हमें अब तक एक भी नहीं मिला?'

ग़ुस्से से हैरी ने अपने दाँत अलग-अलग कर लिए।

'मैं ऑटोग्राफ़ वाले फ़ोटो *नहीं* बाँट रहा हूँ,' उसने गर्मी से कहा। 'अगर लॉकहार्ट अब भी यह अफ़वाह फैला रहे हैं –'

परंतु तभी उसने देखा कि हैग्रिड हँस रहा था।

'हम तो सिर्फ़ मज़ाक़ कर रहे थे,' वह बोला और उसने हलके से हैरी की पीठ थपथपाई। यह प्यार भरी थपकी भी इतनी ज़ोरदार थी कि इससे हैरी का चेहरा टेबल से टकरा गया। 'हम जानते थे कि तुम सचमुच ऐसा नहीं कर रहे हो। हमने लॉकहार्ट को बताया कि तुम्हें ऐसा करने की ज़रूरत नहीं है। तुम बिना कोशिश किए ही उनसे ज़्यादा मशहूर हो।'

'शर्त लगा सकता हूँ कि उन्हें यह बात पसंद नहीं आई होगी,' हैरी ने दुबारा ठीक से बैठते हुए और अपनी ठुड्डी मलते हुए कहा।

'हमें नहीं लगता कि पसंद आई थी,' हैग्रिड बोला और उसकी आँखें चमक रही थीं। 'और जब हमने उसे बताया कि हमने उसकी एक भी किताब नहीं पढ़ी है, तो उसने यहाँ से जाने का फ़ैसला कर लिया। ट्रिकल टॉफ़ी लो, रॉन?'

उसने आगे कहा, जब रॉन दुबारा प्रकट हुआ।

'नहीं धन्यवाद,' रॉन ने कमज़ोरी से कहा। 'बेहतर होगा कि यह जोखिम न लूँ।'

जब हैरी और हर्माइनी ने अपनी चाय ख़त्म कर ली, तो हैग्रिड बोला, 'तुम लोग चलकर देखो तो सही, हम क्या उगा रहे हैं।'

हैग्रिड के घर के पीछे वाले सब्ज़ियों के छोटे बगीचे में दर्जन भर बड़े कद्दू लगे थे। हैरी ने आज तक इतने बड़े कद्दू नहीं देखे थे। हर कद्दू किसी बड़ी चट्टान के आकार का था।

'अच्छी तरह बड़े हो रहे हैं, है ना?' हैग्रिड ने ख़ुश होते हुए कहा। 'उन्हें हैलोवीन की दावत के लिए तैयार कर रहे हैं ... तब तक पर्याप्त बड़े हो जाना चाहिए।'

हैरी ने पूछा, 'तुम इनमें क्या डाल रहे हो?'

हैग्रिड ने अपने कंधों के ऊपर से झाँककर देखा कि आसपास कोई और तो नहीं है। फिर वह बोला, 'देखो, हम उन्हें – तुम जानते हो – थोड़ी मदद दे रहे हैं।'

हैरी ने देखा कि हैग्रिड की फूलों वाली गुलाबी छतरी घर की पिछली दीवार से टिकी हुई थी। हैरी के पास पहले से ही इस बात पर विश्वास करने के कारण थे कि यह छतरी जितनी साधारण दिखती है, उतनी है नहीं। दरअसल उसे यह प्रबल आभास हो चुका था कि इसके भीतर हैग्रिड की स्कूल की पुरानी जादुई छड़ी छुपी थी। हैग्रिड को जादू करने की इजाज़त नहीं थी। उसे थर्ड ईयर में हॉगवर्ट्स से निकाल दिया गया था, परंतु हैरी इसका कारण नहीं जान पाया था। जब भी इस मामले को उठाया जाता था, तो हैग्रिड ज़ोर से अपना गला साफ़ करने लगता था और रहस्यमय रूप से बहरा हो जाता था, जब तक कि विषय नहीं बदल जाता था।

'मुझे लगता है, शरीरफूलन मंत्र?' हर्माइनी आधी नापसंदगी और आधे मनोविनोद के साथ बोली। 'जो भी हो, तुमने उन पर अच्छा काम किया है।'

'यही तुम्हारी छोटी बहन ने कहा था,' हैग्रिड रॉन की तरफ़ सिर घुमाते हुए बोला। 'उससे कल ही मिले थे।' हैग्रिड ने दाढ़ी हिलाते हुए कनखियों से हैरी की तरफ़ देखा। 'कह रही थी कि वह मैदान में घूम रही है, परंतु हमें लगता है वह यह उम्मीद कर रही थी कि हमारे घर पर वह किसी से टकरा सकती है।' उसने हैरी की तरफ़ आँख मारी। 'अगर हमसे पूछा जाए, तो *वह* ऑटोग्राफ़ वाले फ़ोटो के लिए मना नहीं करेगी –'

'चुप रहो,' हैरी बोला। रॉन ज़ोर-ज़ोर से हँसने लगा और ज़मीन पर घोंघों का छिड़काव करने लगा।

'ज़रा सँभलकर!' हैग्रिड रॉन को अपने क़ीमती कद्दुओं से दूर खींचते हुए चिल्लाया।

अब दोपहर के लंच का समय हो चुका था और चूँकि हैरी ने सुबह से सिर्फ़ एक ट्रिकल टॉफ़ी ही खाई थी, इसलिए वह खाना खाने के लिए स्कूल लौटना चाहता था। हैग्रिड से विदा लेकर वे महल की तरफ़ चल दिए। रॉन कभी-कभार हिचकियाँ लेता था, परंतु अब सिर्फ़ इक्का-दुक्का बहुत छोटे घोंघे ही बाहर निकल रहे थे।

उन्होंने ठंडे प्रवेश हॉल में अभी क़दम रखा ही था कि तभी उन्हें एक आवाज़ सुनाई दी। 'तो तुम लोग आ गए, पॉटर, वीज़्ली।' प्रोफ़ेसर मैक्गॉनेगल गंभीर चेहरे के साथ उनकी तरफ़ आ रही थीं। 'तुम लोग आज शाम को अपनी सज़ा पूरी करोगे।'

'हमें क्या करना है, प्रोफ़ेसर,' रॉन ने घबराहट में अपनी उबकाई की इच्छा को दबाते हुए पूछा।

'*तुम* मिस्टर फ़िल्च के साथ ट्रॉफ़ी रूम में चाँदी की शील्ड चमकाओगे,' प्रोफ़ेसर मैक्गॉनेगल बोलीं। 'और कोई जादू नहीं, वीज़्ली - कपड़ों से घिसना पड़ेगा।'

रॉन ने थूक निगला। चौकीदार आर्गस फ़िल्च से स्कूल का हर विद्यार्थी नफ़रत करता था।

'और पॉटर, तुम प्रोफ़ेसर लॉकहार्ट के प्रशंसकों के ख़तों का जवाब देने में उनकी मदद करोगे,' प्रोफ़ेसर मैक्गॉनेगल बोलीं।

'अरे नहीं, - क्या मैं भी ट्रॉफ़ी रूम में जाकर शील्ड नहीं चमका सकता ?' हैरी ने हताशा से पूछा।

'बिलकुल नहीं,' प्रोफ़ेसर मैक्गॉनेगल अपनी भृकुटियाँ तानते हुए बोलीं। 'प्रोफ़ेसर लॉकहार्ट ने ख़ास तौर पर तुम्हारी माँग की है। ठीक आठ बजे, तुम दोनों।'

हैरी और रॉन बहुत निराश होकर बड़े हॉल में टहलने लगे। हर्माइनी *अच्छा-है-तुमने-स्कूल-के-नियम-तोड़े-थे* जैसे भाव अपने चेहरे पर लेकर उनके ठीक पीछे थी। हैरी के मन में अब दोपहर के भोजन में मांस की कचौड़ी खाने की पहले जितनी इच्छा नहीं बची थी। उसे और रॉन दोनों को ही लग रहा था कि उन्हें ज़्यादा बुरी सज़ा मिली है।

'फ़िल्च मुझे रात भर जोते रहेगा,' रॉन ने भारी मन से कहा। 'कोई जादू नहीं! उस कमरे में कम से कम सौ कप होंगे। मुझे मगलुओं की तरह सफ़ाई करना नहीं आता।'

'मैं किसी भी समय तुमसे अदला-बदली करने के लिए तैयार हूँ,' हैरी ने खोखलेपन से कहा। 'डर्स्ली परिवार के साथ रहते-रहते मुझे सफ़ाई करने का ख़ूब अभ्यास हो चुका है। लॉकहार्ट के प्रशंसकों के ख़तों का जवाब देना ... यह एक बुरे सपने की तरह होगा ...'

शनिवार की दोपहर जैसे पल भर में हवा हो गई। ऐसा लगा जैसे आठ बजने में पाँच मिनट का समय तत्काल हो गया। हैरी पैर घसीटते हुए दूसरी मंज़िल के गलियारे में लॉकहार्ट के ऑफ़िस के सामने पहुँच गया। उसने अपने दाँत किटकिटाते हुए दरवाज़े पर दस्तक दी।

दरवाज़ा तत्काल खुल गया। लॉकहार्ट उसकी तरफ़ देखकर मुस्करा रहे थे।

'अहा, ये हुई न बात!' वे बोले। 'अंदर आओ हैरी, अंदर आओ।'

दीवार पर मोमबत्तियों की रोशनी में लॉकहार्ट के फ्रेम किए हुए अनगिनत फ़ोटो तेज़ी से चमक रहे थे। उन्होंने कुछ पर तो साइन भी कर दिए थे। उनकी टेबल पर फ़ोटोग्राफ़्स का एक और बड़ा ढेर रखा था।

'तुम लिफ़ाफ़ों पर पते लिखने का काम करो!' लॉकहार्ट ने हैरी से ऐसे अंदाज़ में कहा, जैसे वे उसे कोई बहुत मज़ेदार काम सौंप रहे हों। 'पहला पत्र ग्लैडिस गज़न को, उसका भला हो - वह मेरी बहुत बड़ी प्रशंसक है।'

मिनट कछुए की चाल से गुज़रते रहे। हैरी ने लॉकहार्ट की आवाज़ को अपने कानों पर पड़ने दिया और कभी-कभार 'हूँ,' 'ठीक है' या 'हाँ' में जवाब देता रहा। कभी-कभार वह इस तरह के वाक्य भी सुन लेता था, 'शोहरत पल भर की होती है, हैरी' या 'यह याद रखना, नाम कमाने के लिए मेहनत करना पड़ती है।'

मोमबत्तियाँ धीरे-धीरे छोटी होती गईं। उनकी रोशनी लॉकहार्ट के कई हिलते चेहरों पर नाच रही थी, जो असली लॉकहार्ट को देख रहे थे। हैरी ने अपना दुखता हाथ उस पर घुमाया, जो उसे हज़ारवें लिफ़ाफ़े की तरह लग रहा था और वेरोनिका स्मेथली का पता लिखने लगा। अब तो मुक्ति का समय क़रीब होगा, हैरी ने दुखी मन से सोचा, काश मुक्ति का समय क़रीब ही हो ...

और फिर उसने कुछ सुना - कुछ ऐसा, जो बुझती मोमबत्तियों की टिमटिमाहट और लॉकहार्ट की अपने प्रशंसकों के बारे में बकवास से बहुत

अलग था।

यह रीढ़ की हड्डी तक कंपकंपाने वाली आवाज़ थी। ऐसी आवाज़, जिसे सुनकर इंसान साँस लेना भी भूल जाए। ऐसी आवाज़, जिसमें बर्फ़ की तरह ठंडा ज़हर भरा था।

'आओ ... मेरे पास आओ ... मैं तुम्हारे टुकड़े-टुकड़े कर दूँगा... मैं तुम्हें काट डालूँगा... मैं तुम्हें मार डालूँगा...'

हैरी ज़ोर से उछल पड़ा और वेरोनिका स्मेथली की सड़क के पते वाली जगह पर एक बड़ा बैंगनी धब्बा उभर आया।

'क्या ?' वह ज़ोर से बोला।

'मैं जानता हूँ!' लॉकहार्ट बोले। 'पूरे छह महीने तक बेस्टसेलर लिस्ट में सबसे ऊपर रही! सारे रिकॉर्ड तोड़ डाले!'

'नहीं,' हैरी ने उत्तेजित होकर कहा। 'वह आवाज़!'

'कौन सी आवाज़ ?' लॉकहार्ट हैरान होकर बोला। 'कौन सी आवाज़ ?'

'वह - वह आवाज़, जिसने कहा - क्या वह आपको सुनाई नहीं दी ?'

लॉकहार्ट हैरी को बहुत हैरानी से देख रहे थे।

'तुम क्या कह रहे हो, हैरी ? शायद तुम्हें नींद आ रही है ? और क्यों न हो - ज़रा घड़ी तो देखो! हम यहाँ चार घंटे से हैं! मुझे कभी इस बात का यक़ीन नहीं हुआ होता - समय तो जैसे पंख लगाकर उड़ गया, है ना ?'

हैरी ने जवाब नहीं दिया। उसने अपने कान पर ज़ोर डालकर दुबारा आवाज़ सुनने की कोशिश की, परंतु उसे वह आवाज़ सुनाई नहीं दी। अलबत्ता उसने लॉकहार्ट को यह कहते ज़रूर सुना कि उसे सज़ा मिलने पर हर बार इस तरह के आनंद की उम्मीद नहीं करना चाहिए। स्तब्ध हैरी वहाँ से चल दिया।

इतनी देर हो चुकी थी कि गरुड़द्वार का हॉल लगभग ख़ाली था। हैरी सीधे अपने कमरे में गया। रॉन अब तक नहीं लौटा था। हैरी ने अपना पायजामा पहना, बिस्तर में घुसा और इंतज़ार करने लगा। आधे घंटे बाद रॉन अपने दाएँ हाथ को मलता हुआ वहाँ आया। वह अपने साथ अँधेरे कमरे में पॉलिश की ज़बर्दस्त बदबू भी ले आया था।

'मेरे हाथ अकड़ गए हैं,' रॉन अपने बिस्तर पर लुढ़कते हुए दर्द भरी आवाज़ में बोला। 'फ़िल्च ने मुझसे वह क्विडिच कप चौदह बार चमकवाया, तब कहीं जाकर वह संतुष्ट हुआ। और फिर स्कूल की सेवा के लिए दिए गए विशेष पुरस्कार पर मेरे मुँह से घोंघे गिर गए। उस गंदगी को साफ़ करने में कई युग लग गए ... लॉकहार्ट के साथ तुम्हारा हाल कैसा रहा ?'

नेविल, डीन और सीमस जाग न जाएँ, इसलिए हैरी ने धीमी आवाज़ में रॉन को पूरी बात बताई कि उसने अदृश्य आवाज़ सुनी थी।

'और लॉकहार्ट ने कहा कि उन्हें वह आवाज़ सुनाई नहीं दे रही थी?' रॉन बोला। हैरी को चाँदनी में उसकी तनी हुई भृकुटियाँ दिख रही थीं। 'क्या तुम्हें लगता है कि वे झूठ बोल रहे थे? परंतु मुझे कुछ समझ में नहीं आ रहा है – अगर कोई अदृश्य होता, तब भी उसे दरवाज़ा तो खोलना पड़ता।'

'मैं जानता हूँ,' हैरी ने अपने पलंग पर लेटते हुए और ऊपर लगी मसहरी को घूरते हुए कहा। 'मुझे भी कुछ समझ में नहीं आ रहा है।'

अध्याय आठ

मृत्युदिवस की पार्टी

अक्टूबर का महीना आ गया था। अब मैदान और महल में नमी भरी ठंड पड़ने लगी थी। अस्पताल की मैट्रन मैडम पॉमफ़्री प्रोफ़ेसरों और विद्यार्थियों को हुई सर्दी-खाँसी की वजह से अचानक बहुत व्यस्त हो गई थीं। उनका सर्दीनाशक काढ़ा तत्काल असर करता था, हालाँकि इसे पीने वाले के कान से घंटों तक धुआँ निकलता रहता था। जिनी वीज़्ली कुछ समय से बीमार दिख रही थी, इसलिए उसके भाई पर्सी ने ज़बर्दस्ती उसे यह काढ़ा पिलवा दिया। उसके लाल बालों के नीचे से निकलते धुएँ को देखकर ऐसा लग रहा था, जैसे उसका सिर आग में जल रहा हो।

गोलियों जितनी बड़ी बरसात की बूँदें बिना रुके कई दिनों तक महल की खिड़कियों पर गरजती-बरसती रहीं; झील का जलस्तर बढ़ गया, फूलों की क्यारियाँ कीचड़ भरी धाराओं में बदल गईं और हैग्रिड के कद्दू फूलकर बगीचे के शेड जितने बड़े हो गए। बहरहाल, रोज़ प्रैक्टिस करने के बारे में ऑलिवर वुड का उत्साह ठंडा नहीं पड़ा था, इसलिए हैलोवीन से कुछ दिन पहले एक शनिवार की तूफ़ानी दोपहर को हैरी जब गरुड़द्वार टॉवर की तरफ़ लौट रहा था, तो वह पूरी तरह भीगा हुआ और कीचड़ में लथपथ था।

बारिश और हवा को छोड़ भी दें, तो भी उनकी आज की प्रैक्टिस सुखद नहीं कही जा सकती थी। नागशक्ति की टीम की जासूसी करके फ्रेड और जॉर्ज ने अपनी आँखों से निम्बस 2001 की तेज़ रफ़्तार देखी थी। उन्होंने यह ख़बर दी कि नागशक्ति की टीम सात हरे झोंकों की तरह दिख रही थी और उसके खिलाड़ी हवा में गोली की रफ़्तार से उड़ रहे थे।

जब हैरी वीरान गलियारे में कीचड़ सने क़दमों से फच-फच करके चलने लगा, तो वह एक ऐसी आकृति के पास आया, जो उसी के जितनी चिंतित नज़र आ रही थी। गरुड़द्वार टॉवर का भूत लगभग सिरकटा निक दुखी होकर खिड़की

से बाहर देख रहा था और बुदबुदाता जा रहा था, ' ... उनकी शर्तों को पूरा नहीं करता ... अगर आधा इंच ...'

'हैलो निक,' हैरी बोला।

'हैलो, हैलो,' लगभग सिरकटे निक ने चौंककर चारों तरफ़ देखते हुए कहा। उसने अपने लंबे घुंघराले बालों पर पंख वाला फ़ैशनेबल हैट पहन रखा था। कोट के ऊपर उसने एक मफ़लर भी डाल रखा था, जिसकी वजह से यह नज़र नहीं आता था कि उसकी गर्दन लगभग पूरी तरह से अलग थी। वह धुएँ की तरह पीले रंग का था और हैरी उसके आर-पार काले आसमान और बाहर हो रही मूसलाधार बारिश को देख सकता था।

'तुम परेशान लग रहे हो, पॉटर,' यह बोलते हुए निक ने एक पारदर्शी ख़त को तह किया और उसे अपनी शर्ट के भीतर छुपा लिया।

'तुम भी तो परेशान लग रहे हो,' हैरी ने कहा।

'आह,' लगभग सिरकटे निक ने शालीनता से हाथ लहराते हुए कहा, 'कोई ख़ास बात नहीं है ... ऐसी बात नहीं है कि मैं सचमुच शामिल होना चाहता था ... मैंने सोचा था कि बस आवेदन करके देख लेता हूँ, परंतु ज़ाहिर है मैं "शर्तों को पूरा नहीं करता हूँ।"'

उसकी हवाबाज़ी के बावज़ूद उसके चेहरे पर बहुत कटुता का भाव साफ़ झलक रहा था।

निक अचानक फट पड़ा और अपनी जेब से ख़त को दुबारा बाहर निकालते हुए बोला, 'परंतु कोई भी यह तो सोचेगा ही कि गर्दन पर पैंतालीस बार भोथरी कुल्हाड़ी की चोट खाने के बाद वह सिरकटों के शिकार में शामिल होने क़ाबिल बन जाएगा?'

'अरे - हाँ,' हैरी ने कहा, जो स्पष्ट रूप से समझ गया था कि निक उससे हाँ कहलवाना चाहता था।

'मेरा मतलब है, मुझसे ज्यादा कौन चाहता होगा कि यह काम जल्दी और सफ़ाई से हो जाता और मेरा सिर पूरी तरह धड़ से अलग हो गया होता? मेरा मतलब है कि इससे मुझे बहुत सा दर्द और अपमान तो नहीं झेलना पड़ता। बहरहाल ...' लगभग सिरकटे निक ने अपने ख़त को खोला और आवेश में पढ़ा।

'हम सिर्फ़ उन्हीं शिकारियों को स्वीकार कर सकते हैं, जिनके सिर शरीर से अलग हो चुके हों। आप यह बात समझते होंगे कि ऐसा न होने पर सदस्यों के लिए घोड़े की पीठ पर सिर उछालने और कटे सिर से पोलो खेलने जैसी

सिरकटों के शिकार की गतिविधियों में शामिल होना संभव नहीं होगा। इसलिए मुझे आपको यह सूचित करते हुए बहुत खेद है कि आप हमारी शर्तों को पूरा नहीं करते हैं। बहुत-बहुत शुभकामनाओं सहित, सर पैट्रिक डिलेनी-पॉडमोर।'

आगबबूला होते हुए लगभग सिरकटे निक ने ख़त को मोड़कर जेब में रख लिया।

'हैरी, सिर्फ़ आधे इंच की चमड़ी और मांस ने मेरी गर्दन को सिर से जोड़ रखा है! ज़्यादातर लोग सोचेंगे कि यह सिर अलग होने की तरह ही है, परंतु नहीं, यह सही-तरह-से-सिरकटे-सर-पॉडमोर के लिए पर्याप्त नहीं है।'

लगभग सिरकटे निक ने कई गहरी साँसें लीं और फिर थोड़े शांत स्वर में कहा, 'तो - तुम क्यों परेशान हो ? क्या मैं तुम्हारे लिए कुछ कर सकता हूँ ?'

'नहीं,' हैरी बोला। 'तब तक नहीं, जब तक कि तुम यह न जानते हो कि नागशक्ति के साथ होने वाले मैच के लिए हम सात निम्बस 2001 झाड़ुएँ मुफ़्त में कहाँ से ला सकते -'

हैरी का बाक़ी का वाक्य उसके पैरों के पास से आती तीखी म्याऊँ की आवाज़ में खो गया। नीचे देखने पर उसे लैंप जैसी पीली आँखें घूरती दिखीं। वहाँ पर दुबली भूरी बिल्ली मिसेज़ नॉरिस खड़ी थी। चौकीदार आर्गस फ़िल्च विद्यार्थियों के ख़िलाफ़ अंतहीन युद्ध में इस बिल्ली का उपयोग अपनी सहयोगी के रूप में करता था।

निक ने जल्दी से कहा, 'हैरी, बेहतर होगा कि तुम यहाँ से बाहर चले जाओ। फ़िल्च का मूड ठीक नहीं है। उसे सर्दी हो गई है और थर्ड ईयर के कुछ विद्यार्थियों ने दुर्घटनावश पाँचवें तहख़ाने में छत पर हर तरफ़ मेंढक के भेजे चिपका दिए थे। वह सुबह से सफ़ाई कर रहा है। और अगर वह यह देखेगा कि तुम पूरे महल में कीचड़ टपका रहे हो...'

'ठीक है,' हैरी बोला और वह मिसेज़ नॉरिस की दोषी ठहराने वाली दृष्टि से दूर हटने लगा, परंतु उसे थोड़ी देर हो गई। ऐसा लगता था जैसे कोई रहस्यमयी शक्ति आर्गस फ़िल्च को उसकी दुष्ट बिल्ली के साथ बाँधे थी, इसलिए वह अचानक हैरी की दाईं तरफ़ की दीवार के पर्दे के बीच से बाहर निकला। वह छींक रहा था और चारों तरफ़ नियम तोड़ने वाले की तलाश कर रहा था। उसके सिर के चारों ओर एक मोटा ऊनी स्कार्फ़ बँधा था और उसकी नाक असामान्य रूप से बैंगनी दिख रही थी।

'गंदगी!' वह हैरी के क्विडिच के दुशाले से टपके कीचड़ की तरफ़ इशारा करते हुए चिल्लाया। उसके जबड़े हिल रहे थे और उसकी आँखें उत्तेजना के कारण बाहर निकली पड़ रही थीं। 'हर तरफ़ कीचड़ और गंदगी! अब मैं सहन

नहीं करूँगा। मैं तुम्हें बताए देता हूँ! मेरे पीछे आओ, पॉटर!'

इस पर हैरी ने लगभग सिरकटे निक की तरफ़ उदासी से हाथ हिलाकर विदा ली और फ़िल्च के पीछे सीढ़ियाँ उतरने लगा। जाते-जाते वह फ़र्श पर कीचड़ भरे पैरों के दोहरे निशान बनाता हुआ गया।

हैरी पहले कभी फ़िल्च के ऑफ़िस में नहीं गया था। यह एक ऐसी जगह थी, जिससे ज़्यादातर विद्यार्थी कतराते थे। कमरा गंदा था और इसमें एक भी खिड़की नहीं थी। इसमें सिर्फ़ तेल की चिमनी से रोशनी होती थी, जो नीची छत से लटक रही थी। वहाँ पर तली मछलियों की हलकी ख़ुशबू भरी हुई थी। दीवारों पर चारों तरफ़ लकड़ी की अलमारियाँ लगी थीं। उन पर लगे लेबल से हैरी को यह समझ में आ गया कि उनमें हर उस विद्यार्थी का विस्तृत विवरण है, जिसे फ़िल्च ने सज़ा दी थी। फ़्रेड और जॉर्ज वीज़्ली के लिए एक पूरा ड्रॉअर अलग से था। फ़िल्च की टेबल के पीछे दीवार पर जंज़ीरों और हथकड़ियों का एकदम चमचमाता ढेर टँगा था। सब जानते थे कि वह डम्बलडोर से हमेशा आग्रह करता था कि वे उसे विद्यार्थियों को टखनों के बल छत से लटकाने की अनुमति दे दें।

फ़िल्च ने अपनी टेबल पर रखी क़लम उठाई और चर्मपत्र की तलाश में इधर-उधर देखने लगा।

'कीचड़,' वह आवेश में बुदबुदाया, 'ढेर सारी ड्रैगन की गंदगी ... मेंढक के भेजे ... चूहे की आँतें ... मेरी सहनशक्ति की भी सीमा है ... ऐसा *सबक़* सिखाऊँगा ... फ़ॉर्म कहाँ है ... हाँ ...'

उसने अपनी टेबल के ड्रॉअर से चर्मपत्र का एक बड़ा रोल निकाला, उसे अपने सामने फैलाया और काले पंख वाली लंबी क़लम स्याही की शीशी में डुबो दी।

'*नाम* ... हैरी पॉटर। *अपराध* ...'

'सिर्फ़ थोड़ा सा कीचड़ ही तो था!' हैरी बोला।

'यह तुम्हारे लिए थोड़ा सा कीचड़ होगा लड़के, परंतु मेरे लिए यह एक घंटे की सफ़ाई है!' फ़िल्च चिल्लाया। उसकी कुप्पे जैसी गोल नाक के सिरे पर एक बूँद काँप रही थी। '*अपराध* ... महल गंदा करना ... जो *सज़ा दी जाना चाहिए* ...'

अपनी बहती नाक को पोंछते हुए फ़िल्च ने हैरी को हिक़ारत से देखा, जो साँस रोककर अपनी सज़ा सुनने का इंतज़ार कर रहा था।

परंतु जैसे ही फ़िल्च ने अपनी क़लम नीचे की, ऑफ़िस की छत पर एक ज़ोरदार **धमाका** हुआ, जिससे तेल की चिमनी थरथराकर आवाज़ करने लगी।

'**पीव्ज़!**' फ़िल्च ने गरजते हुए आवेश में अपनी क़लम नीचे फेंक दी। 'इस बार मैं तुम्हें नहीं छोडूँगा। मैं तुम्हें अभी मज़ा चखाता हूँ!'

और हैरी की तरफ़ पलटकर देखे बिना फ़िल्च नंगे पैर ही ऑफ़िस से बाहर भागा। मिसेज़ नॉरिस भी उसके साथ-साथ भाग रही थी।

पीव्ज़ स्कूल का शैतान भूत था। वह हवा में उड़ने वाला मुस्कराता ख़तरा था, जिसे सिर्फ़ क़हर बरपाने और कष्ट देने में ही मज़ा आता था। हैरी को पीव्ज़ ख़ास पसंद नहीं था, परंतु आज उसने शरारत का जो समय चुना था, उसके लिए वह उसका एहसान माने बिना नहीं रह सका। हैरी को आशा थी कि पीव्ज़ ने जो किया था (और आवाज़ से ऐसा लगा था, जैसे उसने इस बार कोई बड़ी तोड़फोड़ की थी), उससे फ़िल्च का ध्यान उस पर से हट जाएगा।

यह सोचते हुए कि उसे शायद फ़िल्च के वापस लौटने का इंतज़ार करना चाहिए, हैरी टेबल के पास रखी एक दीमक खाई कुर्सी में धँस गया। टेबल पर उसके आधे भरे फ़ॉर्म के अलावा सिर्फ़ एक चीज़ थी : एक बड़ा, चमकदार, बैंगनी लिफ़ाफ़ा जिस पर चाँदी जैसे सफ़ेद अक्षरों में कुछ लिखा था। दरवाज़े पर जल्दी से नज़र डालने के बाद कि फ़िल्च कहीं वापस तो नहीं आ रहा है, हैरी ने लिफ़ाफ़ा उठाया और पढ़ा :

फटाफटजादू
नए जादूगरों के लिए
पत्राचार कोर्स

जिज्ञासावश हैरी ने लिफ़ाफ़ा खोलकर चर्मपत्र को बाहर निकाला। अगले पन्ने पर अधिक घुमावदार चाँदी जैसी सफ़ेद लिखावट में लिखा था :

आधुनिक जादू की दुनिया में असहाय महसूस करते हैं? क्या आप आसान मंत्र भी नहीं पढ़ पाते हैं और उसके लिए बहाने बनाते हैं? क्या आपकी छड़ी के दयनीय प्रदर्शन के लिए आपको ताने सुनना पड़ते हैं?

इन सब सवालों का एक ही जवाब है!

फटाफटजादू एक बिलकुल नया, सफलता की गारंटी वाला, तत्काल परिणाम देने वाला, आसान कोर्स है। सैकड़ों जादूगरों और जादूगरनियों ने फटाफटजादू की तकनीक से लाभ उठाया है!

टॉप्सहैम की मैडम ज़ेड. नेटल्स लिखती हैं :

'मुझे मंत्र याद नहीं रहते थे और मेरे परिवार काढ़ों का पूरा मज़ाक़ उड़ाता था! अब, फटाफटजादू कोर्स के बाद मैं पार्टियों में आकर्षण की केंद्र हूँ और मेरी सहेलियाँ मुझसे मेरे सौंदर्यवर्धक काढ़े की विधि पूछती रहती हैं!'

डिड्सबरी के जादूगर डी.जे. प्रॉड कहते हैं :

'मेरी पत्नी मेरे कमज़ोर मंत्रों का मखौल उड़ाती थी, परंतु आपके शानदार फटाफटजादू कोर्स में एक महीने तक पढ़ने के बाद मैं उसे एक याक में बदलने में सफल हो गया! धन्यवाद, फटाफटजादू!'

मंत्रमुग्ध होकर हैरी ने लिफ़ाफ़े के बाक़ी चर्मपत्र भी पलटे। फ़िल्च आख़िर फटाफटजादू कोर्स क्यों करना चाहता था ? क्या इसका यह मतलब है कि उसे जादू नहीं आता ? हैरी अभी 'पहला सबक़ : अपनी छड़ी पकड़ना (कुछ उपयोगी बातें)' पढ़ ही रहा था कि तभी बाहर से आते क़दमों की आहट सुनकर वह समझ गया कि फ़िल्च वापस लौट रहा है। चर्मपत्र को फिर से लिफ़ाफ़े में डालते हुए हैरी ने उसे वापस टेबल पर फेंका ही था कि तभी दरवाज़ा खुला।

फ़िल्च विजयी मुद्रा में था।

'वह अदृश्य होने वाली अलमारी बहुत क़ीमती थी!' फ़िल्च मिसेज़ नॉरिस से ख़ुश होकर कह रहा था। 'गुड़िया रानी, हम इस बार पीव्ज़ को बाहर निकलवा देंगे।'

तभी उसकी नज़रें हैरी पर पड़ीं और फिर फटाफटजादू के लिफ़ाफ़े पर। हैरी को अब जाकर यह एहसास हुआ कि लिफ़ाफ़ा इस समय अपने मूल स्थान से दो फ़ुट दूर पड़ा हुआ था।

फ़िल्च का पीला चेहरा ईंट की तरह लाल हो गया। हैरी ने ख़ुद को आक्रोश की तूफ़ानी लहर के लिए तैयार किया। फ़िल्च अपनी टेबल तक लँगड़ाते हुए गया, लिफ़ाफ़े को उठाया और उसे ड्रॉअर में फेंक दिया।

'क्या तुमने – क्या तुमने इसे पढ़ा था –' उसने बड़बड़ाते हुए पूछा।

'नहीं,' हैरी ने तुरंत झूठ बोल दिया।

फ़िल्च के गाँठदार हाथ एक साथ जकड़े हुए थे।

'अगर मुझे लगता कि तुमने मेरी व्यक्तिगत चिट्ठी पढ़ी है ... वैसे यह मेरी नहीं है ... एक दोस्त के लिए है ... चाहे जो हो ... बहरहाल ...'

हैरी उसकी तरफ़ दहशत से घूर रहा था। फ़िल्च कभी इतने ग़ुस्से में नहीं दिखा था। उसकी आँखें बाहर निकली पड़ रही थीं। उसके मोटे गाल की मांसपेशियाँ फड़क रही थीं और ऊनी स्कार्फ़ से उसे कोई मदद नहीं मिल रही थी।

'बहुत अच्छा ... जाओ ... और एक शब्द भी मत बोलना ... ऐसी बात नहीं है कि ... बहरहाल, अगर तुमने उसे नहीं पढ़ा तो ... अब जाओ, मुझे पीव्ज़ की रिपोर्ट लिखना है ... जाओ ...'

अपनी ख़ुशक़िस्मती पर हैरान होकर हैरी तेज़ी से ऑफ़िस से बाहर निकला, गलियारे में गया और फिर से ऊपर की सीढ़ियाँ चढ़ने लगा। फ़िल्च के ऑफ़िस से बिना सज़ा पाए बच निकलना शायद स्कूल का एक रिकॉर्ड था।

'हैरी! हैरी! क्या इससे काम बन गया ?'

लगभग सिरकटा निक तैरते हुए एक क्लासरूम से बाहर आया। उसके पीछे हैरी उस बड़ी काली-सुनहरी अलमारी के अवशेष देख सकता था, जिसे बहुत ऊँचाई से गिराया गया था।

'मैंने पीव्ज़ को तैयार कर लिया कि वह इसे फ़िल्च के ऑफ़िस के ठीक ऊपर पटक दे,' निक ने उत्सुकता से कहा। 'मैंने सोचा कि इससे उसका ध्यान बँट जाएगा -'

'यह काम तुमने किया था ?' हैरी ने कृतज्ञता से कहा। 'हाँ, इससे काम बन गया, मुझे सज़ा भी नहीं मिली। धन्यवाद, निक!'

वे दोनों इकट्ठे गलियारे में ऊपर चल दिए। हैरी ने देखा कि लगभग सिरकटा निक अब भी सर पैट्रिक की अस्वीकृति का ख़त थामे था।

हैरी ने कहा, 'काश सिरकटों के शिकार के बारे में मैं तुम्हारी कुछ मदद कर सकता!'

लगभग सिरकटा निक अचानक अपनी जगह पर रुक गया, जिस वजह से हैरी उसके बीच से होते हुए गुज़र गया। वह सोच रहा था कि काश ऐसा नहीं हुआ होता। उसे ऐसा लगा था, जैसे उसने बर्फ़ीली फुहार में क़दम रख दिया हो।

'परंतु एक चीज़ है, जो तुम मेरे लिए कर सकते हो,' निक ने रोमांचित होकर कहा। 'हैरी - क्या मैं तुमसे बहुत ज़्यादा माँग रहा हूँ - पर छोड़ो, तुम वह काम करना पसंद नहीं करोगे -'

'बोलो तो सही, क्या करना है ?' हैरी बोला।

'देखो, इस हैलोवीन पर मेरा 500वाँ मृत्युदिवस है,' लगभग सिरकटे निक ने यह कहते हुए अपना सिर ताना और सम्मानित दिखने की कोशिश की।

'ओह,' हैरी बोला। वह तय नहीं कर पा रहा था कि इस बारे में उसे दुखी

दिखना चाहिए या ख़ुश। 'ठीक है।'

'मैं बड़े तहख़ाने में पार्टी दे रहा हूँ। इसमें भाग लेने के लिए पूरे देश से मेरे दोस्त आएँगे। अगर तुम इसमें आ सको, तो यह मेरे लिए बहुत *सम्मान* की बात होगी। मिस्टर वीज़्ली और मिस ग्रेंजर का भी बहुत स्वागत है - परंतु मुझे लगता है कि तुम शायद स्कूल की दावत में जाना .ज्यादा पसंद करोगे?' उसने हैरी को बहुत बेचैनी से देखा।

'नहीं,' हैरी ने जल्दी से कहा, 'मैं तुम्हारी पार्टी में ज़रूर आऊँगा -'

'मेरा प्यारा हैरी! मेरे मृत्युदिवस की पार्टी में हैरी पॉटर आएगा! और,' वह रोमांचित दिखते हुए झिझका, 'क्या तुम्हें लगता है कि तुम सर पैट्रिक से यह ज़िक्र कर सकते हो कि तुम्हारी नज़रों में मैं कितना भयावह और प्रभावशाली हूँ?'

'क्यों नहीं?' हैरी बोला।

लगभग सिरकटा निक उसकी तरफ़ देखकर मुस्कराया।

*

'मृत्युदिवस की पार्टी?' हर्माइनी ने उत्सुकता से पूछा, जब हैरी आख़िरकार कपड़े बदलकर हॉल में रॉन तथा हर्माइनी के पास बैठा। 'मैं शर्त लगा सकती हूँ कि ऐसे बहुत कम जीवित लोग होंगे, जो यह कह सकते हों कि वे ऐसी किसी पार्टी में गए हैं - यह बहुत ही ज़बर्दस्त अनुभव होगा!'

'कोई अपनी मौत वाले दिन का जश्न क्यों मनाना चाहता है?' रॉन ने कहा, जो अपने जादुई काढ़े के होमवर्क को आधा निबटा चुका था और चिड़चिड़ा रहा था। 'मुझे यह बहुत दुखद लगता है ...'

बारिश अब भी खिड़कियों पर कोड़े बरसा रही थी, जो अब स्याही की तरह काली थीं, परंतु भीतर का माहौल चमकदार और ख़ुशनुमा लग रहा था। आग की रोशनी अनगिनत गद्देदार कुर्सियों पर चमक रही थी, जहाँ विद्यार्थी बैठकर पढ़ रहे थे, बातें कर रहे थे और अपना होमवर्क कर रहे थे। फ्रेड और जॉर्ज वीज़्ली यह पता लगाने की कोशिश कर रहे थे कि आग में रहने वाली सैलेमेंडर नामक छिपकली को फ़िलिबस्टर पटाख़े खिलाने पर क्या होता है। फ्रेड ने आग में रहने वाली एक सुनहरी चमकदार छिपकली को जादुई प्राणियों की देखभाल की क्लास से 'बचा' लिया था और अब यह छिपकली एक टेबल पर आराम से सुलग रही थी, जिसके चारों तरफ़ उत्सुक विद्यार्थी जमा थे।

हैरी रॉन और हर्माइनी को फ़िल्च और फटाफटजादू कोर्स के बारे में बताने ही वाला था कि तभी छिपकली अचानक हवा में सनसनाने लगी और

कमरे में अंधाधुंध घूमते हुए ज़ोरदार धमाकों के साथ चिंगारियाँ निकालने लगी। पर्सी फ्रेड और जॉर्ज पर इतनी बुरी तरह चीख़ा कि उसका गला बैठ गया। छिपकली के मुँह से नारंगी सितारों की भव्य बरसात हो रही थी। जब छिपकली धमाका करते हुए दुबारा आग में गई, तो हैरी के दिमाग़ से फ़िल्च और फटाफटजादू का लिफ़ाफ़ा दोनों ही निकल गए।

*

जब हैलोवीन का दिन आया, तो हैरी को मृत्युदिवस की पार्टी में जाने के जल्दबाज़ी में किए गए अपने वायदे पर अफ़सोस हो रहा था। बाक़ी का स्कूल ख़ुश होकर हैलोवीन के जश्न का इंतज़ार कर रहा था। बड़े हॉल को हर बार की तरह ज़िंदा चमगादड़ों से सजाया गया था। हैग्रिड के बड़े कद्दुओं को लालटेन के आकार में काटा गया था। ये कद्दू इतने बड़े थे कि तीन लोग उसमें एक साथ बैठ सकते थे। ऐसी अफ़वाहें भी उड़ रही थीं कि डम्बलडोर ने मनोरंजन के लिए नाचने वाले कंकालों के दल को आमंत्रित किया था।

'वायदा आख़िर वायदा होता है,' हर्माइनी ने निर्णायक अंदाज़ में हैरी को याद दिलाया। 'तुमने वायदा किया था कि तुम मृत्युदिवस की पार्टी में जाओगे।'

इसलिए सात बजे हैरी, रॉन और हर्माइनी खचाखच भरे बड़े हॉल तक जाने वाले दरवाज़े के पास से होते हुए निकले। सुनहरी प्लेटें तथा मोमबत्तियों से चमकता हुआ हॉल उन्हें ललचा रहा था, परंतु इसके बजाय उन्होंने तहख़ाने की तरफ़ अपने क़दम बढ़ाए।

लगभग सिरकटे निक की पार्टी तक ले जाने वाले गलियारे में भी मोमबत्तियों की क़तारें थीं, परंतु इनका प्रभाव ख़ुशी के बजाय दुख भरा था। यहाँ पर धीरे-धीरे छोटी होती लंबी, पतली, बिलकुल काली मोमबत्तियाँ थीं, जो नीली रोशनी फेंक रही थीं। इस मद्धिम भुतहा रोशनी में उनके जीते-जागते चेहरे भी भूतों जैसे लग रहे थे। उनके उठाए हर क़दम के साथ तापमान कम होता जा रहा था। जब हैरी काँपा और उसने अपने दुशाले को कसकर अपने चारों तरफ़ लपेटा, तो उसे ऐसी आवाज़ सुनाई दी जैसे किसी बड़े ब्लैकबोर्ड को हज़ार नाख़ूनों से छीला जा रहा हो।

'क्या यही इन लोगों का *संगीत* है?' रॉन फुसफुसाया। वे एक मोड़ पर मुड़े और उन्होंने लगभग सिरकटे निक को उस दरवाज़े पर खड़े देखा, जिस पर काले मख़मली पर्दे लगे थे।

'मेरे प्रिय दोस्तो,' वह दुखी स्वर में बोला, 'स्वागत है, स्वागत है ... बहुत ख़ुशी हुई कि आपने आने का समय निकाला ...'

उसने अपना पंखों वाला हैट उतारा और सिर झुकाकर अभिवादन करते हुए उन्हें अंदर आमंत्रित किया।

उनके सामने एक अविश्वसनीय दृश्य था। तहख़ाना सैकड़ों पारदर्शी और मोती की तरह सफ़ेद भूतों से भरा था। इनमें से ज़्यादातर भीड़ भरे डांस फ़्लोर पर तीस संगीतमयी कुल्हाड़ियों की भयानक काँपती धुन पर नाच रहे थे। प्लेटफ़ॉर्म के पीछे काले पर्दे लगे थे और वहाँ पर ऑर्केस्ट्रा संगीत बजा रहा था। सिर के ऊपर एक दीपवृक्ष में एक हज़ार काली मोमबत्तियाँ लगी थीं और वह हलके नीले रंग में चमक रहा था। उनकी साँस उनके सामने धुंध के रूप में उठी। उन्हें ऐसा लग रहा था, जैसे वे किसी फ़्रीज़र में घुस गए हों।

'हम लोग चारों तरफ़ घूम लें ?' हैरी ने सुझाव दिया, क्योंकि वह अपने पैर गर्म करना चाहता था।

'ध्यान रखना, किसी भूत के बीच में से मत निकल जाना,' रॉन ने घबराकर कहा। इसके बाद वे डांस फ़्लोर के किनारे चलने लगे। रास्ते में उन्हें कई दृश्य दिखे : उदास संन्यासिनियों का समूह, जंज़ीरें पहने हुए एक फटेहाल भूत, मेहनतकश हाउस का ख़ुशनुमा भूत मोटा संन्यासी, जो एक ऐसे योद्धा से बातें कर रहा था, जिसके सिर से एक तीर बाहर झाँक रहा था। हैरी को यह देखकर आश्चर्य नहीं हुआ कि दुबले-पतले, घूरने वाले, सफ़ेद ख़ून के धब्बों में लथपथ नागशक्ति के भूत ख़ूनी नवाब को बाक़ी भूत थोड़ा ज़्यादा महत्व दे रहे थे।

'अरे नहीं,' हर्माइनी अचानक रुकते हुए बोली। 'वापस मुड़ो, वापस मुड़ो, मैं मायूस मीना से बात नहीं करना चाहती –'

जैसे ही वे तेज़ी से पलटे, हैरी ने पूछा, 'कौन ?'

'वह पहली मंज़िल वाले लड़कियों के बाथरूम में रहती है,' हर्माइनी बोली।

'वह *बाथरूम* में रहती है ?'

'हाँ। उसमें कोई नहीं जाता, क्योंकि वह उसमें तूफ़ान मचाती रहती है और पानी का सैलाब लाती रहती है। अगर मेरा बस चले, तो मैं वहाँ कभी न जाऊँ। जब वह चिल्ला रही हो, तो बाथरूम जाने की कोशिश करना भयानक है –'

'देखो, वहाँ भोजन रखा है!' रॉन बोला।

तहख़ाने के दूसरी तरफ़ एक लंबी टेबल थी। यह भी काले मख़मल की चादर से ढँकी थी। वे इसकी ओर उत्सुकता से बढ़े, परंतु अगले ही पल वे दहशत

में अपनी जगह पर खड़े रह गए। बहुत भयानक बदबू आ रही थी। चाँदी की सुंदर प्लेटों में बड़ी-बड़ी सड़ी मछलियाँ सजी थीं। जले हुए और कोयले की तरह काले बहुत से केक थालियों में रखे थे। कीड़ों से तैयार व्यंजन भी रखा हुआ था। मख़मली हरी फफूँद से ढँका *चीज़* खंभे की तरह खड़ा था। और सबसे महत्वपूर्ण स्थान पर क़ब्र के पत्थर जैसे आकार का एक विशाल भूरा केक रखा था, जिस पर डामर जैसी आइसिंग में ये शब्द लिखे थे,

सर निकोलस डे मिम्सी-पोर्पिंगटन
मृत्यु 31 अक्टूबर 1492

हैरी ने आश्चर्य से देखा कि एक मोटा भूत टेबल के पास आया, नीचे झुका और उस पर से होता हुआ गुज़र गया। उसने अपना मुँह चौड़ा खोल रखा था, ताकि वह एक बदबूदार मछली के आर-पार होकर गुज़रे।

हैरी ने उससे पूछा, 'इसके पार जाते समय क्या आपको इसका स्वाद आता है?'

'लगभग,' भूत ने दुख भरे स्वर में कहा और दूर चला गया।

'मुझे लगता है कि उन्होंने इसकी बदबू तेज़ करने के लिए इसे सड़ाया होगा,' हर्माइनी ने समझदारी से बोलते हुए अपनी नाक पर हाथ रखा और कीड़ों के बदबूदार व्यंजन को देखने के लिए उसके क़रीब गई।

'चलो वापस चलें! मेरा जी मचला रहा है,' रॉन बोला।

बहरहाल, वे अभी मुड़ भी नहीं पाए थे कि तभी एक नाटा भूत अचानक टेबल के नीचे से तेज़ी से बाहर निकला और उनके सामने बीच हवा में आकर रुक गया।

'हैलो पीव्ज़,' हैरी सावधानी से बोला।

आसपास के बाक़ी भूतों के विपरीत पीव्ज़ पीला और पारदर्शी नहीं दिख रहा था। उसने एक चमकीला नारंगी पार्टी हैट और बो-टाई पहन रखी थी। उसके चौड़े और दुष्ट चेहरे पर एक कुटिल मुस्कान तैर रही थी।

'कुछ खाओगे?' उनकी तरफ़ फफूँदी लगे मूँगफली के दानों की प्लेट बढ़ाते हुए उसने मीठे स्वर में कहा।

हर्माइनी बोली, 'नहीं, धन्यवाद।'

अपनी आँखों को नचाते हुए पीव्ज़ बोला, 'तुम्हें बेचारी मीना के बारे में बात करते सुना। तुम लोग उसके बारे में बड़ी *बुरी बातें* बोल रहे थे।' उसने एक

गहरी साँस ली और चीख़ा, **'ओए! मीना!'**

'नहीं पीव्ज़, उसे मत बताना मैंने क्या कहा था! वह सचमुच बुरा मान जाएगी,' हर्माइनी दहशत में फुसफुसाई। 'मेरा यह मतलब नहीं था, मैं उसकी हरकतों का बुरा नहीं मानती - आह, हैलो मीना।'

एक गोलमटोल लड़की हवा में तैरते हुए उनके पास आ गई थी। उसका चेहरा बहुत उदास था। हैरी ने आज तक इससे .ज्यादा उदास चेहरा नहीं देखा था। सीधे बालों और नाशपाती जैसे आकार वाले मोटे चश्मे के पीछे मीना का चेहरा आधा छुप गया था।

'क्या है ?' उसने उदासी से पूछा।

'तुम कैसी हो, मीना ?' हर्माइनी ने अपनी आवाज़ में बनावटी उत्साह भरते हुए कहा। 'तुम्हें बाथरूम से बाहर देखकर अच्छा लग रहा है।'

मीना नाक से सूँ-सूँ की आवाज़ निकालकर सिसकी।

'मिस ग्रेंजर अभी तुम्हारे बारे में बात कर रही थीं -' पीव्ज़ ने मीना के कान में चुपके से कहा।

'सिर्फ़ यह कह रही थी - यह कह रही थी कि आज तुम कितनी अच्छी दिख रही हो,' हर्माइनी ने पीव्ज़ को ग़ुस्से से घूरते हुए कहा।

मीना ने हर्माइनी को शंका भरी निगाहों से देखा।

'तुम मेरा मज़ाक़ उड़ा रही हो,' वह बोली। उसकी छोटी, पारदर्शी आँखों में चाँदी जैसे आँसू तेज़ी से उमड़ रहे थे।

'नहीं - सच्ची - क्या मैंने नहीं कहा था कि मीना कितनी अच्छी दिख रही है ?' हर्माइनी ने यह बोलते समय हैरी और रॉन की पसलियों में जमकर कोहनी मारी।

'अरे, हाँ ...'

'इसने यही कहा था ...'

'मेरे सामने झूठ मत बोलो,' मीना तेज़ी से साँस खींचते हुए बोली। अब आँसू तेज़ी से उसके गालों पर बहने लगे थे। पीव्ज़ उसके कंधे के पीछे छुपकर खिल-खिल की आवाज़ करते हुए हँस रहा था। 'तुम्हें क्या लगता है, मैं नहीं जानती कि लोग मेरी पीठ पीछे मुझे क्या कहते हैं ? मोटी मीना! बदसूरत मीना! दुखी, रोतली, उदास मीना!'

'तुम मुँहासे वाली कहना तो भूल ही गईं,' पीव्ज़ उसके कान में फुसफुसाते हुए बोला।

मायूस मीना दर्द भरी सिसकारियाँ भरते हुए बिलखने लगी और तहख़ाने के बाहर चली गई। पीव्ज़ उसके पीछे-पीछे गया और उस पर फफूँद लगे मूँगफली के दाने मारने लगा। वह चिल्लाता भी जा रहा था, *'मुँहासे वाली मीना! मुँहासे वाली मीना!'*

'हे भगवान,' हर्माइनी ने दुखी स्वर में कहा।

लगभग सिरकटा निक अब भीड़ में से तैरता हुआ उनकी तरफ़ आ रहा था।

'मज़ा आ रहा है?'

'अरे हाँ,' उन्होंने झूठ बोल दिया।

'काफ़ी लोग आए हैं,' लगभग सिरकटे निक ने गर्व से कहा। 'रोतली विधवा तो केंट से चलकर आई है ... अब मेरे भाषण का वक़्त हो गया है। बेहतर होगा कि मैं जाकर ऑर्केस्ट्रा को बता दूँ ...'

बहरहाल यह बताने की नौबत ही नहीं आई, क्योंकि ऑर्केस्ट्रा ने उसी पल संगीत बजाना बंद कर दिया। वे और तहख़ाने में मौज़ूद सब लोग ख़ामोश हो गए। वे रोमांचित होकर चारों तरफ़ देखने लगे, क्योंकि उन्हें शिकार करने वाला बिगुल सुनाई दे रहा था।

'ओह, तो वे लोग भी आ गए,' लगभग सिरकटे निक ने कटुता से कहा।

तहख़ाने की दीवार को चीरते हुए एक दर्जन घोड़ों के भूत अंदर घुस आए। हर घोड़े पर एक सिरकटा घुड़सवार बैठा था। उपस्थित जनसमुदाय ने ज़ोरदार तालियाँ बजाईं। हैरी भी ताली बजाने लगा, परंतु निक के चेहरे को देखते ही वह तुरंत रुक गया।

घोड़े सरपट दौड़ते हुए डांस फ़्लोर के बीच तक गए और फिर अचानक पिछले पैरों पर खड़े हो गए। घुड़सवारों में सबसे आगे एक बड़ा भूत बिगुल बजा रहा था, जिसका दाढ़ी भरा सिर उसकी बाँह में दबा था। वह नीचे उतरा और उसने अपने सिर को हवा में ऊपर उठाया, ताकि वह भीड़ को देख सके (वहाँ मौज़ूद सब लोग उसकी इस हरकत पर हँसने लगे)। फिर उस भूत ने लगभग सिरकटे निक की ओर क़दम बढ़ाए। रास्ते में उसने अपने सिर को अपनी गर्दन पर लगा लिया।

वह गरजा, 'निक! तुम कैसे हो? तुम्हारा सिर अब भी वहीं पर लटका हुआ है?'

उसने एक ज़ोरदार ठहाका लगाया और लगभग सिरकटे निक का कंधा थपथपाया।

निक ने सख़्त लहज़े में कहा, 'स्वागत है, पैट्रिक।'

'अरे! यहाँ पर तो ज़िंदा लोग भी हैं,' सर पैट्रिक ने हैरी, रॉन और हर्माइनी की तरफ़ देखते हुए कहा। इस पर बनावटी हैरानी दिखाते हुए वह ज़ोर से उछला, जिससे उसका सिर दुबारा गिर गया (भीड़ हँसी के मारे चीख़ने लगी)।

लगभग सिरकटे निक ने उदास आवाज़ में कहा, 'बहुत ही मज़ेदार।'

सर पैट्रिक का सिर फ़र्श से चिल्लाया, 'निक की बातों पर ध्यान न दें। वह अब भी इस बात से चिढ़ा हुआ है कि हमने उसे शिकार में शामिल होने की अनुमति नहीं दी! परंतु मेरे कहने का यह मतलब है – उसकी तरफ़ देखो –'

'मैं सोचता हूँ,' हैरी ने निक की गई अर्थपूर्ण दृष्टि को समझते हुए जल्दी से कहा, 'निक बहुत – डरावना और – और –'

'ओहो!' सर पैट्रिक का सिर चीख़ा। 'ज़रूर उसने तुमसे यह कहने को कहा होगा!'

'कृपया सब लोग ध्यान दें, अब मेरे भाषण का समय हो गया है!' लगभग सिरकटे निक ने ज़ोर से कहा। वह मंच पर बर्फ़ीली नीली स्पॉटलाइट में खड़ा हो गया।

'मृत शोक-संतप्त देवियो और सज्जनो, मुझे यह कहते हुए दुख हो रहा है...'

परंतु किसी ने इससे आगे नहीं सुना। सर पैट्रिक और सिरकटे शिकारियों ने सिरों की हॉकी का खेल शुरू कर दिया था और भीड़ उन्हें देखने लगी थी। लगभग सिरकटे निक ने अपने श्रोताओं का ध्यान दुबारा खींचने का निरर्थक प्रयास किया, परंतु उस समय हार मान ली, जब सर पैट्रिक का सिर उसके पास से होता हुआ गुज़र गया और लोगों ने इस पर ज़ोरदार तालियाँ बजाईं।

हैरी को बहुत ठंड लग रही थी और साथ ही भूख भी।

'मुझसे अब और सहन नहीं होगा,' रॉन किटकिटाते दाँतों के बीच से बुदबुदाया, जब ऑर्केस्ट्रा दुबारा संगीत बजाने लगा और भूत एक बार फिर नाचने लगे।

'चलो चलते हैं,' हैरी उसकी बात मान गया।

वे दरवाज़े की तरफ़ चल दिए। रास्ते में वे अपनी ओर देखने वाले हर भूत की तरफ़ सिर हिलाकर अभिवादन करते और मुस्कराते जा रहे थे। एक मिनट बाद वे काली मोमबत्तियों से भरे गलियारे में तेज़ी से वापस लौट रहे थे।

'अब तक स्कूल के जश्न में पुडिंग ख़त्म नहीं हुई होगी,' रॉन ने आशा से कहा। वह प्रवेश द्वार तक जाने वाली सीढ़ियों के रास्ते पर सबसे आगे चला

जा रहा था।

और तभी हैरी को यह सुनाई दिया।

'टुकड़े-टुकड़े कर डालो... काट डालो... मार डालो...'

यह वही आवाज़ थी, वही ठंडी और ख़ूँख़ार आवाज़, जो उसने लॉकहार्ट के ऑफ़िस में सुनी थी।

वह अचानक लड़खड़ाकर रुक गया। उसने पत्थर की दीवार का सहारा लिया और कान लगाकर अपनी पूरी ताक़त से सुना। वह धीमी रोशनी वाले गलियारे में ऊपर और नीचे चारों तरफ़ हड़बड़ी में देखता जा रहा था।

'हैरी, तुम क्या –'

'वही आवाज़ फिर से सुनाई दे रही है – एक मिनट चुप रहो –'

'... बहुत भूखा हूँ ... बहुत लंबे समय से ...'

'सुनो!' हैरी ने व्यग्रता से कहा और रॉन तथा हर्माइनी उसे देखते हुए अपनी जगह पर खड़े रह गए।

'... मार डालो ... मारने का समय ...'

आवाज़ अब धीमी होती जा रही थी। हैरी को लगा कि वह दूर होती हुई ऊपर की तरफ़ जा रही थी। अँधेरी छत की तरफ़ देखते हुए वह बुरी तरह भयभीत और रोमांचित हो गया। कोई ऊपर की तरफ़ कैसे जा सकता है? क्या यह कोई भूत था, जो पत्थर की दीवारों को चीरकर जा सकता था?

'इस तरफ़,' वह चिल्लाया और सीढ़ियों पर चढ़कर प्रवेश द्वार की तरफ़ भागने लगा। वहाँ पहुँचने पर उसे कुछ सुनाई देने की क़तई उम्मीद नहीं थी। बड़े हॉल में हैलोवीन का जश्न चल रहा था, जिसका शोर बाहर तक आ रहा था। हैरी पहली मंज़िल तक जाने वाली संगमरमर की सीढ़ी की तरफ़ लपका। रॉन और हर्माइनी उसके पीछे-पीछे धड़ाधड़ चढ़ रहे थे।

'हैरी, हम क्या –'

'श्श्श!'

हैरी ने अपने कानों पर ज़ोर डाला। उसे बहुत दूर से, ऊपर की मंज़िल से और ज़्यादा धीमी होती आवाज़ सुनाई दे रही थी : *'मुझे ख़ून की गंध आ रही है ... मुझे* ***ख़ून की गंध*** *आ रही है!'*

उसका दिल धक्क रह गया। 'वह किसी को मारने वाला है!' वह चिल्लाया। रॉन और हर्माइनी के परेशान चेहरों को नज़रअंदाज़ करके हुए और एक बार में तीन सीढ़ियाँ फाँदते हुए हैरी ऊपर की तरफ़ लपका और अपने तेज़

क़दमों की आवाज़ के ऊपर से सुनने की कोशिश करने लगा।

हैरी लपकते हुए दूसरी मंज़िल में चारों तरफ़ घूमा। रॉन और हर्माइनी उसके पीछे हाँफते हुए भाग रहे थे। वे तब तक नहीं रुके, जब तक कि वे आख़िरी वीरान गलियारे के मोड़ पर नहीं मुड़ गए।

'हैरी, यह सब *क्या* है?' रॉन ने अपने चेहरे से पसीना पोंछते हुए कहा। 'मुझे कुछ सुनाई नहीं दिया ...'

परंतु हर्माइनी ने गलियारे की तरफ़ इशारा करते हुए अचानक ज़ोर से साँस खींची।

'देखो!'

सामने वाली दीवार पर कोई चीज़ चमक रही थी। वे अँधेरे में देखते हुए धीमे-धीमे पास गए। जलती मशालों की रोशनी में उन्होंने देखा कि दोनों खिड़कियों के बीच की दीवार पर एक फ़ुट ऊँचे शब्दों में यह लिखा था :

रहस्यमयी तहख़ाना खुल चुका है।
वारिस के दुश्मनो, ख़बरदार।

'वह क्या चीज़ है - जो नीचे झूल रही है?' रॉन ने कहा; उसकी आवाज़ काँप रही थी।

जब वे पास पहुँचे, तो हैरी फिसलते-फिसलते बचा, क्योंकि फ़र्श पर बहुत पानी फैला था। रॉन और हर्माइनी ने उसे पकड़कर गिरने से बचाया। फिर वे धीमे-धीमे संदेश की तरफ़ खिसके। उनकी आँखें मशाल के नीचे की अँधेरी छाया पर गड़ी थीं। उन तीनों को एक साथ यह एहसास हुआ कि वह क्या चीज़ थी और वे छप्प से पानी उड़ाते हुए कूदकर पीछे आ गए।

चौकीदार फ़िल्च की बिल्ली मिसेज़ नॉरिस मशाल टाँगने के स्टैंड पर पूँछ से लटकी हुई थी। वह किसी लकड़ी के लट्ठे की तरह बेजान दिख रही थी। उसकी बाहर निकलती आँखें घूर रही थीं।

'हम मदद करने की कोशिश करें -' हैरी ने परेशान आवाज़ में कहा।

'मेरी बात मानो,' रॉन बोला। 'यहाँ से चल दो। इससे पहले कि कोई हमें यहाँ देख ले!'

परंतु तब तक बहुत देर हो चुकी थी। एक गड़गड़ाहट हुई, जैसे दूर कहीं बादल गरज रहे हों। इससे उन्हें पता चला कि दावत ख़त्म हो चुकी है। जिस

गलियारे में वे खड़े थे, उसके दोनों तरफ़ से सैकड़ों पैरों के सीढ़ियाँ चढ़ने की आवाज़ें सुनाई दी। ऐसा लग रहा था, जैसे भरपेट खा चुके विद्यार्थी ज़ोर-ज़ोर से बातें करते चले आ रहे थे। अगले ही पल विद्यार्थी दोनों तरफ़ से गलियारे में दाख़िल हुए।

सारी चर्चा, हलचल और आवाज़ें अचानक रुक गईं, जब आगे आ रहे लोगों ने बिल्ली को लटकते देखा। और यह भी देखा कि हैरी, रॉन और हर्माइनी गलियारे के बीच में अकेले खड़े थे। विद्यार्थियों के समूह में ख़ामोशी छा गई और वे इस ख़ौफ़नाक दृश्य को देखने के लिए एक-दूसरे को धक्का देने लगे।

फिर ख़ामोशी के बीच से किसी के चिल्लाने की आवाज़ सुनाई दी।

'वारिस के दुश्मनो, ख़बरदार! अब तुम्हारी बारी है, बदज़ातो!'

यह ड्रेको मैल्फ़ॉय था। वह भीड़ में सबसे आगे आ चुका था। उसकी ठंडी आँखें चमक रही थीं। उसका आम तौर पर सफ़ेद रहने वाला चेहरा इस वक़्त लाल दिख रहा था और वह लटकती हुई बेजान बिल्ली की तरफ़ देखकर मुस्करा रहा था।

अध्याय नौ

दीवार पर लिखी चेतावनी

'यहाँ क्या हो रहा है? क्या हो रहा है?'

इसमें कोई शक नहीं था कि मैल्फ़ॉय की आवाज़ सुनकर ही आर्गस फ़िल्च भीड़ के बीच से रास्ता बनाते हुए आगे आया। फिर जब उसने मिसेज़ नॉरिस को देखा, तो वह पीछे हट गया। उसने दहशत के मारे अपने हाथ से अपना चेहरा ढँक लिया।

'मेरी बिल्ली! मेरी बिल्ली! मिसेज़ नॉरिस को क्या हुआ?' वह चीख़ा।

और उसकी बाहर निकलती आँखें हैरी पर पड़ीं।

'*तुम!*' वह चीख़ा, '*तुम!* तुमने मेरी बिल्ली को मार डाला! तुमने उसे मार डाला! मैं तुम्हें मार डालूँगा! मैं तुम्हें –'

'आर्गस!'

डम्बलडोर वहाँ पर आ चुके थे। उनके पीछे कुछ और टीचर्स भी थे। कुछ ही पलों में डम्बलडोर हैरी, रॉन तथा हर्माइनी को पार करके आगे पहुँचे और उन्होंने मिसेज़ नॉरिस को मशाल टाँगने के स्टैंड से नीचे उतार लिया।

फिर वे फ़िल्च से बोले, 'मेरे साथ आओ, आर्गस। पॉटर, वीज़्ली और ग्रेंजर, तुम तीनों भी आओ।'

लॉकहार्ट उत्सुकता से आगे आए।

'हेडमास्टर, मेरा ऑफ़िस सबसे पास है – बस ऊपर की मंज़िल पर – कृपया वहाँ चलकर –'

'धन्यवाद, गिल्ड्रॉय,' डम्बलडोर ने कहा।

ख़ामोश भीड़ ने उन्हें निकलने की जगह दी। लॉकहार्ट रोमांचित और महत्वपूर्ण दिखते हुए तेज़ी से डम्बलडोर के पीछे चल दिए। प्रोफ़ेसर मैक्गॉनेगल और स्नेप ने भी ऐसा ही किया।

जब वे लॉकहार्ट के अँधेरे ऑफ़िस में घुसे, तो दीवारों पर अचानक हलचल होने लगी। हैरी ने देखा कि कई तस्वीरों में लगे लॉकहार्ट के चेहरों ने उनकी नज़रों से बचने के लिए गोता मारा, क्योंकि उनके बालों पर रोलर लगे थे। असली लॉकहार्ट ने टेबल पर मोमबत्तियाँ जलाईं और पीछे हटकर खड़े हो गए। डम्बलडोर मिसेज़ नॉरिस को चिकनी सतह पर लिटाकर उसकी जाँच करने लगे। हैरी, रॉन और हर्माइनी ने एक-दूसरे की तरफ़ तनाव भरी निगाह डाली तथा मोमबत्तियों की रोशनी के दायरे से बाहर रखी कुर्सियों में धँसकर सब कुछ देखते रहे।

डम्बलडोर की लंबी और मुड़ी हुई नाक मिसेज़ नॉरिस के बालों से मुश्किल से एक इंच दूर होगी। वे अपने आधे चाँद के आकार के चश्मे से उसे बहुत क़रीब से देख रहे थे। उनकी लंबी उँगलियाँ हलके से बिल्ली को कुरेद और कोंच रही थीं। प्रोफ़ेसर मैक्गॉनेगल भी लगभग उतनी ही पास झुकी हुई थीं और उनकी आँखें सिकुड़ गई थीं। स्नेप उनके पीछे थे। वे जहाँ थे, वहाँ रोशनी कम थी और उनके चेहरे पर एक बहुत अजीब सा भाव दिख रहा था। ऐसा लग रहा था, जैसे वे अपनी मुस्कराहट को रोकने की बहुत कोशिश कर रहे हों। इस दौरान लॉकहार्ट उन सबके चारों तरफ़ मँडरा रहे थे और अपने सुझाव दे रहे थे।

'निश्चित रूप से किसी मंत्र ने ही इसकी जान ली है – शायद तड़परूपांतर पीड़ा मंत्र होगा। मैंने इसका प्रयोग कई बार देखा है। यह बहुत दुर्भाग्यपूर्ण है कि मैं वहाँ नहीं था। मैं इस मंत्र का तोड़ जानता हूँ, इसलिए अगर मैं वहाँ होता, तो उसकी जान बच जाती ...'

लॉकहार्ट की बातों के बीच फ़िल्च की दर्द भरी सुबकियाँ भी सुनाई दे रही थीं। वह टेबल के पास एक कुर्सी पर निढाल बैठा था। मिसेज़ नॉरिस की तरफ़ देखने की उसकी हिम्मत नहीं हो रही थी, इसलिए उसने अपने चेहरे को अपने हाथों से छुपा रखा था। हालाँकि हैरी फ़िल्च से बुरी तरह चिढ़ता था, परंतु वह उसके लिए दुखी महसूस करने से ख़ुद को रोक नहीं पाया। यह अलग बात थी कि वह उसके लिए उतना दुखी नहीं था, जितना ख़ुद के लिए था। अगर डम्बलडोर फ़िल्च की बात पर विश्वास कर लेंगे, तो यह तय था कि हैरी को हॉगवर्ट्स से निकाल दिया जाएगा।

डम्बलडोर अब धीमे-धीमे कुछ अजीब से शब्द बुदबुदा रहे थे और मिसेज़ नॉरिस को अपनी छड़ी से ठोंक रहे थे, परंतु कुछ नहीं हुआ। मिसेज़ नॉरिस उसी तरह दिखती रही, जैसे किसी ने उसकी खाल में भूसा भर दिया हो।

लॉकहार्ट बोले, '... मुझे याद है ऊगाडूगू में भी लगभग ऐसी ही घटना हुई थी। एक नहीं, बल्कि लगातार कई हमले हुए थे। पूरी कहानी जानने के लिए मेरी

आत्मकथा पढ़ें। मैंने वहाँ के लोगों को बहुत से तावीज़ बाँटे, जिससे समस्या तत्काल सुलझ गई...'

दीवार पर लगी लॉकहार्ट की सभी तस्वीरें उसकी बातों पर सहमति में सिर हिला रही थीं। उनमें से एक में तो लॉकहार्ट अपने बालों पर लगी जाली को हटाना ही भूल गए थे।

आख़िरकार डम्बलडोर सीधे खड़े हुए।

'वह मरी नहीं है, आर्गस,' उन्होंने धीमे से कहा।

लॉकहार्ट तत्काल अपने वर्णन के बीच में ही रुक गए। उस समय वे भीड़ को यह बता रहे थे कि उन्होंने कितने सारे लोगों को मरने से बचाया था।

'मरी नहीं है ?' फ़िल्च का गला रुँध गया। उसने अपनी उँगलियों के बीच से मिसेज़ नॉरिस को देखते हुए कहा। 'तो फिर वह इतनी कड़क और अकड़ी हुई क्यों दिख रही है ?'

'उसे बेजान किया गया है,' डम्बलडोर बोले ('आह! मैं यही सोच रहा था!' लॉकहार्ट ने कहा)। 'परंतु कैसे, यह मैं नहीं जानता ...'

'*इससे* पूछो!' फ़िल्च अपने आँसुओं से सने चेहरे को हैरी की तरफ़ मोड़ते हुए चीख़ा।

'यह काम सेकंड ईयर में पढ़ने वाला विद्यार्थी नहीं कर सकता,' डम्बलडोर ने दृढ़ता से कहा। 'इसके लिए काले जादू के विशिष्ट ज्ञान की आवश्यकता –'

'यह इसी ने किया है, इसी ने किया है!' फ़िल्च ने थूक उड़ाते हुए कहा। अब उसका फूला हुआ चेहरा बैंगनी पड़ने लगा। 'आपने देखा था ना कि उसने दीवार पर क्या लिखा है! मेरे ऑफ़िस में – उसे एक ऐसी चीज़ मिल गई थी – वह जानता है कि मैं एक – मैं एक –' फ़िल्च का चेहरा भयानक तरीक़े से विकृत होने लगा। 'वह जानता है कि मैं एक नाकारा हूँ!' उसने अपनी बात पूरी की।

'मैंने मिसेज़ नॉरिस को *छुआ* तक नहीं है!' हैरी ने ज़ोर से कहा। वह इस बात से परेशान था कि सब लोग उसी की तरफ़ देख रहे थे, जिनमें दीवार पर लगी लॉकहार्ट की तस्वीरें भी शामिल थीं। 'और मैं यह भी नहीं जानता कि नाकारा क्या होता है।'

'झूठ बोलता है!' फ़िल्च गुर्राया। 'उसने मेरी फटाफटजादू की चिट्ठी देख ली थी!'

'मैं कुछ कहना चाहूँगा, हेडमास्टर,' स्नेप अँधेरे में खड़े-खड़े बोले। उनके मुँह खोलते ही हैरी को यह आशंका हो गई कि उसकी स्थिति अब और बिगड़ने

वाली है। हैरी को पूरा विश्वास था कि स्नेप जो भी कहेंगे, उससे उसका ज़रा भी भला नहीं हो सकता।

'हो सकता है पॉटर और उसके दोस्त ग़लत समय पर ग़लत जगह पर हों,' यह बोलते समय उनके चेहरे पर थोड़ी व्यंग्यात्मक मुस्कान थी, जैसे उन्हें इसकी सच्चाई पर संदेह हो, 'परंतु हमारे सामने जो परिस्थितियाँ हैं, वे बहुत संदिग्ध हैं। सवाल यह है कि वे लोग आख़िर ऊपर की मंज़िल के गलियारे में गए ही क्यों थे? वे हैलोवीन की दावत में क्यों नहीं थे?'

हैरी, रॉन और हर्माइनी एक साथ मृत्युदिवस की पार्टी के बारे में बताने लगे, '... वहाँ पर सैकड़ों भूत थे। वे आपको बता देंगे कि हम वहाँ थे –'

'परंतु आने के बाद तुम लोग दावत में शामिल क्यों नहीं हुए?' स्नेप ने पूछा और उसकी काली आँखें मोमबत्ती की रोशनी में चमक रही थीं। 'ऊपर उस गलियारे में जाने की क्या ज़रूरत थी?'

रॉन और हर्माइनी ने हैरी की तरफ़ देखा।

'क्योंकि – क्योंकि –' हैरी ने कहा। उसका दिल बहुत तेज़ी से धड़क रहा था। किसी चीज़ ने उसे आभास दिला दिया कि अगर वह इन लोगों को यह बताएगा कि वह एक अदृश्य आवाज़ को सुनकर उसके पीछे यहाँ आया था, जिसे उसके सिवाय कोई और नहीं सुन सकता था, तो कोई भी इस पर विश्वास नहीं करेगा। इसलिए वह बोला, 'क्योंकि हम थके थे और अपने बिस्तर पर जाना चाहते थे।'

'बिना खाना खाए?' स्नेप ने कहा। अब उसके दुबले-पतले चेहरे पर विजयी मुस्कान थिरक रही थी। 'मुझे नहीं लगता कि भूत अपनी पार्टी में ज़िंदा लोगों के लिए उपयुक्त भोजन का इंतज़ाम करते होंगे।'

'हमें भूख नहीं लग रही थी,' रॉन ज़ोर से बोला, हालाँकि उसी समय उसका पेट ज़ोर से गुड़गुड़ाने लगा था।

स्नेप की कुटिल मुस्कराहट और चौड़ी हो गई।

स्नेप ने कहा, 'हेडमास्टर, मुझे लगता है कि पॉटर पूरी सच्चाई नहीं बता रहा है। बेहतर होगा कि जब तक वह पूरी कहानी बताने के लिए तैयार न हो जाए, तब तक उस पर कुछ पाबंदियाँ लगा दी जाएँ। मैं व्यक्तिगत रूप से महसूस करता हूँ कि जब तक यह सच न बता दे, तब तक इसे गरुड़द्वार की क्विडिच टीम से बाहर कर दिया जाए।'

'यह क्या कह रहे हो, सीवियरस,' प्रोफ़ेसर मैक्गॉनेगल तीखे स्वर में बोलीं, 'इस लड़के को क्विडिच खेलने से रोकने का कोई कारण मुझे दिखाई नहीं

दे रहा है। इस बिल्ली के सिर पर जादुई झाड़ू से नहीं मारा गया है। इस बात का भी कोई सबूत नहीं है कि पॉटर ने कोई ग़लत काम किया है।'

डम्बलडोर ने हैरी पर पैनी निगाह डाली। उनकी चमकती हलकी नीली निगाह से हैरी को लगा, जैसे उसका एक्सरे हो रहा हो।

फिर डम्बलडोर ने दृढ़ता से कहा, 'सीवियरस, जब तक अपराध साबित न हो जाए, तब तक उसे निर्दोष मानना होगा।'

स्नेप आगबबूला दिख रहा था। और फ़िल्च भी।

'मेरी बिल्ली को बेजान किया गया है!' वह चीख़ा। उसकी आँखें बाहर निकली पड़ रही थीं। 'मैं चाहता हूँ कि पॉटर को इसकी कुछ न कुछ *सज़ा* तो मिलना ही चाहिए!'

'हम मिसेज़ नॉरिस को होश में ले आएँगे, आर्गस,' डम्बलडोर ने धैर्यपूर्वक कहा। 'प्रोफ़ेसर स्प्राउट ने हाल ही में कुछ मंत्रकवच उगाए हैं। जैसे ही वे बड़े हो जाएँगे, हम उनका काढ़ा तैयार करवा लेंगे, जिससे मिसेज़ नॉरिस अच्छी हो जाएगी।'

'उस काढ़े को मैं बना दूँगा,' लॉकहार्ट बीच में बोले। 'मैंने यह काम सैकड़ों बार किया है। मैं नींद में भी मंत्रकवच स्वास्थ्यवर्धक काढ़ा बना सकता हूँ-'

'माफ़ कीजिए,' स्नेप ने बर्फ़ीले लहज़े में कहा, 'मुझे लगता है कि इस स्कूल में जादुई काढ़े का शिक्षक मैं हूँ।'

एक बहुत अजीब ख़ामोशी छा गई।

डम्बलडोर ने हैरी, रॉन और हर्माइनी से कहा, 'तुम लोग जा सकते हो।'

बिना दौड़े वे जितनी तेज़ी से चल सकते थे, उतनी तेज़ी से वहाँ से चल दिए। जब वे लॉकहार्ट के ऑफ़िस से एक मंज़िल ऊपर पहुँच गए, तो वे एक ख़ाली क्लास में घुसे और उन्होंने दरवाज़ा बंद कर लिया। हैरी ने अपने मित्रों के स्याह चेहरों को देखते हुए कहा।

'तुम्हें यह तो नहीं लगता कि मुझे उन्हें उस आवाज़ के बारे में बताना चाहिए था, जो मैंने सुनी थी ?'

'नहीं,' रॉन ने बिना झिझके कहा। 'जो आवाज़ें किसी दूसरे को सुनाई न दें, उन्हें सुनना अच्छी बात नहीं है ... जादू की दुनिया में भी नहीं।'

रॉन की आवाज़ में ऐसी कुछ बात थी, जिसे भाँपकर हैरी ने पूछा, 'तुम्हें तो मुझ पर भरोसा है, है ना ?'

'ज़ाहिर है, मुझे भरोसा है,' रॉन जल्दी से बोला। 'परंतु - तुम भी यह तो मानोगे कि यह अजीब है ...'

'मैं जानता हूँ कि यह अजीब है,' हैरी ने कहा। 'पूरी घटना ही अजीब है। दीवार पर लिखी चेतावनी किस बारे में थी? *तहख़ाना* खुल चुका है ... इसका क्या मतलब हो सकता है?'

'ज़रा रुको, इससे मुझे कुछ याद आ रहा है,' रॉन ने धीरे से कहा। 'मुझे लगता है किसी ने मुझे हॉगवर्ट्स में एक रहस्यमयी तहख़ाने के बारे में एक बार एक कहानी सुनाई थी ... शायद बिल ने ...'

'और यह नाकारा क्या होता है?' हैरी ने कहा।

उसे यह देखकर हैरानी हुई कि रॉन ने अपनी मुस्कान दबा ली।

'देखो – दरअसल यह कोई मज़ेदार चीज़ नहीं है – परंतु चूँकि यह फ़िल्च का मामला है ...' वह बोला। 'नाकारा वह होता है जो किसी जादूगर परिवार में पैदा हुआ हो, परंतु उसमें जादुई शक्ति न हो। मगलू परिवारों में पैदा होने वाले जादूगरों के विपरीत। बहरहाल, नाकारा बहुत कम होते हैं। अगर फ़िल्च फटाफटजादू कोर्स से जादू सीखने की कोशिश कर रहा है, तो मुझे लगता है कि वह नाकारा होगा। इससे बहुत कुछ समझ में आ जाता है। जैसे यह कि वह विद्यार्थियों से इतनी नफ़रत क्यों करता है या वह इतना दुखी क्यों रहता है?' रॉन ने संतुष्टि के साथ मुस्कराते हुए कहा।

कहीं पर घड़ी ने घंटे बजाए।

'आधी रात हो गई,' हैरी बोला। 'इससे पहले कि स्नेप यहाँ आएँ और हमें किसी और चीज़ में फँसाने की कोशिश करें, बेहतर होगा कि हम लोग अपने-अपने बिस्तर पर पहुँच जाएँ।'

*

कुछ दिनों तक पूरे स्कूल में मिसेज़ नॉरिस पर हुए हमले को छोड़कर किसी दूसरी घटना के बारे में ज़्यादा बातें नहीं हुईं। फ़िल्च भी इस बात को हर एक के दिमाग़ में ताज़ा रख रहा था। जहाँ उसकी बिल्ली पर हमला हुआ था, वह उसी जगह पर मँडराता रहता था। शायद उसे यह आशा थी कि हमलावर वहाँ दुबारा आएगा। हैरी ने देखा कि फ़िल्च दीवार पर लिखे संदेश को 'हर तरह के दाग़ों का दुश्मन, मिसेज़ स्कोवर का जादुई लोशन' से साफ़ कर रहा था, परंतु कोई फ़ायदा नहीं हुआ। शब्द पत्थर की दीवार पर पहले की तरह ही चमकते रहे। जब फ़िल्च मौक़ा-ए-वारदात पर पहरेदारी नहीं कर रहा होता था, तो वह गलियारों में छुपकर लाल आँखों से निगरानी करता था। वह अचानक उछलकर विद्यार्थियों के सामने पहुँच जाता था और उन्हें 'ज़ोर से साँस लेने' तथा 'ख़ुश दिखने' जैसी बातों के लिए सज़ा देने की कोशिश करता था।

जिनी वीज़्ली मिसेज़ नॉरिस के बेजान होने से बुरी तरह विचलित दिख रही थी। रॉन के अनुसार उसे बिल्लियों से बहुत प्रेम था।

'परंतु तुम तो दरअसल मिसेज़ नॉरिस को ठीक से जानती भी नहीं हो,' रॉन उसे समझाते हुए बोला। 'सच कहा जाए, तो हम उसके बिना ज़्यादा सुखी हैं!' जिनी के होंठ काँपने लगे। 'इस तरह की घटनाएँ हॉगवर्ट्स में अक्सर नहीं होती हैं,' रॉन ने उसे आश्वस्त करते हुए कहा। 'जिस भी सिरफिरे ने यह किया है, उसे जल्दी ही पकड़ लिया जाएगा और यहाँ से तत्काल बाहर निकाल दिया जाएगा। मैं तो बस यह आशा कर रहा हूँ कि स्कूल से निकाले जाने से पहले उसे फ़िल्च को भी बेजान करने का समय मिल जाए।' रॉन ने जब देखा कि जिनी का चेहरा पीला पड़ रहा है, तो उसने तुरंत यह भी जोड़ दिया, 'मैं तो मज़ाक़ कर रहा था –'

हर्माइनी पर भी हमले का असर हुआ था। बहुत ज़्यादा पढ़ना हर्माइनी के लिए सामान्य बात थी, परंतु अब तो वह जैसे और कुछ कर ही नहीं रही थी। हैरी और रॉन ने उससे पूछा भी कि वह क्या करना चाहती है, परंतु उसने उन्हें ज़्यादा कुछ नहीं बताया। अगले बुधवार तक उन्हें हर्माइनी के इरादों का पता नहीं चल पाया।

जादुई काढ़े की क्लास के ख़त्म होने के बाद भी हैरी वहीं रुका था, क्योंकि स्नेप ने उसे टेबलों पर से कीड़े-मकोड़े साफ़ करने के लिए रोक लिया था। जल्दी से लंच करने के बाद वह रॉन से मिलने के लिए ऊपर की मंज़िल पर लाइब्रेरी में गया। रास्ते में उसने जस्टिन फ़िंच-फ़्लेचली (जो मेहनतकश हाउस का वही बच्चा था, जिससे उसका जड़ी-बूटियों का ज्ञान की क्लास में परिचय हुआ था) को अपनी तरफ़ आते देखा। हैरी ने हैलो कहने के लिए अपना मुँह बस खोला ही था कि तभी जस्टिन ने उसे देख लिया। हैरी को देखते ही वह झटके से मुड़ा और तेज़ी से दूसरी दिशा में चल दिया।

हैरी को रॉन लाइब्रेरी के पिछले हिस्से में मिला, जहाँ वह जादू का इतिहास विषय का अपना होमवर्क नाप रहा था। प्रोफ़ेसर बिन्स ने सभी विद्यार्थियों से 'यूरोपीय जादूगरों की मध्ययुगीन सभा' पर तीन फ़ुट लंबा निबंध लिखकर लाने को कहा था।

'मुझे यक़ीन नहीं हो रहा है। मेरा निबंध अभी भी आठ इंच कम है...' रॉन ने ग़ुस्से से कहा। उसने अपने चर्मपत्र को छोड़ दिया, जो रोल में वापस मुड़ गया, 'जबकि हर्माइनी ने चार फ़ुट सात इंच लंबा निबंध लिख लिया है और वह भी तब जबकि वह बहुत *छोटे अक्षर* लिखती है।'

'हर्माइनी है कहाँ ?' हैरी ने टेप उठाकर अपना होमवर्क नापते हुए पूछा।

'वहाँ कहीं पर है,' रॉन ने अलमारियों की तरफ़ इशारा करते हुए कहा। 'शायद वह किसी और किताब की तलाश कर रही है। मुझे लगता है वह क्रिसमस के पहले पूरी लाइब्रेरी पढ़ने की कोशिश कर रही है।'

हैरी ने रॉन को बताया कि जस्टिन फ़िंच-फ़्लेचली उसे देखते ही दूर भाग गया था।

'मुझे नहीं मालूम कि तुम इतनी परवाह क्यों करते हो। मुझे तो वह थोड़ा बेवकूफ़ लगता है,' रॉन बोला और लिखने लगा। वह बड़े-बड़े अक्षर लिखने की कोशिश कर रहा था। 'वह इस बारे में कितनी बकवास कर रहा था कि लॉकहार्ट कितने महान हैं -'

हर्माइनी पुस्तकों की अलमारियों के बीच से निकली। वह चिड़चिड़ी लग रही थी। परंतु अब वह आख़िरकार उनसे बात करने के लिए तैयार दिख रही थी।

'*हॉगवर्ट्स : एक इतिहास* की *सभी* प्रतियाँ विद्यार्थियों ने ले रखी हैं,' उसने हैरी और रॉन के पास बैठते हुए कहा। 'और दो सप्ताह की वेटिंग लिस्ट है। काश मैंने अपनी किताब घर पर नहीं छोड़ी होती, परंतु मैं कर भी क्या सकती थी, लॉकहार्ट की इतनी सारी किताबों के साथ वह किताब संदूक में आ ही नहीं पा रही थी।'

'तुम वह किताब क्यों पढ़ना चाहती हो?' हैरी ने पूछा।

'उसी वजह से, जिस वजह से हर विद्यार्थी इसे पढ़ना चाहता है,' हर्माइनी बोली, 'रहस्यमयी तहख़ाने की कहानी के बारे में जानने के लिए।'

'वह क्या है?' हैरी ने जल्दी से पूछा।

'यही तो दिक्क़त है। मुझे याद नहीं है,' हर्माइनी ने अपना होंठ काटते हुए कहा। 'और मुझे वह कहानी कहीं और नहीं मिल रही है -'

'हर्माइनी, मुझे अपना निबंध दिखाओ,' रॉन ने अपनी घड़ी की तरफ़ देखते हुए हताशा से कहा।

'नहीं, मैं नहीं दिखाऊँगी,' हर्माइनी एकदम गंभीर होते हुए बोली। 'तुम्हें यह निबंध लिखने के लिए दस दिन मिले थे।'

'मुझे सिर्फ़ दो इंच की ज़रूरत है, चलो ...'

घंटी बज गई। रॉन और हर्माइनी जादू का इतिहास की क्लास में झगड़ते हुए आगे-आगे गए।

जादू का इतिहास टाइमटेबल का सबसे नीरस विषय था। इसे पढ़ाने वाले प्रोफ़ेसर बिन्स उनके इकलौते भूत-शिक्षक थे। उनकी क्लास में आज तक जो

सबसे रोमांचक घटना घटी थी, वह यह थी कि वे ब्लैकबोर्ड से निकलकर कमरे में अंदर आए थे। वे बूढ़े थे और उनके चेहरे पर झुर्रियाँ थीं। कई लोगों का कहना है कि उन्हें यह पता ही नहीं चला कि वे मर चुके थे। वे तो बस एक दिन पढ़ाने के लिए उठे और स्टाफ़ रूम में जलती आग के सामने अपना शरीर कुर्सी पर बैठा छोड़कर क्लास लेने चले गए। उनकी दिनचर्या में तब से अब तक ज़रा भी अंतर नहीं आया था।

आज की क्लास भी हमेशा की तरह ही बोरिंग थी। प्रोफ़ेसर बिन्स ने अपने नोट्स खोले और किसी पुराने वैक्यूम क्लीनर जैसी सपाट आवाज़ में उन्हें पढ़ने लगे। बोरियत के कारण क्लास का लगभग हर विद्यार्थी गहरी झपकी की स्थिति में पहुँच गया था। कभी-कभार किसी की तंद्रा टूटती थी, तो वह एकाध नाम या तारीख़ लिख लेता था और दुबारा सो जाता था। वे आधे घंटे से बोल रहे थे, तभी अचानक एक ऐसी घटना हुई, जो पहले कभी नहीं हुई थी। हर्माइनी ने अपना हाथ ऊपर उठाया।

1289 के अंतरराष्ट्रीय जादूगर सम्मेलन पर एक बहुत ही नीरस लेक्चर के बीच में प्रोफ़ेसर बिन्स ने ऊपर देखा और वे हैरान रह गए।

'मिस - अर - ?'

'ग्रेंजर, सर। क्या आप हमें रहस्यमयी तहख़ाने के बारे में कुछ बता सकते हैं ?' हर्माइनी ने साफ़ आवाज़ में पूछा।

डीन थॉमस, जो मुँह खोले खिड़की के बाहर टकटकी लगाकर देख रहा था, अचानक होश में आया। लैवेंडर ब्राउन का सिर, जो उसकी बाँहों के बीच धँसा था, ऊपर उठ गया और नेविल की कोहनी उसकी टेबल से फिसल गई।

प्रोफ़ेसर बिन्स ने पलकें झपकाईं।

'मेरा विषय जादू का इतिहास है,' उन्होंने अपनी नीरस और घरघराती आवाज़ में कहा। 'मैं *सच्ची घटनाओं* के बारे में पढ़ाता हूँ, मिस ग्रेंजर, मिथक या दंतकथाओं के बारे में नहीं पढ़ाता।' उन्होंने अपना गला साफ़ करते हुए चॉक टूटने जैसी एक हलकी आवाज़ निकाली और फिर आगे पढ़ाने लगे, 'उस साल सितंबर में सार्डीनिया के जादूगरों की एक उप-समिति -'

वे अचानक रुक गए। एक बार फिर हर्माइनी का हाथ हवा में लहरा रहा था।

'मिस ग्रान्ट ?'

'प्लीज़ सर, क्या दंतकथाओं में हमेशा कुछ न कुछ सच्चाई नहीं होती है ?'

प्रोफ़ेसर बिन्स हर्माइनी की तरफ़ इतनी हैरानी से देख रहे थे कि हैरी को विश्वास हो गया कि आज से पहले किसी विद्यार्थी ने उनके लेक्चर में कभी व्यवधान नहीं डाला था, चाहे वे जीवित हों या मृत।

'अच्छा,' प्रोफ़ेसर बिन्स धीमे से बोले, 'हाँ, मेरे ख़्याल से यह तर्क तो दिया जा सकता है।' उन्होंने हर्माइनी को घूरते हुए देखा, जैसे उन्होंने इससे पहले कभी किसी विद्यार्थी को ठीक से न देखा हो। 'बहरहाल, जिस दंतकथा की तुम बात कर रही हो, वह बहुत ज़्यादा *सनसनीखेज़* और *मूर्खतापूर्ण* है ...'

परंतु पूरी क्लास अब प्रोफ़ेसर बिन्स के हर शब्द को पूरे ध्यान से सुन रही थी। उन्होंने उन सबकी तरफ़ एक उड़ती नज़र डाली, हर चेहरा उनकी तरफ़ मुड़ा हुआ था। हैरी को यह साफ़ दिख रहा था कि इस असामान्य रुचि के प्रदर्शन से वे बिलकुल हैरान थे।

'अच्छा, ठीक है,' उन्होंने धीमे से कहा। 'मुझे सोचने दो ... रहस्यमयी तहख़ाना ...

'जैसा कि आप सब जानते ही होंगे, हॉगवर्ट्स की स्थापना आज से लगभग एक हज़ार साल पहले हुई थी, हालाँकि हमें निश्चित तिथि ज्ञात नहीं है। हॉगवर्ट्स को उस युग के चार जादूगरों और जादूगरनियों ने स्थापित किया था। इस स्कूल के चार हाउस उन्हीं के नाम पर हैं : गौरव गरुड़द्वार, माया मेहनतकश, चंद्रिका चीलघात और नागेश नागशक्ति। उन्होंने मिलकर इस महल को मगलुओं की निगाहों से दूर बनाया, क्योंकि वह एक ऐसा युग था, जब आम जनता जादू से डरती थी और जादूगरों तथा जादूगरनियों को बहुत यातना सहना पड़ती थी।'

वे ठहरे, कमरे में चारों तरफ़ उड़ती निगाह डाली और फिर आगे बोलने लगे, 'कई साल तक इन संस्थापकों ने सद्भावपूर्ण माहौल में इकट्ठे काम किया। उन्होंने ऐसे बच्चे खोजे, जिनमें जादू के चिन्ह थे और फिर वे उन्हें शिक्षित करने के लिए महल में लाए। परंतु फिर उनके बीच विवाद होने लगे। नागशक्ति और बाक़ी लोगों में मतभेद हो गया। नागशक्ति हॉगवर्ट्स के विद्यार्थियों को चुनने के बारे में ज़्यादा सख़्ती बरतना चाहते थे। उनका मानना था कि जादू की शिक्षा सिर्फ़ जादूगर परिवारों के बच्चों तक ही सीमित रहना चाहिए। उन्हें मगलू परिवारों के बच्चों को विद्यार्थी बनाना पसंद नहीं था, क्योंकि वे उन्हें विश्वसनीय नहीं मानते थे। कुछ समय बाद इस विषय पर गरुड़द्वार तथा नागशक्ति के बीच एक ज़ोरदार बहस हुई और नागशक्ति स्कूल छोड़कर चले गए।'

प्रोफ़ेसर बिन्स एक बार फिर रुके, अपने होंठ सिकोड़े और एक बूढ़े झुर्रीदार कछुए की तरह दिखने लगे।

'विश्वसनीय ऐतिहासिक सूत्र हमें सिर्फ़ इतना ही बताते हैं,' वे बोले, 'परंतु वास्तविक तथ्यों को रहस्यमयी तहख़ाने की काल्पनिक दंतकथा ने विकृत कर दिया है। यह कहा जाता है कि नागशक्ति ने महल में एक गुप्त तहख़ाना बनाया था, जिसके बारे में अन्य संस्थापक कुछ नहीं जानते थे।

'दंतकथा के अनुसार, जाते समय नागशक्ति रहस्यमयी तहख़ाने को इस तरह बंद कर गए थे, ताकि कोई उसे न खोल पाए, जब तक कि उनका असली वारिस स्कूल में न आ जाए। उनका वारिस ही इस रहस्यमयी तहख़ाने को खोल सकता है और इसके भीतर छुपे आतंक को बाहर निकाल सकता है। इस तरह उनका वारिस इस स्कूल से उन अशुद्ध ख़ून वाले लोगों का सफ़ाया करेगा, जो जादू पढ़ने के क़ाबिल नहीं हैं।'

उनकी कहानी पूरी होने पर ख़ामोशी छा गई, परंतु यह और दिनों जैसी उनींदी ख़ामोशी नहीं थी, जो प्रोफ़ेसर बिन्स की क्लास में छाई रहती थी। माहौल उलझन भरा था। हर विद्यार्थी उन्हें देख रहा था और यह उम्मीद कर रहा था कि वे आगे भी कुछ बताएँगे। प्रोफ़ेसर बिन्स थोड़े चिढ़ से गए।

वे बोले, 'ज़ाहिर है, पूरी कहानी कपोलकल्पना और बकवास है। इस तहख़ाने को खोजने के लिए बड़े-बड़े विद्वान जादूगर और जादूगरनियाँ इस स्कूल की कई बार तलाशी ले चुके हैं। उन्हें ऐसा कोई तहख़ाना नहीं मिला। इसका कोई अस्तित्व नहीं है। यह एक ऐसी कहानी है, जो भोले-भाले लोगों को डराने के लिए गढ़ी गई है।'

हर्माइनी का हाथ फिर से हवा में था।

'सर – तहख़ाने में छुपे "आतंक" का ठीक-ठीक क्या मतलब है?'

'इसके बारे में यह माना जाता है कि यह किसी तरह का भयानक जानवर है, जिसे सिर्फ़ नागशक्ति का वारिस ही क़ाबू में कर सकता है,' प्रोफ़ेसर बिन्स ने नीरस और काँपती आवाज़ में कहा।

विद्यार्थियों ने घबराकर एक-दूसरे को देखा।

'मैं तुम लोगों को यह बता दूँ कि इस तरह की कोई चीज़ नहीं है,' प्रोफ़ेसर बिन्स अपने नोट्स पलटते हुए बोले। 'न तो कोई तहख़ाना है, न ही कोई भयानक जानवर है।'

'परंतु सर,' सीमस फ़िनिगन ने कहा, 'अगर तहख़ाने को सिर्फ़ नागशक्ति का असली वारिस ही खोल सकता है, तो कोई दूसरा उसे कैसे खोज सकता है, है ना?'

'बकवास, ओ'फ़्लैहर्टी,' प्रोफ़ेसर बिन्स ने उत्तेजित स्वर में कहा। 'अगर

हॉगवर्ट्स के हेडमास्टरों को ऐसा कुछ भी नहीं मिला है –'

'परंतु प्रोफ़ेसर,' पार्वती पाटिल सुरीली आवाज़ में बोली, 'शायद उसे खोलने के लिए काले जादू की ज़रूरत पड़ती होगी –'

प्रोफ़ेसर बिन्स ने पलटकर कहा, 'अगर कोई जादूगर काले जादू का प्रयोग *नहीं करता*, तो इसका यह मतलब नहीं है मिस पेनीफ़ेदर, कि वह इसका प्रयोग नहीं कर सकता। मैं फिर दोहराता हूँ, अगर डम्बलडोर जैसे जादूगर –'

'परंतु शायद इसके लिए आपका नागशक्ति के साथ किसी तरह का संबंध होना चाहिए, इसलिए डम्बलडोर उसे नहीं खोज –' डीन थॉमस ने बोलना शुरू किया, परंतु प्रोफ़ेसर बिन्स की सहनशक्ति अब ख़त्म हो चुकी थी।

'अब इस मुद्दे को यहीं पर ख़त्म करते हैं,' वे तीखी आवाज़ में बोले। 'यह एक कपोलकल्पना है! इसका कोई अस्तित्व नहीं है! इस बात का ज़रा भी प्रमाण नहीं है कि नागशक्ति ने हॉगवर्ट्स में कभी रहस्यमयी झाड़ू की अलमारी भी बनाई हो। मुझे अफ़सोस है कि मैंने तुम्हें इस तरह की मूर्खतापूर्ण कहानी सुनाई! अब अगर आप लोग इजाज़त दें, तो हम दुबारा *इतिहास* पर लौटते हैं : ठोस, विश्वसनीय, प्रामाणिक *तथ्यों* पर!'

और पाँच मिनट के भीतर, क्लास हमेशा की तरह एक बार फिर उदासीनता, उबासियों और झपकियों के माहौल में खो गई।

*

जब क्लास ख़त्म हुई, तो डिनर से पहले अपना बैग रखने के लिए वे भीड़ भरे गलियारों से चलने लगे। चलते-चलते रॉन ने हैरी और हर्माइनी को बताया, 'मैं पहले से ही जानता था कि नागेश नागशक्ति सिरफिरा और सनकी था। परंतु मैं यह नहीं जानता था कि शुद्ध ख़ून का सारा बखेड़ा उसी ने खड़ा किया है। अगर मुझे मुँहमाँगी रक़म भी मिले, तब भी मैं उसके हाउस में नहीं जाऊँगा। सच तो यह है कि अगर बोलती टोपी ने मुझे नागशक्ति में भेजा होता, तो मैं वापस घर जाने वाली ट्रेन में बैठ गया होता ...'

हर्माइनी ने उत्साह से सिर हिलाया, परंतु हैरी कुछ नहीं बोला। उसके मन में उलझन और परेशानी थी, इसलिए वह असहज हो गया था।

हैरी ने रॉन और हर्माइनी को यह कभी नहीं बताया था कि बोलती टोपी ने पहले *उसे* नागशक्ति में रखने के बारे में विचार किया था। उसे अपने कानों में गूँजती वह आवाज़ अच्छी तरह याद थी, जैसे यह कल ही की बात हो, जब उसने एक साल पहले उस टोपी को अपने सिर पर लगाया था –

'सोच लो, तुम महान बन सकते हो ... और महान बनने के सारे लक्षण हैं तुममें। और नागशक्ति महान बनने में तुम्हारी मदद करेगा, इसमें कोई शक नहीं ...'

परंतु हैरी ने पहले ही नागशक्ति हाउस की कुख्यात छवि के बारे में यह सुन लिया था कि ज्यादातर शैतानी जादूगर इसी हाउस से निकलते हैं। इसलिए उसने व्याकुल होकर सोचा था, 'नागशक्ति नहीं!' और फिर टोपी ने कहा था, *'ठीक है, अगर तुम यही चाहते हो- तो फिर तुम्हारा हाउस होगा गरुड़द्वार...'*

जब वे भीड़ के साथ-साथ चल रहे थे, तो कॉलिन क्रीवी पास से गुज़रा।

'हाय हैरी!'

'हैलो कॉलिन,' हैरी ने मशीनी अंदाज़ में कहा।

'हैरी - हैरी - मेरी क्लास का एक बच्चा कह रहा था कि तुम -'

परंतु कॉलिन इतना छोटा था कि वह बड़े हॉल की तरफ़ जा रहे विद्यार्थियों के रेले में टिक नहीं पाया। उन्होंने उसे बोलते सुना, 'मिलते हैं, हैरी!' और भीड़ उसे धक्के मारती हुई अपने साथ ले गई।

'उसकी क्लास का बच्चा तुम्हारे बारे में क्या कह रहा होगा?' हर्माइनी ने हैरानी से पूछा।

'मेरे ख़्याल से यह कह रहा होगा कि मैं नागशक्ति का वारिस हूँ,' हैरी ने कहा और उसका पेट एक और इंच डूब गया, जब उसे अचानक याद आया कि किस तरह लंचटाइम में जस्टिन फ़िंच-फ़्लेचली उससे दूर भागा था।

'यहाँ के लोग तो किसी भी बात पर विश्वास कर लेंगे,' रॉन ने नफ़रत से कहा।

भीड़ छँट गई और वे बिना किसी परेशानी के अगली सीढ़ियाँ चढ़ने में कामयाब हो गए।

'क्या तुम्हें *सचमुच* लगता है कि कोई रहस्यमयी तहख़ाना है?' रॉन ने हर्माइनी से कहा।

'मैं नहीं जानती,' उसने त्योरियाँ चढ़ाते हुए कहा। 'डम्बलडोर मिसेज़ नॉरिस को ठीक नहीं कर पाए, इसलिए मुझे लगता है कि जिसने भी उस पर हमला किया था, हो सकता है वह - इंसान - न हो।'

जब वह बोली, तो वे एक मोड़ मुड़े और उन्होंने ख़ुद को उसी गलियारे के सिरे पर पाया, जहाँ हमला हुआ था। वे रुककर देखने लगे। वहाँ का दृश्य उस रात जैसा ही था, फ़र्क़ सिर्फ़ इतना था कि अब वहाँ मशाल टाँगने के स्टैंड से बेजान बिल्ली नहीं लटक रही थी और एक ख़ाली कुर्सी दीवार के उस हिस्से को

ढँक रही थी, जिस पर यह संदेश लिखा था, 'रहस्यमयी तहख़ाना खुल चुका है।'

'यहीं पर फ़िल्च पहरेदारी करता रहता है,' रॉन बुदबुदाया।

उन्होंने एक-दूसरे की तरफ़ देखा। गलियारे में कोई नहीं था।

'एक नज़र ताक-झाँक करने में क्या हर्ज़ है,' हैरी ने अपने बैग को नीचे रखते हुए कहा। फिर वह अपने पंजों और हथेलियों के बल रेंगकर सुराग़ की तलाश करने लगा।

'झुलसने के निशान!' वह बोला। 'यहाँ - और यहाँ -'

'यहाँ आओ और इस तरफ़ देखो!' हर्माइनी बोली। 'बहुत अजीब बात है...'

हैरी उठा और दीवार पर लिखे संदेश के क़रीब वाली खिड़की के पास पहुँचा। हर्माइनी सबसे ऊँचे शीशे की तरफ़ इशारा कर रही थी, जहाँ लगभग बीस मकड़ियाँ तेज़ी से भाग रही थीं और काँच के एक छोटे छेद से निकलने के लिए आपस में लड़ रही थीं। चाँदी जैसा एक लंबा धागा रस्सी की तरह लटक रहा था, जैसे वे सब बाहर पहुँचने की जल्दबाज़ी में इस पर चढ़ी हों।

'क्या तुमने कभी मकड़ियों को इस तरह का व्यवहार करते देखा है?' हर्माइनी ने हैरानी से कहा।

'नहीं,' हैरी बोला, 'क्या तुमने देखा है, रॉन? रॉन?'

उसने पलटकर देखा। रॉन काफ़ी पीछे खड़ा था और ऐसा लग रहा था, जैसे वह भागने की अपनी इच्छा को दबाने के लिए संघर्ष कर रहा हो।

'क्या हुआ?' हैरी ने पूछा।

'मुझे-मकड़ियाँ-पसंद-नहीं-हैं,' रॉन ने तनाव भरे स्वर में कहा।

'मैं यह बात नहीं जानती थी,' हर्माइनी ने रॉन की तरफ़ हैरानी से देखते हुए कहा। 'तुमने काढ़े की क्लास में तो सैकड़ों बार मकड़ियों का प्रयोग किया है ...'

'मरी मकड़ियों से मुझे कोई दिक्क़त नहीं होती,' रॉन ने कहा और वह सावधानी से खिड़की के अलावा बाक़ी सब तरफ़ देख रहा था, 'मैं तो सिर्फ़ उनके चलने के तरीक़े को पसंद नहीं करता ...'

हर्माइनी हँसी।

'यह हँसने की बात नहीं है,' रॉन ने आवेश में कहा। 'अगर तुम जानना ही चाहती हो, तो सुनो। जब मैं तीन साल का था, तो फ़्रेड ने मेरे - मेरे टेडी बियर को एक गंदी, बड़ी मकड़ी में बदल दिया था, क्योंकि मैंने उसकी खिलौने

वाली जादुई झाड़ू तोड़ दी थी। तुम भी उन्हें पसंद नहीं करोगी, अगर तुम अपने टेडी बियर को पकड़े हो और अचानक उसमें बहुत से पैर निकल आएँ और...'

वह काँपते हुए रुक गया। यह स्पष्ट था कि हर्माइनी को अब भी अपनी हँसी रोकने में बहुत मुश्किल हो रही थी। हैरी को लगा कि इस विषय को बदल दिया जाए, तो ज़्यादा अच्छा होगा। इसलिए वह बोला, 'फ़र्श पर गिरा हुआ वह पानी याद है ? वह कहाँ से आया होगा ? किसी ने उसे साफ़ कर दिया है।'

'पानी यहाँ था,' रॉन ने कहा। अब वह इतना ठीक हो गया था कि वह फ़िल्च की कुर्सी के पास से कुछ क़दम आगे चला और इशारा करते हुए बोला, 'इस दरवाज़े के बराबर।'

वह दरवाज़े पर लगे पीतल के हैंडल की तरफ़ हाथ बढ़ा ही रहा था कि तभी अचानक उसने अपना हाथ इतनी तेज़ी से पीछे खींचा, जैसे उसे करंट लग गया हो।

'क्या हुआ ?' हैरी ने कहा।

'इसके अंदर नहीं जा सकते,' रॉन ने रूखेपन से कहा, 'यह तो लड़कियों का बाथरूम है।'

'अंदर कोई नहीं होगा रॉन,' हर्माइनी ने उनके पास आते हुए कहा। 'यह मायूस मीना का बाथरूम है। चलो, चलकर इस पर भी एक नज़र डाल लेते हैं।'

'ख़राब है' के बड़े बोर्ड को अनदेखा करते हुए उसने दरवाज़ा खोल दिया।

हैरी इससे पहले कभी इतने ज़्यादा उदास और निराशाजनक बाथरूम में नहीं गया था। एक बड़े, चटके हुए और धब्बेदार आईने के नीचे पुराने पत्थर के सिंक लगे हुए थे। फ़र्श पर सीलन थी और कुछ मोमबत्तियों के ठूँठों से बहुत हलकी रोशनी आ रही थी। अंदर बने टॉयलेट्स के लकड़ी के दरवाज़ों की पपड़ी झड़ रही थी और उनकी हालत ख़राब थी। उनमें से एक तो अपनी चूलों पर झूल रहा था।

हर्माइनी ने अपने होंठों पर उँगलियाँ रखीं और आख़िरी टॉयलेट की ओर बढ़ी। वहाँ पहुँचकर वह बोली, 'हैलो मीना, तुम कैसी हो ?'

हैरी और रॉन देखने के लिए गए। मायूस मीना टॉयलेट के अंदर बने कुंड में तैर रही थी और अपनी ठुड्डी के एक मुँहासे को उखाड़ रही थी।

'यह *लड़कियों* का बाथरूम है,' मायूस मीना ने रॉन और हैरी को संदिग्ध निगाहों से देखते हुए कहा। '*ये लोग* लड़कियाँ नहीं हैं।'

'नहीं,' हर्माइनी सहमत हुई। 'मैं तो उन्हें सिर्फ़ यह दिखाना चाहती थी कि

– अर – यहाँ कितना अच्छा माहौल है।'

उसने गंदे आईने और गीले फ़र्श की तरफ़ अस्पष्टता से हाथ हिलाया।

'उससे पूछो कि उसने कुछ देखा था क्या।' हैरी हर्माइनी से पुसपुसा कर बोला।

'तुम लोग क्या कानाफूसी कर रहे हो ?' मीना ने हैरी को घूरते हुए कहा।

'कुछ नहीं,' हैरी जल्दी से बोला। 'हम तो बस यह पूछना चाहते थे –'

'मैं यह पसंद नहीं करती कि लोग पीठ पीछे मेरी बातें करें!' मीना ने आँसुओं में डूबी आवाज़ में कहा। 'भले ही अब मैं मर चुकी हूँ, परंतु तुम लोगों को समझना चाहिए कि मेरी भी भावनाएँ हैं।'

'मीना, कोई भी तुम्हें दुखी नहीं करना चाहता,' हर्माइनी बोली। 'हैरी तो सिर्फ़ –'

'कोई भी मुझे दुखी नहीं करना चाहता! यह भी ख़ूब कहा!' मीना गरजी। 'इस जगह पर मेरी ज़िंदगी बस दुख भरी कहानी थी और अब लोग मेरे मरने के बाद भी मुझे कष्ट दे रहे हैं!'

'हम तो तुमसे यह पूछना चाहते थे कि क्या तुमने पिछले दिनों कोई अजीब चीज़ देखी है,' हर्माइनी ने जल्दी से कहा, 'क्योंकि हैलोवीन की रात को तुम्हारे बाथरूम के दरवाज़े के बाहर एक बिल्ली पर हमला हुआ था।'

'क्या तुमने उस रात किसी को आसपास देखा था!' हैरी ने कहा।

'मैंने इस तरफ़ ध्यान ही नहीं दिया,' मीना ने नाटकीय तरीक़े से कहा। 'पीव्ज़ ने मुझे इतना परेशान कर दिया था कि मैं यहाँ आई और मैंने ख़ुद की *जान* लेने की कोशिश की। फिर, ज़ाहिर है, मुझे याद आया कि मैं तो – मैं तो –'

'पहले ही मर चुकी हूँ,' रॉन ने मदद करते हुए कहा।

मीना ने दुख भरी सिसकारी भरी, हवा में ऊपर उठी और मुड़ी। फिर उसने उन सब पर पानी उड़ाते हुए और नज़रों से ओझल होते हुए सीधे सिर के बल टॉयलेट में छलाँग लगा दी। उसकी दबी हुई सिसकारियों की दिशा से वे इतना समझ गए कि वह पाइप के यू-बेन्ड में कहीं पर आराम कर रही है।

हैरी और रॉन अपना मुँह खोले खड़े रहे, परंतु हर्माइनी ने थके अंदाज़ में कंधा उचकाया और कहा, 'सच कहा जाए, तो आज मीना ख़ुश हुई होगी... चलो, हमें बाहर निकलना चाहिए।'

हैरी ने मीना की दबी हुई सिसकारियों के बीच दरवाज़ा मुश्किल से बंद किया ही था कि तभी एक तेज़ आवाज़ सुनकर वे तीनों उछल पड़े।

'रॉन!'

पर्सी वीज़्ली सीढ़ियों के ऊपर ठिठककर खड़ा हुआ था। प्रिफ़ेक्ट का उसका बिल्ला चमचमा रहा था और उसके चेहरे पर दहशत का भाव था।

'यह लड़कियों का *बाथरूम* है!' उसने हाँफते हुए कहा। '*तुम* इसमें क्या कर रहे थे – ?'

'बस चारों तरफ़ देख रहे थे,' रॉन ने कंधे उचकाए। 'सुराग़ खोज रहे थे, और क्या ...'

पर्सी ने अपना शरीर इस तरह से फुलाया कि हैरी को मिसेज़ वीज़्ली की याद आ गई।

'यहाँ-से-दूर-रहो-' उसने उनकी तरफ़ क़दम बढ़ाते हुए कहा और अपने हाथों को लहराते हुए उन्हें खदेड़ना शुरू किया। 'क्या तुम्हें *परवाह* नहीं है कि लोग क्या कहेंगे? जब सब लोग डिनर कर रहे हैं, तो यहाँ पर आना ...'

'यहाँ पर हमारे आने में क्या परेशानी है?' रॉन भी अब ताव में आ गया था। उसने रुककर पर्सी की तरफ़ ग़ुस्से से घूरा और बोला, 'सुनो, हमने उस बिल्ली को छुआ तक नहीं था!'

'यही मैंने जिनी से कहा था,' पर्सी ग़ुस्से से बोला, 'परंतु वह अब भी शायद यही सोचती है कि तुम्हें स्कूल से निकाल दिया जाएगा। मैंने कभी उसे इतना ज़्यादा परेशान नहीं देखा। वह रो-रोकर अपनी आँखें फोड़े डाल रही है। तुम्हें *उसके* बारे में सोचना चाहिए। सारे फ़र्स्ट ईयर के बच्चे इस घटना से बहुत ज़्यादा घबरा गए हैं –'

'*तुम्हें* जिनी की परवाह नहीं है,' रॉन बोला, जिसके कान अब लाल होने लगे थे। '*तुम्हें तो* इस बात की चिंता है कि मेरी वजह से तुम्हारे हेड बॉय बनने की संभावना ख़त्म न हो जाए।'

'गरुड़द्वार के पाँच पॉइंट कम किए जाते हैं!' पर्सी ने अपने प्रिफ़ेक्ट के बिल्ले पर उँगलियाँ फिराते हुए रूखेपन से कहा। 'और मुझे आशा है कि इससे तुम सबक़ सीख जाओगे! अब कोई *जासूसी* नहीं, वरना मुझे मम्मी को ख़त लिखना पड़ेगा!'

और वह क़दम बढ़ाते हुए वहाँ से चल दिया। उसकी गर्दन का पिछला हिस्सा भी रॉन के कानों जितना ही लाल था।

*

उस रात हॉल में हैरी, रॉन और हर्माइनी ने पर्सी से सबसे दूर वाली कुर्सियाँ चुनीं। रॉन अब भी बहुत बुरे मूड में था और वह अपने सम्मोहन के होमवर्क पर स्याही

के धब्बे गिराता रहा। जब वह अपनी छड़ी से लापरवाही से धब्बे मिटाने की कोशिश कर रहा था, तो उसके चर्मपत्र में आग लग गई। अपने होमवर्क की तरह ही आगबबूला होकर रॉन ने *मंत्रों की मानक किताब – भाग 2* बंद कर दी। हैरी यह देखकर हैरान हुआ कि हर्माइनी ने भी ऐसा ही किया।

'वह कौन हो सकता है ?' उसने शांत आवाज़ में पूछा, जैसे वह पहले से हो रही चर्चा को आगे बढ़ा रही हो। 'कौन *चाहता* होगा कि सारे नाकारा और मगलू बच्चे हॉगवर्ट्स के बाहर हो जाएँ ?'

'इस बारे में सोचते हैं,' रॉन ने बनावटी हैरानी से कहा। 'हमारी नज़रों में ऐसा कौन है, जो मगलू बच्चों को नीच मानता है ?'

उसने हर्माइनी की तरफ़ देखा। हर्माइनी ने पलटकर देखा, परंतु उसे विश्वास नहीं हुआ था।

'अगर तुम मैल्फ़ॉय के बारे में बात कर रहे हो –'

'ज़ाहिर है मैं कर रहा हूँ!' रॉन बोला। 'तुमने उसकी बात सुनी थी : *"अब तुम्हारी बारी है, बदज़ातो!"* मान भी जाओ, उसके गंदे और चूहे जैसे चेहरे पर एक नज़र डालते ही तुम्हें समझ में आ जाएगा कि यह सब उसी का किया-धरा है –'

'मैल्फ़ॉय और नागशक्ति का वारिस ?' हर्माइनी ने संदेह से कहा।

'उसका परिवार देखो,' हैरी ने भी अपनी किताबें बंद करते हुए कहा। 'सब के सब नागशक्ति में रहे हैं। वह हमेशा इस बारे में डींगें हाँकता रहता है। वे आसानी से नागशक्ति के वारिस हो सकते हैं। यह बात तो तय है कि उसके पिता बुरे हैं।'

'हो सकता है उनके पास सदियों से रहस्यमयी तहख़ाने की चाबी रही हो!' रॉन बोला। 'जो पिता से पुत्र तक विरासत में छोड़ी जाती रही हो ...'

'मुझे लगता है यह संभव है ...' हर्माइनी ने सावधानी से कहा।

'परंतु हम इसे साबित कैसे करेंगे ?' हैरी उदास स्वर में बोला।

'एक रास्ता हो सकता है,' हर्माइनी ने धीमे से कहा। उसने अपनी आवाज़ और धीमी कर ली तथा हॉल के उस पार बैठे पर्सी पर जल्दी से निगाह डाली। 'ज़ाहिर है, यह मुश्किल होगा। और ख़तरनाक भी, बहुत ही ख़तरनाक। मुझे लगता है हम स्कूल के कम से कम पचास नियम तोड़ेंगे।'

'अगर एक महीने तक हम इसी तरह से बातें करेंगे, तब जाकर शायद तुम हमें पूरी बात साफ़-साफ़ बताओगी, है ना ?' रॉन ने चिढ़कर कहा।

'ठीक है,' हर्माइनी ने ठंडे स्वर में कहा। 'हमें यह करना होगा कि हम

नागशक्ति के हॉल में पहुँचकर मैल्फ़ॉय से कुछ सवाल पूछें, परंतु उसे यह पता नहीं चलना चाहिए कि सवाल हम पूछ रहे हैं।'

'परंतु यह असंभव है,' हैरी ने कहा, जब रॉन हँसा।

'नहीं, यह संभव है,' हर्माइनी ने कहा। 'हमें बस थोड़े से भेसबदल काढ़े की ज़रूरत होगी।'

'वह क्या होता है?' रॉन और हैरी ने एक साथ कहा।

'स्नेप ने कुछ सप्ताह पहले ही तो क्लास में इसका ज़िक्र किया था –'

'क्या तुम्हें लगता है कि हमारे पास जादुई काढ़े की क्लास में स्नेप की बातें सुनने से बेहतर कोई काम नहीं होता है?' रॉन बुदबुदाया।

'यह आपको किसी दूसरे इंसान में बदल देता है। इसके बारे में सोचो! हम ख़ुद को नागशक्ति के तीन विद्यार्थियों में बदल सकते हैं। किसी को पता भी नहीं चलेगा कि यह हम हैं। मैल्फ़ॉय शायद हमें कुछ बता दे। वह शायद इस समय भी नागशक्ति के हॉल में इस बारे में डींगें हाँक रहा होगा, परंतु हम उसकी बातें नहीं सुन सकते हैं।'

'यह भेसबदल काढ़ा मुझे थोड़ा ख़तरनाक लगता है,' रॉन ने त्योरियाँ चढ़ाते हुए कहा। 'कहीं हम हमेशा के लिए नागशक्ति के तीन विद्यार्थियों में बदल गए, तो फिर क्या होगा?'

हर्माइनी अपना हाथ अधीरता से हिलाते हुए बोली, 'इसका असर थोड़ी देर बाद ख़त्म हो जाता है, परंतु इसे बनाने की विधि मालूम करना बहुत कठिन होगा। स्नेप ने कहा था कि यह *सबसे शक्तिशाली काढ़े* नामक किताब में है। वह किताब शायद लाइब्रेरी के प्रतिबंधित खंड में होगी।'

प्रतिबंधित खंड से किसी किताब को बाहर निकालने का सिर्फ़ एक ही तरीक़ा था : इसके लिए आपके पास किसी टीचर के दस्तख़त के साथ उसकी लिखित अनुमति होना चाहिए।

'यह बहाना बनाना मुश्किल होगा कि यह किताब हमें क्यों चाहिए,' रॉन बोला, 'दरअसल कोई भी टीचर समझ जाएगा कि हम कोई काढ़ा बनाने की कोशिश कर रहे हैं।'

'मैं सोचती हूँ,' हर्माइनी ने कहा, 'कि अगर हम इस तरह से बताएँ जैसे हम सिर्फ़ इसे पढ़ने में ही रुचि रखते हैं, तो शायद हमें अनुमति मिल सकती है ...'

'रहने भी दो, कोई भी टीचर यह बात मानने को तैयार नहीं होगा,' रॉन बोला। 'जब तक कि उसके दिमाग़ का कोई पेंच ढीला न हो ...'

अध्याय दस

दुष्ट पहलवान

नन्हे पिशाचों के साथ हुए भयानक हादसे के बाद से प्रोफ़ेसर लॉकहार्ट क्लास में जीवित प्राणी नहीं लाते थे। इसके बजाय अब वे विद्यार्थियों के सामने अपनी किताबों के अंश पढ़ा करते थे और कई बार कुछ अधिक नाटकीय अंशों का अभिनय करके भी दिखाते थे। घटना की नाटकीय प्रस्तुति में मदद करने के लिए वे आम तौर पर हैरी को चुनते थे। उसे अब तक कई भूमिकाएँ निभाने के लिए विवश किया गया था : हैरी ट्रांसिल्वेनिया का वह देहाती बना था, जिसे लॉकहार्ट ने बकबकाने के शाप से मुक्ति दिलाई थी। उसने उस हिम मानव की भूमिका निभाई थी, जिसे दिमाग़ी सर्दी हो गई थी। उसने उस ख़ून पीने वाले पिशाच का अभिनय किया था, जो लॉकहार्ट से मुक़ाबला करने के बाद से सलाद पत्ती के सिवाय कुछ भी नहीं खा पाता है।

गुप्त कलाओं से रक्षा की अगली क्लास में भी हैरी को सामने बुलाया गया। इस बार उसे आदम भेड़िए का अभिनय करना था। अगर उसके पास लॉकहार्ट को ख़ुश रखने का बहुत अच्छा कारण नहीं होता, तो उसने यह भूमिका निभाने से इंकार कर दिया होता।

'थोड़ा ज़ोर से अच्छी तरह चिल्लाओ, हैरी - हाँ ऐसे - और फिर, विश्वास करें, मैं यूँ झपटा - इस तरह - उसे फ़र्श पर *पटक* दिया - ऐसे - एक हाथ से मैंने उसे नीचे दबा रखा था - दूसरे हाथ से मैंने उसके गले पर अपनी छड़ी रखी - फिर मैंने अपनी बची हुई ताक़त बटोरी और बहुत ही जटिल वशीकरण मंत्र का प्रयोग किया - वह दर्द से कराहने लगा - करते रहो हैरी - इससे भी तेज़ आवाज़ में - अच्छा - उसके बाल ग़ायब हो गए - दाँत छोटे हो गए - और वह एक बार फिर इंसान बन गया। आसान परंतु सफल। एक और गाँव मुझे हमेशा एक हीरो के रूप में याद रखेगा, क्योंकि मैंने उन्हें आदम भेड़िए के हर महीने के आतंक से बचाया था।'

घंटी बजी और लॉकहार्ट खड़े हो गए।

'होमवर्क : मैंने वैगा वैगा आदम भेड़िए को जिस तरह हराया था, उसके बारे में एक कविता लिखो! सबसे अच्छी कविता लिखने वाले को पुरस्कार में मेरी किताब *मेरा जादू* ऑटोग्राफ़ सहित मिलेगी!'

विद्यार्थी क्लास से बाहर निकलने लगे। हैरी वापस क्लास में लौटा, जहाँ रॉन और हर्माइनी इंतज़ार कर रहे थे।

'तैयार हो?' हैरी बुदबुदाया।

'जब तक सब लोग चले नहीं जाते, तब तक रुको,' हर्माइनी ने घबराते हुए कहा। 'ठीक है ...'

वह लॉकहार्ट की टेबल के पास पहुँची। उसने अपने हाथ में एक काग़ज़ का टुकड़ा कसकर पकड़ रखा था। हैरी और रॉन उसके ठीक पीछे थे।

'अर - प्रोफ़ेसर लॉकहार्ट?' हर्माइनी ने अटकते हुए कहा। 'मैं चाहती थी - कि मैं लाइब्रेरी से यह किताब निकलवाकर पढ़ लूँ। सिर्फ़ ज्ञान बढ़ाने के लिए।' काग़ज़ का टुकड़ा बढ़ाते समय उसका हाथ हलका सा काँप रहा था। 'दिक़्क़त यह है कि यह किताब लाइब्रेरी के प्रतिबंधित खंड में है, इसलिए मुझे किसी टीचर के दस्तख़त चाहिए - मुझे विश्वास है कि इससे मैं उस बात को ज़्यादा अच्छी तरह समझ जाऊँगी, जो आपने *पिशाचों के साथ भटकना* में धीमी गति के ज़हरों के बारे में कही है ...'

'अच्छा, *पिशाचों के साथ भटकना!'* लॉकहार्ट ने हर्माइनी के हाथ से काग़ज़ लिया और उसकी तरफ़ देखकर खुलकर मुस्कराए। 'शायद मेरी सबसे प्रिय किताब। तुम्हें वह अच्छी लगी?'

'जी हाँ,' हर्माइनी ने उत्सुकता से कहा। 'आपने कितनी चतुराई से आख़िरी वाले पिशाच को चाय की छलनी से फँसाया था ...'

'मुझे विश्वास है कि अगर मैं इस वर्ष की सबसे बुद्धिमान छात्रा की थोड़ी अतिरिक्त मदद कर दूँ, तो किसी को बुरा नहीं लगेगा,' लॉकहार्ट ने गर्मजोशी से कहा और एक बड़ी मयूरपंखी क़लम बाहर निकाली। रॉन के चेहरे पर आए नफ़रत के भाव का ग़लत मतलब समझते हुए वे बोले, 'बढ़िया है, है ना? मैं आम तौर पर इसे किताबों पर ऑटोग्राफ़ देने के लिए बचाकर रखता हूँ।'

उन्होंने उस काग़ज़ पर बड़े से घुमावदार दस्तख़त घसीटे और हर्माइनी को काग़ज़ दे दिया।

'तो हैरी,' लॉकहार्ट बोले, जब हर्माइनी ने काँपती उँगलियों से काग़ज़ को तह किया और उसे अपने बैग में डाल लिया, 'मुझे लगता है कल इस साल का

पहला क्विडिच मैच है। गरुड़द्वार और नागशक्ति के बीच, है ना? मैंने सुना है कि तुम एक अच्छे खिलाड़ी हो। मैं भी एक खोजी था। मुझसे लोगों ने इंग्लैंड की टीम में शामिल होने के लिए कहा था। परंतु मैंने अपना जीवन शैतानी ताक़तों के उन्मूलन के प्रति समर्पित करना ज़्यादा बेहतर समझा। फिर भी, अगर तुम्हें थोड़े प्रशिक्षण की ज़रूरत हो, तो बेझिझक मदद माँग लेना। अपने से कम योग्य खिलाड़ियों की मदद करने में मुझे हमेशा ख़ुशी होती है ...'

हैरी ने अपने गले से एक अस्पष्ट सी आवाज़ निकाली और फिर रॉन तथा हर्माइनी के पीछे तेज़ी से चला गया।

'मुझे अब भी यक़ीन नहीं हो रहा है,' उसने बोला, जब उन तीनों ने काग़ज़ पर उनके दस्तख़त की जाँच की, 'उन्होंने तो यह भी नहीं *देखा* कि हमें कौन सी किताब चाहिए।'

'इसलिए क्योंकि उनमें ज़रा भी बुद्धि नहीं है,' रॉन ने कहा। 'परंतु किसे परवाह है। हमें तो वह मिल गया, जो हम चाहते थे।'

'ऐसा नहीं है कि उनमें बुद्धि *नहीं* है,' हर्माइनी ने तीखी आवाज़ में कहा, जब वे लाइब्रेरी की ओर आधा चलकर, आधा दौड़कर गए।

'सिर्फ़ इसलिए क्योंकि उन्होंने कहा था कि तुम इस वर्ष की सबसे बुद्धिमान छात्रा हो ...'

जब वे लाइब्रेरी की ख़ामोशी में दाख़िल हुए, तो उन्होंने अपनी आवाज़ें धीमी कर लीं।

लाइब्रेरियन मैडम पिन्स दुबली और चिड़चिड़ी महिला थीं, जो कुपोषण के शिकार गिद्ध की तरह दिखती थीं।

'सबसे शक्तिशाली काढ़े?' उन्होंने शंका भरे स्वर में दोहराया और हर्माइनी के हाथ से काग़ज़ लेने की कोशिश की, परंतु हर्माइनी काग़ज़ छोड़ने को तैयार नहीं थी।

उसने हाँफते हुए कहा, 'मैं सोच रही थी कि क्या मैं इसे रख सकती हूँ?'

'रहने भी दो,' रॉन ने हर्माइनी से वह काग़ज़ छुड़ाया और उसे मैडम पिन्स को दे दिया। 'हम तुम्हारे लिए एक और ऑटोग्राफ़ ले लेंगे। लॉकहार्ट किसी भी चीज़ पर ऑटोग्राफ़ दे देंगे, बशर्ते वह कुछ देर स्थिर रहे।'

मैडम पिन्स ने काग़ज़ को रोशनी में देखा, जैसे उन्होंने जालसाज़ी पकड़ने की ठान ली हो, परंतु काग़ज़ उनकी परीक्षा में खरा उतरा। वे ऊँची अलमारियों के बीच में चलते हुए दूर गईं और कुछ मिनट बाद एक बड़ी तथा पुरानी सी दिखने वाली किताब के साथ लौटीं। हर्माइनी ने उसे सावधानी से अपने बैग में

रख लिया। लाइब्रेरी से लौटते समय वे कोशिश कर रहे थे कि वे ज़्यादा तेज़ न चलें या ऐसे न दिखें, जैसे वे कोई अपराध कर रहे हों।

पाँच मिनट बाद वे एक बार फिर मायूस मीना के बाथरूम में पहुँच गए थे। हर्माइनी ने रॉन की आपत्तियों को ठुकराते हुए कहा कि यहाँ पर एकांत की गारंटी थी, क्योंकि जिसका दिमाग़ सही तरह से काम कर रहा होगा, वह यहाँ कभी नहीं आएगा। मायूस मीना अपने टॉयलेट में ज़ोर-ज़ोर से रो रही थी, परंतु उन्होंने मीना को नज़रअंदाज़ कर दिया और मीना ने उन्हें।

हर्माइनी ने सावधानी से *सबसे शक्तिशाली काढ़े* किताब को खोला। वे तीनों नमी के कारण धब्बेदार हो चुके पन्नों को झुककर पढ़ने लगे। एक नज़र में ही वे समझ गए कि इस किताब को प्रतिबंधित खंड में क्यों रखा गया था। इसमें दिए गए कुछ काढ़ों के प्रभाव तो इतने ज़्यादा वीभत्स थे कि उनकी कल्पना भी नहीं की जा सकती थी। और इन्हें पीने के बाद होने वाली पीड़ा को दर्शाने वाले कई चित्र भी थे, जिसमें एक ऐसे व्यक्ति का चित्र भी शामिल था, जिसके शरीर के अंदरूनी हिस्से बाहर आते दिख रहे थे। इसके अलावा एक जादूगरनी का चित्र भी था, जिसके सिर से कुछ अतिरिक्त हाथ उग रहे थे।

जब हर्माइनी को *भेसबदल काढ़ा* शीर्षक वाला पृष्ठ मिल गया, तो उसने रोमांचित स्वर में कहा, 'यह रहा।' इसमें ऐसे लोगों की तस्वीरें थीं, जो रूपांतरित होने की प्रक्रिया के अधबीच में थे। हैरी को सचमुच आशा थी कि कलाकार ने उनके चेहरे पर गहन पीड़ा के भावों की कुछ ज़्यादा ही कल्पना कर ली होगी।

'यह मेरे द्वारा देखा गया सबसे जटिल काढ़ा है,' हर्माइनी ने कहा, जब उन्होंने इसे बनाने की विधि पर एक नज़र डाली। 'पतंगें, जोंकें, गलाने वाला पौधा और गाँठदार घास,' वह अपनी उँगली तत्वों की सूची पर नीचे लाते हुए बुदबुदाई। 'ये तो आसानी से मिल जाएँगे। ये विद्यार्थियों के सामान वाली अलमारी में रखे हैं। हम वहाँ से निकाल सकते हैं। परंतु इधर देखो, बाईकॉर्न के सींग का चूर्ण – क्या पता यह हमें कैसे मिलेगा ... बूमस्लैंग साँप की केंचुली – यह मिलना भी मुश्किल है – और ज़ाहिर है, उस व्यक्ति की कोई चीज़, जिसका रूप हम धारण करना चाहते हैं।'

'क्या कहा ?' रॉन ने तीखे स्वर में कहा। 'जिसका रूप हम धारण करना चाहते हैं, उस व्यक्ति की किसी चीज़ से तुम्हारा क्या मतलब है ? मैं क्रैब के पैर के नाख़ून डली कोई चीज़ *नहीं* पियूँगा ...'

हर्माइनी आगे बोलती रही, जैसे उसने रॉन की बात नहीं सुनी हो।

'इस वक़्त हमें उस बारे में चिंता करने की कोई ज़रूरत नहीं है, क्योंकि हम इन चीज़ों को सबसे अंत में मिलाएँगे ...'

रॉन अवाक होकर हैरी की तरफ़ मुड़ा, जिसे एक और चिंता सता रही थी।

'हर्माइनी, क्या तुम्हें एहसास है कि हमें कितनी सारी चीज़ें चुराना पड़ेंगी? यह तो तय है कि बूमस्लैंग साँप की केंचुली विद्यार्थियों के सामान वाली अलमारी में नहीं है। तो हम क्या करेंगे, स्नेप की अलमारी से चुराएँगे? मुझे नहीं लगता कि यह कोई अच्छा विचार है ...'

हर्माइनी ने झटके के साथ किताब बंद कर दी।

'अच्छा, अगर तुम दोनों डरकर भागना चाहते हो, तो ठीक है,' उसने कहा। उसके गालों पर चमकीले गुलाबी धब्बे उभर आए थे और उसकी आँखें सामान्य से ज़्यादा तेज़ी से चमक रही थीं। 'तुम तो जानते हो, *मैं* नियम नहीं तोड़ना चाहती। परंतु *मैं* सोचती हूँ कि मगलू बच्चों को धमकाना एक मुश्किल काढ़े को तैयार करने से कहीं ज़्यादा बुरी बात है। लेकिन अगर तुम यह पता नहीं लगाना चाहते कि इस सब के पीछे मैल्फ़ॉय का हाथ है या नहीं, तो मैं इसी समय सीधे मैडम पिन्स के पास जाती हूँ और यह किताब वापस कर देती हूँ ...'

रॉन बोला, 'मैंने कभी सोचा भी नहीं था कि ऐसा दिन भी आएगा, जब तुम हमें नियम तोड़ने के लिए उकसाओगी। ठीक है, हम यह काम करेंगे। परंतु पैर के नाख़ून नहीं, **ठीक है**?'

'वैसे इसे बनाने में कितना समय लग जाएगा?' हैरी ने पूछा, जब हर्माइनी ने ख़ुश दिखते हुए दुबारा किताब खोली।

'देखो, गलाने वाला पौधा पूर्णिमा के दिन तोड़ना होगा और पतंगों को इक्कीस दिनों तक पकाना होगा ... अगर हमें सब चीज़ें मिल जाती हैं, तो मेरे हिसाब से यह लगभग एक महीने में तैयार हो जाएगा।'

'एक महीना?' रॉन बोला। 'तब तक तो मैल्फ़ॉय स्कूल के आधे मगलू बच्चों पर हमला कर चुका होगा!' परंतु उसने देखा कि हर्माइनी की आँखें एक बार फिर ख़तरनाक तरीक़े से सिकुड़ रही थीं, इसलिए उसने जल्दी से यह जोड़ दिया, 'मगर हमारे पास इससे अच्छी कोई योजना नहीं है, इसलिए मैं तो यही कहता हूँ कि हमें इसमें पूरी तरह से जुट जाना चाहिए।'

बहरहाल, जब हर्माइनी बाहर झाँककर यह देख रही थी कि बाथरूम से उनके बाहर निकलने का रास्ता साफ़ है या नहीं, तो रॉन ने हैरी से बुदबुदाकर कहा, 'इसमें कम दिक्क़त होगी, बशर्ते तुम कल मैल्फ़ॉय को उसकी झाड़ू से किसी तरह गिरा दो।'

*

हैरी शनिवार की सुबह जल्दी जाग गया और कुछ देर तक बिस्तर पर ही पड़ा रहा। वह आज होने वाले क्विडिच मैच के बारे में सोच रहा था। वह ख़ास तौर पर इस विचार से घबरा रहा था कि अगर गरुड़द्वार हार गया, तो वुड क्या कहेगा। वैसे उसे इस बात से भी घबराहट हो रही थी कि उनका सामना एक ऐसी टीम से होने वाला था, जो सबसे तेज़ उड़ने वाली जादुई झाड़ुओं पर सवार होगी। इस समय वह नागशक्ति को जितनी बुरी तरह हराना चाहता था, उतना पहले कभी नहीं चाहता था। आधे घंटे तक उसके अंदर उथल-पुथल होती रही। फिर वह उठा और फटाफट कपड़े पहनकर नाश्ते के लिए जल्दी से नीचे चला गया। वहाँ उसे गरुड़द्वार की टीम के बाक़ी खिलाड़ी लंबी ख़ाली टेबल पर पास-पास बैठे दिखे। सब के सब तनाव में दिख रहे थे और ज़्यादा बातें नहीं कर रहे थे।

जब ग्यारह बजे का समय क़रीब आया, तो पूरा स्कूल क्विडिच स्टेडियम की तरफ़ जाने लगा। आज काफ़ी उमस थी और ऐसा लग रहा था, जैसे बारिश होने वाली हो। जब हैरी चेंजिंग रूम में जाने लगा, तो रॉन और हर्माइनी जल्दी से उसे गुड लक कहने के लिए आए। टीम के सभी सदस्यों ने गरुड़द्वार के लाल रंग के दुशाले वाली ड्रेस पहनी और फिर हर बार की तरह इस बार भी वे सब मैच से पहले दिए जाने वाले वुड के उत्साहवर्धक भाषण को सुनने के लिए बैठ गए।

वुड ने कहना शुरू किया, 'इस बात से इंकार नहीं किया जा सकता कि नागशक्ति के पास हमसे बेहतर झाड़ुएँ हैं। बहरहाल, हमारे पास झाड़ुओं पर बेहतर *खिलाड़ी* हैं। हमारी टीम ने प्रशिक्षण में उनसे ज़्यादा कड़ी मेहनत की है। हम हर तरह के मौसम में खेले हैं -' ('बिलकुल सच कहा! अगस्त के बाद से आज तक मेरा शरीर कभी पूरी तरह सूखा नहीं रहा,' जॉर्ज वीज़्ली बुदबुदाया।) '- हम उन्हें मज़ा चखा देंगे और वे उस दिन पर पछताएँगे, जब उन्होंने उस गंदे मैल्फ़ॉय को रिश्वत लेकर अपनी टीम में शामिल किया।'

भावावेग की वजह से हिल रहे सीने के साथ वुड हैरी की ओर मुड़ा।

'सारा दारोमदार तुम पर है, हैरी। उन्हें दिखा दो कि खोजी के पास अमीर पिता का होना ही काफ़ी नहीं है। मैल्फ़ॉय से पहले सुनहरी गेंद पकड़ लो, वरना इस कोशिश में अपनी जान दे दो हैरी, क्योंकि आज हमें जीतना ही है, हमें जीतना ही है।'

'इसलिए बिना दबाव के खेलो, हैरी,' फ्रेड ने उसे आँख मारते हुए कहा।

जब वे पिच की तरफ़ बढ़े, तो भीड़ ने ज़ोरदार शोर से उनका स्वागत किया। ख़ास तौर पर हर्षध्वनि सुनाई दे रही थी, क्योंकि चीलघात और मेहनतकश भी नागशक्ति को हारते हुए देखना चाहते थे। परंतु भीड़ में

नागशक्ति के विद्यार्थियों की हाय-हाय की आवाज़ें और फुफकारें भी सुनाई दे रही थीं। क्विडिच की टीचर मैडम हूच ने फ़्लिंट और वुड को हाथ मिलाने के लिए कहा। दोनों ने एक-दूसरे को ख़तरनाक अंदाज़ से देखते हुए हाथ मिलाया और इस दौरान ज़रूरत से .ज्यादा दबाव डाला।

'मेरी सीटी बजते ही,' मैडम हूच बोलीं, 'तीन ... दो ... एक ...'

भीड़ के शोर से ऊपर उठने की प्रेरणा पाते हुए चौदह खिलाड़ी काले बादलों से भरे आसमान की तरफ़ उड़ चले। हैरी उन सबसे ऊपर की ओर उड़ा। वह चारों तरफ़ सुनहरी गेंद को ढूँढ़ रहा था।

'सब ठीक तो है, माथे पर निशान वाले ?' मैल्फ़ॉय चीख़ा, जो उसके नीचे आ रहा था। ऐसा लग रहा था, जैसे वह अपनी झाड़ू की रफ़्तार दिखाना चाहता हो।

हैरी को जवाब देने का समय नहीं मिला। उसी पल एक भारी-भरकम काला पहलवान उसकी तरफ़ झपटता हुआ आया। हैरी उससे बिलकुल बाल-बाल बचा; उसे लगा जैसे पहलवान उसके बालों को छूता हुआ गया था।

'बहुत क़रीबी मामला था, हैरी!' यह कहते हुए जॉर्ज अपने हाथ में बल्ला लेकर तेज़ी से हैरी के पास से गुज़रा। वह पहलवान पर प्रहार करके उसे नागशक्ति के खिलाड़ी की तरफ़ भेजने के लिए तैयार था। हैरी ने देखा कि जॉर्ज ने पहलवान को एड्रियन प्यूसी की दिशा में ज़ोर से मारा, परंतु पहलवान बीच में ही मुड़ गया और दुबारा हैरी की तरफ़ आने लगा।

उससे बचने के लिए हैरी ने तेज़ी से नीचे गोता लगाया और जॉर्ज ने पहलवान को कसकर मैल्फ़ॉय की तरफ़ मारा। एक बार फिर पहलवान बूमरैंग की तरह मुड़ा और हैरी के सिर की तरफ़ लपका।

हैरी ने अपनी रफ़्तार बढ़ा ली और सनसनाते हुए पिच के दूसरे सिरे की तरफ़ उड़ने लगा। उसे सुनाई दे रहा था कि पहलवान सीटी बजाता हुआ उसके पीछे आ रहा था। यह हो क्या रहा था ? पहलवान इस तरह किसी एक ही खिलाड़ी पर अपना ध्यान केंद्रित नहीं करते हैं। उनका काम तो यह होता है कि वे .ज्यादा से .ज्यादा खिलाड़ियों को उनकी झाड़ू से गिराने की कोशिश करें...

फ्रेड वीज़्ली दूसरे सिरे पर पहलवान का इंतज़ार कर रहा था। हैरी झुक गया, जब फ्रेड ने पहलवान को अपनी पूरी ताक़त से मारा और पहलवान का रुख़ हैरी से हटकर दूसरी तरफ़ हो गया।

'उसका काम तमाम हो गया!' फ्रेड ख़ुशी से चीख़ा, परंतु वह ग़लत था। मानो वह पहलवान हैरी की तरफ़ चुंबकीय शक्ति से खिंचा चला आ रहा हो, वह एक बार फिर उसके पीछे आ गया और हैरी को पूरी गति से उड़ने के लिए विवश

होना पड़ा।

अब बारिश होने लगी थी। हैरी के चेहरे पर भारी बूँदें गिरने लगीं, जो उसके चश्मे के काँच पर पड़कर उछल रही थीं। उसे ज़रा भी अंदाज़ा नहीं था कि मैच में क्या हो रहा था, जब तक कि उसने कमेंट्री कर रहे ली जॉर्डन की आवाज़ नहीं सुनी, 'नागशक्ति साठ-शून्य से आगे है।'

नागशक्ति की बेहतरीन झाड़ुएँ स्पष्ट रूप से अपना कमाल दिखा रही थीं और इस बीच दुष्ट पहलवान अपनी तरफ़ से हैरी को नीचे गिराने की पूरी कोशिश कर रहा था। फ्रेड और जॉर्ज अब उसके दोनों तरफ़ इतने पास उड़ रहे थे कि हैरी को उनकी हिलती हुई बाँहों के सिवाय और कुछ नहीं दिख रहा था। सुनहरी गेंद को पकड़ने की बात तो रहने ही दें, हैरी के लिए उसे देख पाना भी संभव नहीं था।

'किसी-ने-इस-पहलवान-के-साथ-छेड़खानी-की-है-' फ्रेड ग़ुस्से से गुर्राया। जब पहलवान नए सिरे से हैरी पर हमला करने आया, तो उसने बल्ले को अपनी पूरी ताक़त से घुमाया।

'हमें टाइम आउट लेना चाहिए,' जॉर्ज बोला और वुड को इशारा करने की कोशिश की। इसके साथ ही वह पहलवान को हैरी की नाक तोड़ने से रोकने की कोशिश भी कर रहा था।

यह स्पष्ट था कि वुड को संदेश मिल गया था। मैडम हूच की सीटी बजी। अब भी दुष्ट पहलवान से बचने की कोशिश करते हुए हैरी, फ्रेड तथा जॉर्ज ज़मीन पर उतर आए।

'क्या हो रहा है?' वुड ने कहा, जब गरुड़द्वार की टीम इकट्ठी हुई और नागशक्ति के दर्शक भीड़ में से ताने मारने लगे। 'हम हारते जा रहे हैं। फ्रेड और जॉर्ज, जब पहलवान ने एंजेलिना को स्कोर करने से रोका, तब तुम लोग कहाँ थे?'

'ऑलिवर, हम उससे बीस फ़ुट ऊपर दूसरे पहलवान को रोक रहे थे, ताकि वह हैरी की हत्या न कर दे,' जॉर्ज ने ग़ुस्से से कहा। 'किसी ने उस पर जादू कर दिया है - वह सिर्फ़ हैरी के ही पीछे पड़ा हुआ है। पूरे मैच में वह किसी दूसरे की तरफ़ नहीं गया है। नागशक्ति के खिलाड़ियों ने ज़रूर उसमें कोई न कोई गड़बड़ की होगी।'

'परंतु हमारी आख़िरी प्रैक्टिस के बाद तो पहलवानों को मैडम हूच के ऑफ़िस में ताले में रखा गया था और तब उनके साथ कोई गड़बड़ नहीं थी...' वुड ने चिंता से कहा।

मैडम हूच उनकी तरफ़ आ रही थीं। उनके कंधे के पीछे हैरी को दिख रहा था कि नागशक्ति के खिलाड़ी ताना मारते हुए उसकी तरफ़ इशारा कर रहे हैं।

जब मैडम हूच क़रीब आईं, तो हैरी फ्रेड और जॉर्ज से बोला, 'सुनो, अगर तुम दोनों पूरे समय मेरे आस पास ही मँडराते रहोगे, तो मैं सुनहरी गेंद सिर्फ़ उसी हालत में पकड़ सकता हूँ, जब वह उड़कर सीधे मेरे हाथ में आ जाए। बाक़ी खिलाड़ियों के पास जाओ और मुझे उस बदमाश पहलवान से अकेले निबटने दो।'

'मूर्खों जैसी बातें मत करो,' फ्रेड बोला। 'वह तुम्हारी खोपड़ी खोल देगा।'

वुड कभी हैरी को और कभी वीज़्ली बंधुओं को देख रहा था।

'ऑलिवर, यह पागलपन है,' एलिसिया स्पिनेट ने ग़ुस्से से कहा। 'तुम हैरी को अकेले उस चीज़ से निबटने नहीं दे सकते। हमें पहलवान की जाँच की माँग करना चाहिए –'

'अगर हम इस समय खेल रुकवाते हैं, तो हम इस मैच में जीत से वंचित हो जाएँगे!' हैरी बोला। 'और हम सिर्फ़ एक दुष्ट पहलवान के कारण नागशक्ति से मैच नहीं हारेंगे! प्लीज़ ऑलिवर, उनसे कह दो कि मुझे अकेला छोड़ दें!'

'यह सब तुम्हारी ग़लती है,' जॉर्ज ने ग़ुस्से में वुड से कहा। 'तुमने उससे कितनी मूर्खतापूर्ण बात कही थी – "सुनहरी गेंद पकड़ लो, वरना इस कोशिश में अपनी जान दे दो!"'

मैडम हूच अब उनके बिलकुल पास आकर खड़ी हो गईं।

'दुबारा खेल शुरू करने के लिए तैयार हो ?' उन्होंने वुड से पूछा।

वुड को हैरी के चेहरे पर संकल्प का भाव दिख रहा था।

वह बोला, 'ठीक है! फ्रेड और जॉर्ज, तुम लोगों ने हैरी की बात सुन ली है! उसे अकेला छोड़ दो और उसे ख़ुद ही पहलवान से निबटने दो।'

बारिश अब और भी तेज़ हो गई थी। मैडम हूच की सीटी बजने पर हैरी हवा में तेज़ी से उड़ा और उसने अपने पीछे आते पहलवान की ज़ोरदार सनसनाहट सुनी। हैरी और ऊँचाई की तरफ़ उड़ चला। उसने तेज़ी से चक्कर काटे, एकाएक ऊपर-नीचे घूमा, आड़ा-तिरछा उड़ा और कभी सीधा-कभी उलटा हुआ। इस वजह से उसे हलके से चक्कर आने लगे। बहरहाल, उसने अपनी आँखों को चौड़ा करके खोल रखा था। बारिश उसके चश्मे को धुँधला कर रही थी और उसके नथुने के अंदर घुस रही थी, क्योंकि वह पहलवान के ख़तरनाक हमले से बचने के लिए उलटा लटक रहा था। उसे दर्शकों की हँसी की आवाज़ सुनाई दे रही थी। वह जानता था कि उसकी हरकतें मूर्खतापूर्ण दिख रही होंगी।

परंतु वह यह भी जानता था कि बदमाश पहलवान भारी था, इसलिए वह उतनी तेज़ी से दिशा नहीं बदल सकता था, जितनी तेज़ी से हैरी बदल सकता था। हैरी स्टेडियम में चारों तरफ़ ऊपर-नीचे होते हुए उड़ता रहा। वह बारिश की चाँदी जैसी चादर के बीच से गरुड़द्वार के गोल की तरफ़ देख रहा था, जहाँ एड्रियन प्यूसी वुड के पार जाने की कोशिश कर रहा था ...

हैरी के कान में बजी एक सीटी की आवाज़ ने उसे बताया कि पहलवान एक बार फिर उससे टकराते-टकराते बचा था। हैरी एक़दम पलटा और तेज़ी से विपरीत दिशा में चल दिया।

जब हैरी को बीच हवा में पहलवान से बचने के लिए मजबूरन एक मूर्खतापूर्ण चक्कर लगाना पड़ा, तो मैल्फ़ॉय चिल्लाया, 'नाच रहे हो क्या, पॉटर ?' हैरी तेज़ी से उड़ने लगा, पहलवान उसके कुछ फ़ुट पीछे था। और फिर, जब उसने नफ़रत और ग़ुस्से से मैल्फ़ॉय की तरफ़ देखा, तो उसे *सुनहरी गेंद* दिख गई। वह मैल्फ़ॉय के बाएँ कान के कुछ इंच ऊपर मँडरा रही थी - परंतु मैल्फ़ॉय को हैरी पर हँसने से फ़ुरसत नहीं थी, इसलिए वह उसे नहीं देख पाया।

एक पल के लिए तो हैरी बीच हवा में ही लटका रह गया। वह मैल्फ़ॉय की तरफ़ तेज़ गति से नहीं जा सकता था। उसे डर था कि ऐसा करने पर मैल्फ़ॉय ऊपर की ओर देख सकता है और उसे सुनहरी गेंद दिख सकती है।

धाड़!

वह एक सेकंड ज़्यादा रुक गया था। पहलवान आख़िरकार उससे टकरा ही गया। वह हैरी की कोहनी से टकराया और हैरी को अपनी बाँह टूटती महसूस हुई। बाँह के तेज़ दर्द से स्तब्ध हैरी बारिश में भीगी झाड़ू पर हलके से एक तरफ़ खिसका। उसके एक घुटने ने अब भी झाड़ू को जकड़ रखा था, जबकि उसकी दाईं बाँह बेकार होकर लटक रही थी। पहलवान पलटकर दुबारा हमला करने आया। इस बार उसका लक्ष्य हैरी के चेहरे का कचूमर बनाना था। हैरी उसके रास्ते से हट गया। उसके सुन्न दिमाग़ में एक विचार दृढ़ता से जम चुका था : *मैल्फ़ॉय तक पहुँचो।*

दर्द और बारिश की धुंध के बीच उसने अपने नीचे चमकते तथा व्यंग्य से मुस्कराते चेहरे की तरफ़ गोता लगाया और उसने देखा कि मैल्फ़ॉय की आँखें डर के मारे फैल गई थीं। उसे लगा कि हैरी उस पर हमला कर रहा है।

'क्या कर -' उसने साँस रोकते हुए कहा और हैरी के रास्ते से हट गया।

हैरी ने अपने सही-सलामत हाथ को अपनी झाड़ू पर से हटाया और अंधों की तरह गेंद पकड़ने के लिए हाथ बढ़ाया। उसने महसूस किया कि उसकी उँगलियाँ ठंडी सुनहरी गेंद पर पकड़ बना रही थीं। परंतु इस कोशिश में अब वह

सिर्फ़ अपने पैरों से झाड़ू पकड़े था। जब वह गिरता हुआ धरती की तरफ़ आ रहा था और होश में बने रहने की कोशिश कर रहा था, तो उसे भीड़ के चीख़ने की आवाज़ें सुनाई दीं।

कीचड़ उछालते हुए वह धप्प के साथ गिरा और झाड़ू से लुढ़क गया। उसका चोटग्रस्त हाथ एक बहुत अजीब कोण पर लटका हुआ था। दर्द से कराहते हुए उसने दूर कहीं पर बहुत सी सीटियों और तालियों के बजने की आवाज़ें सुनीं। उसने अपने सही-सलामत हाथ में पकड़ी हुई सुनहरी गेंद पर ध्यान केंद्रित किया।

'अहा,' उसने अस्पष्टता से कहा, 'हम जीत गए।'

और फिर वह बेहोश हो गया।

जब उसे होश आया, तो उसके चेहरे पर बारिश की बूँदें गिर रही थीं। वह अब भी पिच पर पड़ा था और कोई उसके ऊपर झुका था। हैरी को उसके चमकते दाँत दिख गए।

'अरे नहीं, तुम नहीं,' उसने दर्द से कराहते हुए कहा।

'वह नहीं जानता कि वह क्या कह रहा है,' लॉकहार्ट ने अपने और हैरी के चारों तरफ़ जमा धक्का मारती गरुड़द्वार के विद्यार्थियों की चिंतित भीड़ को संबोधित करते हुए ज़ोर से कहा। 'चिंता मत करो हैरी, मैं तुम्हारा हाथ ठीक कर दूँगा।'

'नहीं!' हैरी बोला। 'इसे ऐसा ही रहने दें, धन्यवाद ...'

उसने उठकर बैठने की कोशिश की, परंतु दर्द भयानक था। उसने पास से आ रही क्लिक की चिर-परिचित आवाज़ सुनी।

उसने ज़ोर से कहा, 'कॉलिन, मैं इस हाल में फ़ोटो नहीं खिंचवाना चाहता।'

'लेटे रहो हैरी,' लॉकहार्ट ने पुचकारते हुए कहा। 'यह बहुत आसान मंत्र है। मैं अनगिनत बार इसका प्रयोग कर चुका हूँ।'

हैरी ने दाँत भींचते हुए कहा, 'आप मुझे सीधे अस्पताल क्यों नहीं जाने देते?'

'उसे सचमुच अस्पताल जाना चाहिए, प्रोफ़ेसर,' कीचड़ में लथपथ वुड ने कहा, जो मुस्कराने से ख़ुद को नहीं रोक पा रहा था, हालाँकि उसका खोजी ज़मीन पर घायल पड़ा था। 'बहुत ही बढ़िया पकड़ा हैरी, सचमुच शानदार, मैं तो कहूँगा कि यह तुम्हारा अब तक का सर्वश्रेष्ठ प्रदर्शन था।'

अपने चारों तरफ़ खड़े लोगों के पैरों के बीच से हैरी ने फ्रेड और जॉर्ज

वीज़्ली को देखा, जो दुष्ट पहलवान को बक्से में बंद करने के लिए उससे जूझ रहे थे। पहलवान अब भी ज़ोरदार संघर्ष कर रहा था।

'पीछे हट जाओ,' लॉकहार्ट ने अपनी गहरी हरी आस्तीनें चढ़ाते हुए कहा।

'नहीं - मत करिए -' हैरी ने कमज़ोरी से कहा, परंतु लॉकहार्ट अपनी छड़ी हिलाने लगे थे और पल भर बाद उन्होंने छड़ी हैरी के हाथ की तरफ़ मोड़ दी।

हैरी को कंधे में एक अटपटा और अप्रिय एहसास होना शुरू हुआ, जो फैलकर उसकी उँगलियों तक पहुँचा। उसे ऐसा महसूस हो रहा था, जैसे उसके हाथ की हवा निकल गई हो। क्या हुआ था, यह देखने की उसकी हिम्मत नहीं हो रही थी। उसने अपनी आँखें बंद कर लीं और अपना चेहरा दूसरी तरफ़ कर लिया। परंतु उसके सबसे बुरे डर तब सही साबित हुए, जब उसके ऊपर झुके विद्यार्थियों ने ज़ोर से सिसकारी भरी और कॉलिन क्रीवी पागलों की तरह फ़ोटो खींचने लगा। हैरी के हाथ में अब ज़रा भी दर्द नहीं हो रहा था - परंतु अब उसे अपना हाथ हाथ की तरह महसूस भी नहीं हो रहा था।

'आह,' लॉकहार्ट बोला। 'देखो, ऐसा भी कई बार होता है। परंतु मुद्दे की बात यह है कि अब हड्डियाँ टूटी हुई नहीं हैं। हमें इसी बात को ध्यान में रखना चाहिए। इसलिए हैरी, अब बस उठकर अस्पताल चले जाओ - आह, मिस्टर वीज़्ली, मिस ग्रेंजर, तुम दोनों भी उसके साथ जाओ - और मैडम पॉमफ़्री पल भर में तुम्हारा बाक़ी का इलाज कर देंगी।'

जब हैरी अपने पैरों पर खड़ा हुआ, तो उसे अजीब से असंतुलन का एहसास हो रहा था। गहरी साँस खींचते हुए उसने अपनी दाईं तरफ़ देखा। उसने जो देखा, उससे वह दुबारा बेहोश होते-होते बचा।

उसके दुशाले के बाहर जो हाथ लटक रहा था, वह माँस के रंग के एक मोटे रबर ग्लव की तरह दिख रहा था। उसने अपनी उँगलियाँ हिलाने की कोशिश की, परंतु हाथ में ज़रा भी हलचल नहीं हुई।

लॉकहार्ट ने हैरी की हड्डियाँ ठीक नहीं की थीं; उसने उन्हें हटा दिया था।

*

मैडम पॉमफ़्री यह देखकर बिलकुल ख़ुश नहीं हुईं।

उन्होंने उस बेजान चीज़ को पकड़ा, जो आधा घंटे पहले तक अच्छी तरह काम करने वाला हाथ था। फिर वे ग़ुस्से से बोलीं, 'तुम्हें सीधे मेरे पास आना चाहिए था! मैं एक सेकंड में हड्डियाँ जोड़ सकती हूँ - परंतु उन्हें दुबारा बनाना-'

'आप ऐसा कर तो सकती हैं ना?' हैरी ने हताशा में पूछा।

'क्यों नहीं, मैं कर तो सकती हूँ, परंतु इसमें बहुत दर्द होगा,' मैडम पॉमफ्री ने चेहरा गंभीर बनाकर हैरी की तरफ़ एक पायजामा उछालते हुए कहा। 'तुम्हें आज रात को अस्पताल में ही रहना पड़ेगा ...'

जब रॉन ने पायजामा पहनने में हैरी की मदद की, तो हर्माइनी हैरी के बिस्तर के चारों तरफ़ लगे पर्दे के बाहर रुकी रही। बिना हड्डियों वाले रबर जैसे हाथ को आस्तीन में डालने में थोड़ा समय लगा।

'अब तुम लॉकहार्ट का पक्ष कैसे ले सकती हो हर्माइनी, बताओ?' हैरी की बेजान उँगलियों को आस्तीन से खींचते हुए रॉन पर्दे के पीछे से बोला। 'अगर हैरी को हड्डियाँ निकलवाना होतीं, तो वह उनसे यह बात स्पष्ट रूप से कह देता।'

'किसी से भी ग़लती हो सकती है,' हर्माइनी बोली, 'और अब इसमें दर्द तो नहीं हो रहा है, है ना हैरी?'

'नहीं,' हैरी बोला, 'परंतु अब इससे कुछ और भी नहीं हो रहा है।'

जब वह बिस्तर पर लेटा, तो उसका बेजान हाथ एक तरफ़ लटक रहा था।

हर्माइनी और मैडम पॉमफ्री पर्दे के पीछे से आईं। मैडम पॉमफ्री के हाथ में एक बड़ी बोतल थी, जिस पर लिखा था 'अस्थिवर्धक।'

'आज की रात तुम पर भारी पड़ेगी,' उन्होंने धुआँ उड़ाती बोतल से पूरा गिलास भरकर उसे देते हुए कहा। 'हड्डियों को दुबारा बनाना बहुत भयानक होता है।'

यही अस्थिवर्धक को पीने के बारे में सही था। इससे हैरी का मुँह जल गया और दवा के अंदर जाते समय उसका गला भी जल गया, जिससे वह खाँसने और सी-सी करने लगा। ख़तरनाक खेलों और अयोग्य शिक्षकों के बारे में बड़बड़ाती हुईं मैडम पॉमफ्री वापस चली गईं। वे रॉन तथा हर्माइनी को हैरी के पास छोड़ गई थीं, ताकि वे पानी पीने में हैरी की मदद कर सकें।

'जो भी हो, हम जीत गए,' रॉन बोला। उसके चेहरे पर मुस्कराहट तैर रही थी। 'तुमने क्या ख़ूब पकड़ा। मैल्फ़ॉय का चेहरा देखते! ... वह तो जैसे हत्या करने पर उतारू दिख रहा था!'

'मैं यह जानना चाहती हूँ कि उसने पहलवान पर जादू कैसे किया था,' हर्माइनी ने उदास स्वर में पूछा।

'हम इसे उन सवालों की सूची में जोड़ लेते हैं, जो हम उससे भेसबदल

काढ़ा पीने के बाद पूछेंगे,' हैरी ने अपने तकिए पर टिकते हुए कहा। 'मुझे आशा है कि उसका स्वाद इस दवा से तो बेहतर होगा ...'

'अगर उसमें नागशक्ति के विद्यार्थियों की कोई चीज़ होगी, तो वह इससे बेहतर कैसे हो सकता है ? तुम शायद मज़ाक़ कर रहे हो,' रॉन बोला।

उसी समय अस्पताल के वार्ड का दरवाज़ा खुला। गरुड़द्वार की टीम के बाक़ी खिलाड़ी कीचड़ में लथपथ और गीले कपड़ों में ही हैरी को देखने आ गए थे।

'अविश्वसनीय उड़ान थी, हैरी,' जॉर्ज बोला। 'मैंने अभी-अभी मार्कस फ़्लिंट को मैल्फ़ॉय पर चिल्लाते सुना है। वह मैल्फ़ॉय को डाँट रहा था कि सुनहरी गेंद उसके सिर के ठीक ऊपर थी, परंतु वह उसे नहीं देख पाया। मैल्फ़ॉय बहुत ख़ुश नज़र नहीं आ रहा था।'

वे अपने साथ केक, मिठाइयाँ और कद्दू के जूस की बोतलें लाए थे। वे हैरी के बिस्तर के चारों तरफ़ खड़े हो गए। अभी वे अच्छी-ख़ासी पार्टी मनाने की तैयारी कर ही रहे थे कि तभी मैडम पॉमफ़्री वहाँ धड़धड़ाती हुई आईं और चिल्लाईं, 'इस बच्चे को आराम की ज़रूरत है। इसकी तैंतीस हड्डियाँ दुबारा उगना है। बाहर! **बाहर**!'

और हैरी अब अकेला रह गया था। बेजान हाथ में टीस मारते दर्द से उसका ध्यान हटाने के लिए अब कुछ नहीं था।

*

घंटों बाद, हैरी घुप्प अँधेरे में अचानक जागा और उसके मुँह से दर्द भरी हलकी चीख़ निकली। उसे ऐसा लगा, जैसे उसके हाथ में बड़े-बड़े फोड़े हो गए हों। एक पल के लिए तो उसने सोचा कि वह शायद दर्द के कारण जाग गया था। फिर दहशत के रोमांच में उसे यह एहसास हुआ कि कोई अँधेरे में उसके माथे को गीले स्पंज से साफ़ कर रहा था।

'दूर हटो!' उसने ज़ोर से कहा। फिर वह पहचानते हुए बोला, *'डॉबी!'*

घरेलू जिन्न की बाहर निकलती टेनिस की गेंद जैसी आँखें अँधेरे में हैरी को ताक रही थीं। उसकी लंबी नुकीली नाक पर एक आँसू बह रहा था।

'हैरी पॉटर वापस स्कूल आया,' वह दुखी आवाज़ में फुसफुसाया। 'डॉबी ने हैरी पॉटर को चेतावनी दी थी, बार-बार दी थी। आह सर, आपने डॉबी की बात क्यों नहीं मानी ? जब हैरी पॉटर की ट्रेन छूट गई थी, तो हैरी पॉटर वापस घर क्यों नहीं गया ?'

हैरी जैसे-तैसे अपने तकिए से टिककर बैठा और डॉबी के स्पंज को

दूर हटाया।

उसने पूछा, 'तुम यहाँ क्या कर रहे हो? और तुम्हें कैसे मालूम कि मेरी ट्रेन छूट गई थी?'

डॉबी के होंठ थरथराए और हैरी को अचानक शक हो गया।

उसने धीमे से कहा, 'तो वह काम *तुमने* किया था! *तुमने* बैरियर को बंद कर दिया था, ताकि हम उससे न निकल पाएँ!'

'बिलकुल सही कहा, सर,' डॉबी अपने सिर को तेज़ी से हिलाते हुए बोला। उसके झूलते हुए कान हिल रहे थे। 'डॉबी छुपा हुआ था और जैसे ही उसने हैरी पॉटर को देखा, उसने गेट बंद कर दिया। इसके लिए डॉबी ने ख़ुद को सज़ा भी दी। उसने अपने हाथ प्रेस से जला लिए -' डॉबी ने हैरी को पट्टी बँधी दस लंबी उँगलियाँ दिखाईं, - 'परंतु डॉबी को परवाह नहीं थी सर, क्योंकि उसने सोचा कि हैरी पॉटर सुरक्षित था। डॉबी ने *कभी* सपने में भी नहीं सोचा था कि हैरी पॉटर दूसरे तरीक़े से स्कूल पहुँच जाएगा!'

वह आगे-पीछे झूल रहा था और अपना बदसूरत सिर हिला रहा था।

'डॉबी ने जब सुना कि हैरी पॉटर वापस हॉगवर्ट्स पहुँच गया, तो डॉबी को इतना सदमा लगा कि उसने अपने मालिक का डिनर जला दिया! डॉबी को इतने कोड़े खाने पड़े, जितने उसने पहले कभी नहीं खाए थे, सर ...'

हैरी वापस अपने तकिए पर निढाल हो गया।

फिर वह ग़ुस्से से बोला, 'तुम्हारी वजह से मैं और रॉन स्कूल से निकलते-निकलते बचे। इससे पहले कि मेरी हड्डियाँ दुबारा बन जाएँ, तुम यहाँ से चले जाओ डॉबी, वरना मैं तुम्हारा गला दबा दूँगा।'

डॉबी हलके से हँसा।

'डॉबी को मौत की धमकियाँ सुनने की आदत है, सर। डॉबी घर पर दिन में पाँच बार ऐसी धमकियाँ सुनता है।'

उसने अपनी नाक उस गंदे तकिए के कवर के कोने से पोंछी, जिसे वह पहने था। वह इतना दयनीय लग रहा था कि न चाहते हुए भी हैरी का ग़ुस्सा ठंडा पड़ने लगा।

'तुम यह चीज़ क्यों पहने हो, डॉबी?' उसने जिज्ञासा से पूछा।

'यह, सर?' डॉबी ने अपने तकिए के कवर को झटका देते हुए पूछा। 'यह घरेलू जिन्न की ग़ुलामी का निशान है, सर। डॉबी तभी आज़ाद हो सकता है, जब उसका मालिक उसे कपड़े देगा, सर। परिवार इस बारे में इतना सावधान रहता है कि डॉबी को एक मोज़ा तक न दिया जाए सर, क्योंकि तब वह हमेशा

के लिए आज़ाद हो जाएगा।'

डॉबी ने अपनी बाहर निकली आँखें पोंछीं और अचानक बोला, 'हैरी पॉटर को घर जाना *चाहिए*! डॉबी ने सोचा था कि उसका पहलवान यह काम कर देगा –'

'*तुम्हारा* पहलवान?' हैरी ने कहा। अब उसका ग़ुस्सा एक बार फिर बढ़ने लगा था। 'तुम्हारा क्या मतलब है, *तुम्हारा* पहलवान? *तुमने* उस पहलवान से मुझे मारने की कोशिश की थी?'

'मारने की नहीं सर, डॉबी आपको कैसे मार सकता है?' डॉबी ने सदमे में आते हुए कहा। 'डॉबी हैरी पॉटर की जान बचाना चाहता है! यहाँ रहने से तो अच्छा है कि हैरी पॉटर बुरी तरह घायल होकर घर वापस चला जाए, सर! डॉबी हैरी पॉटर को सिर्फ़ इतना घायल करना चाहता था कि उसे घर भेज दिया जाए!'

'अच्छा, बस इतना ही चाहते थे?' हैरी ने ग़ुस्से से कहा। 'क्या तुम मुझे यह बता सकते हो कि तुम मुझे टुकड़ों में घर *क्यों* भेजना चाहते थे?'

'आह, अगर हैरी पॉटर को पता होता!' डॉबी कराहते हुए बोला; उसके फटे हुए तकिए के कवर पर और आँसू टपकने लगे। 'अगर उसे पता होता कि वह हमारे लिए कितना महत्वपूर्ण है... जादुई दुनिया के हम जैसे दबे-कुचले, शोषित, दमित जीवों के लिए वह कितना मायने रखता है! डॉबी को वह समय याद है, जब तुम-जानते-हो-कौन का बोलबाला था, सर! हम घरेलू जिन्नों के साथ कीड़े-मकोड़ों जैसा बर्ताव किया जाता था! ज़ाहिर है, डॉबी के साथ तो अब भी वैसा ही बर्ताव होता है, सर,' उसने यह स्वीकार करते हुए तकिए के कवर पर अपना चेहरा सुखाया। 'परंतु सर, जब से हैरी पॉटर ने तुम-जानते-हो-कौन को हराया है, तब से अधिकांश घरेलू जिन्नों के जीवन में काफ़ी सुधार हुआ है। हैरी पॉटर बच गया, उस शैतान जादूगर की शक्ति चली गई और एक नई सुबह हुई सर, और हैरी पॉटर हम जैसे लोगों के लिए आशा की किरण बन गया, जो सोचते थे कि अँधेरे दिन कभी ख़त्म नहीं होंगे, सर ... परंतु अब हॉगवर्ट्स में भयानक घटनाएँ घटने वाली हैं, शायद इसी समय घट रही हैं। और डॉबी हैरी पॉटर को यहाँ पर नहीं रहने देना चाहता, जहाँ इतिहास ख़ुद को दोहराने वाला है, जहाँ रहस्यमयी तहख़ाना एक बार फिर खुलने वाला है –'

डॉबी दहशत के मारे जम गया। फिर उसने हैरी के बिस्तर के पास रखी टेबल से पानी का जग उठाया और ख़ुद के सिर पर दे मारा। वह नीचे गिर गया। एक सेकंड बाद वह यह बुदबुदाते हुए बिस्तर पर रेंगकर आया, 'बुरा डॉबी, बहुत बुरा डॉबी ...'

'तो सचमुच यहाँ पर कोई रहस्यमयी तहख़ाना *है*?' हैरी फुसफुसाया।

'और – तुमने कहा कि वह *पहले* भी खुल चुका है? मुझे पूरी बात बताओ, डॉबी!'

जब डॉबी का हाथ पानी के जग की तरफ़ रेंगने लगा, तो हैरी ने उसकी पतली कलाई पकड़ ली। 'परंतु मैं तो मगलू परिवार का नहीं हूँ – तहख़ाने के खुलने से मुझे क्यों ख़तरा है?'

'आह सर, कुछ मत पूछिए, बेचारे डॉबी से कुछ मत पूछिए,' घरेलू जिन्न ने अटकते हुए कहा; उसकी आँखें अँधेरे में बहुत बड़ी दिख रही थीं। 'इस जगह पर भयानक घटनाएँ करने की साजिश रची गई है, और जब वे होंगी तब हैरी पॉटर को यहाँ नहीं रहना चाहिए। घर वापस जाओ, हैरी पॉटर। घर वापस जाओ। हैरी पॉटर को इसमें नहीं उलझना चाहिए सर, यह बहुत ख़तरनाक है –'

'यह कौन कर रहा है, डॉबी?' हैरी ने पूछा। उसने डॉबी की कलाई कसकर पकड़ रखी थी, ताकि वह पानी का जग उठाकर एक बार फिर ख़ुद का सिर न फोड़ने लगे। 'इसे किसने खोला था? इसे पिछली बार किसने खोला था?'

'डॉबी नहीं बता सकता सर, डॉबी नहीं बता सकता, डॉबी को यह नहीं बताना चाहिए!' घरेलू जिन्न चिल्लाया। 'घर वापस जाओ हैरी पॉटर, घर वापस जाओ!'

'मैं कहीं नहीं जा रहा हूँ!' हैरी ताव में आकर बोला। 'मेरी बहुत अच्छी दोस्त मगलू है। अगर तहख़ाना सचमुच खुल चुका है, तो जो लोग सबसे पहले शिकार बनेंगे, उनमें वह भी होगी –'

'हैरी पॉटर अपने दोस्तों के लिए अपनी जान जोखिम में डाल रहा है!' डॉबी ने कराहते हुए एक तरह से दुख और उल्लास के मिश्रित स्वर में कहा। 'इतना महान! इतना बहादुर! परंतु उसे ख़ुद को बचाना चाहिए, हर हाल में बचाना चाहिए, हैरी पॉटर को यहाँ नहीं –'

डॉबी अचानक जम गया। उसके चमगादड़ जैसे कान काँपने लगे। हैरी ने भी आवाज़ सुन ली। बाहर गलियारे में आते हुए क़दमों की आहट सुनाई दे रही थी।

'डॉबी को जाना होगा!' घरेलू जिन्न ने आतंकित होकर कहा। एक चुटकी बजी और हैरी की मुट्ठी में अब डॉबी की कलाई के बजाय सिर्फ़ हवा थी। वह फिर से बिस्तर पर लुढ़क गया। उसकी आँखें अस्पताल के वार्ड के अँधेरे दरवाज़े पर टिकी थीं, क्योंकि क़दमों की आवाज़ क़रीब आती जा रही थी।

अगले ही क्षण डम्बलडोर दरवाज़े से अंदर घुसे। उन्होंने एक लंबा ऊनी ड्रेसिंग गाउन और नाइटकैप पहन रखी थी। वे उस चीज़ का एक सिरा थामे थे, जो मूर्ति की तरह दिख रही थी। एक सेकंड बाद प्रोफ़ेसर मैक्गॉनेगल नज़र आईं,

जो उस मूर्ति के पैर थामे थीं। दोनों ने मिलकर उसे एक बिस्तर पर डाल दिया।

डम्बलडोर फुसफुसाए, 'मैडम पॉमफ़्री को बुलाओ।' और प्रोफ़ेसर मैक्गॉनेगल हैरी के बिस्तर के पास से तेज़ी से गुज़रते हुए ओझल हो गईं। हैरी शांति से लेटा रहा। वह ऐसा अभिनय कर रहा था, जैसे वह सोया हुआ हो। उसने व्यग्रता भरी आवाज़ें सुनीं और फिर प्रोफ़ेसर मैक्गॉनेगल दुबारा नज़र आईं। उनके पीछे मैडम पॉमफ़्री थीं, जो अपने नाइटगाउन के ऊपर कार्डिगन पहन रही थीं। उसे उनके तेज़ी से साँस लेने की आवाज़ें सुनाई दे रही थीं।

'क्या हुआ ?' मैडम पॉमफ़्री ने डम्बलडोर से फुसफुसाकर पूछा और बिस्तर पर लेटी मूर्ति पर झुक गईं।

'एक और हमला हुआ है,' डम्बलडोर ने कहा। 'मिनर्वा को यह सीढ़ियों पर मिला।'

'इसके पास ही अंगूरों का एक गुच्छा मिला,' प्रोफ़ेसर मैक्गॉनेगल बोलीं। 'हमें लगता है कि ये छुपकर यहाँ पॉटर से मिलने आ रहा था।'

हैरी के पेट में अचानक भयानक उथल-पुथल मच गई। बहुत धीमे से, सावधानी से उसने ख़ुद को सिर्फ़ कुछ इंच ऊपर उठाया, ताकि वह बिस्तर पर लेटी मूर्ति को देख सके। चाँद की एक हलकी किरण मूर्ति के घूरते चेहरे पर पड़ रही थी।

वह मूर्ति नहीं, कॉलिन क्रीवी था। उसकी आँखें चौड़ी थीं और उसके हाथ उसके सामने बँधे हुए थे, जिनसे उसने कैमरा पकड़ रखा था।

'बेजान किया गया है ?' मैडम पॉमफ़्री ने फुसफुसाकर पूछा।

'हाँ,' प्रोफ़ेसर मैक्गॉनेगल ने कहा। 'परंतु मैं तो यह सोचकर काँप उठती हूँ ... अगर एल्बस गर्म चॉकलेट के लिए नीचे सीढ़ियों पर नहीं आए होते, तो भगवान जाने क्या होता ...'

वे तीनों कॉलिन को घूरते रहे। फिर डम्बलडोर आगे झुके और कॉलिन की सख़्त पकड़ से कैमरे को छुड़ा लिया।

प्रोफ़ेसर मैक्गॉनेगल ने उत्सुकता से पूछा, 'आपको यह तो नहीं लगता कि यह लड़का हमलावर की फ़ोटो लेने में कामयाब हो गया होगा ?'

डम्बलडोर ने कोई जवाब नहीं दिया। उन्होंने कैमरे का पिछला हिस्सा खोला।

'ओफ़्फ़ो!' मैडम पॉमफ़्री ने कहा।

कैमरे से धुएँ का एक झोंका बाहर निकला। तीन बिस्तर दूर लेटे हैरी को जलते प्लास्टिक की तीखी बदबू आई।

'पिघल गई,' मैडम पॉमफ़्री ने हैरानी से कहा, 'पूरी रील पिघल गई...'

'इसका क्या *मतलब* है, एल्बस?' प्रोफ़ेसर मैक्गॉनेगल ने अधीरता से पूछा।

डम्बलडोर ने कहा, 'इसका मतलब यह है कि रहस्यमयी तहख़ाना सचमुच खुल चुका है।'

मैडम पॉमफ़्री ने अपने मुँह पर हाथ रख लिया। प्रोफ़ेसर मैक्गॉनेगल ने डम्बलडोर को घूरा।

'परंतु एल्बस ... निश्चित रूप से ... *किसने?*'

'सवाल यह नहीं है कि *किसने,*' डम्बलडोर ने कहा, उनकी आँखें कॉलिन पर टिकी थीं, 'सवाल यह है, *कैसे ...*'

हैरी प्रोफ़ेसर मैक्गॉनेगल के छाया में छुपे चेहरे को जितना देख सकता था, उससे यह स्पष्ट था कि उन्हें भी इससे उतना ही समझ में आया था, जितना कि उसे आया था।

अध्याय ग्यारह

युद्धकला का प्रशिक्षण

रविवार की सुबह जब हैरी उठा, तो कमरे में जाड़े के सूरज की चमकदार रोशनी भरी थी। उसके हाथ की हड्डियाँ उग आई थीं, परंतु हाथ में बहुत अकड़न थी। वह जल्दी से उठकर बैठा और कॉलिन के बिस्तर की तरफ़ देखा, परंतु उसे कुछ दिखाई नहीं दिया, क्योंकि आज वहाँ ऊँचे पर्दे डाल दिए गए थे। जब मैडम पॉमफ्री ने देखा कि हैरी जाग गया है, तो वे नाश्ते की ट्रे लेकर जल्दी से वहाँ आईं। फिर वे उसके हाथ तथा उँगलियों को मोड़ने और फैलाने लगीं।

'सब कुछ ठीक है,' वे बोलीं, जब उसने अटपटे अंदाज़ में बाएँ हाथ से दलिया खाया। 'नाश्ता ख़त्म करने के बाद तुम जा सकते हो।'

हैरी ने फटाफट कपड़े पहने और गरुड़द्वार के टॉवर की तरफ़ चल दिया। वह रॉन और हर्माइनी को कॉलिन तथा डॉबी के बारे में बताने के लिए व्याकुल था, परंतु वे वहाँ नहीं थे। हैरी सोचने लगा कि वे कहाँ गए होंगे और वह उनकी तलाश में चल दिया। उसे थोड़ा बुरा भी लग रहा था कि यह जानने में उनकी कोई रुचि नहीं थी कि उसकी हड्डियाँ वापस बन गई थीं या नहीं।

जब हैरी लाइब्रेरी के पास से गुज़रा, तो पर्सी वीज़्ली वहाँ से बाहर निकला। आज वह पिछली बार की तुलना में ज़्यादा अच्छे मूड में दिख रहा था।

'ओह, हैलो हैरी,' उसने कहा। 'कल तुमने बेहतरीन उड़ान भरी, सचमुच बेहतरीन। गरुड़द्वार को हाउस कप के लिए बढ़त मिल गई है – तुमने पचास पॉइंट हासिल कर लिए!'

'तुम्हें रॉन या हर्माइनी तो नहीं दिखे?' हैरी ने पूछा।

'नहीं, वे मुझे नहीं दिखे,' पर्सी बोला, उसकी मुस्कराहट फीकी हो गई। 'मुझे आशा है कि रॉन *लड़कियों के बाथरूम* में नहीं होगा. . .'

हैरी ज़बर्दस्ती मुस्कराया। उसने पर्सी को नज़रों से ओझल होते देखा और फिर वह सीधे मायूस मीना के बाथरूम की तरफ़ चल पड़ा। उसे यह समझ में नहीं

आ रहा था कि रॉन और हर्माइनी वहाँ दुबारा क्यों गए होंगे, फिर भी उसने वहाँ जाने का फ़ैसला किया। यह तसल्ली करने के बाद कि फ़िल्च या प्रिफ़ेक्ट्स आस-पास नहीं थे, उसने बाथरूम का दरवाज़ा खोला। उसे एक बंद टॉयलेट से उनकी आवाज़ें सुनाई दीं।

'मैं हूँ,' हैरी बाथरूम का दरवाज़ा बंद करते हुए बोला। बंद टॉयलेट के भीतर से कुछ गिरने, कुछ उछलने और एक सिसकारी की आवाज़ आई। उसने देखा हर्माइनी की आँख कीहोल से बाहर झाँक रही थी।

'हैरी!' वह बोली। 'तुमने तो हमें बुरी तरह डरा दिया। अंदर आओ - तुम्हारा हाथ कैसा है?'

'अच्छा है,' हैरी बोला और टॉयलेट में घुस गया। एक पुरानी कड़ाही टॉयलेट सीट पर रखी थी और उसकी तली के नीचे हो रही कड़कड़ाहट से हैरी समझ गया कि उन्होंने इसके नीचे आग जला रखी थी। वाटरप्रूफ़ जादुई आग जलाने में हर्माइनी को महारत हासिल थी।

'हम तुमसे मिलने आने वाले थे, परंतु फिर हमने भेसबदल काढ़ा बनाने का फ़ैसला किया,' रॉन ने स्पष्ट किया, जब हैरी ने मुश्किल से टॉयलेट का दरवाज़ा दुबारा बंद किया। 'हमने यह निर्णय लिया कि इसे छुपकर बनाने के लिए सबसे सुरक्षित जगह यही है।'

हैरी ने उन्हें कॉलिन के बारे में बताना शुरू किया, परंतु हर्माइनी ने बीच में ही टोकते हुए कहा, 'हम पहले से ही जानते हैं। हमने आज सुबह ही प्रोफ़ेसर मैक्गॉनेगल को इस बारे में प्रोफ़ेसर फ़्लिटविक को बताते सुना था। इसलिए हमने फ़ैसला किया कि बेहतर होगा हम इसे बनाना शुरू कर दें -'

'जितनी जल्दी हम मैल्फ़ॉय से सच्चाई उगलवा सकें, उतना ही अच्छा है,' रॉन ने गुर्राते हुए कहा। 'तुम्हें पता है, मैं क्या सोचता हूँ? क्विडिच मैच हारने के बाद उसका मूड इतना ख़राब हो गया होगा कि उसने कॉलिन पर अपना ग़ुस्सा उतारा होगा।'

'एक और चीज़ भी है,' हैरी ने कहा, जब उसने हर्माइनी को गाँठदार घास के पूले खोलकर काढ़े में डालते देखा। 'आधी रात को डॉबी मुझसे मिलने आया था।'

रॉन और हर्माइनी ने हैरानी से उसे घूरा। हैरी ने उन्हें वह हर बात बताई, जो डॉबी ने कही थी - या नहीं कही थी। रॉन और हर्माइनी मुँह खोलकर उसकी बात सुनते रहे।

'रहस्यमयी तहख़ाना *पहले* भी खुल चुका है?' हर्माइनी बोली।

'इससे बात साफ़ हो गई,' रॉन ने विजयी स्वर में कहा। 'लूसियस

मैल्फ़ॉय ने तहख़ाने को तब खोला होगा, जब वे यहाँ स्कूल में थे और अब उन्होंने अपने लाड़ले बेटे ड्रेको को भी इसे खोलने का तरीक़ा सिखा दिया होगा। यह स्पष्ट है। काश डॉबी ने तुम्हें बताया होता कि तहख़ाने के अंदर किस तरह का भयानक जानवर है। मैं यह जानना चाहता हूँ कि उसे आज तक किसी ने स्कूल में घूमते क्यों नहीं देखा।'

'शायद वह अदृश्य हो सकता होगा,' हर्माइनी ने कड़ाही में सबसे नीचे डली जोंकों को कलछी से कुरेदते हुए कहा। 'या शायद वह रूप-परिवर्तन कर सकता होगा – जैसे कवच या ऐसी ही किसी चीज़ का रूप धारण कर लेता होगा। मैंने गिरगिटी भूतों के बारे में पढ़ा है ...'

'तुम पढ़ती बहुत ज़्यादा हो, हर्माइनी,' रॉन बोला और उसने जोंकों के ऊपर मरे हुए पतंगे डाल दिए। फिर उसने पतंगों के ख़ाली पैकेट को मरोड़ा और हैरी की तरफ़ पलटकर देखा।

'तो डॉबी ने हमें ट्रेन पकड़ने से रोका और तुम्हारा हाथ तोड़ डाला...' उसने अपना सिर हिलाया। 'तुम जानते हो, हैरी ? अगर वह यूँ ही तुम्हारी जान बचाने की कोशिश करता रहा, तो एक दिन वह तुम्हारी जान ले लेगा।'

*

सोमवार की सुबह तक यह ख़बर पूरे स्कूल में फैल गई कि कॉलिन क्रीवी पर हमला हुआ है और अब वह मुर्दों की तरह अस्पताल में पड़ा है। माहौल अचानक अफ़वाहों और संदेहों से भर गया। फ़र्स्ट ईयर के विद्यार्थी अब महल में झुंड बनाकर एक साथ घूमने लगे। वे घबरा रहे थे कि अगर वे कहीं अकेले गए, तो उन पर हमला हो जाएगा।

जिनी वीज़्ली, जो सम्मोहन की क्लास में कॉलिन क्रीवी के पास बैठती थी, काफ़ी परेशान दिख रही थी। फ्रेड और जॉर्ज उसका मूड ठीक करने की कोशिश कर रहे थे, परंतु हैरी को लगा कि वे इसके लिए ग़लत तरीक़े इस्तेमाल कर रहे थे। वे बारी-बारी से ख़ुद को जादू से बालों या फोड़ों से ढँक रहे थे या मूर्तियों के पीछे से अचानक उसके सामने कूदकर उसे चौंका रहे थे। वे तभी रुके, जब ग़ुस्से से तमतमाते हुए पर्सी ने उनसे कहा कि वह मिसेज़ वीज़्ली को उनकी हरकतों के बारे में लिखेगा और यह बताएगा कि वे लोग जिनी को बुरी तरह परेशान कर रहे हैं।

इस दौरान टीचर्स से छुपकर स्कूल में तावीज़ों, गंडों और अन्य सुरक्षा यंत्रों व उपायों का व्यापार फल-फूल रहा था। नेविल लॉंगबॉटम ने कई चीज़ें ख़रीदीं, जैसे बुरी गंध वाला एक बड़ा हरा प्याज़, एक नुकीला बैंगनी स्फटिक और गोह की सड़ती हुई पूँछ। इन्हें ख़रीदने के बाद गरुड़द्वार के विद्यार्थियों ने

नेविल को याद दिलाया कि उसे कोई ख़तरा नहीं था : उसका ख़ून शुद्ध था और इसलिए उस पर हमला होने की आशंका नहीं थी।

नेविल के गोल चेहरे पर दहशत साफ़ झलक रही थी, जब उसने कहा, 'पहले उन्होंने फ़िल्च को सताया है और सब जानते हैं कि मैं भी उसी की तरह एक नाकारा हूँ।'

*

दिसंबर के दूसरे सप्ताह में प्रोफ़ेसर मैक्गॉनेगल हमेशा की तरह उन लोगों के नाम इकट्ठे करने आईं, जो क्रिसमस की छुट्टियों में स्कूल में रुकने वाले थे। हैरी, रॉन और हर्माइनी ने उस सूची में अपने नाम लिख दिए। जब उन्होंने यह सुना कि मैल्फ़ॉय भी रुक रहा था, तो यह बात उन्हें बहुत संदिग्ध लगी। भेसबदल काढ़े का प्रयोग करने और उससे सच्चाई उगलवाने के लिए छुट्टियाँ आदर्श रहेंगी।

दुर्भाग्य से काढ़ा अभी आधा ही तैयार हुआ था। उन्हें अब भी बाईकॉर्न के सींग और बूमस्लैंग साँप की केंचुली की ज़रूरत थी। ये चीज़ें उन्हें एक ही जगह पर मिल सकती थीं : स्नेप की व्यक्तिगत अलमारी में। हैरी ने मन ही मन सोचा कि वह स्नेप के ऑफ़िस में घुसकर चोरी करते हुए पकड़े जाने के बजाय नागशक्ति के भयानक जानवर का सामना करना ज़्यादा पसंद करेगा।

जब गुरुवार की दोपहर को जादुई काढ़े की क्लास का समय क़रीब आने लगा, तो हर्माइनी जल्दी से बोली, 'हमें बस इतना करना है कि उनकी क्लास में किसी तरह उनका ध्यान किसी दूसरी चीज़ की तरफ़ मोड़ दें। फिर हममें से कोई भी स्नेप के ऑफ़िस में घुसकर ज़रूरत का सामान निकाल सकता है।'

हैरी और रॉन ने घबराते हुए उसकी तरफ़ देखा।

हर्माइनी सपाट अंदाज़ में आगे बोली, 'मुझे लगता है बेहतर यही होगा कि यह सामान मैं चुराऊँ। अगर तुम्हें पकड़ा गया, तो तुम दोनों को स्कूल से निकाल दिया जाएगा, परंतु मेरा रिकॉर्ड बिलकुल साफ़ है। इसलिए तुम्हें बस इतना सा काम करना है कि कोई ऐसा फ़साद कर दो ताकि स्नेप पाँच-सात मिनट के लिए उसमें व्यस्त हो जाएँ।'

हैरी के चेहरे पर फीकी सी मुस्कान आ गई। जान-बूझकर स्नेप की जादुई काढ़े की क्लास में फ़साद करना उतना ही सुरक्षित था, जितना कि सोते हुए ड्रैगन की आँख में उँगली डालना।

जादुई काढ़े की क्लास एक बड़े तहख़ाने में लगती थी। गुरुवार की दोपहर को भी क्लास हमेशा की तरह ही चल रही थी। लकड़ी की टेबलों के बीच में रखी बीस कड़ाहियाँ धुआँ निकाल रही थीं। टेबलों पर पीतल के तराज़ू और रसायनों

के डिब्बे भी रखे हुए थे। स्नेप धुएँ के बीच में चहलक़दमी कर रहे थे और गरुड़द्वार के विद्यार्थियों के काम पर ताने कस रहे थे। नागशक्ति के विद्यार्थी स्नेप की हाँ में हाँ मिलाते हुए व्यंग्य से मुस्करा रहे थे। ड्रेको मैल्फ़ॉय, जो स्नेप का प्रिय विद्यार्थी था, रॉन तथा हैरी की ओर देखकर ज़हरीली मछली की तरह पलकें फड़फड़ा रहा था। वे दोनों जानते थे कि अगर उन्होंने इसके जवाब में कुछ किया, तो उन्हें इतनी जल्दी सज़ा मिलेगी कि वे 'पक्षपात' शब्द भी नहीं कह पाएँगे।

हैरी का फुलाने वाला काढ़ा बहुत ज़्यादा पतला था, परंतु उसके दिमाग़ में इससे ज़्यादा महत्वपूर्ण बातें घूम रही थीं। वह हर्माइनी के इशारे का इंतज़ार कर रहा था। इसीलिए जब स्नेप उसके पतले काढ़े पर टीका-टिप्पणी करने के लिए रुके, तो उसने उनकी बातें जैसे सुनी ही नहीं। जब स्नेप मुड़े और नेविल को सताने के लिए आगे बढ़े, तो हर्माइनी ने हैरी की तरफ़ देखा और उसे इशारा करते हुए सिर हिलाया।

हैरी तुरंत अपनी कड़ाही के पीछे झुका। उसने अपनी जेब से फ्रेड का एक फ़िलिबस्टर पटाख़ा निकालकर उसे अपनी छड़ी से कुरेदा। पटाख़ा सुलग गया और चिंगारियाँ छोड़ने लगा। हैरी जानता था कि उसके पास कुछ सेकंड ही हैं, इसलिए वह सीधा खड़ा हुआ और उसने निशाना साधकर पटाख़े को हवा में उछाल दिया। पटाख़ा सीधा निशाने पर जाकर गॉइल की कड़ाही में गिरा।

गॉइल के काढ़े में विस्फोट हो गया, जिसमें पूरी क्लास नहा गई। जब विद्यार्थियों के शरीर पर फुलाने वाले काढ़े के छींटे पड़े, तो वे चीख़ उठे। मैल्फ़ॉय का चेहरा काढ़े में नहा गया था और उसकी नाक गुब्बारे की तरह फूलने लगी। गॉइल पागलों सा इधर-उधर घूम रहा था। वह अपनी आँखों पर हाथ रखे था, जो फूलकर डिनर प्लेट जितनी बड़ी हो गई थीं। उधर स्नेप क्लास को शांत करने और यह पता लगाने की कोशिश कर रहे थे कि हुआ क्या था। हैरी ने देखा कि इस होहल्ले के बीच हर्माइनी चुपचाप दरवाज़े से बाहर निकल गई।

'ख़ामोश! **ख़ामोश!**' स्नेप गरजे। 'जिस किसी पर भी छींटे गिरे हों, वह सिकोड़ने वाले काढ़े के लिए यहाँ आ जाए। अगर मुझे पता चल गया कि यह किसने किया ...'

हैरी ने अपनी हँसी रोकने की कोशिश की, जब उसने मैल्फ़ॉय को तेज़ी से आगे बढ़ते देखा। मैल्फ़ॉय का सिर उसकी नाक के वज़न से नीचे धँसा जा रहा था, क्योंकि उसकी नाक फूलकर किसी छोटे तरबूज जितनी बड़ी हो गई थी। लगभग आधी क्लास स्नेप की टेबल के आस-पास पहुँच गई। कुछ की बाँहें मुद्गरों की तरह मोटी होकर उन्हें झुकाए दे रही थीं। कुछ के होंठ फूलकर इतने दैत्याकार हो गए थे कि वे बोल भी नहीं पा रहे थे। कुछ समय बाद हैरी ने देखा कि हर्माइनी दुबारा तहख़ाने में लौट आई और उसके दुशाले का अगला हिस्सा

उभरा हुआ था।

जब सब परेशान विद्यार्थियों ने सिकोड़ने वाले काढ़े का घूँट पी लिया और उनकी सूजन ठीक हो गई, तो स्नेप गॉइल की कड़ाही के पास पहुँचे और उन्होंने पटाख़े के काले अवशेष बाहर निकाले। अचानक ख़ामोशी छा गई।

'अगर मुझे पता चल गया कि इसे किसने फेंका था,' स्नेप फुसफुसाए, 'तो मैं उसे स्कूल से बाहर निकलवाकर ही *दम लूँगा।*'

हैरी ने अपना चेहरा ऐसा बनाने की कोशिश की, जैसे वह कुछ जानता ही न हो और ख़ुद इस बात को लेकर उलझन में हो। स्नेप सीधे उसकी तरफ़ देख रहे थे और दस मिनट बाद जब घंटी बजी, तब जाकर हैरी ने राहत की साँस ली।

'वे जानते थे कि यह काम मैंने किया है,' हैरी ने रॉन और हर्माइनी को बताया, जब वे तेज़ी से मायूस मीना के बाथरूम की तरफ़ जा रहे थे। 'मुझे इस बात का पूरा यक़ीन है।'

हर्माइनी ने नए सामानों को कड़ाही में डाला और तेज़ी से काढ़ा हिलाने लगी।

उसने ख़ुश होकर कहा, 'यह पंद्रह दिन में तैयार हो जाएगा।'

'स्नेप यह साबित नहीं कर सकते कि यह काम तुमने किया है,' रॉन ने हैरी को तसल्ली देते हुए कहा। 'वे कर ही क्या सकते हैं?'

'स्नेप को मैं जितना जानता हूँ, उसके आधार पर मैं यही कह सकता हूँ कि वे जो भी करेंगे, बुरा ही करेंगे,' हैरी ने काढ़े के खदबदाने और उबलने की आवाज़ें सुनते हुए कहा।

*

एक सप्ताह बाद हैरी, रॉन और हर्माइनी प्रवेश द्वार से जा रहे थे। तभी उन्होंने कुछ विद्यार्थियों को नोटिस बोर्ड के चारों तरफ़ भीड़ लगाए देखा। वे अभी-अभी चिपकाए गए एक नोटिस को पढ़ रहे थे। रोमांचित दिख रहे सीमस फ़िनिगन और डीन थॉमस ने उन्हें वहाँ बुलाया।

सीमस बोला, 'अपने यहाँ युद्धकला प्रशिक्षण क्लब शुरू हो रहा है! पहली बैठक आज रात को है! युद्धकला सीखने में मुझे कोई दिक्क़त नहीं है, यह कभी भी काम में आ सकती है ...'

'क्या! तुम्हें लगता है कि नागशक्ति का भयानक जानवर भी युद्धकला में पारंगत होगा?' रॉन ने पूछा, परंतु वह भी उस नोटिस को रुचि से पढ़ने लगा।

जब वे भोजन करने के लिए जाने लगे, तो रॉन ने हैरी और हर्माइनी से

कहा, 'काम आ सकता है! हम भी चलें?'

हैरी और हर्माइनी इसके लिए तत्काल तैयार हो गए और उस रात आठ बजे वे बड़े हॉल की तरफ़ तेज़ी से चल दिए। लंबी डाइनिंग टेबलें हटा दी गई थीं। दीवार से सटकर एक सुनहरा मंच बना था, जिस पर ऊपर तैरती हज़ारों मोमबत्तियों की रोशनी आ रही थी। छत एक बार फिर मख़मली काली थी और ऐसा लग रहा था, जैसे स्कूल के ज्यादातर विद्यार्थी इसके नीचे इकट्ठे थे। सबके हाथ में छड़ियाँ थीं और सब रोमांचित थे।

जब वे बातें करती हुई भीड़ के बीच से होते हुए अंदर गए, तो हर्माइनी बोली, 'मैं तो यह सोच रही हूँ कि हमें युद्धकला कौन सिखाएगा? किसी ने मुझे बताया है कि फ़्लिटविक अपनी जवानी के दिनों में युद्धकला के चैंपियन रह चुके हैं। शायद वही हमें सिखाएँ।'

'कोई भी सिखाए जब तक कि वह –' हैरी ने बोलना शुरू किया, परंतु उसकी बात एक हताशा भरी आह के साथ ख़त्म हुई : गहरे जामुनी रंग का चमकदार दुशाला पहने गिल्ड्रॉय लॉकहार्ट मंच पर चलकर आ रहे थे। और उनके साथ कोई और नहीं बल्कि स्नेप थे, जो हमेशा की तरह काले कपड़े पहने थे।

लॉकहार्ट ने सबको ख़ामोश करने के लिए अपना हाथ उठाया और कहा, 'पास आ जाओ, पास आ जाओ! क्या सब लोग मुझे देख सकते हैं? क्या सब मेरी आवाज़ सुन सकते हैं? बहुत बढ़िया!

'सब लोग ध्यान से सुनिए। प्रोफ़ेसर डम्बलडोर ने मुझे यह छोटा सा युद्धकला प्रशिक्षण क्लब शुरू करने की इजाज़त दे दी है, ताकि मैं तुम्हें ख़ुद की रक्षा करना सिखा सकूँ। यह तुम्हारे बहुत काम आएगा, अगर कभी तुम्हें अपनी रक्षा करना पड़े, जैसी कि मुझे असंख्य अवसरों पर करना पड़ी है – इस बारे में पूरी जानकारी के लिए मेरी प्रकाशित किताबें पढ़ें।

'अब मैं आपको अपने सहयोगी प्रोफ़ेसर स्नेप का परिचय दे दूँ,' लॉकहार्ट ने मुँह खोलकर मुस्कराते हुए कहा। 'उन्होंने मुझे बताया है कि वे भी युद्धकला के बारे में थोड़ी जानकारी रखते हैं। और वे उदारतापूर्वक मेरी मदद करने के लिए सहमत हो गए हैं, ताकि क्लब शुरू करने से पहले तुम लोगों के सामने युद्धकला का प्रदर्शन किया जा सके। देखो, मैं नहीं चाहता कि तुम लोग इस बारे में ज़रा भी घबराओ; मुक़ाबला ख़त्म होने के बाद भी तुम्हारे जादुई काढ़े के मास्टरजी सही सलामत रहेंगे, इसलिए इस बारे में बिलकुल भी मत डरना!'

'अच्छा तो यही होगा कि ये दोनों एक-दूसरे का काम तमाम कर दें?' रॉन हैरी के कान में बुदबुदाया।

स्नेप का ऊपरी होंठ फड़क रहा था। हैरी को हैरानी हुई कि लॉकहार्ट अब

भी क्यों मुस्करा रहे थे। अगर स्नेप *उसकी* तरफ़ इस तरह से देखते, तो वह पूरी तेज़ी से विपरीत दिशा में भाग खड़ा होता।

लॉकहार्ट और स्नेप मुड़कर एक-दूसरे के सामने आए और उन्होंने अपना-अपना सिर झुकाया। कम से कम लॉकहार्ट ने तो अपने हाथ फैलाते हुए ऐसा किया। दूसरी ओर स्नेप ने चिढ़ते हुए अपने सिर को सिर्फ़ हलका सा झटका दिया। फिर उन्होंने अपनी छड़ियों को तलवारों की तरह उठाकर अपने सामने किया।

लॉकहार्ट ने ख़ामोश भीड़ को बताया, 'जैसा कि आप देख रहे हैं, हमने अपनी छड़ियों को मुक़ाबले की आदर्श स्थिति में पकड़ रखा है। तीन की गिनती के बाद हम अपने-अपने मंत्र पढ़ेंगे। ज़ाहिर है, हममें से कोई भी जान लेने के इरादे से मंत्र नहीं पढ़ेगा।'

'मुझे इस बात पर इतना विश्वास नहीं है,' हैरी बुदबुदाया, जब उसने स्नेप को दाँत किटकिटाते हुए देखा।

'एक-दो-तीन-'

दोनों ने ही अपनी छड़ियाँ घुमाईं और कंधे के ऊपर ले गए। स्नेप चिल्लाए : *'निरस्त्र भव!'* ज़बर्दस्त लाल रोशनी चमकी और धमाके के साथ लॉकहार्ट हवा में उड़ गए। वे उड़कर मंच के पीछे की तरफ़ वाली दीवार से टकराए और फिर फ़र्श पर लुढ़ककर गिर पड़े।

मैल्फ़ॉय और नागशक्ति के कुछ विद्यार्थियों ने तालियाँ बजाईं। हर्माइनी पंजों के बल कूदकर देखती रही। वह अपने चेहरे को हाथों में छुपाकर उँगलियों के बीच से चीख़ी, 'क्या तुम्हें लगता है कि वे ठीक होंगे?'

'किसे परवाह है?' हैरी और रॉन ने एक साथ कहा।

लॉकहार्ट अब लड़खड़ाते हुए अपने पैरों पर खड़े हो रहे थे। उनकी टोपी गिर गई थी और उनके लहराते बाल अब खड़े हो गए थे।

'तो तुमने देखा!' वे लड़खड़ाते हुए वापस प्लेटफ़ॉर्म पर आते हुए बोले। 'यह निरस्त्र करने वाला मंत्र था - जैसा तुमने देखा, मेरे हाथ से छड़ी छूट गई थी- ओह धन्यवाद, मिस ब्राउन। हाँ प्रोफ़ेसर स्नेप, आपके मन में उन्हें यह सिखाने का बहुत अच्छा विचार आया, परंतु अगर आप बुरा न मानें तो मैं यह बता दूँ कि मैं पहले से जानता था कि आप क्या करने वाले थे। अगर मैं आपको रोकना चाहता, तो बहुत आसानी से रोक सकता था। बहरहाल मैंने महसूस किया कि इससे बच्चे कुछ सीखेंगे, इसलिए मैंने नहीं रोका ...'

स्नेप की शक्ल पर क़ातिलाना इरादे साफ़ झलक रहे थे। शायद लॉकहार्ट

ने भी यह समझ लिया था, क्योंकि इसके बाद वे जल्दी से बोले, 'प्रदर्शन बहुत हो चुका! अब मैं तुम लोगों के बीच आकर तुम्हारी जोड़ियाँ बना देता हूँ। प्रोफ़ेसर स्नेप, अगर आप मेरी मदद करना चाहें ...'

वे विद्यार्थियों के बीच घूमकर जोड़ियाँ बनाने लगे। लॉकहार्ट ने नेविल की जोड़ी जस्टिन फ़िंच-फ़्लेचली के साथ बना दी, परंतु स्नेप सीधे हैरी और रॉन के पास पहुँचे।

'मुझे लगता है अब मनपसंद जोड़ी के टूटने का वक़्त आ चुका है,' उन्होंने व्यंग्य से मुस्कराते हुए कहा। 'वीज़्ली, तुम फ़िनिगन के साथ प्रैक्टिस करो और पॉटर तुम -'

हैरी हर्माइनी की ओर तरफ़ मुड़ गया।

'मुझे ऐसा नहीं लगता,' स्नेप ने ठंडेपन से मुस्कराते हुए कहा। 'मिस्टर मैल्फ़ॉय, ज़रा यहाँ आना। मुझे यह देखने दो कि तुम मशहूर हैरी पॉटर का क्या हाल करते हो। और मिस ग्रेंजर - तुम मिस बुलस्ट्रोड के साथ जोड़ी बना लो।'

मैल्फ़ॉय दाँत दिखाते हुए अकड़कर वहाँ आया। नागशक्ति की एक लड़की भी उसके पीछे-पीछे आई। उसे देखकर हैरी को वह तस्वीर याद आ गई, जो उसने *चुड़ैलों के साथ छुट्टियाँ* किताब में देखी थी। वह भारी-भरकम और चौकोर थी तथा उसका मोटा जबड़ा आक्रामक तरीक़े से बाहर निकल रहा था। हर्माइनी उसकी तरफ़ देखकर हलके से मुस्कराई, परंतु वह लड़की नहीं मुस्कराई।

लॉकहार्ट प्लेटफ़ॉर्म पर चढ़कर चिल्लाए, 'अपने-अपने जोड़ीदार की तरफ़ मुँह करो! और सिर झुकाकर अभिवादन करो!'

हैरी और मैल्फ़ॉय ने अपना सिर बहुत कम झुकाया। वे एक-दूसरे पर से नज़रें हटाने को तैयार नहीं थे।

लॉकहार्ट ने आगे कहा, 'अपनी छड़ियाँ तैयार रखो! जब मैं तीन तक गिनूँ, तो अपने मंत्र पढ़कर अपने विरोधी को निरस्त्र करना - *सिर्फ़* निरस्त्र करना - हम नहीं चाहते कि किसी को कोई चोट पहुँचे। एक... दो... तीन...'

हैरी ने अपनी छड़ी अपने कंधे के ऊपर घुमाई, परंतु मैल्फ़ॉय लॉकहार्ट के 'दो' बोलते ही शुरू हो गया था। उसके मंत्र ने हैरी पर इतना तेज़ प्रहार किया कि उसे लगा, जैसे किसी ने उसके सिर पर भारी फ़्राइंग पैन दे मारा हो। वह लड़खड़ाया, परंतु अब भी उसके होशोहवास क़ायम थे। ज़रा सा भी समय बर्बाद किए बिना हैरी ने अपनी छड़ी सीधे मैल्फ़ॉय की तरफ़ मोड़ी और चीख़ा, *'गुदगुदीकारकम्!'*

सफ़ेद रोशनी की एक लपट मैल्फ़ॉय के पेट पर पड़ी और वह तेज़ी से खिलखिलाते हुए दोहरा हो गया।

जब मैल्फ़ॉय अपने घुटनों के बल बैठा हुआ था, तो लॉकहार्ट उत्सुकता से ताकती भीड़ की तरफ़ देखते हुए दहशत से चिल्लाए, *'मैंने कहा था सिर्फ़ निरस्त्र करना!'* हैरी ने गुदगुदी करने वाले मंत्र से मैल्फ़ॉय पर प्रहार किया था और वह हँसी के मारे हिल भी नहीं पा रहा था। हैरी अनिश्चितता की वजह से रुका रहा। उसे लग रहा था कि जब मैल्फ़ॉय फ़र्श पर था, तो उस पर जादू करना खेल भावना के विपरीत होगा, परंतु यह उसकी ग़लती थी। साँस लेने के लिए संघर्ष करते हुए मैल्फ़ॉय ने अपनी छड़ी हैरी के घुटनों की तरफ़ मोड़ी और चिल्लाया, *'तीव्र-नर्तन!'* और अगले ही पल हैरी के पैर बेक़ाबू होकर नाचने लगे।

'रुक जाओ! रुक जाओ!' लॉकहार्ट चीख़े, परंतु स्नेप ने स्थिति सँभाल ली।

'मंत्रप्रभाव समाप्तम्!' वे चिल्लाए। हैरी के पैरों ने नाचना बंद कर दिया। मैल्फ़ॉय ने हँसना बंद कर दिया। अब दोनों ही दुबारा ऊपर देख सकते थे।

माहौल में हरे धुएँ की धुंध छाई थी। नेविल तथा जस्टिन दोनों ही फ़र्श पर पड़े थे और हाँफ रहे थे। रॉन के हाथ में सीमस का जर्द चेहरा था और वह अपनी टूटी छड़ी के कारनामे के लिए सीमस से माफ़ी माँग रहा था। परंतु हर्माइनी और मिलिसेंट बुलस्ट्रोड अब भी गुत्थमगुत्था थीं। मिलिसेंट ने हर्माइनी के सिर को जकड़ रखा था और हर्माइनी दर्द से बिलबिला रही थी। उन दोनों की छड़ियाँ फ़र्श पर पड़ी थीं। हैरी आगे लपका और उसने मिलिसेंट को पकड़कर खींचा। यह काम मुश्किल था, क्योंकि वह हैरी से बहुत भारी थी।

'यह क्या हो रहा है,' लॉकहार्ट युद्धकला प्रशिक्षण के परिणाम को देखते हुए भीड़ में से गुज़रते हुए बोले, 'ऊपर उठ जाओ, मैकमिलन ... सावधान रहना, मिस फ़ॉसेट ... इसे कसकर पकड़ो, एक पल में ख़ून बहना बंद हो जाएगा, बूट ...

'मुझे लगता है यह बेहतर होगा अगर मैं तुम्हें यह सिखा दूँ कि दुश्मन के मंत्र को किस तरह *रोका* जाता है,' हॉल के बीच में खड़े घबराए हुए लॉकहार्ट बोले। उन्होंने स्नेप की ओर देखा, जिनकी काली आँखें चमक रही थीं और तत्काल दूसरी तरफ़ देखने लगे। 'प्रशिक्षण के लिए हम अपनी तरफ़ से एक जोड़ी बना देते हैं - लाँगबॉटम और फ़िंच-फ़्लेचली, क्या ख़्याल है?'

'अच्छा ख़्याल नहीं है, प्रोफ़ेसर लॉकहार्ट,' स्नेप ने कहा। वे बुरे इरादों वाले किसी विशाल चमगादड़ की तरह लहराती चाल से चल रहे थे। 'लाँगबॉटम

आसान मंत्रों से भी तबाही मचा देता है। कहीं ऐसा न हो कि हमें फ़िंच-फ़्लेचली के अवशेषों को किसी माचिस की डिब्बी में अस्पताल भेजना पड़े।' नेविल का गोल गुलाबी चेहरा और गुलाबी हो गया। 'मैल्फ़ॉय और पॉटर कैसे रहेंगे ?' स्नेप ने कुटिल मुस्कान के साथ कहा।

'बहुत बढ़िया विचार है!' लॉकहार्ट ने कहा। उन्होंने हैरी और मैल्फ़ॉय को हॉल के बीच में आने का इशारा किया। भीड़ उन्हें जगह देने के लिए पीछे हट गई।

'अब हैरी,' लॉकहार्ट ने कहा, 'जब ड्रेको अपनी छड़ी तुम्हारी तरफ़ करे, तो तुम *यह* करना।'

उन्होंने अपनी छड़ी उठाई और उसे जटिलता से हिलाने-डुलाने की कोशिश की, परंतु उनके हाथ से छड़ी नीचे गिर गई। स्नेप के चेहरे पर एक व्यंग्यात्मक मुस्कान आ गई, जब लॉकहार्ट ने तत्काल छड़ी उठाते हुए कहा, 'ओहो - मेरी छड़ी थोड़ी ज़्यादा रोमांचित हो गई थी।'

स्नेप मैल्फ़ॉय के पास पहुँचा, झुका और उसके कान में कुछ फुसफुसाया। मैल्फ़ॉय भी व्यंग्य से मुस्कराने लगा। हैरी ने घबराकर लॉकहार्ट की तरफ़ देखा और कहा, 'प्रोफ़ेसर, क्या आप मुझे दिखा सकते हैं कि वार कैसे रोका जाता है ?'

'डर रहे हो ?' मैल्फ़ॉय इतने धीमे से बुदबुदाया, ताकि लॉकहार्ट उसकी बात न सुन सकें।

'डर और तुमसे,' हैरी अपने मुँह के कोने से बोला।

लॉकहार्ट ने हैरी के कंधे पर ख़ुशी से हाथ रखते हुए कहा। 'हैरी, वैसा ही करना, जैसा मैंने किया था!'

'क्या, अपनी छड़ी गिरा दूँ ?'

परंतु लॉकहार्ट सुन नहीं रहे थे।

'तीन - दो - एक - शुरू!' वे चिल्लाए।

मैल्फ़ॉय ने तत्काल अपनी छड़ी उठाई और चीख़ा, 'सर्पदंश!'

उसकी छड़ी के सिरे में विस्फोट हुआ। हैरी दहशत से देखता रहा, जब एक लंबा काला साँप मैल्फ़ॉय की छड़ी से बाहर निकला, फ़र्श पर गिरा और सर्पदंश की मुद्रा में वार करने के लिए तैयार हो गया। विद्यार्थियों की भीड़ चीख़ते हुए तेज़ी से पीछे हटी।

'हिलना मत पॉटर,' स्नेप ने अलसाए भाव से कहा। यह साफ़ था कि क्रोधित साँप की तरफ़ हैरी को दहशत में ताकते देखकर स्नेप को बहुत मज़ा आ

रहा था। 'मैं उसे हटा दूँगा ...'

'यह काम मुझे करने दें!' लॉकहार्ट चिल्लाए। उन्होंने अपनी छड़ी साँप की तरफ़ हिलाई और एक ज़ोर का धमाका हुआ। परंतु ग़ायब होने के बजाय साँप हवा में दस फ़ुट ऊपर उड़ा और धम्म की ज़ोरदार आवाज़ के साथ दुबारा फ़र्श पर गिर गया। ग़ुस्से में तेज़ी से फुफकारता हुआ साँप अब सीधे जस्टिन फ़िंच-फ़्लेचली की ओर रेंगने लगा। उसने दुबारा अपना फ़न फैला लिया था, उसके दाँत साफ़ दिख रहे थे और वह हमला करने ही वाला था।

हैरी को पता नहीं कि उसने ऐसा क्यों किया। वह तो यह भी नहीं जानता था कि उसने ऐसा करने का सोचा भी था। वह तो बस इतना जानता था कि उसके पैर उसे आगे ले जा रहे थे, जैसे वह खिंचा चला जा रहा हो। फिर उसने मूर्खतापूर्ण ढंग से साँप से चिल्लाकर कहा, 'उसे छोड़ दो!' और चमत्कारिक रूप से - न जाने क्यों - साँप फ़र्श पर लुढ़क गया। हैरी की तरफ़ देखते हुए साँप अचानक बगीचे के काले पाइप की तरह आज्ञाकारी नज़र आने लगा। हैरी के मन का डर अब ग़ायब हो चुका था। वह जानता था कि साँप अब किसी पर हमला नहीं करेगा, हालाँकि हैरी यह नहीं समझा सकता था कि वह यह बात इतने यक़ीन से कैसे जानता था।

उसने मुस्कराते हुए जस्टिन की तरफ़ देखा। उसे उम्मीद थी कि जस्टिन राहत, परेशानी या कृतज्ञता के भाव से उसे देख रहा होगा। निश्चित रूप से उसे यह उम्मीद नहीं थी कि जस्टिन ग़ुस्से या डर से उसकी तरफ़ देखेगा।

परंतु जस्टिन चिल्लाया, 'तुम यह क्या कर रहे थे ?' और इससे पहले कि हैरी कुछ कह सके, जस्टिन पलटा और हॉल से धड़धड़ाते हुए बाहर चला गया।

स्नेप ने आगे बढ़कर अपनी छड़ी लहराई और साँप काले धुएँ के धमाके के साथ ग़ायब हो गया। स्नेप भी हैरी की तरफ़ अजीब निगाहों से देख रहे थे। उनके चेहरे पर कुटिलता और कपट के भाव देखकर हैरी को अच्छा नहीं लगा। उसे यह आभास भी हो रहा था कि भीड़ के बीच से दहशत भरी आवाज़ें आ रही थीं। फिर उसे महसूस हुआ कि कोई उसका दुशाला पीछे से खींच रहा था।

उसके कान में रॉन की आवाज़ आई, 'यहाँ से बाहर चलो, अब हिलो भी- यहाँ से बाहर *चलो*...'

रॉन उसे घसीटते हुए हॉल से बाहर ले गया। हर्माइनी उनके साथ तेज़ी से चल रही थी। जब वे दरवाज़े से निकले, तो दोनों तरफ़ खड़े लोग दूर हट गए, जैसे वे उससे डर रहे हों। हैरी को कुछ समझ में नहीं आ रहा था कि क्या हो रहा था। रॉन और हर्माइनी भी तब तक कुछ नहीं बोले, जब तक कि वे उसे खींचकर

गरुड़द्वार के ख़ाली हॉल में नहीं ले गए। वहाँ पर रॉन ने हैरी को एक कुर्सी की तरफ़ धकेलते हुए कहा, 'तुम सर्पभाषी हो। तुमने हमें यह बात पहले क्यों नहीं बताई ?'

'मैं क्या हूँ ?' हैरी ने पूछा।

'सर्पभाषी!' रॉन ने कहा। 'तुम साँपों से बात कर सकते हो!'

'मैं जानता हूँ,' हैरी बोला। 'मेरा मतलब है, यह सिर्फ़ दूसरी बार है, जब मैंने साँपों से बात की है। संयोग से एक बार मैंने चिड़ियाघर में अपने मौसेरे भाई डडली पर एक साँप छोड़ दिया था – वह एक लंबी कहानी है – परंतु उस साँप ने मुझे बताया कि उसने कभी ब्राज़ील नहीं देखा और मैंने न चाहते हुए भी एक तरह से उसे आज़ाद कर दिया था। यह तब की बात है, जब मुझे यह पता नहीं था कि मैं जादूगर हूँ ...'

'साँप ने तुम्हें बताया कि उसने कभी ब्राज़ील नहीं देखा ?' रॉन ने धीमे से दोहराया।

'तो ?' हैरी ने कहा। 'मेरे ख़्याल से यहाँ पर बहुत से लोग ऐसा कर सकते होंगे।'

'ओह नहीं, नहीं कर सकते,' रॉन बोला। 'बहुत कम लोग ऐसा कर सकते हैं हैरी, यह बहुत बुरी बात है।'

'इसमें बुरा क्या है ?' हैरी ने अब ग़ुस्सा होते हुए कहा। 'तुम सबको हो क्या गया है ? अगर मैंने उस साँप से यह नहीं कहा होता कि वह जस्टिन पर हमला न करे –'

'अच्छा, तो तुमने उससे यह कहा था ?'

'तुम्हारा क्या मतलब है ? तुम भी तो वहीं थे ... तुमने भी तो सुना होगा, मैंने क्या कहा था।'

रॉन बोला, 'मैंने तुम्हें सर्पभाषा यानी साँपों की भाषा में कुछ बोलते सुना। मुझे क्या पता कि तुम क्या बोल रहे थे। इसमें हैरानी की बात नहीं है कि जस्टिन घबरा गया। तुम्हारी आवाज़ से ऐसा लग रहा था, जैसे तुम साँप को हमला करने के लिए उकसा रहे थे। देखो, तुम्हारी आवाज़ बहुत डरावनी थी।'

हैरी ने उसकी तरफ़ मुँह फाड़कर देखा।

'मैं दूसरी भाषा में बोल रहा था ? परंतु – मुझे तो पता ही नहीं चला – किसी भाषा को जाने बिना मैं उसमें कैसे बोल सकता हूँ ?'

रॉन ने अपना सिर हिलाया। रॉन और हर्माइनी दोनों की ही शक्ल से ऐसा लग रहा था, जैसे किसी की मौत हो गई हो। हैरी को यह समझ में नहीं आ

रहा था कि सर्पभाषा बोलने में इतनी भयानक बात क्या थी।

वह बोला, 'क्या तुम मुझे बता सकते हो कि एक गंदे बड़े साँप को जस्टिन के सिर पर वार करने से रोकने में क्या ग़लत था? इससे क्या फ़र्क़ पड़ता है कि यह मैंने *कैसे* किया? असल बात तो यह है कि मैंने जस्टिन को सिरकटों के शिकार में शामिल होने से बचा लिया!'

'इससे फ़र्क़ पड़ता है,' हर्माइनी आख़िरकार दबी आवाज़ में बोली, 'क्योंकि नागेश नागशक्ति साँपों से बात करने के लिए मशहूर थे। इसीलिए नागशक्ति हाउस का प्रतीक एक साँप है।'

हैरी का मुँह खुला का खुला रह गया।

'बिलकुल,' रॉन बोला। 'और अब पूरा स्कूल यही सोचेगा कि तुम उसके पर-पर-पर-पर-परपोते या इसी तरह के कोई रिश्तेदार हो ...'

'परंतु मैं नहीं हूँ,' हैरी दहशत से बोला, जिसे वह पूरी तरह से स्पष्ट नहीं कर सकता था।

हर्माइनी बोली, 'यह साबित करना आसान नहीं होगा। नागशक्ति एक हज़ार साल पहले हुए थे। जहाँ तक हम जानते हैं, तुम उनके वंशज हो भी सकते हो।'

*

हैरी उस रात घंटों तक जागता रहा। वह अपने पलंग के चारों तरफ़ लगे पर्दों की दरार से टॉवर की खिड़की के बाहर बर्फ़ को गिरते हुए देखता रहा और सोचता रहा।

क्या वह नागेश नागशक्ति का वंशज हो *सकता* है? आख़िर वह अपने पिता के परिवार के बारे में कुछ भी तो नहीं जानता था। डर्स्ली दंपति ने उसे मना कर दिया था कि वह अपने जादूगर रिश्तेदारों के बारे में उनसे कोई सवाल न पूछे।

हैरी ने शांत होकर सर्पभाषा में कुछ बोलने की कोशिश की, परंतु उसके मुँह से शब्द बाहर नहीं निकले। उसे लगा कि ऐसा करने के लिए उसका साँप से आमना-सामना होना ज़रूरी था।

'परंतु मैं तो *गरुड़द्वार* में हूँ,' हैरी ने सोचा। ' अगर मुझमें नागशक्ति का ख़ून होता, तो बोलती टोपी ने मुझे यहाँ नहीं रखा होता ...'

'*आह,*' एक अप्रिय आवाज़ उसके दिमाग़ में गूँजी, 'परंतु क्या तुम्हें याद नहीं है, बोलती टोपी तुम्हें नागशक्ति में ही रखना *चाहती थी?*'

हैरी ने करवट बदली। उसने सोचा कि अगले दिन जड़ी-बूटियों का ज्ञान

की क्लास में वह जस्टिन से मिलेगा और उसके सामने स्पष्ट कर देगा कि वह साँप को उससे दूर भगा रहा था, उस पर हमला करने के लिए नहीं उकसा रहा था। उसने ग़ुस्से से अपने तकिए पर मुक्का मारते हुए सोचा कि यह बात तो मूर्ख से मूर्ख व्यक्ति को भी समझ में आ जाना चाहिए थी।

*

बहरहाल, अगली सुबह तक मौसम बदल चुका था। रात को जो बर्फ़ गिरना शुरू हुई थी, वह अब इतनी भारी बर्फ़ीली आँधी में बदल चुकी थी कि जड़ी-बूटियों का ज्ञान विषय की उस टर्म की आख़िरी क्लास नहीं लगी : प्रोफ़ेसर स्प्राउट मंत्रकवचों को मोज़े और स्कार्फ़ पहनाना चाहती थीं। यह इतना जटिल काम था कि वे इसे किसी दूसरे के भरोसे नहीं छोड़ सकती थीं, क्योंकि अब यह बहुत महत्वपूर्ण हो गया था कि मंत्रकवच जल्दी बड़े हो जाएँ ताकि मिसेज़ नॉरिस तथा कॉलिन क्रीवी को ठीक किया जा सके।

क्लास नहीं लगने के कारण उन्हें जो ख़ाली समय मिला था, उसमें रॉन और हर्माइनी गरुड़द्वार के हॉल की आग के सामने बैठकर जादूगरों की शतरंज का मैच खेलते रहे, जबकि हैरी पास में बैठकर चिंता करता रहा।

'भगवान के लिए हैरी,' हर्माइनी ने तुनकते हुए कहा, जब रॉन का एक ऊँट उसके घुड़सवार को घोड़े से खींचकर ले गया और उसे बोर्ड के बाहर पटक दिया, 'अगर तुम्हारे लिए यह इतना ही महत्वपूर्ण है, तो तुम यहाँ क्यों बैठे हो ? जाओ और जस्टिन को ढूँढ़ो।'

यह सुनते ही हैरी उठा और तस्वीर के छेद से बाहर निकल गया। वह इस उधेड़बुन में था कि जस्टिन कहाँ हो सकता है।

दिन के वक़्त महल में आम तौर पर जितना अँधेरा रहता था, आज उससे ज़्यादा अँधेरा था, क्योंकि खिड़कियों पर बर्फ़ की मोटी भूरी परत जमी हुई थी। हैरी काँपते हुए उन कमरों के पार गया, जहाँ क्लासें चल रही थीं। उसे अंदर से आ रही आवाज़ें सुनाई दे रही थीं। प्रोफ़ेसर मैक्गॉनेगल किसी पर चिल्ला रही थीं, क्योंकि ऐसा लग रहा था जैसे किसी ने अपने मित्र को बिज्जू में बदल दिया था। अंदर झाँकने का हैरी का मन तो हुआ, परंतु ख़ुद पर क़ाबू रखते हुए हैरी आगे चलता गया। वह यह सोचता जा रहा था कि हो सकता है जस्टिन अपने ख़ाली पीरियड में पढ़ाई कर रहा हो, इसलिए उसने सबसे पहले जस्टिन को लाइब्रेरी में खोजने का फ़ैसला किया।

लाइब्रेरी के पिछले हिस्से में सचमुच मेहनतकश हाउस के विद्यार्थियों का एक समूह बैठा था, जिसे जड़ी-बूटियों का ज्ञान की क्लास में होना चाहिए था। परंतु वे पढ़ाई नहीं कर रहे थे। किताबों की ऊँची अलमारियों की लंबी क़तारों

के बीच से हैरी को दिख रहा था कि वे लोग अपने सिर सटाकर किसी गहरी और गोपनीय चर्चा में डूबे हुए थे। इतनी दूर से उसे यह नज़र नहीं आ रहा था कि जस्टिन वहाँ पर था या नहीं। वह उनकी तरफ़ आगे बढ़ा। जब उन लोगों की बातें हैरी के कानों में पड़ीं, तो वह रुक गया। हैरी उन लोगों को नहीं दिख रहा था, क्योंकि वह अदृश्य खंड में छुपा हुआ था।

'जो भी हो,' एक मोटा लड़का बोल रहा था, 'मैंने तो जस्टिन को सलाह दी है कि वह हमारे कमरे में ही छुपा रहे। मेरे कहने का मतलब यह है कि अगर पॉटर उसे अपना अगला शिकार बनाने वाला है, तो बेहतर यही है कि वह कुछ समय तक छुपा रहे। ज़ाहिर है, जस्टिन को ऐसी ही किसी घटना के होने की तब से आशंका थी, जब से उसने ग़लती से पॉटर को यह बता दिया था कि वह मगलू परिवार में पैदा हुआ है। जस्टिन ने तो उसे यह तक *बता* दिया था कि उसे एटन में एडमीशन मिल रहा था। यह कोई ऐसी बात नहीं है, जो नागशक्ति के वारिस को बताई जाए, जब वह खुला घूम रहा हो, है ना ?'

'तुम्हें पूरा यक़ीन है कि नागशक्ति का वारिस पॉटर ही *है*, क्यों अर्नी ?' सुनहरी चोटी वाली लड़की ने चिंतित स्वर में पूछा।

मोटे लड़के ने गंभीरता से कहा, 'देखो हान्ना, वह सर्पभाषी है। सब जानते हैं कि यह शैतानी शक्तियों वाले जादूगर की निशानी है। क्या तुमने कभी सुना है कि कोई भला जादूगर साँपों से बात कर सकता है ? लोग कहते हैं कि नागेश नागशक्ति सर्पभाषी थे।'

इस पर कुछ विद्यार्थी बुदबुदाने लगे, परंतु अर्नी ने आगे कहा, 'याद है दीवार पर क्या लिखा था ? *वारिस के दुश्मनो, ख़बरदार।* फ़िल्च किसी बात पर पॉटर से उलझ गया था। आगे क्या हुआ हम जानते हैं, फ़िल्च की बिल्ली पर हमला हो गया। क्विडिच मैच में फ़र्स्ट ईयर का क्रीवी पॉटर को परेशान कर रहा था। जब पॉटर कीचड़ में गिर गया था, तब क्रीवी उसके फ़ोटो ले रहा था। उसके कुछ समय बाद ही क्रीवी पर हमला हो गया।'

'वैसे वह हमेशा बहुत अच्छा दिखता है,' हान्ना ने अनिश्चितता से कहा, 'और हाँ, उसी ने तो तुम-जानते-हो-कौन को ग़ायब किया था। यह नहीं हो सकता कि वह पूरी तरह से शैतानी जादूगर हो, है ना ?'

अर्नी ने रहस्यमयी ढंग से अपनी आवाज़ नीची की। मेहनतकश के बच्चों ने अपने सिर और सटा लिए। हैरी भी अर्नी की बात सुनने के लिए थोड़ा क़रीब आ गया।

'कोई नहीं जानता कि तुम-जानते-हो-कौन के हमले से पॉटर कैसे बचा। मेरा कहने का मतलब यह है कि जब यह घटना हुई, तब वह छोटा सा बच्चा था।

उसके तो चिथड़े उड़ जाना चाहिए थे। इस तरह के शाप से तो सिर्फ़ वही बच सकता था, जो सचमुच ताक़तवर शैतानी जादूगर हो।' उसने अपनी आवाज़ और नीचे कर ली और अब वह फुसफुसाकर बोल रहा था, 'शायद *इसी वजह से* तुम-जानते-हो-कौन उसे बचपन में ही मार डालना चाहता था। वह नहीं चाहता था कि कोई दूसरा शैतानी जादूगर उसका *प्रतिद्वंद्वी* बन जाए। मैं यह सोचता हूँ कि न जाने पॉटर में और कौन सी गुप्त शक्तियाँ छुपी होंगी?'

हैरी में अब और सुनने की ताक़त नहीं थी। ज़ोर से अपना गला साफ़ करते हुए वह अलमारियों के पीछे से बाहर निकला। अगर वह इतने ग़ुस्से में नहीं होता, तो उसे अपने सामने का दृश्य देखकर बहुत मज़ा आया होता। हैरी को देखने के बाद मेहनतकश के सभी बच्चे इतने स्तब्ध लग रहे थे, जैसे उसे देखते ही बेजान हो गए हों। अर्नी के चेहरे का रंग उड़ चुका था।

हैरी बोला, 'हैलो, मैं जस्टिन फ़िंच-फ़्लेचली को ढूँढ़ रहा हूँ।'

मेहनतकश के विद्यार्थियों को जिस बात का डर था, अब उसकी पुष्टि हो चुकी थी। सहमकर वे सब अर्नी की तरफ़ देखने लगे।

अर्नी ने काँपती आवाज़ में पूछा, 'तुम उसके साथ क्या करना चाहते हो?'

'मैं उसे बताना चाहता हूँ कि युद्धकला प्रशिक्षण में साँप वाली घटना में वास्तव में क्या हुआ था,' हैरी ने कहा।

अर्नी ने अपने सफ़ेद पड़ चुके होंठ काटे और फिर एक गहरी साँस लेते हुए कहा, 'हम सब वहाँ थे। हमने देखा था कि क्या हुआ था।'

हैरी बोला, 'तब तो तुमने यह भी देखा होगा कि जब मैंने साँप से बात की, तो उसके बाद वह दूर हट गया था?'

'हमने तो बस इतना देखा था,' अर्नी ने सख़्त लहज़े में कहा, हालाँकि बोलते समय वह काँप रहा था, 'कि तुम सर्पभाषा में बात कर रहे थे और साँप को जस्टिन की तरफ़ भेज रहे थे।'

'मैंने उसे उसकी तरफ़ नहीं भेजा था!' हैरी बोला, उसकी आवाज़ ग़ुस्से से काँप रही थी। 'साँप ने तो जस्टिन को *छुआ* तक नहीं!'

'वह बाल-बाल बचा था,' अर्नी ने कहा। इसके बाद उसने जल्दी से आगे यह भी जोड़ दिया, 'और अगर तुम्हारे मन में मेरे बारे में कोई विचार आ रहे हों, तो मैं तुम्हें यह बता दूँ कि तुम मेरी वंशावली देख सकते हो। मेरे परिवार में नौ पीढ़ियों से जादूगर और जादूगरनियाँ रहे हैं और मेरा ख़ून उतना ही शुद्ध है, जितना कि किसी जादूगर का हो सकता है, इसलिए –'

हैरी ग़ुस्से से बोला, 'मुझे परवाह नहीं है कि तुम्हारा ख़ून किस तरह का है! मैं मगलू परिवार में पैदा होने वालों पर हमला क्यों करना चाहूँगा?'

अर्नी ने तपाक से कहा, 'मैंने सुना है कि तुम उन मगलुओं से नफ़रत करते थे, जिनके साथ तुम रहते थे।'

हैरी ने जवाब दिया, 'यह संभव नहीं है कि कोई डर्स्ली परिवार के साथ रहे और उनसे नफ़रत न करे। मैं चाहूँगा कि तुम भी एक बार यह कोशिश करके देखो।'

वह मुड़ा और धड़धड़ाते हुए लाइब्रेरी से बाहर निकल गया। मंत्रों की एक बड़ी सी किताब की सुनहरी जिल्द को चमका रहीं मैडम पिन्स इस दौरान फटकारने वाले अंदाज़ में हैरी को घूरती रहीं।

हैरी गलियारे में लहराते हुए आगे बढ़ा। वह इतने तैश में था कि उसे यह नहीं मालूम था कि वह कहाँ जा रहा था। परिणामस्वरूप वह गिर गया। वह किसी बहुत बड़ी और ठोस चीज़ से टकराया, और फ़र्श पर गिर गया।

'ओह, हैलो हैग्रिड,' हैरी ने ऊपर देखते हुए कहा।

हैग्रिड का चेहरा मख़मली बर्फ़ से ढँकी टोपी में पूरी तरह से छुपा हुआ था, परंतु उसे पहचानने में किसी तरह की कोई ग़लती नहीं हो सकती थी, क्योंकि उसने अधिकांश गलियारे को छछूँदर की खाल वाले अपने ओवरकोट से भर दिया था। उसने ग्लव्ज़ पहन रखे थे और उसके एक दैत्याकार हाथ में एक मरा हुआ मुर्गा लटक रहा था।

हैग्रिड ने बोलने के लिए टोपी को ऊपर खींचते हुए कहा, 'ठीक हो, हैरी? आज तुम क्लास में क्यों नहीं गए?'

'आज क्लास नहीं लगी,' हैरी ने उठते हुए कहा। 'तुम यहाँ क्या कर रहे हो?'

हैग्रिड ने मरे हुए मुर्गे को ऊपर करके दिखाया।

उसने बताया, 'इस साल यह दूसरा मुर्गा मरा है। या तो इसे लोमड़ी ने मारा है या फिर ख़ून चूसने वाले हौए ने। मुर्गियों के दड़बे के चारों तरफ़ जादू करने के लिए हमें हेडमास्टर से इजाज़त लेना होगी।'

उसने बर्फ़ के कणों से भरी अपनी मोटी भौंहों के नीचे से हैरी को ग़ौर से देखा।

'तुम ठीक तो हो? ऐसा लग रहा है, जैसे तुम बहुत परेशान और ग़ुस्से में हो।'

हैरी वह सब नहीं दोहराना चाहता था, जो अर्नी और मेहनतकश के

बाक़ी बच्चे उसके बारे में कह रहे थे।

फिर वह बोला, 'ऐसी कोई बात नहीं है। बेहतर होगा कि मैं अब चल दूँ हैग्रिड, अगली क्लास रूप-परिवर्तन की है और मुझे अपनी किताबें भी उठाना हैं।'

हैरी वहाँ से आगे बढ़ गया। उसके दिमाग़ में वही बातें घूम रही थीं, जो अर्नी ने उसके बारे में कही थीं।

'जस्टिन को ऐसी ही किसी घटना के होने की तब से आशंका थी, जब से उसने ग़लती से पॉटर को यह बता दिया था कि वह मगलू परिवार में पैदा हुआ है...'

हैरी पैर पटकते हुए सीढ़ियों पर चढ़ा और एक ऐसे गलियारे में मुड़ गया, जहाँ कुछ ज़्यादा ही अँधेरा था। यहाँ की मशालें बर्फ़ीली हवा के तेज़ झोंकों के कारण बुझ गई थीं, जो एक खुली खिड़की में से अंदर आ रहे थे। वह गलियारे में आधी दूर तक ही पहुँचा था कि तभी वह फ़र्श पर पड़ी किसी चीज़ से टकराया और लड़खड़ाकर सिर के बल गिर गया।

उसने अँधेरे में आँखें गड़ाकर देखा कि वह किस पर गिरा था और देखते ही उसके होश उड़ गए।

फ़र्श पर जस्टिन फ़िंच-फ़्लेचली पड़ा था, सख़्त और ठंडा। उसके चेहरे पर दहशत का भाव था और उसकी खुली बेजान आँखें छत को घूर रही थीं। इतना ही नहीं, उसके पास एक और आकृति पड़ी थी। हैरी ने आज तक इससे अजीब दृश्य नहीं देखा था।

उसे वहाँ पर लगभग सिरकटा निक दिखा। अब वह मोतियों की तरह सफ़ेद और पारदर्शी नहीं दिख रहा था, बल्कि काला, धुएँदार तथा बेजान था और फ़र्श से छह इंच ऊपर हवा में स्थिर लेटा हुआ था। उसका सिर आधा लटका हुआ था और उसके चेहरे पर भी दहशत के वैसे ही भाव थे, जैसे कि जस्टिन के चेहरे पर थे।

हैरी सँभलते हुए खड़ा हुआ। उसकी साँस तेज़ और उथली हो गई। उसका दिल इतनी तेज़ी से धड़क रहा था, जैसे उसकी पसलियों से टकराकर नगाड़े बजा रहा हो। जब उसने वीरान गलियारे में तेज़ी से ऊपर-नीचे नज़रें घुमाईं, तो उसे मकड़ियों की एक क़तार दिखी, जो पूरी ताक़त से बेजान शरीरों से दूर भाग रही थीं। हैरी को गलियारे के दोनों तरफ़ चल रही क्लासों से टीचर्स की दबी हुई आवाज़ों के अलावा कुछ सुनाई नहीं दे रहा था।

उसके मन में यह विचार आया कि वह वहाँ से भाग जाए। किसी को भी

यह पता नहीं चल पाएगा कि वह वहाँ पर था। परंतु वह इन लोगों को इस हाल में यहाँ कैसे छोड़ सकता था ... उसे मदद माँगना होगी। क्या कोई उसकी बात पर यक़ीन करेगा कि उसका इससे कोई लेना-देना नहीं था ?

जब वह दहशत में वहाँ खड़ा था, तो उसके ठीक पास वाला दरवाज़ा धड़ाम से खुला। पीव्ज़ नाम का भूत तैरता हुआ दरवाज़े से बाहर निकला।

'अरे, यह तो पॉटी यानी पॉटर है!' पीव्ज़ खिलखिलाते हुए जब हैरी के पास से गुज़रा, तो उसने उसके चश्मे को तिरछा कर दिया। 'पॉटर के क्या इरादे हैं ? पॉटर छुपकर यहाँ क्यों घूम –'

पीव्ज़ अचानक रुका और हवा में गुलाँटियाँ खाने लगा। गुलाँटी खाते समय जब उसका सिर नीचे और पैर ऊपर थे, तब उसकी निगाह जस्टिन और लगभग सिरकटे निक पर पड़ी। उसने तत्काल ख़ुद को सीधा किया, अपने फेफड़ों में हवा भरी और इससे पहले कि हैरी उसे रोक सके, वह चीख़ने लगा, **'हमला! हमला! एक और हमला! अब किसी इंसान या भूत की जान सुरक्षित नहीं है! अपनी जान बचाओ! हमला!'**

धड़ाम – धड़ाम – धड़ाम : एक के बाद एक दरवाज़े गलियारे में खुले और लोग बाढ़ के पानी की तरह अंदर घुस आए। कई लंबे मिनटों तक इतनी दुविधा और भगदड़ का माहौल था कि जस्टिन के कुचल जाने का ख़तरा पैदा हो गया। कई विद्यार्थी तो लगभग सिरकटे निक के शरीर में खड़े हुए थे। जब टीचर्स वहाँ आए और उन्होंने चिल्लाकर भीड़ को शांत किया, तो हैरी ने ख़ुद को दीवार से टिका पाया। प्रोफ़ेसर मैक्गॉनेगल भागती हुई वहाँ आईं। उनके पीछे उनकी क्लास के बच्चे भी आ गए, जिनमें से एक के बालों पर अब भी काली-सफ़ेद धारियाँ थीं। प्रोफ़ेसर मैक्गॉनेगल ने अपनी छड़ी से एक ज़ोरदार धमाका किया, जिससे ख़ामोशी छा गई। इसके बाद उन्होंने सब विद्यार्थियों को अपनी-अपनी क्लास में जाने का आदेश दिया। जैसे ही भीड़ छँटने की वजह से जगह थोड़ी ख़ाली हुई, मेहनतकश हाउस का अर्नी वहाँ हाँफता हुआ आ गया।

'आज तो पॉटर रंगे हाथों पकड़ा गया!' अर्नी चीख़ा। उसका चेहरा बिलकुल सफ़ेद था और उसने अपनी उँगली हैरी की तरफ़ नाटकीय अंदाज़ में उठा रखी थी।

'चुप रहो, मैकमिलन!' प्रोफ़ेसर मैक्गॉनेगल ने तीखे स्वर में कहा।

पीव्ज़ ऊपर झूलते हुए अब बुरी तरह दाँत दिखा रहा था और मज़े लेते हुए पूरे दृश्य को देख रहा था। पीव्ज़ को गड़बड़ी या अव्यवस्था का माहौल हमेशा अच्छा लगता था। जब टीचर्स जस्टिन और लगभग सिरकटे निक के ऊपर झुके और उनकी जाँच करने लगे, तो पीव्ज़ गाना गाने लगा :

'अरे पॉटर, तुम तो हो गड़बड़ पॉटर, तुमने ये क्या किया ?

तुम तो विद्यार्थियों को ऐसे मार रहे हो, जैसे यह कोई मज़ेदार खेल हो –'

'बहुत हो गया, पीव्ज़!' प्रोफ़ेसर मैक्गॉनेगल ने झिड़कते हुए कहा और पीव्ज़ हैरी को जीभ निकालकर चिढ़ाते हुए पीछे की तरफ़ उड़ गया।

प्रोफ़ेसर फ़्लिटविक और खगोलशास्त्र की प्रोफ़ेसर सिनिस्ट्रा जस्टिन को उठाकर अस्पताल ले गए, परंतु किसी को भी यह समझ में नहीं आ रहा था कि लगभग सिरकटे निक का क्या किया जाए। अंत में प्रोफ़ेसर मैक्गॉनेगल ने छड़ी घुमाकर हवा से एक बड़ा पंखा निकालकर अर्नी को दे दिया। उन्होंने अर्नी को यह भी समझाया कि वह इस पंखे से हवा करके लगभग सिरकटे निक को सीढ़ियों के ऊपर कैसे ले जाए। अर्नी निक को पंखा झलते हुए एक ख़ामोश काले होवरक्राफ़्ट विमान की तरह ले गया। इसके बाद वहाँ सिर्फ़ हैरी और प्रोफ़ेसर मैक्गॉनेगल ही बचे थे।

प्रोफ़ेसर मैक्गॉनेगल बोलीं, 'मेरे साथ आओ, पॉटर।'

हैरी ने तत्काल कहा, 'प्रोफ़ेसर, मैं क़सम खाता हूँ कि मैंने कुछ नहीं किया–'

प्रोफ़ेसर मैक्गॉनेगल सख़्ती से बोलीं, 'यह मेरे हाथ से बाहर की बात है।'

वे दोनों ख़ामोशी से एक मोड़ पर मुड़े। प्रोफ़ेसर मैक्गॉनेगल अचानक एक बड़े और बहुत ही बदसूरत जानवर की मूर्ति के सामने रुक गईं।

उन्होंने कहा, 'शर्बत लेमन!' ज़ाहिर है यह पासवर्ड था, क्योंकि जानवर की मूर्ति में अचानक जान आ गई और यह एक तरफ़ सरक गया, जिससे उसके पीछे की दीवार दो हिस्सों में बँट गई। दहशत से भरे होने के बाद भी हैरी आश्चर्यचकित हुए बिना नहीं रह सका और सोचने लगा कि आगे क्या होने वाला है। दीवार के पीछे घुमावदार सीढ़ियाँ थीं, जो एस्केलेटर की तरह धीमी गति से ऊपर की तरफ़ जा रही थीं। जब वह और प्रोफ़ेसर मैक्गॉनेगल सीढ़ियों पर खड़े हुए, तो हैरी को पीछे की दीवार के धम्म के साथ बंद होने की आवाज़ सुनाई दी। वे गोलाई में घूमते हुए ऊपर उठे। वे ऊँचे और ऊँचे उठते चले गए, जब तक कि आख़िरकार हैरी का सिर थोड़ा चकराने नहीं लगा। अब उसे अपने सामने बलूत की लकड़ी का चमकता हुआ दरवाज़ा दिख रहा था, जिस पर गरुड़ के आकार की एक पीतल की कुंडी लगी थी।

वह जानता था कि उसे कहाँ लाया गया था। यह वही जगह होना चाहिए, जहाँ डम्बलडोर रहते होंगे।

अध्याय बारह

भेसबदल काढ़ा

ऊपर पहुँचकर वे पत्थर की सीढ़ी से नीचे उतरे और प्रोफ़ेसर मैक्गॉनेगल ने दरवाज़े पर दस्तक दी। दरवाज़ा धीमे से खुला और वे अंदर दाख़िल हो गए। प्रोफ़ेसर मैक्गॉनेगल ने हैरी से इंतज़ार करने को कहा और उसे वहाँ अकेला छोड़कर वे अंदर चली गईं।

हैरी ने चारों तरफ़ देखा। एक बात तो तय थी : इस साल हैरी जितने भी टीचर्स के ऑफ़िसों में गया था, उनमें डम्बलडोर का ऑफ़िस सबसे ज़्यादा दिलचस्प था। अगर वह इस बात से बुरी तरह डर नहीं रहा होता कि उसे स्कूल से निकाला जाने वाला है, तो वह इसे देखने का मौक़ा पाकर बहुत ख़ुश हुआ होता।

यह एक बड़ा और सुंदर गोलाकार कमरा था, जो अजीब क़िस्म की छोटी-छोटी आवाज़ों से भरा था। चाँदी से बने बहुत से विचित्र यंत्र पहिए वाली टेबलों पर रखे थे। इन यंत्रों में से धुएँ की हलकी लकीरें निकल रही थीं। दीवारों पर चारों तरफ़ हॉगवर्ट्स के पुराने हेडमास्टरों और हेडमास्टरनियों की तस्वीरें लगी थीं, जो अपने फ्रेमों में आराम करते हुए ऊँघ रहे थे। वहाँ पर पंजेदार पैरों वाली एक बड़ी टेबल भी थी और इसके पीछे अलमारी में गंदी और पैबंद लगी हॉगवर्ट्स की *बोलती टोपी* रखी थी।

हैरी झिझका। उसने दीवार पर सो रहे जादूगरों और जादूगरनियों को ध्यान से देखा। फिर उसने सोचा कि अगर वह टोपी को उठा ले और एक बार फिर से पहनकर देख ले, तो इससे कोई नुक़सान नहीं हो सकता। वह सिर्फ़ यह देखना चाहता था... यह तसल्ली करना चाहता था कि टोपी ने उसे सही हाउस में भेजा है।

वह शांति से टेबल का चक्कर लगाकर अलमारी के पास पहुँचा। उसने टोपी उठाई और धीरे से अपने सिर पर रख ली। टोपी बहुत बड़ी थी और जब

हैरी ने उसे पहना, तो पिछली बार की तरह ही इस बार भी यह उसकी आँखों के सामने आ गई। हैरी ने टोपी के अंदर के काले हिस्से को घूरा और इंतज़ार करने लगा। फिर उसे अपने कान में एक धीमी आवाज़ सुनाई दी, 'उलझन में हो, हैरी पॉटर ?'

'अर, हाँ,' हैरी बुदबुदाया। 'अर – आपको कष्ट देने के लिए माफ़ी चाहता हूँ – मैं यह पूछना चाहता था –'

'तुम सोच रहे हो कि मैंने तुम्हें सही हाउस में भेजा है या नहीं,' टोपी ने उसके मुँह के शब्द छीनते हुए कहा। 'हाँ ... यह तय करना बहुत मुश्किल था कि तुम्हें किस हाउस में भेजा जाए। परंतु मैं अब भी वही कहूँगी, जो मैंने पहले कहा था –' हैरी का दिल उछलने लगा '– तुम्हारी सही जगह नागशक्ति हाउस में ही थी।'

हैरी के पेट में मरोड़ें उठने लगीं। उसने टोपी का सिरा पकड़कर उसे उतार दिया। अब गंदी और मुरझाई सी टोपी उसके हाथ में बेजान सी लटक रही थी। हैरी ने उसे दुबारा अलमारी में रख दिया। उसका जी मचलने लगा था।

'तुम ग़लत हो,' उसने ख़ामोश और स्थिर टोपी की तरफ़ देखते हुए ज़ोर से कहा। टोपी में कोई हलचल नहीं हुई। हैरी उसकी तरफ़ देखते हुए पीछे हट गया। फिर उसे अपने पीछे से एक अजीब सी रुँधी हुई आवाज़ आई, जिसे सुनकर वह घूम गया।

वह उस कमरे में अकेला नहीं था। दरवाज़े के पीछे सुनहरे स्टैंड पर एक कमज़ोर बूढ़ा पक्षी खड़ा था, जो अधनुची मुर्गी की तरह दिख रहा था। हैरी ने पक्षी की तरफ़ देखा। पक्षी ने भी उसकी तरफ़ दर्द भरे अंदाज़ में देखा और एक बार फिर रुँधी हुई आवाज़ निकाली। हैरी सोच रहा था कि पक्षी बहुत बीमार दिख रहा था। उसकी आँखें बेजान थीं और हैरी के देखते ही देखते उसकी पूँछ से दो और पंख निकलकर गिर गए।

हैरी के मन में यह विचार आया कि अब होने को बस यही बाक़ी रह गया है कि जब वह डम्बलडोर के ऑफ़िस में अकेला हो, उसी समय डम्बलडोर का पालतू पक्षी मर जाए। तभी उसने देखा कि पक्षी के चारों तरफ़ आग की लपटें उठने लगीं।

हैरी सदमे से चीख़ा और टेबल की तरफ़ भागा। उसने हड़बड़ी में चारों तरफ़ देखा कि शायद उसे कहीं पानी का गिलास दिख जाए, परंतु उसे पानी नहीं दिखा। इस दौरान पक्षी आग का गोला बन चुका था। पक्षी ज़ोर से चीख़ा और अगले ही पल वहाँ कुछ नहीं था। हैरी को बस फ़र्श पर राख का सुलगता हुआ ढेर ही नज़र आ रहा था।

ऑफ़िस का दरवाज़ा खुला और डम्बलडोर अंदर आए। वे बहुत गंभीर दिख रहे थे।

'प्रोफ़ेसर,' हैरी ने तेज़ी से साँस खींचते हुए कहा। 'आपका पक्षी – मैं कुछ नहीं कर सका – उसमें न जाने कैसे आग लग गई –'

हैरी को यह देखकर आश्चर्य हुआ कि डम्बलडोर मुस्करा रहे थे।

'समय भी तो हो गया था,' वे बोले। 'वह कुछ दिनों से भयानक दिखने लगा था। मैं उससे कह रहा था कि वह यह काम कर ले।'

हैरी के चेहरे के स्तब्ध भाव को देखकर वे धीरे से हँसे।

'ज्वाला एक फ़ीनिक्स है, हैरी। जब फ़ीनिक्स के मरने का समय आता है, तो वह ख़ुद में आग लगा लेता है और अपनी राख से दुबारा पैदा होता है। उस तरफ़ देखो ...'

हैरी ने समय रहते देखा कि राख में से एक छोटे और झुर्रीदार नवजात पक्षी का सिर निकल रहा था। यह भी पुराने पक्षी जितना ही बदसूरत दिख रहा था।

'अफ़सोस की बात है कि तुमने उसे उसके जलने के दिन देखा,' डम्बलडोर ने अपनी टेबल के पीछे बैठते हुए कहा। 'ज़्यादातर समय वह सचमुच बहुत सुंदर होता है : अद्भुत लाल और सुनहरे पंख वाला। फ़ीनिक्स बहुत ही दिलचस्प जीव होते हैं। वे भारी से भारी वज़न उठा सकते हैं, उनके आँसुओं में घाव भरने की शक्ति होती है और वे बहुत ही *वफ़ादार* पालतू जीव होते हैं।'

ज्वाला के आग से जल जाने के सदमे में हैरी यह भूल गया था कि वह वहाँ क्यों आया था। परंतु जब डम्बलडोर टेबल के पीछे ऊँची पीठ वाली कुर्सी पर बैठे और उन्होंने हैरी को अपनी पैनी व हलकी-नीली निगाह से घूरा, तो उसे सब कुछ याद आ गया।

बहरहाल, इससे पहले कि डम्बलडोर कुछ और कह पाएँ, ऑफ़िस का दरवाज़ा धड़ाम से खुला और बौखलाया हुआ हैग्रिड अंदर घुस आया। उसकी आँखों में जंगली आवेश था, उसकी टोपी उसके झबरीले काले सिर पर रखी थी और मरा हुआ मुर्गा अब भी उसके हाथ में झूल रहा था।

'हैरी ने कुछ नहीं किया, प्रोफ़ेसर डम्बलडोर!' हैग्रिड ने उतावलेपन से कहा। 'उस बच्चे के मिलने से कुछ *सेकंड* पहले ही हमने उससे बातें की थीं। उसे समय ही नहीं मिला होगा, सर ...'

डम्बलडोर ने कुछ बोलने की कोशिश की, परंतु हैग्रिड आगे बोलता गया और उत्तेजना में मुर्गे को हिलाता रहा, जिस वजह से चारों तरफ़ पंख फैल गए।

'... वह यह कर ही नहीं सकता। अगर ज़रूरत पड़े, तो हम जादू मंत्रालय के सामने क़सम खाने को तैयार हैं ...'

'हैग्रिड, मैं –'

'... आपने ग़लत बच्चे को पकड़ लिया है, सर, हम *जानते* हैं कि हैरी कभी यह काम नहीं –'

'हैग्रिड!' डम्बलडोर ज़ोर से बोले। 'मुझे *नहीं* लगता कि हैरी ने उन लोगों पर हमला किया है।'

'ठीक है,' हैग्रिड ने कहा। अब उसका मुर्गा उसके बाज़ू में ढीला पड़ गया था। 'ठीक है, तब हम बाहर इंतज़ार करते हैं, हेडमास्टर।'

और वह लज्जित दिखते हुए तथा पैर घसीटते हुए बाहर चला गया।

'आपको नहीं लगता कि यह मैंने किया है, प्रोफ़ेसर ?' हैरी ने आशा भरे स्वर में कहा, जब डम्बलडोर ने अपनी टेबल से मुर्गे के पंख हटाए।

'नहीं हैरी, मुझे नहीं लगता,' डम्बलडोर ने कहा, हालाँकि उनका चेहरा एक बार फिर गंभीर हो गया। 'परंतु फिर भी मैं तुमसे बात करना चाहता हूँ।'

हैरी ने घबराकर इंतज़ार किया, जब डम्बलडोर ने उसे तौला। उनकी लंबी उँगलियाँ आपस में गुँथी हुई थीं।

'हैरी, मुझे तुमसे यह पूछना है कि क्या कोई ऐसी चीज़ है जो तुम मुझे बताना चाहते हो,' उन्होंने नरमी से पूछा। 'कोई भी चीज़।'

हैरी की समझ में नहीं आया कि इस बात का क्या जवाब दे। उसने मैल्फ़ॉय के चिल्लाने के बारे में सोचा, 'अब तुम्हारी बारी है, बदज़ातो!' और फिर उसने भेसबदल काढ़े के बारे में सोचा, जो मायूस मीना के बाथरूम में उबल रहा था। फिर उसने उस अदृश्य आवाज़ के बारे में सोचा, जो उसे दो बार सुनाई दी थी और उसे रॉन की कही बात याद आई : *'जो आवाज़ें किसी दूसरे को सुनाई न दें, उन्हें सुनना अच्छी बात नहीं है ... जादू की दुनिया में भी नहीं।'* उसने इस बारे में भी सोचा कि सारे विद्यार्थी उसके बारे में क्या कह रहे थे और उसे ख़ुद अंदर से यह डर सता रहा था कि उसका नागेश नागशक्ति से किसी तरह का संबंध है ...

'नहीं,' हैरी ने कहा, 'ऐसी कोई बात नहीं है, सर।'

*

अब तक महल में सिर्फ़ घबराहट का माहौल था, परंतु जस्टिन और लगभग सिरकटे निक पर हुए दोहरे हमले के बाद तो ज़बर्दस्त दहशत फैल गई। अजीब

बात यह थी कि लोग लगभग सिरकटे निक के हाल को देखकर सबसे ज़्यादा चिंतित थे। सब एक-दूसरे से यही पूछ रहे थे कि आख़िर वह कौन होगा, जो एक भूत का यह हाल कर सकता है। आख़िर वह कौन सी ज़बर्दस्त शक्ति थी, जो पहले से ही मर चुके व्यक्ति को इतना नुक़सान पहुँचा सकती थी? हॉगवर्ट्स एक्सप्रेस में सीटें बुक करवाने के लिए लगभग भगदड़ मच गई, क्योंकि अब सभी विद्यार्थी क्रिसमस मनाने के लिए जल्दी से जल्दी घर पहुँचना चाहते थे।

'अगर इतनी संख्या में विद्यार्थी चले जाएँगे, तो महल में सिर्फ़ हम लोग ही बचेंगे,' रॉन ने हैरी और हर्माइनी से कहा। 'हमारे अलावा यहाँ बस मैल्फ़ॉय, क्रैब और गॉइल ही रहेंगे। हमारी ये छुट्टियाँ कितनी मज़ेदार गुज़रने वाली हैं।'

क्रैब और गॉइल हमेशा वही करते थे, जो मैल्फ़ॉय करता था। इसलिए उन्होंने भी छुट्टियों में रुकने वालों की सूची पर दस्तख़त कर दिए थे। परंतु हैरी इस बात से ख़ुश था कि ज़्यादातर विद्यार्थी घर जा रहे थे। वह यह देखते-देखते तंग आ गया था कि लोग गलियारों में उससे बचकर निकलते थे, जैसे उसके ज़हरीले दाँत निकलने वाले हों या वह ज़हर उगलने वाला हो। उसके पास से गुज़रते समय विद्यार्थी जिस तरह बुदबुदाते थे, इशारा करते थे और फुफकारने की नक़ल करते थे, उससे वह उकता चुका था।

बहरहाल, फ्रेड और जॉर्ज को यह बहुत ही मज़ेदार लगता था। वे गलियारों में हैरी से आगे चलते थे और यह चिल्लाते जाते थे, 'नागशक्ति के वारिस के लिए रास्ता छोड़ो, सचमुच बुरा शैतानी जादूगर आ रहा है ...'

पर्सी को उनकी यह हरकत क़तई पसंद नहीं आई।

उसने रुखेपन से कहा, 'यह हँसने की बात *नहीं* है।'

फ्रेड बोला, 'अरे, रास्ते से हटो पर्सी, हैरी अभी जल्दी में है।'

जॉर्ज ने किलकारी भरते हुए कहा, 'हाँ, वह रहस्यमयी तहख़ाने में अपने ज़हरीले सेवक के साथ चाय पीने जा रहा है।'

जिनी को भी यह मज़ाक़ पसंद नहीं आया।

जब फ्रेड हैरी से चिल्लाकर पूछता था कि अब वह किस पर हमला करने की योजना बना रहा था या जब जॉर्ज यह अभिनय करता था कि वह लहसुन की एक बड़ी कली से हैरी को दूर भगा रहा है, तो जिनी हर बार बिलखते हुए कहती थी, 'अरे, *ऐसा मत करो*।'

हैरी को इससे फ़र्क़ नहीं पड़ा। बल्कि उसे अच्छा लगा कि कम से कम फ्रेड और जॉर्ज को तो यह विचार मूर्खतापूर्ण लगता था कि हैरी नागशक्ति का वारिस हो सकता है। परंतु उनकी मसखरी से ड्रेको मैल्फ़ॉय उत्तेजित हो जाता था। जब

भी वह उन्हें इस तरह की हरकतें करते देखता था, तो हर बार वह बुरा सा मुँह बना लेता था।

रॉन ने समझदारी से कहा, 'ऐसा इसलिए है, क्योंकि वह यह कहने के लिए *उतावला* हो रहा है कि नागशक्ति का वारिस वही है। तुम तो जानते ही हो कि कोई उसे किसी भी चीज़ में हरा दे, तो वह चिढ़ जाता है। उसे इस बात से बहुत तकलीफ़ हो रही होगी कि उसके घिनौने काम का सारा श्रेय तुम्हें मिल रहा है।'

'यह ज़्यादा लंबे समय तक नहीं चलेगा,' हर्माइनी ने संतुष्टि भरे स्वर में कहा। 'भेसबदल काढ़ा लगभग तैयार है। हम उससे किसी भी दिन सच्चाई उगलवा लेंगे।'

*

आख़िरकार वह सत्र समाप्त हो गया और महल में ख़ामोशी छा गई, जो ज़मीन पर जमी बर्फ़ की तरह ही गहरी थी। इस ख़ामोशी में हैरी को उदासी के बजाय शांति का एहसास हुआ। उसे यह बहुत सुखद लग रहा था कि अब गरुड़द्वार हाउस पर उसका, हर्माइनी और वीज़्ली बंधुओं का कब्ज़ा था। अब वे हल्ला मचाते हुए एक्सप्लोडिंग स्नैप खेल सकते थे और इससे किसी को भी कष्ट नहीं होता था। अब वे खुलकर युद्धकला का अभ्यास भी कर सकते थे। फ्रेड, जॉर्ज और जिनी स्कूल में इसलिए रुक गए थे, क्योंकि वे अपने माता-पिता के साथ बिल से मिलने के लिए मिस्र नहीं जाना चाहते थे। पर्सी को उनका बचकाना व्यवहार पसंद नहीं था, इसलिए वह गरुड़द्वार के हॉल में ज़्यादा देर नहीं ठहरता था। वह पहले ही शान झाड़ते हुए उन्हें बता चुका था कि *वह* क्रिसमस की छुट्टियों में सिर्फ़ इसलिए रुका था, क्योंकि प्रिफ़ेक्ट के रूप में यह उसका कर्तव्य था कि वह इस मुश्किल समय में अपने शिक्षकों की मदद करे।

क्रिसमस की सुबह ठंडी और सफ़ेद थी। हैरी और रॉन अपने कमरे में अकेले बचे थे। वे चैन से सो रहे थे परंतु हर्माइनी ने आकर उन्हें बहुत जल्दी उठा दिया। हर्माइनी पूरी तरह तैयार होकर उनके कमरे में आ चुकी थी और उसके हाथ में उन दोनों के लिए तोहफ़े थे।

'जागो,' वह खिड़की के पर्दे खींचते हुए ज़ोर से बोली।

'हर्माइनी – तुम्हें यहाँ नहीं होना चाहिए,' रॉन ने अपनी आँखों को अंदर आती रोशनी से बचाते हुए कहा।

'क्रिसमस की बधाई,' हर्माइनी ने उसकी तरफ़ उसका तोहफ़ा उछालते हुए कहा। 'मैं लगभग एक घंटे पहले जाग गई थी और मैं काढ़े में थोड़े से पतंगे और डाल चुकी हूँ। अब काढ़ा पूरी तरह तैयार है।'

हैरी उठकर बैठ गया। अचानक उसकी आँखों की नींद उड़ गई थी।

'क्या तुम्हें विश्वास है ?'

'बिलकुल,' हर्माइनी ने कहा। उसने स्कैबर्स चूहे को हटाया, ताकि वह हैरी के बिस्तर के कोने पर बैठ सके। 'अगर हमें यह काम करना है, तो मैं तो यही कहूँगी कि हमें इसे आज रात को ही कर देना चाहिए।'

उसी पल हेडविग पंख फड़फड़ाते हुए कमरे में आई। उसकी चोंच में एक बहुत छोटा पैकेट था।

जब वह उसके बिस्तर पर उतरी, तो हैरी ख़ुश होकर बोला, 'हैलो, तो अब तुम मुझसे दुबारा बोलने लगी हो ?'

हेडविग ने प्यार भरे अंदाज़ में हैरी का कान कुतरा। जो तोहफ़ा हेडविग लाई थी, उसकी तुलना में हैरी को हेडविग के प्रेम का यह तोहफ़ा ज़्यादा पसंद आया। वह डर्स्ली दंपति का तोहफ़ा लाई थी, जिन्होंने हैरी को एक टूथपिक भेजी थी और एक चिट्ठी भी, जिसमें लिखा था कि क्या वह गर्मी की छुट्टियों में भी हॉगवर्ट्स में रुक सकता है।

हैरी के क्रिसमस के बाक़ी तोहफ़े इससे ज़्यादा संतोषजनक थे। हैग्रिड ने उसे ट्रिकल टॉफ़ी का एक बड़ा टिन भेजा था, जिसे हैरी ने खाने से पहले आग में नरम करने का फ़ैसला किया। रॉन ने उसे *फ़्लाइंग विथ द कैनन्स* किताब दी थी, जिसमें उसकी प्रिय क्विडिच टीम के बारे में रोचक तथ्य थे। और हर्माइनी ने उसके लिए बाज के पंख वाली एक बेहतरीन क़लम ख़रीदी थी। हैरी ने आख़िरी तोहफ़े को खोला। इसमें उसे मिसेज़ वीज़्ली के हाथ का बुना एक नया स्वेटर और एक बड़ा स्पंजी केक मिला। उसने अपराधबोध के एक नए एहसास के साथ उनका भेजा कार्ड रखा। वह मिस्टर वीज़्ली की कार के बारे में सोच रहा था, जो लड़ाकू पेड़ के साथ हुई टक्कर के बाद से आज तक नहीं दिखी थी। वह नियमों को तोड़ने की उस योजना के बारे में भी सोच रहा था, जो उसने और रॉन ने बनाई थी।

*

ऐसा हो ही नहीं सकता था कि किसी को हॉगवर्ट्स में क्रिसमस के डिनर में मज़ा न आए, भले ही उसे बाद में भेसबदल काढ़ा पीने का डर सता रहा हो।

बड़ा हॉल भव्य लग रहा था। न सिर्फ़ वहाँ पर बर्फ़ में ढँके एक दर्जन क्रिसमस वृक्ष रखे थे और शूलपर्णी तथा मिसलटो की मोटी पताकाएँ छत पर गुत्थमगुत्था होकर लहरा रही थीं, बल्कि गर्म और सूखी अभिमंत्रित बर्फ़ छत से गिर रही थी। डम्बलडोर ने उन्हें अपने कुछ प्रिय गीत सुनाए। हैग्रिड अंडे के

कॉकटेल का हर गिलास पीने के बाद और ज़्यादा ऊँची आवाज़ में बोल रहा था। पर्सी का इस तरफ़ ध्यान ही नहीं गया कि फ्रेड ने उसके प्रिफ़ेक्ट के बिल्ले पर जादू कर दिया था, जिस वजह से अब उस पर लिखा था, 'वज्र मूर्ख!' वह उन सबसे पूछता रहा कि वे उसकी तरफ़ देखकर हँस क्यों रहे हैं। हैरी को इस बात की परवाह भी नहीं थी कि नागशक्ति की टेबल से ड्रेको मैल्फ़ॉय ज़ोर से उसके नए स्वेटर के बारे में व्यंग्यात्मक टिप्पणियाँ कर रहा था। हैरी ने सोचा, अगर क़िस्मत अच्छी रही, तो कुछ ही घंटों में मैल्फ़ॉय की हवा निकल जाएगी।

हैरी और रॉन ने अभी क्रिसमस पुडिंग का तीसरा दौर ही ख़त्म किया था कि तभी हर्माइनी उन्हें खींचकर हॉल से बाहर ले गई, ताकि शाम की योजना को अंतिम रूप दिया जा सके।

'अब हमें उन लोगों की कोई चीज़ चाहिए, जिनके रूप में तुम्हें बदलना है,' हर्माइनी ने सामान्य लहज़े में कहा, जैसे वह उन्हें वाशिंग पाउडर लाने के लिए सुपरमार्केट भेज रही हो। 'और ज़ाहिर है, अगर तुम क्रैब और गॉइल की कोई चीज़ ला सको तो यह सबसे अच्छा रहेगा, क्योंकि वे मैल्फ़ॉय के सबसे अच्छे दोस्त हैं। वह उनसे कुछ नहीं छुपाएगा। और हमें यह इंतज़ाम भी करना है कि जब हम उससे पूछताछ कर रहे हों, तब असली क्रैब और गॉइल वहाँ पर अचानक न आ जाएँ।

'मैंने सारी योजना बना ली है,' उसने आगे बढ़ते हुए और हैरी तथा रॉन के हैरान चेहरों को नज़रअंदाज़ करते हुए कहा। उसके हाथ में दो बड़े चॉकलेट केक थे। 'मैंने इनमें नींद की साधारण दवा मिला दी है। तुम्हें बस इतना करना है कि इन्हें किसी ऐसी जगह पर रख दो, जहाँ क्रैब और गॉइल इन्हें देख लें। तुम तो जानते ही हो, वे कितने पेटू हैं। वे इन्हें खाए बिना नहीं रह पाएँगे। एक बार जब वे सो जाएँ, तो तुम उनके कुछ बाल उखाड़ लेना और उन्हें झाड़ुओं वाली अलमारी में छुपा देना।'

हैरी और रॉन ने अविश्वास से एक-दूसरे की तरफ़ देखा।

'हर्माइनी, मुझे नहीं लगता -'

'हमारी योजना बुरी तरह से गड़बड़ा सकती है -'

परंतु हर्माइनी की आँखों में फ़ौलाद जैसी चमक थी, जो वैसी ही थी जैसी प्रोफ़ेसर मैक्गॉनेगल की आँखों में कई बार नज़र आती थी।

'क्रैब और गॉइल के बालों के बिना काढ़ा काम नहीं करेगा,' उसने सख़्ती से कहा। 'तुम मैल्फ़ॉय से पूछताछ करना *चाहते* हो या नहीं ?'

'अच्छा, ठीक है, ठीक है,' हैरी ने कहा। 'परंतु तुम क्या करोगी ? तुम किसके बाल का इंतज़ाम करोगी ?'

'मेरे पास पहले से ही है!' हर्माइनी ने उत्साह से कहा। यह कहते हुए उसने अपनी जेब से एक छोटी बोतल बाहर निकाली और उन्हें उसके भीतर पड़ा इकलौता बाल दिखाया। 'याद है युद्धकला प्रशिक्षण में मिलिसेंट बुलस्ट्रोड मेरे साथ कुश्ती कर रही थी ? जब वह मेरा गला दबाने की कोशिश कर रही थी, तब मेरे कपड़ों पर उसका यह बाल लग गया था! अब वह क्रिसमस के लिए घर चली गई है - इसलिए मुझे यह बताना पड़ेगा कि मैं बीच में ही वापस लौट आई।'

जब हर्माइनी दुबारा भेसबदल काढ़े की जाँच करने के लिए गई, तो हैरान-परेशान दिख रहा रॉन हैरी की तरफ़ मुड़कर बोला, 'क्या तुमने कभी किसी दूसरी ऐसी योजना के बारे में सुना है, जिसमें इतनी सारी चीज़ें गड़बड़ हो सकती हैं ?'

*

परंतु हैरी और रॉन के आश्चर्य का ठिकाना नहीं रहा, जब उनके अभियान का पहला दौर उतनी ही आसानी से सफल हो गया, जितना हर्माइनी ने कहा था। वे क्रिसमस की चाय के बाद वीरान प्रवेश हॉल में छुपकर क्रैब और गॉइल का इंतज़ार कर रहे थे, जो नागशक्ति की टेबल पर अकेले बचे थे और अपने मुँह में चौथी बार स्पंज केक ठूँस रहे थे। हैरी ने सीढ़ियों पर बने छोटे से खंभे के सिरे पर चॉकलेट केक रख दिए। जब हैरी और रॉन ने क्रैब और गॉइल को बड़े हॉल से बाहर आते देखा, तो वे जल्दी से अगले दरवाज़े के पास रखे एक कवच के पीछे छुप गए।

'कोई इतना मूर्ख कैसे हो सकता है ?' रॉन विजयी अंदाज़ में फुसफुसाया, जब क्रैब ने ख़ुश होकर गॉइल की तरफ़ देखा और केक की तरफ़ इशारा किया। फिर उन दोनों ने केक उठा लिए और मूर्खतापूर्ण ढंग से हँसते हुए अपने बड़े मुँहों में साबुत केक भर लिए। कुछ समय तक तो वे चटखारे लेकर केक का स्वाद लेते रहे और उनके चेहरे पर उल्लास के भाव नज़र आए। फिर चेहरे के भाव बदले बिना वे दोनों फ़र्श पर पीछे की तरफ़ लुढ़क गए।

सबसे मुश्किल काम था उन्हें हॉल के दूसरे सिरे पर रखी अलमारी में छुपाना। एक बार जब उन दोनों को बाल्टियों और झाड़ुओं के बीच सुरक्षित तरीक़े से छुपा दिया गया, तो हैरी ने गॉइल के माथे से दो बाल उखाड़ लिए और रॉन ने क्रैब के कुछ बाल खींच लिए। उन्होंने क्रैब और गॉइल के जूते भी उठा लिए, क्योंकि उनके अपने जूते क्रैब और गॉइल के पैरों के हिसाब से बहुत छोटे थे। उन्होंने जो किया था, उस पर हैरान होते हुए वे भागकर मायूस मीना के बाथरूम की तरफ़ गए।

बाथरूम के अंदर पहुँचने के बाद काले धुएँ की मोटी परत के कारण उन्हें

देखने में बहुत मुश्किल हो रही थी। धुआँ उस टॉयलेट में से निकल रहा था, जिसमें हर्माइनी कड़ाही मं उबलते काढ़े को हिला रही थी। अपने चेहरे पर दुशाले ढँकते हुए हैरी और रॉन ने दरवाज़े पर हौले से दस्तक दी।

'हर्माइनी ?'

उन्हें कुंडी खुलने की आवाज़ सुनाई दी और हर्माइनी सामने आई। उसका चेहरा चमक रहा था और वह उत्तेजित दिख रही थी। उसके पीछे से उन्हें उबलते हुए गाढ़े काढ़े की *खदबद* सुनाई दे रही थी। टॉयलेट की सीट पर काँच के तीन गिलास पहले से ही तैयार रखे थे।

'क्या तुमने उनके बाल उखाड़ लिए ?' हर्माइनी ने साँस रोककर पूछा।

हैरी ने उसे गॉइल के बाल दिखा दिए।

'अच्छा। और मैंने लॉन्ड्री से ये दुशाले चुरा लिए हैं,' हर्माइनी ने एक छोटी थैली उठाते हुए कहा। 'जब तुम क्रैब और गॉइल में बदल जाओगे, तो तुम्हें बड़े कपड़ों की ज़रूरत पड़ेगी।'

उन तीनों ने कड़ाही को घूरा। पास से देखने पर काढ़ा गाढ़े कीचड़ जैसा काला दिख रहा था, जो धीमे-धीमे खदबदा रहा था।

'मुझे विश्वास है कि मैंने हर चीज़ सही ढंग से की है,' हर्माइनी ने एक बार फिर *सबसे शक्तिशाली काढ़े* नामक किताब के धब्बे भरे पन्ने को परेशान अंदाज़ में पढ़ते हुए कहा। 'यह वैसा ही दिखता है, जैसा इस किताब में बताया गया है। ... एक बार जब हम इसे पी लेंगे, तो हमारे पास ठीक एक घंटे का समय होगा और इसके बाद हम अपने पुराने स्वरूप में लौट आएँगे।'

'अब क्या करें ?' रॉन फुसफुसाया।

'हम इसे तीन गिलासों में बाँट लेते हैं और इसमें बाल डाल लेते हैं।'

हर्माइनी ने गिलासों में ढेर सारा काढ़ा डाला। फिर काँपते हाथों से उसने मिलिसेंट बुलस्ट्रोड का बाल बोतल से बाहर निकाला और पहले गिलास में डाल दिया।

काढ़ा उबलती केतली की तरह तेज़ी से हिस्स की आवाज़ करने लगा और उसमें झाग उठने लगा। एक पल बाद उसका रंग बुरी तरह पीला हो गया।

'अह - मिलिसेंट बुलस्ट्रोड का अर्क,' रॉन नफ़रत से गिलास को घूरते हुए बोला। 'शर्त लगा लो, इसका स्वाद भयानक होगा।'

हर्माइनी ने उनसे कहा, 'जो बाल तुम लाए हो, अब उन्हें अपने-अपने गिलास में मिला लो।'

हैरी ने बीच वाले गिलास में गॉइल का बाल डाला और रॉन ने आख़िरी

गिलास में क्रैब का। दोनों ही गिलासों में हिस्स की आवाज़ के साथ झाग उठा। इसके बाद गॉइल के बाल वाला काढ़ा खाकी रंग का हो गया और क्रैब के बाल वाला गहरे काले-भूरे रंग का।

जब रॉन और हर्माइनी अपने-अपने गिलासों की तरफ़ बढ़े, तो हैरी बोला, 'थोड़ा ठहरो। बेहतर होगा कि हम काढ़ा यहाँ न पिएँ। जब हम क्रैब और गॉइल में बदल जाएँगे, तो हमारे कपड़े छोटे पड़ जाएँगे। और मिलिसेंट बुलस्ट्रोड भी कोई नन्ही परी नहीं है।'

'तुम्हारे दिमाग़ में बहुत अच्छा विचार आया,' रॉन ने दरवाज़े की साँकल खोलते हुए कहा। 'हम लोग अलग-अलग टॉयलेट में चले जाते हैं।'

गिलास से भेसबदल काढ़े की एक भी बूँद न छलके, इस बात का ख़्याल रखते हुए हैरी बीच वाले टॉयलेट में घुस गया।

उसने पूछा, 'तैयार ?'

'तैयार,' रॉन और हर्माइनी की आवाज़ें आईं।

'एक ... दो ... तीन ...'

अपनी नाक दबाकर हैरी ने काढ़े को दो बड़े घूँटों में गटक लिया। इसका स्वाद ज़्यादा पकी हुई पत्तागोभी जैसा था।

तत्काल उसके पेट में मरोड़ उठने लगी, जैसे उसने ज़िंदा साँप निगल लिए हों। वह दोहरा हो गया और उसे लगा जैसे उसे उलटी होने वाली हो। फिर उसे ऐसा लगा जैसे उसका पेट जल रहा हो। जलन का यह एहसास तेज़ी से उसके पेट से लेकर हाथ-पैर की उँगलियों तक फैल गया। इसके बाद उसे लगा जैसे उसका शरीर पिघल रहा हो। वह अपने हाथ-पैरों पर गिर गया। अगले ही क्षण जैसे उसके शरीर की पूरी चमड़ी गर्म मोम की तरह उबलने लगी। फिर उसके देखते ही देखते उसके हाथ लंबे होने लगे, उँगलियाँ मोटी होने लगीं, नाख़ून चौड़े होने लगे और पोर नट-बोल्ट की तरह फूलने लगे। कंधे फैलते समय उसे बहुत दर्द हुआ। इसके अलावा अपने माथे पर होने वाले चुभन के एहसास से उसे पता चला कि उसके बाल उसकी भौंहों की तरफ़ लटक रहे थे। जब उसका सीना किसी ढोल की तरफ़ फूल गया, तो इस वजह से उसके कपड़े फट गए। उसके पैरों में बहुत तेज़ दर्द हो रहा था, क्योंकि उसके जूते गॉइल के पैरों से पूरे चार नंबर छोटे थे ...

जितने अचानक यह शुरू हुआ था, उतने ही अचानक सब कुछ ख़त्म हो गया। हैरी पत्थर के ठंडे फ़र्श पर मुँह के बल पड़ा हुआ था। आख़िरी टॉयलेट में उसे मीना की उदास बड़बड़ाहट सुनाई दे रही थी। उसने अपने जूते बहुत मुश्किल से उतारकर दूर फेंके और खड़ा हो गया। उसने सोचा, अच्छा तो गॉइल बनने के

बाद इस तरह का एहसास होता है। काँपते हुए बड़े हाथों से उसने अपने पुराने कपड़े उतारे, जो अब उसके टखने से एक फ़ुट ऊपर झूल रहे थे। इसके बाद उसने हर्माइनी के लाए बड़े कपड़े पहने और गॉइल के नाव जैसे जूतों के फ़ीते बाँधे। उसने अपनी आँखों में घुसे बाल निकालने के लिए हाथ बढ़ाया, परंतु उसका हाथ माथे के नीचे उभरने वाले बालों तक ही पहुँच पाया। तब जाकर उसे एहसास हुआ कि चश्मे की वजह से उसे हर चीज़ धुँधली दिख रही थी। ज़ाहिर है, गॉइल को चश्मे की ज़रूरत नहीं थी। उसने चश्मा उतारा और पूछा, 'तुम दोनों **ठीक** हो ?' उसके मुँह से गॉइल जैसी तीखी आवाज़ निकली।

'हाँ,' दाईं तरफ़ से क्रैब की भारी आवाज़ आई।

हैरी ने अपने दरवाज़े की चटखनी खोली और चटके हुए आईने के सामने खड़ा हो गया। गॉइल अपनी भावहीन गहरी आँखों से उसकी तरफ़ घूर रहा था। हैरी ने अपने कान खुजाए। गॉइल ने भी ऐसा ही किया।

रॉन ने दरवाज़ा खोला। उन्होंने एक-दूसरे को घूरकर देखा। रॉन और क्रैब में कोई फ़र्क़ नहीं दिख रहा था, सिवाय इसके कि वह पीला और सदमे में लग रहा था। क्रैब की तरह रॉन के बाल भी गोलाई में कटे थे और उसकी बाँहें भी लंबी और गोरिल्ले जैसी थीं।

'यक़ीन नहीं होता,' रॉन ने आईने के पास आते हुए और क्रैब की सपाट नाक को खुजाते हुए कहा। *'यक़ीन नहीं होता।'*

'बेहतर होगा कि हम चल दें,' हैरी ने अपनी घड़ी ढीली करते हुए कहा, जो अब गॉइल की मोटी कलाई में बुरी तरह चुभ रही थी। 'हमें यह भी पता लगाना है कि नागशक्ति का हॉल कहाँ है। काश हमें कोई मिल जाए, जिसके पीछे-पीछे हम वहाँ पहुँच सकें ...'

रॉन, जो हैरी की तरफ़ देख रहा था, बोला, 'तुम नहीं जानते कि गॉइल को कुछ *सोचते* देखना कितना अजीब है।' उसने हर्माइनी का दरवाज़ा भड़भड़ाते हुए कहा, 'चलो, हमें अब चलना चाहिए ...'

एक ऊँचे सुर में निकली आवाज़ ने जवाब दिया, 'मुझे - मुझे नहीं लगता कि मैं बाहर निकलूँगी। तुम लोग मेरे बिना चले जाओ।'

'हर्माइनी, हम जानते हैं कि मिलिसेंट बुलस्ट्रोड बदसूरत है। कोई भी यह नहीं जान पाएगा कि यह तुम हो।'

'नहीं - सचमुच - मुझे नहीं लगता कि मैं चल पाऊँगी। तुम दोनों जल्दी से चले जाओ। तुम अपना समय बर्बाद कर रहे हो।'

हैरी ने परेशानी से रॉन की तरफ़ देखा।

'अब तुम्हारे चेहरे पर गॉइल जैसा भाव आया है,' रॉन ने कहा। 'जब भी कोई टीचर उससे कोई सवाल पूछता है, तो वह हर बार इसी तरह देखता है।'

हैरी ने दरवाज़े पर खड़े-खड़े पूछा, 'हर्माइनी, तुम **ठीक** तो हो ?'

'ठीक हूँ - मैं ठीक हूँ ... तुम लोग जाओ -'

हैरी ने अपनी घड़ी की तरफ़ देखा। उनके पास जो बेशक़ीमती साठ मिनट थे, उनमें से पाँच मिनट गुज़र चुके थे।

उसने हर्माइनी से कहा, 'हम तुमसे यहीं पर मिलेंगे, ठीक है ?'

हैरी और रॉन ने बाथरूम का दरवाज़ा सावधानी से खोला, ताकि यह तसल्ली कर सकें कि रास्ता साफ़ है। इसके बाद वे चल पड़े।

हैरी ने रॉन से बुदबुदाकर कहा, 'चलते समय अपने हाथ इस तरह मत झुलाओ।'

'अह ?'

'क्रैब उन्हें इस तरह सीधे सख़्त रखता है ...'

'ऐसे ?'

'हाँ, अब ठीक है।'

वे संगमरमर की सीढ़ियों से नीचे उतरे। अब उन्हें नागशक्ति के किसी विद्यार्थी की तलाश थी, जिसका पीछा करते हुए वे नागशक्ति के हॉल में जा सकें, परंतु आसपास कोई नहीं दिख रहा था।

हैरी बुदबुदाया, 'कोई सुझाव ?'

'नागशक्ति के विद्यार्थी नाश्ते के लिए हमेशा वहाँ से आते हैं,' रॉन ने तहख़ाने के प्रवेश द्वार की तरफ़ सिर हिलाकर इशारा किया। उसके मुँह से ये शब्द निकले ही थे कि उसी समय लंबे घुंघराले बालों वाली एक लड़की उस प्रवेश द्वार से बाहर निकली।

रॉन उसके पास फुर्ती से पहुँचते हुए बोला, 'सुनिए, हमारे हॉल का रास्ता किधर से है ?'

'क्या ?' लड़की ने सख़्ती से कहा। '*हमारे* हॉल का ? परंतु *मैं* तो चीलघात में हूँ।'

वह मुड़कर उन्हें शक भरी नज़रों से देखती हुई दूर चली गई।

हैरी और रॉन तेज़ी से पत्थर की सीढ़ियाँ उतरते हुए अँधेरे में आगे बढ़े। उनके क़दमों की आवाज़ कुछ ज़्यादा ही गूँज रही थी, क्योंकि क्रैब और गॉइल के विशाल पैर फ़र्श पर तेज़ी से पड़ रहे थे। अब उन्हें लग रहा था कि यह काम

उतना आसान नहीं रहेगा, जितनी कि उन्हें उम्मीद थी।

भूलभुलैया की तरह दिखते गलियारे खाली थे। वे स्कूल के अंदर गहराई में चलते चले गए। वे लगातार अपनी घड़ियाँ देखते जा रहे थे, ताकि उन्हें पता रहे कि उनके पास कितना समय बचा था। पंद्रह मिनट बीत जाने के बाद जब वे बेचैन होने लगे, तो उन्हें अचानक सामने से किसी के आने की आवाज़ सुनाई दी।

'हा!' रॉन ने रोमांचित स्वर में कहा। 'वहाँ पर नागशक्ति का कोई विद्यार्थी है!'

वह आकृति बग़ल वाले कमरे से बाहर निकल रही थी। बहरहाल, जब वे पास पहुँचे, तो उनके दिल डूब गए। वह नागशक्ति का विद्यार्थी नहीं, बल्कि पर्सी था।

'तुम यहाँ क्या कर रहे हो?' रॉन ने आश्चर्य से कहा।

पर्सी इस बात का बुरा मान गया।

उसने सख़्ती से कहा, 'तुम्हें इससे क्या मतलब है? तुम क्रैब हो, है ना?'

'क्या - ओह, हाँ,' रॉन बोला।

पर्सी ने कड़क आवाज़ में कहा, 'तो फिर अपने कमरे में जाओ। आजकल अँधेरे गलियारों में भटकना सुरक्षित नहीं है।'

'*तुम* भी तो भटक रहे हो,' रॉन बोला।

'मैं,' पर्सी ने अपना सिर ऊँचा करते हुए कहा, 'मैं प्रिफ़ेक्ट हूँ। *मुझ* पर कौन हमला कर सकता है?'

अचानक हैरी और रॉन के पीछे से एक आवाज़ गूँजी। ड्रेको मैल्फ़ॉय उनकी तरफ़ चला आ रहा था और जीवन में पहली बार रॉन उसे देखकर ख़ुश हुआ।

मैल्फ़ॉय उन्हें देखकर बोला, 'तो तुम लोग यहाँ हो। लगता है, तुम दोनों बड़े हॉल में इतनी देर तक सुअर की तरह खा रहे थे? मैं तुम्हें ढूँढ़ रहा था। मैं तुम्हें एक बहुत दिलचस्प चीज़ दिखाना चाहता हूँ।'

मैल्फ़ॉय ने पर्सी की तरफ़ तिरस्कार भरी निगाह डाली।

फिर उसने व्यंग्य से कहा, 'और तुम यहाँ क्या कर रहे हो, वीज़्ली?'

पर्सी को बुरा लग गया।

वह बोला, 'तुम्हें स्कूल के प्रिफ़ेक्ट के साथ अदब से पेश आना चाहिए! मुझे तुम्हारा व्यवहार पसंद नहीं आया!'

मैल्फ़ॉय ने दाँत दिखाए और हैरी व रॉन को अपने पीछे आने का इशारा

किया। हैरी तो पर्सी से माफ़ी माँगने वाला था, परंतु उसने समय रहते ख़ुद को रोक लिया। वह और रॉन जल्दी से मैल्फ़ॉय के पीछे चल दिए, जिसने अगले गलियारे में मुड़ते हुए कहा, 'वह पीटर वीज़्ली –'

'पर्सी,' रॉन ने उसे सुधारा।

मैल्फ़ॉय बोला, 'उसका नाम चाहे जो हो, मैं यह देख रहा हूँ कि वह पिछले कुछ दिनों से चोरी-छिपे चारों तरफ़ घूम रहा है। मैं शर्त लगा सकता हूँ कि वह किस फ़िराक में है। वह सोच रहा होगा कि वह नागशक्ति के वारिस को अकेले पकड़ सकता है।'

वह हलके से खिल्ली उड़ाने वाली हँसी हँसा। हैरी और रॉन ने रोमांचित होकर एक-दूसरे की तरफ़ देखा।

मैल्फ़ॉय पत्थर की नम और ख़ाली दीवार के सामने रुक गया।

उसने हैरी से पूछा, 'हमारा नया पासवर्ड क्या है?'

हैरी ने अटकते हुए कहा, 'अह –'

परंतु मैल्फ़ॉय का ध्यान उसके अटकने पर नहीं गया और वह बोला, 'अरे हाँ - *शुद्ध - ख़ून!*' दीवार में छुपा पत्थर का दरवाज़ा खुल गया। मैल्फ़ॉय इसके अंदर घुस गया और हैरी तथा रॉन उसके पीछे चले गए।

नागशक्ति का हॉल लंबा और नीचा था। ज़मीन के नीचे बने इस हॉल में खुरदुरे पत्थर की दीवारें और छत थी। छत पर गोल हरे लैंप जंज़ीरों से लटक रहे थे। उनके सामने वाले मैंटलपीस पर बहुत सी नक़्क़ाशी थी। उसके नीचे आग कड़कड़ा रही थी। उसके चारों तरफ़ नक़्क़ाशीदार कुर्सियों पर बैठे नागशक्ति के कुछ विद्यार्थियों की परछाई दिख रही थी।

मैल्फ़ॉय ने हैरी और रॉन को आग से दूर रखी ख़ाली कुर्सियों की तरफ़ बैठने का इशारा करते हुए कहा, 'यहीं इंतज़ार करना। मैं एक चीज़ लाता हूँ - डैडी ने यह हाल ही में भेजी है –'

हैरी और रॉन हैरान थे कि न जाने मैल्फ़ॉय उन्हें क्या दिखाने जा रहा है। परंतु सहज दिखने की भरसक कोशिश करते हुए वे कुर्सियों पर बैठ गए।

मैल्फ़ॉय जब एक मिनट बाद लौटा, तो उसके हाथ में अख़बार की क़तरन जैसी कोई चीज़ थी। उसने कतरन रॉन की नाक के नीचे बढ़ा दी।

मैल्फ़ॉय बोला, 'इसे पढ़कर तुम ख़ुश हो जाओगे।'

हैरी ने देखा कि रॉन की आँखें दहशत से फैल गई थीं। उसने जल्दी से ख़बर पढ़ी। इसके बाद वह जैसे मजबूरी में हँसा और वह कतरन हैरी की तरफ़ बढ़ा दी।

इस ख़बर को *दैनिक जादूगर* से काटा गया था और इसमें लिखा था :

जादू मंत्रालय में जाँच

एक मगलू कार पर जादू करने के लिए मगलू वस्तु दुरुपयोग विभाग के प्रमुख आर्थर वीज़्ली पर आज पचास गैलियन का ज़ुर्माना किया गया।

यह जादुई कार हॉगवर्ट्स जादू और तंत्र के विद्यालय में सितंबर में दुर्घटनाग्रस्त हुई थी। विद्यालय के गवर्नर मिस्टर मैल्फ़ॉय ने आज आर्थर वीज़्ली के इस्तीफ़े की माँग की।

मिस्टर मैल्फ़ॉय ने हमारे संवाददाता से कहा, 'वीज़्ली ने मंत्रालय की प्रतिष्ठा पर धब्बा लगाया है। ज़ाहिर है, वे हमारे लिए नियम बनाने के क़ाबिल नहीं हैं और उनका मूर्खतापूर्ण मगलू संरक्षण अधिनियम तत्काल ख़त्म कर दिया जाना चाहिए।'

इस बात पर टिप्पणी करने के लिए मिस्टर वीज़्ली से संपर्क नहीं हो सका, हालाँकि उनकी पत्नी ने संवाददाताओं से कहा कि वे चले जाएँ, वरना वे परिवार के पिशाच से उन पर हमला करवा देंगी।

जब हैरी ने क़तरन उसे वापस की, तो मैल्फ़ॉय ने बेचैन होते हुए पूछा, 'तो? तुम्हें यह ख़बर मज़ेदार नहीं लगी?'

'हा, हा,' हैरी फीकी हँसी हँसने लगा।

मैल्फ़ॉय ने हिक़ारत से कहा, 'आर्थर वीज़्ली को तो मगलुओं से इतना प्रेम है कि उसे अपनी छड़ी के टुकड़े कर देना चाहिए और उनके बीच में ही जाकर रहना चाहिए। वीज़्ली परिवार को देखकर कौन कह सकता है कि उनका ख़ून शुद्ध है।'

रॉन – यानी क्रैब का – चेहरा ग़ुस्से से विकृत हो गया।

मैल्फ़ॉय ने तत्काल पूछा, 'तुम्हें क्या हो गया है, क्रैब?'

रॉन घुरघुराया, 'पेट में दर्द हो रहा है।'

'अच्छा, तो अस्पताल जाओ और जाकर वहाँ भर्ती बदज़ातों को मेरी तरफ़ से एक लात मारना,' मैल्फ़ॉय ने दाँत दिखाते हुए कहा। 'तुम जानते हो, मुझे इस बात की हैरानी है कि *दैनिक जादूगर* में अब तक इन हमलों के बारे में

कुछ क्यों नहीं छपा,' उसने सोचते हुए आगे कहा। 'मुझे लगता है, डम्बलडोर सारे मामले को दबाने की कोशिश कर रहे हैं। अगर ये हमले जल्दी नहीं रुके, तो उन्हें बर्ख़ास्त कर दिया जाएगा। पिताजी हमेशा कहते हैं कि डम्बलडोर हॉगवर्ट्स के अब तक के सबसे बुरे हेडमास्टर हैं। उन्हें मगलू विद्यार्थियों से प्रेम है। कोई भी अच्छा हेडमास्टर क्रीवी जैसे घटिया बच्चे को यहाँ प्रवेश नहीं देता।'

मैल्फ़ॉय एक काल्पनिक कैमरे से तस्वीरें लेने लगा। वह कॉलिन का क्रूर परंतु सटीक अभिनय कर रहा था : 'पॉटर, क्या मैं तुम्हारी तस्वीर ले सकता हूँ ? पॉटर, क्या मैं तुम्हारा ऑटोग्राफ़ ले सकता हूँ ? प्लीज़, पॉटर, क्या मैं तुम्हारे जूते चाट सकता हूँ ?'

उसने अपने हाथ नीचे किए और हैरी तथा रॉन की तरफ़ देखा।

'तुम दोनों को आज हो क्या गया है ?'

बहुत देर बाद हैरी और रॉन ने ख़ुद को हँसने के लिए विवश किया, परंतु मैल्फ़ॉय इससे संतुष्ट हो गया; शायद क्रैब और गॉइल हमेशा धीमी प्रतिक्रिया करते थे।

मैल्फ़ॉय ने धीमे से कहा, 'बदज़ातों का दोस्त, संत पॉटर। उसमें भी जादूगरों के संस्कार नहीं हैं, वरना वह उस नकचढ़ी बदज़ात ग्रेंजर के साथ नहीं घूमता रहता। और लोग सोचते हैं कि *वह* नागशक्ति का वारिस है!'

हैरी और रॉन ने साँस रोककर इंतज़ार किया : मैल्फ़ॉय निश्चित रूप से कुछ ही पलों में उन्हें बताने वाला है कि वही नागशक्ति का वारिस है। परंतु तभी –

मैल्फ़ॉय ने चिढ़ते हुए कहा, 'काश मैं जानता कि नागशक्ति का वारिस कौन है! मैं उसकी मदद कर सकता था।'

रॉन का जबड़ा लटक गया, जिससे क्रैब का चेहरा सामान्य से अधिक मूर्खतापूर्ण दिखने लगा। सौभाग्य से मैल्फ़ॉय की नज़र उसकी तरफ़ नहीं गई। हैरी ने तेज़ी से सोचते हुए कहा, 'तुम्हें कुछ तो पता होगा कि इन सबके पीछे कौन है...'

मैल्फ़ॉय ने पलटकर जवाब दिया, 'गॉइल, तुम जानते तो हो कि मुझे नहीं मालूम। मुझे यह बात तुम्हें कितनी बार बताना पड़ेगी ? और पिताजी मुझे इस बारे में *कुछ नहीं* बता रहे हैं कि आख़िरी बार तहख़ाना कब खोला गया था। ज़ाहिर है, यह पचास साल पहले हुआ था और यह उनके समय से पहले की बात है, परंतु वे इस बारे में सब जानते हैं। उनका कहना है कि मामले को दबा दिया गया था और अगर मुझे इसके बारे में जानकारी दी गई, तो लोगों को मुझ पर शक हो जाएगा। परंतु मैं एक बात जानता हूँ : आख़िरी बार जब तहख़ाना खुला

था, तो एक बदज़ात *मरी* थी। मैं शर्त लगा सकता हूँ कि इस बार भी कोई न कोई जल्दी ही मरने वाला है ... काश यह ग्रेंजर हो,' उसने चटखारे लेकर कहा।

रॉन क्रैब की दैत्याकार मुट्ठी भींच रहा था। हैरी को लगा कि अगर रॉन ने मैल्फ़ॉय को मुक्का मारा, तो उनका भांडा फूट जाएगा, इसलिए हैरी ने उसे चेतावनी देने वाले अंदाज़ में देखा। इसके बाद उसने मैल्फ़ॉय से पूछा, 'क्या तुम जानते हो कि पिछली बार जिसने तहख़ाना खोला था, वह पकड़ा गया था या नहीं?'

मैल्फ़ॉय बोला, 'अरे, हाँ ... वह जो भी था, उसे स्कूल से निकाल दिया गया था। वह शायद अब भी अज़्काबान में सड़ रहा होगा।'

'अज़्काबान?' हैरी ने आश्चर्यचकित होकर कहा।

मैल्फ़ॉय ने उसकी तरफ़ हैरानी से देखते हुए कहा, 'अज़्काबान यानी *जादूगरों की जेल,* गॉइल। सच्ची, अगर तुम्हारी बुद्धि थोड़ी और कम हो जाए, तो तुम पीछे की तरफ़ चलने लगोगे।'

वह अपनी कुर्सी पर बेचैनी से पहलू बदलते हुए बोला, 'पिताजी कहते हैं कि मैं अपने काम से काम रखूँ और नागशक्ति के वारिस को उसका काम करने दूँ। वे कहते हैं कि स्कूल से बदज़ात गंदगी की सफ़ाई होना चाहिए, परंतु वे नहीं चाहते कि मैं इस काम में मदद करूँ। ज़ाहिर है, उनके पास भी इस समय बहुत सी उलझनें हैं। तुम्हें तो पता ही है, जादू मंत्रालय ने पिछले सप्ताह हमारी जागीर पर छापा मारा था?'

हैरी ने गॉइल के सपाट चेहरे पर चिंता के भाव लाने की कोशिश की।

मैल्फ़ॉय ने आगे कहा, 'ख़ुशक़िस्मती से उन्हें ज़्यादा कुछ नहीं मिला। पिताजी के पास काले जादू का *बहुत सा* क़ीमती सामान है। परंतु क़िस्मत से हमने ड्रॉइंग रूम के फ़र्श के नीचे अपना ख़ुफ़िया तहख़ाना बना रखा है -'

'अच्छा!' रॉन बोला।

मैल्फ़ॉय ने उसकी तरफ़ देखा, हैरी ने भी। रॉन लज्जित हो गया। उसके बाल लाल हो रहे थे। उसकी नाक भी धीमे-धीमे लंबी हो रही थी - उनका एक घंटे का समय अब ख़त्म हो चुका था। रॉन अब फिर से पुराने रूप में आ रहा था और जिस दहशत से उसने अचानक हैरी को देखा, उससे यह स्पष्ट हो गया कि हैरी भी अपने पुराने रूप में आ रहा था।

वे दोनों उछलकर खड़े हो गए।

'मैं पेटदर्द की दवा लेकर आता हूँ,' रॉन घुरघुराया। इसके बाद एक पल की देर किए बिना वे दोनों भागे। उन्होंने नागशक्ति के लंबे हॉल को सरपट पार

किया, पत्थर की दीवार से सरसराते हुए निकले और गलियारे में दौड़ लगा दी। वे यह उम्मीद कर रहे थे कि मैल्फ़ॉय को कुछ पता नहीं चला होगा। गॉइल के बड़े जूतों में हैरी को अपने पैर फिसलते महसूस हो रहे थे और जब उसका शरीर छोटा हो गया, तो उसे अपने दुशाले को ऊपर करके पकड़ना पड़ा। वे अँधेरे प्रवेश द्वार में सीढ़ियों पर धड़धड़ाते हुए चढ़े। उन्हें उस अलमारी से धमाचौकड़ी की दबी आवाज़ आ रही थी, जिसमें उन्होंने क्रैब और गॉइल को ताले में बंद किया था। उनके जूतों को अलमारी के दरवाज़े के बाहर रखते हुए उन्होंने नंगे पैर सिर्फ़ मोज़ों में ही संगमरमर की सीढ़ियों पर चढ़ते हुए मायूस मीना के बाथरूम की तरफ़ दौड़ लगा दी।

रॉन ने अपने पीछे बाथरूम का दरवाज़ा बंद करते हुए और हाँफते हुए कहा, 'तो, हमारा समय पूरी तरह से बर्बाद नहीं हुआ। हम यह तो नहीं जान पाए कि हमले कौन कर रहा है, परंतु मैं कल ही डैडी को ख़त लिखकर बता दूँगा कि वे मैल्फ़ॉय के ड्रॉइंग रूम के नीचे तलाशी लें।'

हैरी ने चटके हुए आईने में अपना चेहरा देखा। वह दुबारा पहले की तरह सामान्य हो गया था। उसने अपना चश्मा पहन लिया। रॉन ने हर्माइनी के टॉयलेट का दरवाज़ा भड़भड़ाया।

'हर्माइनी, बाहर आ जाओ, तुम्हें बहुत सी बातें बताना है –'

'चले जाओ!' हर्माइनी चीख़ी।

हैरी और रॉन ने एक-दूसरे की तरफ़ देखा।

रॉन बोला, 'बात क्या है ? अब तक तो तुम अपने असली रूप में आ गई होगी, हम लोग तो ...'

परंतु उस टॉयलेट के दरवाज़े से अचानक मायूस मीना तैरती हुई बाहर आई। हैरी ने उसे पहले कभी इतना ख़ुश नहीं देखा था।

'ऊहहहह,' वह भुतहा हँसी हँसते हुए बोली, 'इंतज़ार करो जब तक कि तुम उसे देख न लो। वह *भयानक* दिख रही है!'

उन्होंने चटखनी खुलने की आवाज़ सुनी और हर्माइनी सुबकती हुई उनके सामने आई। उसने अपने दुशाले को सिर तक खींच रखा था।

रॉन ने दुविधा में पूछा, 'क्या हुआ ? क्या तुम्हारे ऊपर अब तक मिलिसेंट की नाक लगी हुई है या कोई और बात है ?'

हर्माइनी ने अपने दुशाले को नीचे किया और रॉन भौंचक्का होकर पीछे वाले सिंक में लुढ़क गया।

हर्माइनी के पूरे चेहरे पर काले बाल थे। उसकी आँखें पीली हो गई थीं

और उसके बालों के बीच से लंबे नुकीले कान बाहर झाँक रहे थे।

हर्माइनी चीख़ी, 'वह बिल्ली का बाल था! मिलिसेंट बुलस्ट्रोड के पास बिल्ली होगी! और भेसबदल काढ़े का प्रयोग जानवरों में बदलने के लिए नहीं किया जा सकता!'

'ओह, ओह,' रॉन बोला।

मीना ख़ुश होते हुए बोली, 'लोग तुम्हारा *बुरी तरह* मज़ाक़ उड़ाएँगे।'

हैरी ने जल्दी से कहा, 'कोई बात नहीं, हर्माइनी। हम तुम्हें अस्पताल ले चलेंगे। मैडम पॉमफ़्री कभी ज़्यादा सवाल नहीं पूछती हैं ...'

हर्माइनी को टॉयलेट छोड़ने के लिए मनाने में उन्हें बहुत समय लगा। मायूस मीना ने ख़ुशी की किलकारी के साथ उन्हें उनके रास्ते पर तेज़ी से भेजा।

'तब तक इंतज़ार करो, जब तक कि सबको पता न चल जाए कि तुम्हारी पूँछ भी है!'

अध्याय तेरह

बहुत गोपनीय डायरी

हर्माइनी कई हफ़्तों तक अस्पताल में रही। जब स्कूल के बाक़ी बच्चे क्रिसमस की छुट्टियों के बाद वापस आए, तो उसके ग़ायब होने के बारे में बहुत अफ़वाहें फैलीं, क्योंकि ज़ाहिर था, सब यही सोच रहे थे कि उस पर भी हमला हुआ है। उसे एक झलक देखने के लिए इतने सारे विद्यार्थी बहाने बनाकर अस्पताल में ताक-झाँक करने लगे कि मैडम पॉमफ़्री को अपने पर्दे दुबारा निकालकर हर्माइनी के बिस्तर के चारों तरफ़ लगाना पड़े, ताकि बाल भरे चेहरे में देखे जाने पर उसे शर्म न आए।

हैरी और रॉन रोज़ शाम को उससे मिलने जाते थे। जब नया सत्र शुरू हुआ, तो वे उसे हर दिन का होमवर्क भी बताने लगे।

रॉन ने एक शाम किताबों के ढेर को हर्माइनी के बिस्तर के पास टेबल पर रखते हुए कहा, 'अगर मेरे चेहरे पर इस तरह बाल उग आते, तो मैं पढ़ाई की छुट्टी कर देता।'

'मूर्खों जैसी बातें मत करो रॉन, मुझे सबकी बराबरी करना है,' हर्माइनी ने तेज़ी से कहा। अब वह काफ़ी ख़ुश लग रही थी, क्योंकि उसके चेहरे के सारे बाल ग़ायब हो गए थे और उसकी आँखें धीरे-धीरे फिर से भूरी होने लगी थीं। 'मुझे नहीं लगता कि तुम्हें कोई नया सुराग़ मिला होगा?' उसने फुसफुसाते हुए पूछा, ताकि मैडम पॉमफ़्री उसकी बात न सुन पाएँ।

हैरी ने उदास होकर जवाब दिया, 'नहीं मिला।'

रॉन ने शायद सौवीं बार यह बात कही, 'मुझे तो पूरा *यक़ीन* था कि मैल्फ़ॉय ही दोषी होगा।'

तभी हैरी को हर्माइनी के तकिए के नीचे एक सुनहरी चीज़ दिखाई दी और उसने उसकी तरफ़ इशारा करते हुए पूछा, 'वह क्या है?'

'कुछ नहीं, बस जल्दी स्वस्थ होने की शुभकामना का कार्ड है,' हर्माइनी ने तुरंत कहा और जल्दी से कार्ड छुपाने की कोशिश करने लगी, परंतु रॉन ने उससे भी ज़्यादा फुर्ती दिखाई। उसने कार्ड बाहर निकाला, खोला और ज़ोर से पढ़ने लगा :

'मिस ग्रेंजर को, जल्दी ठीक होने की शुभकामना के साथ, तुम्हारा चिंतातुर शिक्षक, प्रोफ़ेसर गिल्डरॉय लॉकहार्ट, मर्लिन संस्था पास, थर्ड क्लास, गुप्त शक्ति सुरक्षा समिति का सम्मानित सदस्य और चुड़ैल साप्ताहिक *के सर्वप्रिय मुस्कान पुरस्कार का पाँच बार विजेता।'*

रॉन ने हर्माइनी की तरफ़ क़हर ढाती नज़रों से देखा।

'तुम इसे अपने *तकिए* के नीचे रखकर सोती हो?'

परंतु हर्माइनी जवाब देने से बच गई, क्योंकि उसी समय मैडम पॉमफ़्री उसकी शाम की दवा की ख़ुराक़ लेकर वहाँ आ गईं।

जब वे अस्पताल से बाहर निकलकर गरुड़द्वार टॉवर की सीढ़ियों की ओर बढ़े, तो रॉन ने हैरी से पूछा, 'क्या तुमने लॉकहार्ट से ज़्यादा झाँसेबाज़ व्यक्ति देखा है?' स्नेप ने उन्हें इतना सारा होमवर्क दे दिया था कि हैरी सोचने लगा कि जब तक यह पूरा होगा, तब तक वह सिक्सथ ईयर में पहुँच जाएगा। रॉन यह अफ़सोस कर ही रहा था कि वह हर्माइनी से यह नहीं पूछ पाया कि बाल बढ़ाने वाले काढ़े में चूहे की कितनी पूँछें मिलाना चाहिए, तभी उन्हें ऊपर की मंज़िल पर किसी के ग़ुस्से से चिल्लाने की आवाज़ सुनाई दी।

हैरी बुदबुदाया, 'फ़िल्च चिल्ला रहा है।' फिर वे सीढ़ियों पर तेज़ी से चढ़े और छुपकर सुनने की कोशिश करने लगे।

रॉन ने तनाव भरे स्वर में पूछा, 'कहीं ऐसा तो नहीं कि किसी और पर हमला हुआ हो?'

वे बिलकुल चुपचाप खड़े रहे। उनके कान उस तरफ़ थे, जहाँ से फ़िल्च की आवाज़ आ रही थी। फ़िल्च बहुत ग़ुस्से में चीख़ रहा था।

'... मेरा काम और बढ़ा दिया! पूरी रात सफ़ाई करते रहो, जैसे मेरे पास पहले से ही पर्याप्त काम न हो! नहीं, अब मेरे सब्र का बाँध टूट चुका है! अब मैं डम्बलडोर के पास जा रहा हूँ ...'

उसके क़दमों की दूर जाती आवाज़ धीमी होने लगी और उन्होंने दूर किसी दरवाज़े के बंद होने की आवाज़ सुनी।

उन्होंने मोड़ पर झाँककर देखा। वे समझ गए कि फ़िल्च हमेशा की तरह आज भी अपनी पहरेदारी की जगह पर तैनात था : वे एक बार फिर उसी जगह

पर पहुँच गए थे, जहाँ मिसेज़ नॉरिस पर हमला हुआ था। उन्होंने एक ही नज़र में देख लिया कि फ़िल्च क्यों भड़क रहा था। लगभग आधे गलियारे में ढेर सारा पानी फैला हुआ था। ऐसा लग रहा था, जैसे मायूस मीना के बाथरूम के दरवाज़े के नीचे से अब भी पानी बाहर निकल रहा था। अब फ़िल्च ने चीख़ना बंद कर दिया था, इसलिए उन्हें बाथरूम की दीवारों से मीना की चीख़ों की गूँज सुनाई दी।

'*अब* उसे क्या हुआ ?' रॉन ने पूछा।

'चलो, चलकर देखते हैं,' हैरी ने जवाब दिया। फिर उन्होंने अपने दुशाले अपने टखनों के ऊपर तक उठाए और फैले हुए पानी में पैर रखते हुए उस दरवाज़े तक पहुँचे, जिस पर 'ख़राब है' का बोर्ड लगा था। उस बोर्ड को हमेशा की तरह आज भी नज़रअंदाज़ करते हुए वे अंदर घुस गए।

मायूस मीना रो रही थी। उसकी आवाज़ हमेशा से ज़्यादा तेज़ और कर्कश थी। ऐसा लग रहा था, जैसे वह अपने पसंदीदा टॉयलेट में छुपी थी। बाथरूम में अँधेरा था, क्योंकि मोमबत्तियाँ पानी के तेज़ बहाव में बुझ गई थीं। दीवारें और फ़र्श भी गीले थे।

हैरी ने पूछा, 'क्या हुआ, मीना ?'

मीना ने दुखी अंदाज़ में सुबकते हुए कहा, 'कौन है ? मुझ पर कुछ और फेंकने आए हो ?'

हैरी उसके टॉयलेट की तरफ़ जाते हुए बोला, 'मैं तुम पर कुछ क्यों फेंकूँगा ?'

'मुझसे मत पूछो,' यह चिल्लाते हुए मीना पानी की एक और लहर के साथ प्रकट हुई। इस वजह से पहले से गीले फ़र्श पर अब और ज़्यादा पानी दिखने लगा। 'मैं यहाँ चुपचाप बैठी थी, अपने काम से काम रख रही थी, परंतु किसी को लगा कि मुझ पर किताब फेंकने में उसे मज़ा आएगा ...'

'परंतु अगर तुम पर कोई चीज़ फेंकी जाए, तो उससे तुम्हें चोट तो नहीं लग सकती,' हैरी ने तर्क देते हुए समझाया। 'मेरा मतलब है, वह चीज़ तो तुम्हारे आरपार निकल जाएगी, है ना ?'

उसने ग़लत बात बोल दी थी। मीना ने अपने आप को फुलाया और चीख़ी, 'चलो, हम सब मीना पर किताबें फेंकते हैं, क्योंकि *उसे* चोट नहीं लग सकती! अगर तुमने उसके पेट के आरपार फेंकी, तो दस पॉइंट! अगर यह उसके सिर के पार हो जाए, तो पचास पॉइंट! कितना बढ़िया है, हा हा हा! कितना मज़ेदार खेल है, परंतु मुझे ऐसा *नहीं* लगता!'

हैरी ने पूछा, 'लेकिन यह तो बताओ, तुम पर किताब किसने फेंकी ?'

मीना ने उनकी तरफ़ ग़ुस्से से देखते हुए कहा, '*मैं* नहीं जानती ... मैं तो टॉयलेट के यू-बेंड में बैठी थी और मौत के बारे में सोच रही थी, तभी वह किताब सीधे मेरे सिर पर आकर लगी। वह अब भी वहीं पड़ी है, हालाँकि अब वह पानी से भीग चुकी है।'

हैरी और रॉन ने सिंक के नीचे उस तरफ़ देखा, जिधर मीना इशारा कर रही थी। वहाँ पर एक छोटी और पतली किताब पड़ी थी। उस पर गंदा सा काला कवर था और वह भी बाथरूम की हर चीज़ की तरह ही गीली थी। हैरी किताब उठाने के लिए आगे बढ़ा, परंतु रॉन ने अचानक अपना हाथ बढ़ाकर उसे रोक दिया।

हैरी ने पूछा, 'क्या हुआ?'

रॉन बोला, 'पागल हो गए हो? यह ख़तरनाक हो सकती है।'

हैरी ने हँसते हुए कहा, '*ख़तरनाक?* क्या बात करते हो, यह ख़तरनाक कैसे हो सकती है?'

रॉन ने किताब की तरफ़ भयभीत निगाहों से देखते हुए कहा, 'तुम्हें यह जानकर हैरानी होगी कि मंत्रालय ने कुछ बहुत ख़तरनाक किताबें ज़ब्त की हैं - डैडी ने मुझे बताया है - एक ऐसी थी, जो आँखें जला देती थी। और जो व्यक्ति *जादूगर के छंदगीत* नामक किताब पढ़ता था, वह ज़िंदगी भर छंद में ही बोलता था। और बाथ नाम के शहर की एक बूढ़ी जादूगरनी के पास एक ऐसी किताब थी, जिसे आप *पढ़ना कभी बंद नहीं कर सकते थे!* आपको इसमें अपनी नाक गढ़ाकर पढ़ते हुए चारों तरफ़ घूमना पड़ता था और बाक़ी सारे काम एक हाथ से करने पड़ते थे। और -'

'ठीक है, मैं समझ गया,' हैरी ने कहा।

सामान्य और गीली दिख रही छोटी सी किताब फ़र्श पर पड़ी रही।

'देखो, जब तक हम इसे देखेंगे नहीं, तब तक हमें यह कैसे पता चलेगा कि इसमें क्या है,' यह बोलते हुए हैरी रॉन के हाथ के नीचे से झुककर निकला और उसने फ़र्श पर से किताब उठा ली।

हैरी ने एक नज़र में ही देख लिया कि यह एक डायरी थी। कवर पर लिखे धुँधले वर्ष को पढ़ने से उसे पता चला कि यह पचास साल पुरानी थी। उसने इसे उत्सुकता से खोला। पहले पेज पर धुँधली स्याही में 'टी.एम. रिडल' नाम लिखा हुआ था।

'ज़रा ठहरो,' रॉन ने कहा। वह सावधानी से आगे बढ़ा और उसने हैरी के कंधों के ऊपर से झाँककर डायरी देखी। 'मैं इस नाम के बारे में जानता हूँ... टी.

एम. रिडल को पचास साल पहले स्कूल की विशेष सेवाओं के लिए पुरस्कार मिला था।'

हैरी ने हैरान होते हुए पूछा, 'यह बात तुम्हें कैसे मालूम है ?'

'क्योंकि सज़ा के दौरान फ़िल्च ने मुझसे रिडल की शील्ड तक़रीबन पचास बार चमकवाई थी,' रॉन ने ग़ुस्से से कहा। 'उसी की शील्ड पर मैंने घोंघे गिराए थे। अगर तुम्हें किसी के नाम पर से एक घंटे तक गंदगी साफ़ करना पड़े, तो तुम्हें भी वह नाम याद रहेगा।'

हैरी ने डायरी के गीले पन्नों को खोला। वे पूरी तरह कोरे थे। उनमें से किसी पर कुछ भी नहीं लिखा था। यहाँ तक कि 'मेबल आंटी का जन्मदिन' या 'दाँतों के डॉक्टर के पास, साढ़े तीन बजे' जैसी याद दिलाने वाली बातें भी नहीं थीं।

हैरी ने निराश होकर कहा, 'उसने इसमें कुछ नहीं लिखा।'

रॉन ने उत्सुकता से पूछा, 'मैं तो यह सोचकर हैरान हूँ कि कोई इसे फेंकना क्यों चाहता था ?'

हैरी ने डायरी के पिछले कवर को देखा। वहाँ पर वॉक्सहॉल रोड, लंदन की एक दुकान का नाम छपा था।

'वह ज़रूर मगलू परिवार का रहा होगा,' हैरी ने सोचते हुए कहा, 'तभी उसने यह डायरी वॉक्सहॉल रोड से ख़रीदी थी ...'

रॉन बोला, 'खैर, यह डायरी तुम्हारे किसी काम की नहीं है।' फिर उसने अपनी आवाज़ नीची करते हुए कहा, 'अगर तुम इसे मीना की नाक के पार फेंक सको, तो पचास पॉइंट।'

बहरहाल हैरी ने डायरी अपनी जेब में रख ली।

*

फ़रवरी के शुरुआती दिनों में हर्माइनी अस्पताल से बाहर आई। उसकी मूँछ और पूँछ दोनों ही ग़ायब हो चुकी थीं और उसे चेहरे के बालों से भी मुक्ति मिल गई थी। जिस शाम हर्माइनी गरुड़द्वार टॉवर में वापस लौटी, हैरी ने उसे टी.एम. रिडल की डायरी दिखाई और उसके मिलने की पूरी कहानी सुनाई।

हर्माइनी ने उत्साहित होकर हैरी से डायरी ली और उसे ग़ौर से देखने लगी, 'ऊह, इसमें छुपी शक्तियाँ हो सकती हैं।'

'अगर इसमें शक्तियाँ हैं, तो यह उन्हें बहुत अच्छी तरह से छुपा रही है,' रॉन बोला। 'शायद यह बहुत शर्मीली होगी। हैरी, मुझे यह समझ में नहीं आ रहा

है कि तुम इसे फेंक क्यों नहीं देते।'

हैरी ने जवाब दिया, 'काश मुझे यह पता चल जाता कि किसी ने इसे फेंकने की कोशिश क्यों *की* थी! मुझे यह जानना भी बुरा नहीं लगता कि रिडल को हॉगवर्ट्स की किस विशेष सेवा के लिए पुरस्कार मिला था।'

रॉन बोला, 'कुछ भी हो सकता है। शायद उसे तीस ओ.डब्ल्यू.एल. मिले हों या उसने किसी टीचर को दैत्याकार समुद्रफ़ेनी से बचाया हो। या शायद उसने मीना की हत्या की हो, जिससे हर व्यक्ति को राहत मिली हो ...'

परंतु हर्माइनी के चेहरे पर आए दिलचस्पी के भाव देखकर हैरी समझ गया कि वह भी वही सोच रही थी, जो वह सोच रहा था।

रॉन ने पहले हैरी और फिर हर्माइनी की तरफ़ देखते हुए पूछा, 'तुम लोग क्या सोच रहे हो?'

हैरी ने कहा, 'देखो, रहस्यमयी तहख़ाना पचास साल पहले खुला था, है ना? मैल्फ़ॉय ने यही बताया था।'

'हाँ ...' रॉन धीमे से बोला।

'और *यह डायरी* भी पचास साल पुरानी है,' हर्माइनी ने रोमांचित होकर डायरी को ठोंकते हुए कहा।

'तो?'

'अरे रॉन, नींद से जागो,' हर्माइनी ने पलटकर कहा। 'हम यह बात जानते हैं कि जिसने पिछली बार तहख़ाना खोला था, उसे *पचास साल पहले* स्कूल से निकाल दिया गया था। हम यह बात भी जानते हैं कि टी.एम. रिडल को स्कूल की विशेष सेवाओं के लिए *पचास साल पहले* पुरस्कार मिला था। क्या यह नहीं हो सकता कि *नागशक्ति के वारिस को पकड़ने* के लिए ही रिडल को पुरस्कार दिया गया हो? उसकी डायरी शायद हमें हर बात बता देगी : तहख़ाना कहाँ है, उसे कैसे खोला जाता है और उसमें किस तरह का भयानक जानवर रहता है। इस बार जो भी हमले कर रहा है, वह यह नहीं चाहेगा कि यह डायरी आसपास पड़ी रहे, है ना?'

रॉन बोला, '*बहुत बढ़िया* कल्पना है, हर्माइनी। बस इसमें एक छोटी सी गड़बड़ है। *इस डायरी में कुछ लिखा नहीं है।*'

परंतु हर्माइनी अपने बैग से अपनी छड़ी निकाल रही थी।

उसने फुसफुसाते हुए कहा, 'हो सकता है इसमें अदृश्य स्याही से कुछ लिखा हो!'

उसने घड़ी से डायरी को तीन बार ठोंका और कहा, '*प्रकट भव!*'

कुछ नहीं हुआ। इस बात से ज़रा भी विचलित हुए बिना हर्माइनी ने अपने बैग में दुबारा हाथ डाला और एक चीज़ बाहर निकाली, जो मिटाने वाले चमकते लाल रबर की तरह दिख रही थी।

वह बोली, 'यह छुपी हुई चीज़ों को प्रकट कर देता है। मुझे यह छूमंतर गली में मिला था।'

उसने 'पहली जनवरी' पर कसकर रगड़ा, परंतु कुछ नहीं हुआ।

रॉन बोला, 'मैं तुमसे कितनी बार कह चुका हूँ, जब उसमें कुछ है ही नहीं, तो तुम्हें मिलेगा कैसे। देखो, हुआ यह होगा कि रिडल को क्रिसमस पर तोहफ़े में एक डायरी मिली होगी, जिसमें उसने लिखने का कष्ट नहीं किया होगा।'

*

हैरी ख़ुद को भी यह नहीं समझा पा रहा था कि उसने रिडल की डायरी फेंक क्यों नहीं दी। हालाँकि वह *जानता था* कि डायरी कोरी थी, पर वह इसे अनजाने में उठाकर इसके पन्ने पलटता रहा, जैसे यह कोई ऐसी कहानी हो, जिसे वह पूरा करना चाहता था। हालाँकि हैरी को विश्वास था कि उसने टी.एम. रिडल का नाम पहले कभी नहीं सुना था, परंतु न जाने क्यों उसे ऐसा लग रहा था जैसे रिडल उसके बचपन का मित्र हो, जिसे वह भूल गया था। परंतु यह सोचना भी मूर्खतापूर्ण था, क्योंकि हॉगवर्ट्स आने से पहले डडली ने इस बात का पक्का इंतज़ाम कर रखा था कि उसका कोई दोस्त न बन पाए।

बहरहाल हैरी ने संकल्प कर लिया था कि वह रिडल के बारे में ज़्यादा से ज़्यादा जानकारी इकट्ठी करेगा। इसलिए अगले दिन क्लासों के बीच के ख़ाली समय में वह रिडल को मिले विशेष पुरस्कार को देखने के लिए ट्रॉफ़ी रूम की तरफ़ चल दिया। उसके साथ उत्सुक हर्माइनी और हताश रॉन भी थे। रॉन यह कहता जा रहा था कि उसने ट्रॉफ़ी रूम को इतना देख लिया था कि वह ज़िंदगी भर उसका मुँह नहीं देखना चाहता।

रिडल की चमकती सुनहरी शील्ड एक कोने वाली अलमारी में रखी थी। इसमें यह जानकारी नहीं थी कि रिडल को यह शील्ड क्यों दी गई थी ('और यह बहुत अच्छा रहा। अगर यह ज़्यादा बड़ी होती, तो मैं इसे अब भी चमका रहा होता,' रॉन बोला)। बहरहाल, उन्हें रिडल का नाम जादूगरों की मेरिट लिस्ट के पुराने मैडल पर मिला और पूर्व हेड बॉयज़ की सूची में भी।

'ऐसा लगता है वह पर्सी जैसा था,' रॉन अपनी नाक को नफ़रत से सिकोड़ते हुए बोला। 'प्रिफ़ेक्ट, हेड बॉय, शायद हर विषय में अव्वल।'

'तुम तो ऐसे कह रहे हो, जैसे यह कोई बुरी बात हो,' हर्माइनी ने थोड़े

आहत स्वर में कहा।

*

हॉगवर्ट्स में सूरज दुबारा धीमे-धीमे चमकने लगा था। महल के भीतर का माहौल अब अधिक आशा भरा हो चला था। जस्टिन और लगभग सिरकटे निक पर हुए हमलों के बाद से किसी पर हमला नहीं हुआ था; और मैडम पॉमफ़्री ने ख़ुशी-ख़ुशी यह बताया था कि मंत्रकवच अब तुनकमिजाज़ और गोपनीय हो रहे हैं, जिसका मतलब यह था कि वे तेज़ी से अपना बचपन छोड़ रहे थे।

एक दोपहर हैरी ने सुना कि मैडम पॉमफ़्री फ़िल्च को नरमी भरे अंदाज़ में बता रही थीं, 'जैसे ही मंत्रकवचों के मुँहासे दूर हो जाएँगे, हम उन्हें दूसरे गमले में गाड़ देंगे। और उसके बाद जल्दी ही हम उन्हें काटकर उनका काढ़ा बना लेंगे। तुम्हें मिसेज़ नॉरिस बहुत जल्दी वापस मिल जाएगी।'

हैरी ने सोचा, शायद नागशक्ति के वारिस की हिम्मत जवाब दे गई थी। रहस्यमयी तहख़ाना खोलना दिनोदिन अधिक ख़तरनाक होता जा रहा था, क्योंकि स्कूल में सब सतर्क और सावधान थे। शायद भयानक जानवर, चाहे वह जो भी हो, एक बार फिर से पचास साल के लिए नींद में सो गया होगा ...

मेहनतकश हाउस का अर्नी मैकमिलन इस आशावादी विचार को मानने के लिए तैयार नहीं था। उसे अब भी विश्वास था कि हैरी ही दोषी था और उसने युद्धकला प्रशिक्षण के दौरान असावधानीवश 'ख़ुद का भांडा फोड़ दिया था।' पीव्ज़ भी माहौल को नहीं सुधार रहा था। वह भीड़ भरे गलियारों में अचानक टपक पड़ता था और 'अरे पॉटर, तुम तो हो गड़बड़ पॉटर ...' गाने लगता था। आजकल तो वह इसके साथ-साथ नाचने भी लगा था।

गिल्ड्रॉय लॉकहार्ट यह सोच रहे थे कि हमले उन्हीं की वजह से रुक गए हैं। जब गरुड़द्वार हाउस के विद्यार्थी एक दिन रूप-परिवर्तन की क्लास में जाने के लिए लाइन बना रहे थे, तब हैरी ने सुना कि लॉकहार्ट प्रोफ़ेसर मैक्गॉनेगल से बातें करते हुए आ रहे थे।

प्रोफ़ेसर लॉकहार्ट ने अपनी नाक थपथपाते हुए और आँख मारते हुए कहा, 'मिनर्वा, मुझे नहीं लगता कि अब कोई समस्या होगी। मैं सोचता हूँ कि इस बार तहख़ाना हमेशा के लिए बंद हो चुका है। अपराधी को पता चल गया होगा कि अगर उसने हमले बंद नहीं किए, तो मैं जल्दी ही उसे पकड़ लूँगा। इसलिए उसने मेरी सख़्ती का सामना करने से पहले ही हमले बंद करने में भलाई समझी।

'आप जानती हैं, अब स्कूल में सबका मनोबल बढ़ाने और पिछले सत्र की यादों को भुलाने की ज़रूरत है! मैं इस समय कुछ और नहीं कहूँगा, परंतु मुझे लगता है मैं जानता हूँ कि ऐसा किस चीज़ से होगा ...'

उन्होंने अपनी नाक दुबारा थपथपाई और वहाँ से चले गए।

लॉकहार्ट का स्कूल का मनोबल बढ़ाने वाला विचार 14 फ़रवरी की सुबह नाश्ते के समय सबके सामने आया। हैरी उस रात ठीक से नहीं सो पाया था, क्योंकि पिछली रात उनकी क्विडिच प्रैक्टिस देर तक चली थी। इसलिए सुबह वह थोड़ी देर से नीचे उतरकर बड़े हॉल में आया। एक पल के लिए तो उसे लगा जैसे वह ग़लत दरवाज़े में घुस गया था।

चारों तरफ़ की दीवारें बड़े-बड़े, चटख़ गुलाबी फूलों से ढँकी थीं। इससे भी बुरी बात यह थी कि हलकी नीली छत से दिल के आकार के छोटे-छोटे रंगीन काग़ज़ गिर रहे थे। हैरी गरुड़द्वार की टेबल के पास पहुँचा, जहाँ रॉन बीमारों सी शक्ल बनाकर बैठा था और हर्माइनी जबरन ही-ही कर रही थी।

'क्या हो रहा है ?' हैरी ने बैठते हुए और अपने नाश्ते पर गिरे रंगीन काग़ज़ों को दूर हटाते हुए पूछा।

रॉन ने टीचर्स की टेबल की तरफ़ इशारा किया। वह इतना अधिक विचलित था कि उससे बोला नहीं जा रहा था। फूलों के रंग की तरह ही चटख़ गुलाबी कपड़े पहने लॉकहार्ट विद्यार्थियों को शांत करने के लिए हाथ लहरा रहे थे। उनके दोनों तरफ़ बैठे टीचर्स के चेहरे भावहीन थे। जहाँ हैरी बैठा था, वहाँ से उसे प्रोफ़ेसर मैक्गॉनेगल के गाल की एक मांसपेशी फड़कती दिख रही थी। स्नेप की सूरत से ऐसा लग रहा था, जैसे किसी ने उन्हें अस्थिवर्धक का एक बड़ा गिलास अभी-अभी पिलाया हो।

लॉकहार्ट चीख़े, 'हैप्पी वैलेंटाइन डे! और मैं उन छियालीस लोगों का शुक्रिया अदा करना चाहूँगा, जो मुझे अब तक वैलेंटाइन कार्ड भेज चुके हैं! हाँ, मैंने आप सबको यह छोटा सा आश्चर्यजनक तोहफ़ा देने की ग़ुस्ताख़ी की है - और यह यहीं पर ख़त्म नहीं होता!'

लॉकहार्ट ने ताली बजाई और प्रवेश हॉल के दरवाज़े से एक दर्जन बदमिज़ाज दिखने वाले बौने अंदर आए। बहरहाल वे सामान्य बौने नहीं थे। लॉकहार्ट ने उन सबको सुनहरे पंख और वाद्ययंत्र दे रखे थे।

'ये हैं कार्ड ले जाने वाले दोस्ताना कामदेव!' लॉकहार्ट ने दमकते हुए कहा। 'ये लोग आज स्कूल में आपके वैलेंटाइन संदेश बाँटेंगे! आनंद और मौज-मस्ती यहीं पर ख़त्म नहीं होती! मुझे विश्वास है कि इस अवसर पर मेरे सहयोगी भी जोशोख़रोश के साथ इसमें शामिल होना चाहेंगे! आप प्रोफ़ेसर स्नेप से यह क्यों नहीं पूछते कि प्रेम का काढ़ा कैसे बनाया जाता है! और जब बात उठी है, तो मैं आपको बता दूँ कि मैं आज तक जितने जादूगरों से मिला हूँ, प्रोफ़ेसर फ़्लिटविक मोहपाश के सम्मोहन मंत्र के बारे में उन सबसे ज़्यादा जानते हैं। ये

बड़े छुपे रुस्तम हैं!'

प्रोफ़ेसर फ़्लिटविक ने शर्म के मारे चेहरा अपने हाथों में छुपा लिया। स्नेप के चेहरे पर तो ऐसे स्पष्ट भाव थे कि जो पहला विद्यार्थी उनसे प्रेम का काढ़ा बनाने की विधि पूछेगा, उसे वे ज़बर्दस्ती ज़हर पिला देंगे।

'सच बताना हर्माइनी, लॉकहार्ट को कार्ड भेजने वाले छियालीस लोगों में कहीं तुम भी तो शामिल नहीं हो,' रॉन ने पूछा, जब वे अपने पहले पीरियड में जाने के लिए बड़े हॉल से बाहर निकले। हर्माइनी अचानक अपने बैग में टाइमटेबल खोजने में बहुत रुचि लेने लगी और उसने जवाब नहीं दिया।

पूरे दिन बौने उनकी क्लासों में वैलेंटाइन कार्ड बाँटने के लिए अंदर घुसते रहे। इस बात से टीचर्स ख़ास ख़ुश नहीं हुए। और देर दोपहर को जब गरुड़द्वार के विद्यार्थी सम्मोहन की क्लास में जाने के लिए सीढ़ियाँ चढ़ रहे थे, तब उनमें से एक बौने ने हैरी को पकड़ लिया।

'ओए, तुम! अरे हैरी पॉटर!' एक मनहूस शक्ल वाला बौना चिल्लाया। इसके बाद उस बौने ने विद्यार्थियों को अपनी कोहनी से धक्का मारा, ताकि वह जल्दी से हैरी के पास पहुँच जाए।

यह सोचकर हैरी का दिमाग़ भन्ना गया कि उसे फ़र्स्ट ईयर के विद्यार्थियों के सामने वैलेंटाइन कार्ड दिया जा रहा है, जिनमें जिनी वीज़्ली भी शामिल है। हैरी ने बौने से बच निकलने की कोशिश की। बहरहाल, बौने ने भीड़ में से अपना रास्ता बनाने के लिए विद्यार्थियों के पैरों पर लात मारी और हैरी के दो क़दम आगे पहुँचने से पहले ही वह बौना उस तक पहुँच गया।

उसने अपने वाद्ययंत्र को ख़तरनाक तरीक़े से बजाते हुए कहा, 'मेरे पास एक संगीतमय संदेश है, जो मुझे हैरी पॉटर को व्यक्तिगत रूप से देना है।'

'यहाँ नहीं,' हैरी बचने की कोशिश करते हुए गुर्राया।

'चुपचाप खड़े रहो!' बौना घुरघुराया और उसने हैरी के बैग को पकड़कर खींचा।

'मुझे जाने दो!' हैरी ने गुर्राते हुए अपना बैग खींचा।

कड़ाक की ज़ोरदार आवाज़ के साथ उसका बैग फट गया और उसके दो टुकड़े हो गए। उसकी किताबें, छड़ी, चर्मपत्र और पंखदार क़लम फ़र्श पर बिखर गए। यही नहीं, उसकी स्याही की बोतल भी फूट गई और सारे सामान पर स्याही फैल गई।

हैरी तेज़ी से चारों तरफ़ लपका, ताकि वह बौने के गाना शुरू करने से पहले अपना सारा सामान समेट सके। इस वजह से गलियारे में आने-जाने वाले

विद्यार्थी ठहर गए थे।

'यहाँ क्या हो रहा है?' ड्रेको मैल्फ़ॉय की रूखी, धीमी आवाज़ आई। हैरी ने फटाफट हर चीज़ को अपने फटे बैग में ठूँसना शुरू किया। इससे पहले कि मैल्फ़ॉय उसका संगीतमय वैलेंटाइन संदेश सुन पाए, हैरी वहाँ से भाग जाना चाहता था।

'यहाँ पर भीड़ क्यों जमा है?' एक और परिचित आवाज़ आई। पर्सी वीज़्ली भी वहाँ पहुँच चुका था।

हैरी ने अब अपना दिमागी संतुलन खो दिया और वहाँ से भागने की कोशिश की, परंतु बौने ने घुटनों के पास से पकड़कर उसे धड़ाम से फ़र्श पर गिरा दिया।

'अब ठीक है,' बौने ने हैरी के टखनों पर बैठते हुए कहा, 'यह रहा तुम्हारा संगीतमय वैलेंटाइन संदेश :

'तुम्हारी आँखें मेंढक जितनी हरी हैं,
तुम्हारे बाल ब्लैकबोर्ड जितने काले हैं।
मेरी इच्छा है कि देवता जैसे दिखने वाले तुम मेरे होते,
तुम ही तो हो वह हीरो, जिसने शैतानी जादूगर को हराया है।'

हैरी वहाँ से ग़ायब होने के लिए ग्रिन्गॉट में रखा अपना सारा सोना देने को तैयार हो गया होता। बाक़ी सबके साथ उसने भी साहसपूर्वक हँसने की कोशिश की और उठकर खड़ा हो गया। बौने के वज़न के कारण उसके पैर सुन्न हो गए थे। पर्सी वीज़्ली ने भीड़ को तितर-बितर करने की भरसक कोशिश की, जिसमें से कुछ लोग तो इतने ज़्यादा हँस रहे थे कि उनकी आँखों में आँसू आ गए।

'यहाँ से जाओ, यहाँ से जाओ! घंटी पाँच मिनट पहले बज चुकी है। अपनी-अपनी क्लास में जाओ, जल्दी,' पर्सी ने कुछ छोटे विद्यार्थियों को दूर भगाते हुए कहा। '*और* तुम, मैल्फ़ॉय।'

हैरी ने मैल्फ़ॉय को झुककर कुछ उठाते देखा। उसने बुरा सा मुँह बनाते हुए क्रैब और गॉइल को वह चीज़ दिखाई। हैरी ने देखा कि मैल्फ़ॉय के हाथ में रिडल की डायरी थी।

हैरी शांत स्वर में बोला, 'मेरी डायरी वापस करो।'

'देखें तो सही, आख़िर पॉटर ने इसमें क्या लिखा है?' मैल्फ़ॉय ने कहा। ज़ाहिर है, वह कवर पर लिखे वर्ष को नहीं देख पाया था और यही समझ रहा था कि यह हैरी की डायरी है। वहाँ मौजूद सभी लोग ख़ामोश हो गए। जिनी कभी

डायरी को, तो कभी हैरी को देख रही थी और आतंकित लग रही थी।

पर्सी सख़्ती से बोला, 'डायरी वापस कर दो, मैल्फ़ॉय।'

'पहले मैं इसे देख तो लूँ,' मैल्फ़ॉय ने हैरी को चिढ़ाते हुए डायरी उसकी तरफ़ लहराई।

पर्सी बोला, 'स्कूल का प्रिफ़ेक्ट होने के नाते –' परंतु हैरी तब तक अपना आपा खो चुका था। उसने अपनी छड़ी निकाली और चिल्लाया, *'निरस्त्र भव!'* और जिस तरह स्नेप के मंत्र से लॉकहार्ट की छड़ी छूट गई थी, उसी तरह मैल्फ़ॉय के हाथ से भी डायरी छूटकर हवा में उछल गई। रॉन ने खुलकर मुस्कराते हुए डायरी लपक ली।

पर्सी ज़ोर से बोला, 'हैरी! गलियारों में जादू करना मना है। मुझे इसकी रिपोर्ट करना होगी!'

परंतु हैरी को परवाह नहीं थी। उसने मैल्फ़ॉय को नीचा दिखा दिया था और इसके लिए वह गरुड़द्वार के पाँच पॉइंट किसी भी दिन गँवाने के लिए तैयार था। मैल्फ़ॉय बौखला गया। जब जिनी अपनी क्लास में जाने के लिए उसके पास से गुज़री, तो मैल्फ़ॉय पीछे से द्वेषपूर्ण आवाज़ में चिल्लाया, 'मुझे नहीं लगता कि पॉटर को तुम्हारा वैलेंटाइन ख़ास पसंद आया!'

जिनी ने अपना चेहरा हाथों से ढँका और भागकर क्लास में चली गई। गुर्राते हुए रॉन ने अपनी छड़ी निकाल ली, परंतु हैरी ने उसे दूर खींच लिया। वह नहीं चाहता था कि रॉन सम्मोहन की क्लास में घोंघे उगलता रहे।

जब तक वे प्रोफ़ेसर फ़्लिटविक की क्लास में नहीं पहुँच गए, तब तक हैरी ने रिडल की डायरी पर ख़ास ध्यान नहीं दिया। वहाँ पहुँचने के बाद उसने एक ख़ास बात पर ग़ौर किया। उसकी बाक़ी किताबें लाल स्याही में नहा गई थीं; परंतु डायरी उतनी ही साफ़ थी, जितनी स्याही की बोतल फैलने से पहले थी। उसने रॉन को यह बात बताने की कोशिश की, परंतु रॉन एक बार फिर अपनी छड़ी के साथ जूझ रहा था। उसकी छड़ी के सिरे से बड़े बैंगनी बुलबुले निकलने लगे थे और वह किसी दूसरी चीज़ में ज़्यादा रुचि नहीं ले रहा था।

*

उस रात हैरी अपने कमरे में सबसे पहले बिस्तर पर गया। कुछ हद तक इसका कारण यह था कि वह फ्रेड और जॉर्ज के गीत *'तुम्हारी आँखें मेंढक जितनी हरी हैं'* को एक और बार नहीं सुनना चाहता था। और कुछ हद तक इसका कारण यह भी था कि हैरी एक बार फिर रिडल की डायरी की जाँच करना चाहता था। वह जानता था कि रॉन को यह समय की बर्बादी लगेगी।

हैरी अपने बिस्तर पर बैठा और डायरी के कोरे पन्ने पलटने लगा। किसी भी पन्ने पर लाल स्याही का निशान तक नहीं था। फिर उसने अपने बिस्तर के पास वाले कैबिनेट से एक नई बोतल निकाली, उसमें अपनी क़लम डुबाई और डायरी के पहले पन्ने पर स्याही की एक बूँद टपका दी।

स्याही काग़ज़ पर एक पल के लिए चमकी और फिर ग़ायब हो गई। ऐसा लग रहा था, जैसे पन्ने ने उसे सोख लिया हो। रोमांचित होकर हैरी ने अपनी क़लम दुबारा स्याही में डुबाई और लिखा, 'मेरा नाम हैरी पॉटर है।'

ये शब्द कुछ ही पल तक पन्ने पर उभरे रहे, फिर वे भी बिना निशान छोड़े ग़ायब हो गए। फिर अंततः, कुछ हुआ।

पेज पर उसी की स्याही में ऐसे शब्द उभर आए, जिन्हें हैरी ने कभी नहीं लिखा था।

'हैलो, हैरी पॉटर। मेरा नाम टॉम रिडल है। तुम्हें मेरी डायरी कैसे मिली ?'

ये शब्द भी ग़ायब हो गए, परंतु तभी, जब हैरी ने दुबारा यह लिखना शुरू किया।

'किसी ने इसे टॉयलेट में फेंककर बहाने की कोशिश की थी।'

वह रिडल के जवाब का बेसब्री से इंतज़ार करने लगा।

'यह बहुत अच्छा रहा कि मैंने अपनी यादें स्याही से .ज्यादा स्थायी तरीक़े से सुरक्षित रखी हैं, परंतु मैं जानता था कि ऐसे लोग होंगे, जो यह नहीं चाहेंगे कि इस डायरी को पढ़ा जाए।'

'तुम्हारा क्या मतलब है ?' हैरी ने लिखा; रोमांच के कारण उसने पेज पर स्याही की बूँद टपका दी।

'मेरा मतलब है कि इस डायरी में भयानक घटनाओं की यादें सुरक्षित हैं। ऐसी घटनाएँ, जिन पर अब पर्दा डाल दिया गया है। ऐसी घटनाएँ, जो हॉगवर्ट्स जादू और तंत्र के विद्यालय में हुई थीं।'

'मैं भी यहीं पर हूँ,' हैरी ने जल्दी से लिखा। 'मैं हॉगवर्ट्स में पढ़ता हूँ और यहाँ पर भयानक घटनाएँ घट रही हैं। क्या तुम रहस्यमयी तहख़ाने के बारे में कुछ जानते हो ?'

उसका दिल तेज़ी से धड़क रहा था। रिडल का जवाब जल्दी आया। उसकी लिखाई थोड़ी कम सुंदर हो गई, जैसे वह उसे जल्दी से सारी जानकारी देने की कोशिश कर रहा हो।

'निश्चित रूप से मैं रहस्यमयी तहख़ाने के बारे में जानता हूँ। मेरे ज़माने

में लोग हमसे कहते थे कि यह एक काल्पनिक कहानी है और ऐसा कोई तहख़ाना नहीं है, परंतु यह झूठ था। जब मैं फ़िफ़्थ ईयर में था, तब तहख़ाना खुला था और भयानक जानवर ने कई विद्यार्थियों पर हमला किया था। यही नहीं, उसने एक लड़की को तो मार भी डाला था। तहख़ाना खोलने वाले को मैंने ही पकड़ा था। इसके लिए उसे स्कूल से निकाल दिया गया। परंतु हेडमास्टर प्रोफ़ेसर डिपेट को इस बात पर शर्म आ रही थी कि इस तरह की घटना हॉगवर्ट्स में हुई थी, इसलिए उन्होंने मुझे सच्चाई बताने से रोक दिया। एक कहानी गढ़ी गई कि लड़की संयोगवश एक दुर्घटना में मर गई थी। उन्होंने मेरे योगदान के लिए मुझे एक सुंदर, चमकती और नक़्क़ाशीदार ट्रॉफ़ी दी। साथ ही उन्होंने मुझे अपना मुँह बंद रखने की चेतावनी भी दी, परंतु मैं जानता था कि यह दुबारा हो सकता है। भयानक जानवर ज़िंदा था और जिस व्यक्ति के पास इसे आज़ाद करने की शक्ति थी, उसे जेल नहीं भेजा गया था।'

जवाब लिखने की जल्दबाज़ी में हैरी ने अपनी स्याही की बोतल लगभग गिरा ही दी।

'यह अब दुबारा हो रहा है। तीन हमले हो चुके हैं और कोई नहीं जानता कि इनके पीछे किसका हाथ है। पिछली बार हमले किसने किए थे?'

'अगर तुम चाहो, तो मैं तुम्हें दिखा सकता हूँ,' रिडल का जवाब आया। *'तुम्हें मेरी बात मानने की ज़रूरत नहीं है। जिस रात को मैंने उसे पकड़ा था, मैं तुम्हें उस रात की अपनी याद के भीतर ले जा सकता हूँ।'*

हैरी झिझका। उसकी क़लम डायरी के ऊपर लटकी रह गई। रिडल का क्या मतलब है? कोई किसी दूसरे की याद के भीतर कैसे जा सकता है? उसने घबराहट में कमरे के दरवाज़े की तरफ़ देखा, जो अब अँधेरे की वजह से धुँधला दिख रहा था। जब उसने पलटकर डायरी की तरफ़ देखा, तो उसे नए अक्षर उभरते दिखे।

'मुझे यह दिखाने दो।'

हैरी एक पल रुका और फिर उसने दो शब्द लिख दिए।

'ठीक है।'

डायरी के पन्ने फड़फड़ाने लगे, जैसे वे तेज़ हवा में उड़ रहे हों। वे जून के महीने के बीच में आकर रुके। खुले मुँह से हैरी ने तेरह जून के छोटे चौखाने को छोटी सी टेलीविज़न स्क्रीन में बदलते देखा। उसके हाथ थोड़े काँप रहे थे। उसने डायरी उठाकर अपनी आँख से सटा ली। अब उसकी आँख उस छोटी सी खिड़की में से अंदर झाँक रही थी। और इससे पहले कि उसे पता चले कि क्या हो रहा था, वह आगे की तरफ़ झूलने लगा। खिड़की चौड़ी होती जा रही थी और

उसे महसूस हुआ, जैसे उसका शरीर बिस्तर से उठकर खिड़की से होता हुआ रंग और छाया के बवंडर में पहुँच गया हो।

उसे अपने पैर ठोस ज़मीन पर पड़ते महसूस हुए। वह काँपता हुआ खड़ा रहा। धीरे-धीरे उसके चारों तरफ़ की धुंध छँटी और हर चीज़ साफ़ नज़र आने लगी।

हैरी तत्काल समझ गया कि वह कहाँ था। सोती हुई तस्वीरों वाला यह गोलाकार कमरा डम्बलडोर का ऑफ़िस था - परंतु यहाँ डेस्क के पीछे डम्बलडोर नहीं, बल्कि एक झुर्रीदार चेहरे वाला दुबला जादूगर बैठा हुआ था। गिने-चुने सफ़ेद बालों को छोड़कर उसका बाक़ी पूरा सिर गंजा था और वह मोमबत्ती की रोशनी में एक ख़त पढ़ रहा था। हैरी ने इस जादूगर को पहले कभी नहीं देखा था।

हैरी ने काँपते हुए कहा, 'मुझे ख़ेद है। मैं बीच में बाधा नहीं डालना चाहता था ...'

परंतु जादूगर ने नज़रें तक नहीं उठाईं। थोड़ी त्योरियाँ चढ़ाकर वह अपना ख़त पढ़ता रहा। हैरी जादूगर की टेबल के पास आया और अटकते हुए बोला, 'अर - मैं अभी चला जाऊँगा! क्या मैं जाऊँ?'

जादूगर ने अब भी उसकी तरफ़ ध्यान नहीं दिया। ऐसा लग रहा था, जैसे उसने हैरी की बात सुनी ही न हो। यह सोचते हुए कि हो सकता है जादूगर बहरा हो, हैरी ने अपनी आवाज़ ऊँची की।

'माफ़ कीजिए, मैंने आपके काम में बाधा डाली, अब मैं जाता हूँ,' वह ज़ोर से चिल्लाया।

जादूगर ने आह भरते हुए ख़त मोड़ा। फिर वह उठकर खड़ा हुआ, हैरी की तरफ़ देखे बिना उसके पास से गुज़र गया और खिड़की के पर्दे खोल दिए।

खिड़की के बाहर आसमान माणिक रत्न की तरह लाल था। ऐसा लग रहा था जैसे सूर्यास्त होने ही वाला था। जादूगर वापस अपनी कुर्सी पर आकर बैठ गया और दरवाज़े की तरफ़ देखते हुए अपने अँगूठे चटकाने लगा।

हैरी ने ऑफ़िस में चारों तरफ़ देखा। वहाँ पर न तो ज्वाला नाम का फ़ीनिक्स पक्षी था, न ही आवाज़ करने वाले चाँदी के यंत्र। यह रिडल के ज़माने का हॉगवर्ट्स था। इसका यह मतलब था कि यह अनजान जादूगर उस समय का हेडमास्टर था, जैसे डम्बलडोर इस समय हैं। इसका मतलब यह भी था कि वह यानी हैरी एक छाया से अधिक कुछ नहीं था, जो पचास साल पहले के लोगों को दिखाई नहीं दे सकता था।

ऑफ़िस के दरवाज़े पर एक दस्तक सुनाई दी।

'अंदर आ जाओ,' बूढ़े जादूगर ने धीमे से कहा।

लगभग सोलह साल का एक लड़का अपनी नुकीली टोपी उतारते हुए अंदर आया। उसके सीने पर प्रिफ़ेक्ट का चाँदी का बिल्ला चमक रहा था। वह हैरी से लंबा था, परंतु उसके बाल भी गहरे काले थे।

हेडमास्टर ने कहा, 'आह, रिडल।'

'आपने मुझे बुलाया, सर ?' रिडल बोला। वह घबराया दिख रहा था।

डिपेट ने कहा, 'बैठ जाओ। मैं अभी वह ख़त पढ़ रहा था, जो तुमने मुझे भेजा था।'

'ओह,' रिडल बैठते हुए बोला; उसने अपने हाथ बहुत कसकर बाँध रखे थे।

'मेरे प्यारे बच्चे,' डिपेट ने नरमी से कहा, 'यह संभव नहीं है कि मैं तुम्हें गर्मियों में स्कूल में रुकने की इजाज़त दे दूँ। निश्चित रूप से तुम छुट्टियों में तो अपने घर जाना चाहोगे ?'

रिडल ने तत्काल कहा, 'नहीं, मैं तो हॉगवर्ट्स में ही रुकना चाहूँगा बजाय उस जगह – उस जगह –'

'मुझे लगता है, तुम छुट्टियों के दौरान किसी मगलू अनाथालय में रहते हो,' डिपेट ने जिज्ञासा से पूछा।

'हाँ सर,' रिडल बोला और उसका चेहरा हलका लाल हो गया।

'तुम्हारे माता-पिता मगलू थे ?'

रिडल ने कहा, 'मेरे पिता मगलू थे और माँ जादूगरनी।'

'और क्या तुम्हारे माता-पिता दोनों ही – ?'

'सर, मेरी माँ तो मेरे जन्म के कुछ समय बाद ही मर गई थीं। अनाथालय वालों ने मुझे बताया कि वे सिर्फ़ मेरा नाम रखने तक ही ज़िंदा रहीं : मेरे पिता के नाम पर टॉम और मेरे दादा के नाम पर मारवोलो।'

डिपेट ने सहानुभूतिपूर्वक अपनी जीभ कुटकुटाई।

फिर वे आह भरते हुए बोले, 'टॉम, बात यह है। मैं तुम्हारे लिए ख़ास इंतज़ाम कर सकता था, परंतु वर्तमान परिस्थितियों में ...'

'सर, आपका मतलब है इन हमलों की वजह से आप ऐसा नहीं कर पाएँगे ?' रिडल ने कहा और हैरी का दिल उछल पड़ा। वह थोड़ा और क़रीब खिसक गया, ताकि एक भी शब्द उसे चकमा देकर न निकल जाए।

हेडमास्टर बोले, 'बिलकुल ठीक कहा मेरे प्यारे बच्चे, तुम यह समझ सकते हो कि ऐसे माहौल में तुम्हें छुट्टियों में महल में रहने की इजाज़त देना कितना मूर्खतापूर्ण होगा! ख़ासकर हाल ही में हुई दुर्घटना के बाद... जिसमें बेचारी लड़की की मौत हो गई ... तुम अपने अनाथालय में ज़्यादा सुरक्षित रहोगे। सच तो यह है कि जादू मंत्रालय अब स्कूल बंद करने के बारे में सोच रहा है। और हमें ज़रा भी अंदाज़ा नहीं है कि इस अप्रिय घटना के लिए कौन ज़िम्मेदार है ...'

रिडल की आँखें फैल गईं।

'सर - अगर अपराधी पकड़ा जाए ... अगर यह सब बंद हो जाए ...'

'तुम्हारा क्या मतलब है?' डिपेट ने कुर्सी पर तनकर बैठते हुए चूँ-चूँ करती आवाज़ में कहा। 'रिडल, क्या तुम इन हमलों के बारे में कुछ जानते हो?'

'नहीं सर,' रिडल ने जल्दी से कहा।

परंतु हैरी को यक़ीन था कि यह उसी तरह की 'नहीं' थी, जैसी उसने डम्बलडोर से कही थी।

डिपेट थोड़े निराश दिखते हुए दुबारा टिककर बैठ गए।

'तुम जा सकते हो, टॉम ...'

रिडल अपनी कुर्सी से उठा और पैर घसीटते हुए कमरे के बाहर चला गया। हैरी उसके पीछे-पीछे चल दिया।

स्वचालित घुमावदार सीढ़ियों से होते हुए वे नीचे उतरे और अँधेरे गलियारे में जानवर की मूर्ति के पास पहुँचे। रिडल रुका और उसे रुकते देखकर हैरी भी ठहर गया। हैरी को साफ़ दिख रहा था कि रिडल गंभीरता से कुछ सोच रहा था। वह अपना होंठ काट रहा था और उसके माथे पर बल पड़े हुए थे।

फिर ऐसा लगा, जैसे वह अचानक किसी फ़ैसले पर पहुँच गया हो। इसके बाद वह तेज़ी से चल दिया। हैरी भी उसके पीछे-पीछे बिना आवाज़ किए चलने लगा। जब तक वे प्रवेश हॉल में नहीं पहुँच गए, तब तक उन्हें कोई और नहीं दिखा। वहाँ पर लंबे, लहराते और सुनहरे बालों तथा दाढ़ी वाले एक लंबे जादूगर ने संगमरमर की सीढ़ियों से रिडल को आवाज़ दी।

'टॉम, तुम इतनी रात को क्या कर रहे हो? यहाँ क्यों भटक रहे हो?'

हैरी उस जादूगर को घूरता रहा। वे कोई और नहीं, बल्कि पचास साल युवा डम्बलडोर थे।

रिडल ने जवाब दिया, 'मैं हेडमास्टर से मिलने गया था, सर।'

'ठीक है, जल्दी से अपने बिस्तर पर जाओ,' डम्बलडोर बोले और उन्होंने रिडल को उसी तरह की पैनी दृष्टि से देखा, जिस तरह से वे हैरी को कई बार देख चुके थे। 'बेहतर होगा कि इन दिनों गलियारों में न घूमा जाए, ख़ास तौर पर जब से उस ...'

उन्होंने गहरी आह भरी, रिडल को गुडनाइट कहा और चल दिए। रिडल ने उन्हें अपनी नज़रों से ओझल होते देखा और फिर तेज़ क़दमों से चलते हुए वह तहख़ाने तक जाने वाली पत्थर की सीढ़ियाँ उतर गया। हैरी उसके ठीक पीछे तेज़ी से चलता जा रहा था।

परंतु हैरी निराश हुआ, जब रिडल उसे किसी छुपे रास्ते या ख़ुफ़िया सुरंग में न ले जाकर उसी तहख़ाने में ले गया, जिसमें इन दिनों स्नेप की काढ़े की क्लासें लगती थीं। यहाँ मशालें नहीं जल रही थीं और जब रिडल ने दरवाज़ा लगभग बंद कर लिया, तो हैरी को रिडल के सिवाय कुछ और नहीं दिख रहा था। रिडल दरवाज़े के पास मूर्ति की तरह स्थिर खड़े होकर बाहर के गलियारे को देखता रहा।

हैरी को लगा, जैसे वे वहाँ कम से कम एक घंटे तक रहे हों। वह सिर्फ़ दरवाज़े पर खड़े रिडल की आकृति देख सकता था, जो एक छेद में से घूर रहा था और किसी मूर्ति की तरह इंतज़ार कर रहा था। जब हैरी ने आशा छोड़ दी और उसका रोमांच ख़त्म होने लगा और वह सोचने लगा कि अब वह अपने वर्तमान काल में लौट जाए, तभी उसे दरवाज़े के बाहर किसी के चलने की आवाज़ सुनाई दी।

कोई उस गलियारे में रेंग रहा था। आवाज़ सुनकर उसने अंदाज़ा लगा लिया कि वह जो भी था, उस तहख़ाने से आगे निकल गया, जहाँ वह और रिडल छुपे थे। किसी छाया की तरह शांत रिडल बिना आवाज़ किए धीरे से दरवाज़े से निकला और उस आवाज़ का पीछा करने लगा। हैरी भी उसके पीछे दबे पाँव चल रहा था और यह भूल गया था कि वे लोग उसकी आवाज़ नहीं सुन सकते थे।

शायद पाँच मिनट तक उन्होंने क़दमों की आहट का पीछा किया, फिर रिडल अचानक रुक गया। उसका सिर नई आवाज़ों की दिशा में मुड़ गया। हैरी को किसी दरवाज़े के खुलने की आवाज़ सुनाई दी। फिर उसने किसी की फुसफुसाहट सुनी ...

'चलो ... तुम्हें यहाँ से बाहर ले जाना पड़ेगा ... इसी समय चलो ... बक्से में ...'

हैरी को यह आवाज़ कुछ जानी-पहचानी लगी।

रिडल अचानक मोड़ पर से कूदकर सामने पहुँचा। हैरी उसके पीछे क़दम

बढ़ाता जा रहा था। उसे अँधेरे में एक भीमकाय बच्चे की आकृति दिख रही थी, जो एक खुले दरवाज़े के सामने झुका था और उसके पास एक बड़ा बक्सा रखा था।

रिडल ने तीखे स्वर में कहा, 'गुड ईवनिंग, रूबियस।'

भीमकाय लड़के ने धड़ाम से दरवाज़ा बंद कर दिया और तनकर खड़ा हो गया।

'तुम यहाँ क्या कर रहे हो, टॉम ?'

रिडल थोड़ा और क़रीब गया।

फिर उसने कहा, 'अब तुम्हारा खेल ख़त्म हो चुका है, रूबियस। मैं तुम्हें पकड़वाने वाला हूँ। अगर हमले नहीं रुके, तो हॉगवर्ट्स बंद हो जाएगा।'

'तुम यह क्या –'

'मुझे नहीं लगता कि तुम किसी की जान लेना चाहते थे, परंतु भयानक जानवरों को पालतू नहीं बनाया जा सकता। मुझे लगता है कि तुमने उसे सिर्फ़ घुमाने-फिराने के लिए बाहर निकाला होगा और –'

'इसने किसी को भी नहीं मारा!' भीमकाय लड़के ने बंद दरवाज़े से टिकते हुए कहा। हैरी को उसके पीछे से एक अजीब खरखराहट और कड़कड़ की आवाज़ सुनाई दी।

रिडल ने थोड़े और क़रीब जाते हुए कहा, 'चलो, रूबियस। जिस लड़की की मौत हुई है, उसके माता-पिता कल यहाँ आएँगे। कम से कम हॉगवर्ट्स इतना तो कर ही सकता है कि उस जानवर की हत्या कर दे, जिसने उनकी लड़की को मारा है ...'

'यह काम उसने नहीं किया!' भीमकाय लड़का गरजा। उसकी आवाज़ अँधेरे गलियारे में गूँज रही थी। 'उसने कभी नहीं! वह कभी नहीं!'

'एक तरफ़ हट जाओ,' रिडल अपनी छड़ी बाहर निकालते हुए बोला।

उसने एक मंत्र पढ़ा, जिससे गलियारे में अचानक रोशनी भर गई। भीमकाय लड़के के पीछे वाला दरवाज़ा इतनी तेज़ी से खुला कि वह दूसरी तरफ़ की दीवार से जाकर टकराया। और उस दरवाज़े से ऐसा जानवर बाहर निकला, जिसे देखकर हैरी के मुँह से एक लंबी, तेज़ चीख़ निकल गई, जिसे उसके अलावा किसी ने नहीं सुना।

एक विशाल, रेंगने वाला, बालों वाला जानवर तेज़ी से बाहर निकला। उसके बहुत से काले पैर थे, उसकी कई आँखें चमक रही थीं और उसके मुँह के सामने ब्लेड जैसी पैनी कई चिमटियाँ थीं। रिडल ने अपनी छड़ी दुबारा उठाई,

परंतु उसे बहुत देर हो गई थी। वह जानवर उसे गिराकर गलियारे में भागा और नज़रों से ओझल हो गया। रिडल उछलकर खड़ा हुआ और पीछे से उस जानवर को देखता रहा। उसने मंत्र पढ़ने के लिए अपनी छड़ी उठाई, परंतु भीमकाय लड़का **'नहींहींहींहींहीं!'** चीख़ते हुए उस पर कूद पड़ा और उसकी छड़ी पकड़ते हुए उसे पीठ के बल गिरा दिया।

दृश्य घूमने लगा। अब उसकी आँखों के सामने घुप्प अँधेरा था। हैरी को महसूस हुआ, जैसे वह गिर रहा हो और फिर धड़ाम से वह गरुड़द्वार टॉवर के कमरे में अपने बिस्तर पर गिर गया। रिडल की डायरी उसके पेट पर खुली पड़ी थी।

इससे पहले कि उसे अपनी साँस ठीक करने का समय मिले, कमरे का दरवाज़ा खुला और रॉन अंदर आया।

वह बोला, 'तो तुम जाग रहे हो?'

हैरी तनकर बैठा। वह पसीने में लथपथ था और काँप रहा था।

रॉन उसकी तरफ़ चिंता से देखते हुए बोला, 'क्या हुआ?'

'रॉन, वह हैग्रिड था। पचास साल पहले रहस्यमयी तहख़ाना हैग्रिड ने खोला था।'

अध्याय चौदह

कॉर्नेलियस फ़ज

हैरी, रॉन और हर्माइनी तो पहले से ही जानते थे कि दुर्भाग्य से हैग्रिड को बड़े व भयानक जानवर पसंद थे। जिस साल वे हॉगवर्ट्स में पढ़ने आए थे, उसी साल हैग्रिड ने लकड़ी के अपने छोटे से घर में ड्रैगन पालने की कोशिश की थी। इसके अलावा वे उसके तीन सिर वाले विशालकाय कुत्ते 'फ़्लफ़ी' को शायद ही कभी भूल पाएँगे। हैरी को यक़ीन था कि अगर किशोरावस्था में हैग्रिड को यह पता चला हो कि महल में कहीं पर एक भयानक जानवर छुपा है, तो उसे देखने के लिए वह किसी भी हद तक जा सकता था। शायद उसे इस बात पर अफ़सोस हुआ हो कि बेचारा भयानक जानवर इतने लंबे समय तक बंद रहा है और अब उसे अपने पैर सीधे करने का मौक़ा दिया जाना चाहिए। हैरी कल्पना कर सकता था कि तेरह साल के हैग्रिड ने उसे जंज़ीरों और पट्टों से बाँधने की कोशिश भी की होगी; हैरी को पूरा विश्वास था कि हैग्रिड कभी किसी की जान लेने के इरादे से कोई काम नहीं करेगा।

हैरी मन ही मन सोच रहा था, काश उसने यह पता नहीं लगाया होता कि रिडल की डायरी से संदेश कैसे पाया जाए। रॉन और हर्माइनी ने उससे बार-बार पूरी घटना को विस्तार से बताने को कहा। उन्हें पूरी कहानी बार-बार सुनाते-सुनाते वह तंग आ गया। और घटना सुनने के बाद उनके बीच होने वाली लंबी, घुमावदार चर्चाओं से भी वह परेशान था।

हर्माइनी बोली, '*हो सकता है* रिडल ने ग़लत आदमी को पकड़ लिया हो। शायद कोई दूसरा भयानक जानवर लोगों पर हमला कर रहा हो ...'

रॉन ने सपाट लहज़े में पूछा, 'तुम्हें क्या लगता है इस जगह पर कितने भयानक जानवर रह सकते हैं?'

हैरी ने दुखी स्वर में कहा, 'यह तो हम पहले से जानते हैं कि हैग्रिड को स्कूल से निकाल दिया गया था। और हैग्रिड को निकालने के बाद हमले रुक गए

होंगे, वरना रिडल को पुरस्कार नहीं मिला होता।'

रॉन ने एक अलग दिशा में जाने की कोशिश की।

'रिडल बिलकुल पर्सी की तरह *लगता है* – उसे हैग्रिड की जासूसी करने के लिए किसने कहा था?'

हर्माइनी ने कहा, 'परंतु रॉन, उस भयानक जानवर ने किसी की *जान ली थी*।'

हैरी बोला, 'और अगर हॉगवर्ट्स बंद हो जाता, तो रिडल को मगलू अनाथालय में रहना पड़ता। मैं उसे इस बात के लिए दोष नहीं दे सकता कि उसने यहाँ रुकने के लिए हैग्रिड को पकड़वाया ...'

रॉन ने अपना होंठ काटा, फिर झिझकते हुए पूछा, 'हैरी, हैग्रिड तुम्हें शूमंतर गली में मिला था, है ना?'

हैरी तुरंत बोला, 'वह घोंघों को मारने वाली दवा ख़रीद रहा था।'

वे तीनों चुप हो गए। लंबी चुप्पी के बाद हर्माइनी ने झिझकते स्वर में सबसे जटिल सवाल पूछा : 'क्या तुम्हें लगता है कि हमें हैग्रिड के पास जाकर उससे भयानक जानवर के बारे में सवाल *पूछना* चाहिए?'

रॉन ने कहा, 'कितना अच्छा लगेगा जब हम जाकर उससे पूछेंगे, "हैलो हैग्रिड, हमें बताओ, क्या तुमने किसी बालों वाले भयानक जानवर को हाल ही में महल में छोड़ा है?"'

अंत में उन्होंने फ़ैसला किया कि जब तक कोई और हमला नहीं होगा, तब तक वे हैग्रिड से कुछ नहीं पूछेंगे। और जब हैरी को कई दिनों तक अदृश्य आवाज़ सुनाई नहीं दी, न ही किसी पर हमला हुआ, तो उन्हें लगने लगा कि उन्हें हैग्रिड से इस बारे में कभी नहीं पूछना पड़ेगा कि उसे स्कूल से क्यों निकाला गया था। जस्टिन और लगभग सिरकटे निक को बेजान हुए लगभग चार महीने गुज़र चुके थे। लगभग सभी लोग अब यह सोचने लगे थे कि हमलावर, चाहे वह जो भी हो, हमेशा के लिए मैदान छोड़ चुका था। पीव्ज़ भी अंततः अपने 'अरे पॉटर, तुम तो हो गड़बड़ पॉटर' गीत से ऊब गया था; एक दिन जड़ी-बूटियों का ज्ञान की क्लास में अर्नी मैकमिलन ने बड़ी विनम्रता से हैरी से कुकुरमुत्तों की बाल्टी माँगी; और मार्च में कई मंत्रकवचों ने ग्रीनहाउस नंबर तीन में शोरशराबे वाली एक ज़ोरदार पार्टी मनाई। इससे प्रोफ़ेसर स्प्राउट बहुत ख़ुश हो गईं।

उन्होंने हैरी को बताया, 'जब वे एक-दूसरे के गमलों में जाने की कोशिश करने लगेंगे, तब हम समझ जाएँगे कि वे पूरी तरह वयस्क हो चुके हैं। फिर हम अस्पताल में पड़े बेजान लोगों को दुबारा होश में ला सकेंगे।'

*

सेकंड ईयर के विद्यार्थियों को ईस्टर की छुट्टियों के दौरान सोचने के लिए एक नया विषय मिल गया था। थर्ड ईयर के लिए विषय चुनने का समय अब आ गया था। यह एक ऐसा मामला था, जिसे कम से कम हर्माइनी ने बहुत गंभीरता से लिया।

'इसका हमारे पूरे भविष्य पर प्रभाव पड़ सकता है,' उसने हैरी और रॉन को बताया, जब वे नए विषयों की सूचियों पर आँखें गड़ाकर उन पर निशान लगा रहे थे।

हैरी बोला, 'मैं तो जादुई काढ़े का विषय छोड़ना चाहता हूँ।'

रॉन ने बुझे स्वर में कहा, 'हम कुछ नहीं छोड़ सकते। हमें अपने सारे पुराने विषय पढ़ना पड़ेंगे, वरना मैं गुप्त कलाओं से रक्षा की पढ़ाई छोड़ देता।'

यह सुनकर हर्माइनी दहशत में आते हुए बोली, 'परंतु वह तो बहुत महत्वपूर्ण विषय है!'

रॉन ने कहा, 'हाँ, लेकिन उस तरह नहीं, जिस तरह लॉकहार्ट इसे पढ़ाते हैं। मैंने उनसे आज तक कुछ नहीं सीखा, सिवाय इसके कि नन्हे पिशाचों को बाहर न निकाला जाए।'

नेविल लॉंगबॉटम के पास उसके परिवार के सभी जादूगरों और जादूगरनियों के ख़त आए थे, जिनमें उसे अलग-अलग सलाहें दी गई थीं कि वह कौन से विषय चुने। नेविल जीभ बाहर निकालकर दुविधा और चिंता में अपने विषय की सूचियाँ पढ़ता रहता था और लोगों से पूछता रहता था कि उनके हिसाब से अंकों के जादुई महत्व का ऐतिहासिक अध्ययन ज़्यादा मुश्किल विषय है या पुरानी लिपियों का अध्ययन। हैरी की ही तरह मगलू परिवार में बड़े हुए डीन थॉमस ने तो अंत में अपनी आँखें बंद करके बिना देखे सूची पर छड़ी रख दी। इसके बाद उसने उन विषयों को चुन लिया, जिन पर छड़ी रखी थी। हर्माइनी ने किसी की भी सलाह नहीं ली और सारे विषय चुन लिए।

हैरी मन ही मन मुस्कराया, जब उसने यह सोचा कि अगर वह जादूगरी के कैरियर के बारे में वरनॉन अंकल और पेटूनिया आंटी से सलाह माँगेगा, तो वे लोग क्या कहेंगे। ऐसी बात नहीं थी कि उसे किसी ने मार्गदर्शन नहीं दिया : पर्सी वीज़्ली उसे अपने अनुभव का लाभ देने के लिए उत्सुक था।

उसने कहा, 'हैरी, सब कुछ इस बात पर निर्भर करता है कि तुम क्या *बनना* चाहते हो ? अपने भविष्य के बारे में जितनी जल्दी सोच सको, उतना ही अच्छा है, इसलिए मैं भविष्य-कथन पढ़ने की सलाह देता हूँ। लोग कहते हैं कि मगलुओं का अध्ययन एक कमज़ोर विकल्प है, परंतु व्यक्तिगत रूप से मैं यह सोचता हूँ कि जादूगरों के पास ग़ैर-जादूगर समुदाय की पूरी समझ होना चाहिए,

ख़ासकर तब जब वे उनके क़रीबी संपर्क में रहकर काम करने के बारे में सोच रहे हों – मेरे डैडी को ही देख लो, उन्हें हर समय मगलुओं से संबंधित काम करना पड़ता है। मेरा भाई चार्ली हमेशा से बहिर्मुखी क़िस्म का था और उसे घूमना पसंद था, इसलिए उसने जादुई जीवों की देखभाल का विषय चुना। फ़ैसला करते समय अपनी शक्तियों और प्रतिभा के हिसाब से काम करो, हैरी ?'

परंतु हैरी को दरअसल सिर्फ़ एक काम अच्छा लगता था और वह था क्विडिच खेलना। अंत में उसने वही नए विषय चुन लिए, जो रॉन ने चुने थे, क्योंकि उसे लगा कि अगर वह उनमें कमज़ोर भी रहा, तो भी उसकी मदद करने के लिए कम से कम उसके पास कोई दोस्त तो होगा।

*

गरुड़द्वार का अगला क्विडिच मैच मेहनतकश के ख़िलाफ़ होना था। वुड डिनर के बाद हर रात को टीम से प्रैक्टिस करवा रहा था, इसलिए हैरी को क्विडिच और होमवर्क के अलावा किसी भी चीज़ के लिए समय नहीं मिल पा रहा था। बहरहाल, प्रशिक्षण सत्र बेहतर होते जा रहे थे या कम से कम ज़्यादा सूखे होते जा रहे थे। जब हैरी शनिवार के मैच की पहले वाली शाम को अपने कमरे में अपनी झाड़ू रखने गया, तो उसने सोचा कि इस बार गरुड़द्वार के क्विडिच कप जीतने की जितनी संभावना दिख रही थी, उतनी पहले कभी नहीं दिखी थी।

परंतु वह ज़्यादा देर तक ख़ुश नहीं रह पाया। कमरे की सबसे ऊपर की सीढ़ी पर उसे नेविल लॉंगबॉटम मिला, जो बौखलाया हुआ दिख रहा था।

'हैरी – मैं नहीं जानता यह किसने किया। यह तो बस मुझे इसी हाल में मिला था –'

भयभीत निगाहों से हैरी को देखते हुए नेविल ने धक्का देकर दरवाज़ा खोला।

हैरी के संदूक का सामान हर तरफ़ बिखरा हुआ था। उसका चोगा ज़मीन पर पड़ा था। बिस्तर पर बिछी चादर खींचकर फेंक दी गई थी। पलंग के सिरहाने रखे कैबिनेट की दराज़ भी खुली थी, जिसका पूरा सामान चटाई पर फैला पड़ा था।

हैरी का मुँह खुला का खुला रह गया और वह *दैत्यों के साथ सफ़र* किताब के कुछ फटे पन्नों पर चलता हुआ बिस्तर के पास तक गया।

जब उसने और नेविल ने बिस्तर पर कंबल दुबारा डाले, तभी रॉन, डीन और सीमस अंदर आए। डीन ज़ोर से चिल्लाया।

'क्या हुआ, हैरी ?'

'पता नहीं,' हैरी बोला। परंतु रॉन हैरी के दुशालों की जाँच कर रहा था। सारी जेबें बाहर की तरफ़ निकली हुई थीं, जैसे किसी ने तलाशी ली हो।

रॉन ने कहा, 'कोई यहाँ कुछ ढूँढ़ रहा था। तुम्हारी कोई चीज़ ग़ायब तो नहीं है ?'

हैरी अपनी सारी चीज़ें उठाकर संदूक में डालने लगा। जब उसने लॉकहार्ट की आख़िरी किताब को अंदर डाला, तब जाकर उसे एहसास हुआ कि उसकी कौन सी चीज़ वहाँ नहीं थी।

उसने धीरे से रॉन को बताया, 'रिडल की डायरी ग़ायब है।'

'क्या ?'

हैरी ने अपना सिर कमरे के दरवाज़े की तरफ़ करके इशारा किया और रॉन उसके पीछे बाहर निकल आया। वे जल्दी से नीचे उतरकर एक बार फिर गरुड़द्वार के हॉल में पहुँचे, जो आधा ख़ाली था। वहाँ वे हर्माइनी के पास बैठ गए, जो अकेली बैठकर *पुरातन लिपियाँ फटाफट समझिए* नामक किताब पढ़ रही थी।

यह ख़बर सुनकर हर्माइनी भौचक्की रह गई।

'परंतु – यह चोरी तो गरुड़द्वार का कोई विद्यार्थी ही कर सकता है – किसी और को हमारा पासवर्ड नहीं मालूम ...'

हैरी बोला, 'वही तो!'

*

अगले दिन जब वे उठे, तो बाहर सूरज की चमकदार रोशनी फैली थी और हलकी-हलकी स्फूर्तिदायक हवा चल रही थी।

'क्विडिच के लिए आदर्श परिस्थितियाँ हैं!' वुड ने उत्साह से गरुड़द्वार की टेबल पर कहा और टीम के खिलाड़ियों की प्लेटों में तले हुए अंडे भर दिए। 'बहुत अच्छे हैरी, तुम्हें अच्छी तरह नाश्ता करना चाहिए।'

हैरी गरुड़द्वार की भीड़ भरी टेबल की तरफ़ घूरते हुए यह सोच रहा था कि कहीं रिडल की डायरी का नया मालिक उसकी आँखों के ठीक सामने तो नहीं बैठा है। हर्माइनी ने उसे चोरी की रिपोर्ट करने की सलाह दी थी, परंतु हैरी को यह विचार पसंद नहीं आया। ऐसा करने पर उसे टीचर को डायरी के बारे में सारी बातें बताना पड़तीं। इसके अलावा कितने लोग यह बात जानते थे कि हैग्रिड को पचास साल पहले स्कूल से क्यों निकाला गया था ? हैरी इस मामले को दुबारा सबके सामने नहीं लाना चाहता था।

हैरी जब रॉन और हर्माइनी के साथ अपना क्विडिच का सामान उठाने के लिए बड़े हॉल से बाहर आया, तो उसकी चिंताओं की सूची में एक और बहुत

गंभीर चिंता जुड़ गई। उसने अभी संगमरमर की सीढ़ी पर क़दम रखा ही था कि उसे एक बार फिर वही आवाज़ सुनाई दी : *'इस बार मार डालो ... चीर डालो ... फाड़ डालो ...'*

वह ज़ोर से चीख़ा; रॉन और हर्माइनी दोनों ही चौंककर उछल पड़े।

हैरी ने पीछे देखते हुए कहा, 'वही आवाज़! मुझे अभी-अभी वही आवाज़ एक बार फिर सुनाई दी - क्या तुम्हें कुछ सुनाई नहीं दिया ?'

रॉन की आँखें बाहर निकल रही थीं। उसने अपना सिर हिलाया, परंतु तभी हर्माइनी ने अपने माथे पर हाथ ठोंका।

'हैरी - मुझे लगता है, मुझे कुछ-कुछ समझ में आ रहा है! मुझे लाइब्रेरी में जाना होगा!'

और वह लपकते हुए तेज़ी से सीढ़ियाँ चढ़ गई।

'उसे *क्या* समझ में आ गया है ?' हैरी ने उलझन से कहा। वह अब भी चारों तरफ़ देख रहा था और यह भाँपने की कोशिश कर रहा था कि आवाज़ कहाँ से आई थी।

रॉन ने अपना सिर हिलाते हुए कहा, 'क्या पता, मेरी तो कुछ समझ में नहीं आ रहा है।'

'परंतु उसे लाइब्रेरी में जाने की क्या ज़रूरत पड़ गई ?'

रॉन ने कंधे उचकाते हुए कहा, 'क्योंकि हर्माइनी हमेशा यही करती है। जब भी शंका हो, तो लाइब्रेरी में जाओ।'

हैरी अनिश्चितता से खड़े होकर फिर से उस आवाज़ को सुनने की कोशिश करता रहा, परंतु अब उसके पीछे की ओर स्थित बड़े हॉल से विद्यार्थी बाहर निकल रहे थे और ज़ोर-ज़ोर से बातें कर रहे थे। इसके अलावा विद्यार्थी क्विडिच की पिच पर जाने के लिए अगले दरवाज़े से निकलकर जा रहे थे।

रॉन ने हैरी से कहा, 'बेहतर होगा कि तुम भी चल दो। लगभग ग्यारह बज चुके हैं - मैच का समय हो चुका है।'

हैरी गरुड़द्वार टॉवर में गया, अपनी निम्बस 2000 उठाई और मैदान के पार जाने वाली बड़ी संख्या में एकत्रित विद्यार्थियों की भीड़ में शामिल हो गया। परंतु उसका दिमाग़ अब भी महल में था; वह अब भी अदृश्य आवाज़ के बारे में सोच रहा था। जब उसने चेंजिंग रूम में अपना लाल दुशाला पहना, तो उसे इकलौती राहत इस बात से मिली कि सब लोग इस समय मैच देखने के लिए महल से बाहर आ चुके थे।

ज़ोरदार तालियों के बीच दोनों टीमें पिच पर उतरीं। ऑलिवर वुड ने

वार्मअप करते हुए गोलपोस्ट्स के चारों तरफ़ उड़ान भरी। मैडम हूच ने गेंदें निकालीं। मेहनतकश के खिलाड़ी हलके पीले रंग के दुशालों में थे। वे गोल घेरा बनाकर खड़े थे और रणनीति पर आख़िरी मिनट की चर्चा कर रहे थे।

हैरी बस अपनी झाड़ू पर चढ़ ही रहा था कि तभी प्रोफ़ेसर मैक्गॉनेगल लगभग भागती हुई पिच पर आईं। उनके हाथ में बैंगनी रंग का एक बड़ा सा मेगाफ़ोन था।

हैरी का दिल पत्थर की तरह डूब गया।

प्रोफ़ेसर मैक्गॉनेगल ने खचाखच भरे स्टेडियम को मेगाफ़ोन से संबोधित करते हुए कहा, 'यह मैच रद्द कर दिया गया है।' चीख़ने-चिल्लाने की आवाज़ें सुनाई देने लगीं। ऑलिवर वुड को तो देखकर ऐसा लग रहा था जैसे उसके होश उड़ गए हों। वह तत्काल धरती पर आया और अपनी झाड़ू से उतरे बिना ही प्रोफ़ेसर मैक्गॉनेगल की तरफ़ भागा।

वह चिल्लाया, 'परंतु प्रोफ़ेसर! हमें तो खेलना है... कप... *गरुड़द्वार*...'

प्रोफ़ेसर मैक्गॉनेगल ने उसकी बात अनसुनी कर दी और मेगाफ़ोन पर बोलती रहीं, 'सभी विद्यार्थी अपने-अपने हाउस के हॉल में जाएँगे, जहाँ उनके हाउस के प्रमुख उन्हें पूरी जानकारी देंगे। कृपया जितनी जल्दी पहुँच सकें, पहुँच जाएँ!'

फिर उन्होंने मेगाफ़ोन नीचे करते हुए हैरी को अपने पास आने का इशारा किया।

'पॉटर, मैं सोचती हूँ बेहतर होगा कि तुम मेरे साथ चलो ...'

हैरी ने सोचा कि इस बार वे उस पर संदेह कैसे कर सकती हैं। फिर उसने रॉन को शोर मचाती भीड़ से अलग होते देखा। जब वे महल की तरफ़ चलने लगे, तो रॉन भागकर उनके पास आ गया। हैरी इस बात पर हैरान था कि प्रोफ़ेसर मैक्गॉनेगल ने इस पर कोई आपत्ति नहीं की।

'हाँ वीज़्ली, शायद यही बेहतर रहेगा कि तुम भी साथ चलो।'

उनके चारों तरफ़ मंडरा रहे कुछ विद्यार्थी मैच रद्द होने पर बड़बड़ा रहे थे। बाक़ी चिंतित दिख रहे थे। हैरी और रॉन प्रोफ़ेसर मैक्गॉनेगल के पीछे-पीछे स्कूल तक गए और संगमरमर की सीढ़ियों से ऊपर चढ़े। परंतु इस बार वे उन्हें किसी के ऑफ़िस में नहीं ले गईं।

जैसे ही वे अस्पताल के पास पहुँचे, तो प्रोफ़ेसर मैक्गॉनेगल ने आश्चर्यजनक रूप से कोमल आवाज़ में कहा, 'इससे तुम्हें बहुत सदमा लगेगा। एक और हमला हुआ है ... *दो लोगों पर* हमला हुआ है।'

हैरी का दिल भयानक तरीक़े से उछलने लगा। प्रोफ़ेसर मैक्गॉनेगल ने दरवाज़े को धक्का देकर खोला और वे लोग अंदर घुस गए।

मैडम पॉमफ़्री फ़िफ़्थ ईयर की घुँघराले बालों वाली लड़की पर झुकी हुई थीं। हैरी ने पहचान लिया कि वह चीलघात की थी। इसी लड़की से तो उन्होंने नागशक्ति के हॉल तक जाने का रास्ता पूछा था। और उसके पास वाले बिस्तर पर थी –

'हर्माइनी!' रॉन कराहते हुए बोला।

हर्माइनी पूरी तरह स्थिर थी; उसकी आँखें खुली थीं और काँच जैसी हो गई थीं।

प्रोफ़ेसर मैक्गॉनेगल बोलीं, 'ये दोनों लाइब्रेरी के पास मिलीं। मुझे नहीं लगता कि तुम दोनों में से कोई इसके बारे में कुछ बता सकता है ? यह उनके पास फ़र्श पर पड़ा मिला था ...'

उनके हाथ में एक छोटा, गोल शीशा था।

हैरी और रॉन दोनों ने हर्माइनी को घूरते हुए अपना सिर इंकार में हिलाया।

प्रोफ़ेसर मैक्गॉनेगल ने भारी आवाज़ में कहा, 'मैं तुम्हें गरुड़द्वार टॉवर में ले चलती हूँ। मुझे वैसे भी वहाँ जाकर विद्यार्थियों से कुछ कहना है।'

*

'सभी विद्यार्थी शाम को छह बजे तक अपने हाउस के हॉल में लौट आएँगे। कोई भी विद्यार्थी उसके बाद अपने कमरे से बाहर नहीं निकलेगा। टीचर तुम लोगों को हर क्लास के लिए ले जाएँगे। कोई भी विद्यार्थी टीचर के साथ रहे बिना बाथरूम में नहीं जाएगा। क्विडिच के आगामी समस्त प्रशिक्षण और मैच स्थगित किए जाते हैं। शाम की सभी गतिविधियाँ बंद की जाती हैं।'

हॉल में इकट्ठे गरुड़द्वार के विद्यार्थियों ने प्रोफ़ेसर मैक्गॉनेगल की बातें ख़ामोशी से सुनीं। प्रोफ़ेसर मैक्गॉनेगल ने उस चर्मपत्र को मोड़ा, जिससे वे पढ़ रही थीं और थोड़े रुँधे गले से बोलीं, 'शायद मुझे यह बताने की ज़रूरत नहीं है कि मैं इस समय जितनी दुखी हूँ, उतनी पहले कभी नहीं रही। अगर हमलावर पकड़ा नहीं गया, तो हो सकता है हमें स्कूल बंद करना पड़े। मेरा सबसे यही अनुरोध है कि अगर किसी को इन हमलों के बारे में कुछ भी मालूम हो, तो वह आकर हमें बता दे।'

वे थोड़े अजीब तरीक़े से तस्वीर के छेद से बाहर निकलीं। उनके जाने के तत्काल बाद ही गरुड़द्वार के विद्यार्थियों में बातें होने लगीं।

वीज़्ली बंधुओं के दोस्त ली जॉर्डन ने अपनी उँगलियों पर गिनते हुए कहा,

'अब तक गरुड़द्वार के दो विद्यार्थी बेजान हो चुके हैं और एक भूत भी। चीलघात और मेहनतकश के एक-एक विद्यार्थी पर हमला हुआ है। क्या *किसी* टीचर को यह नहीं दिख रहा है कि नागशक्ति के सारे के सारे विद्यार्थी सही-सलामत हैं ? क्या इससे यह *स्पष्ट* नहीं होता कि यह सब नागशक्ति वाले करवा रहे हैं ? *वारिस* भी नागशक्ति का है और *भयानक जानवर* भी नागशक्ति का ही है। स्कूल बंद करने के बजाय सिर्फ़ नागशक्ति के विद्यार्थियों को बाहर निकाल देना चाहिए!' वह गरजा। सुनने वालों ने सहमति में सिर हिलाया और तालियाँ बजाईं।

ली के पीछे पर्सी वीज़्ली एक कुर्सी पर बैठा था, परंतु इस बार वह अपने विचार प्रकट करने के लिए ज़्यादा उत्सुक नहीं दिख रहा था। उसका चेहरा पीला पड़ गया था और वह जैसे सदमे में था।

जॉर्ज ने हैरी को धीमे से बताया, 'पर्सी को बहुत गहरा सदमा लगा है। चीलघात वाली लड़की - पेनीलोप क्लियरवाटर - प्रिफ़ेक्ट है। मुझे लगता है उसने कभी नहीं सोचा था कि भयानक जानवर किसी *प्रिफ़ेक्ट* पर हमला करने की हिम्मत कर सकता है।'

परंतु हैरी अधूरे मन से उसकी बात सुन रहा था। रह-रहकर उसकी आँखों के सामने हर्माइनी की तस्वीर आ जाती थी, जो अस्पताल के बिस्तर पर किसी पत्थर की मूर्ति की तरह लेटी थी। और अगर अपराधी जल्दी नहीं पकड़ा गया, तो हैरी को सारी ज़िंदगी डर्स्ली परिवार के साथ रहने के बारे में सोचना पड़ेगा। टॉम रिडल ने हैग्रिड को सिर्फ़ इसलिए पकड़वाया था, क्योंकि स्कूल बंद होने पर उसे मगलू अनाथालय में जाना पड़ता। हैरी अब जान गया था कि टॉम को उस वक़्त कैसा महसूस हुआ होगा।

रॉन ने चुपचाप हैरी के कान में पूछा, 'हम क्या करने वाले हैं ? क्या तुम्हें लगता है कि किसी को हैग्रिड पर संदेह होगा ?'

हैरी ने मन ही मन निर्णय लेते हुए कहा, 'हमें जाकर उससे बात करना होगी। मुझे यक़ीन है कि इस बार उसने यह काम नहीं किया होगा, परंतु अगर उसने भयानक जानवर को पिछली बार खुला छोड़ा था, तो वह जानता होगा कि रहस्यमयी तहख़ाने के भीतर कैसे पहुँचा जाता है, और यह जानना एक अच्छी शुरुआत होगी।'

'परंतु मैक्गॉनेगल ने कहा था कि क्लासों के बाद हमें अपने टॉवर में ही रुकना पड़ेगा -'

हैरी ने और भी धीमे बोलते हुए कहा, 'मुझे लगता है, डैडी के अदृश्य चोगे को बाहर निकालने का समय आ गया है।'

*

हैरी को अपने पिता से विरासत में सिर्फ़ एक ही चीज़ मिली थी : एक लंबा और चाँदी जैसा सफ़ेद अदृश्य चोगा। वे सिर्फ़ इसी के सहारे हैग्रिड से मिलने के लिए सबसे छुपकर स्कूल से बाहर जा सकते थे। हर दिन की तरह आज भी वे अपने सामान्य समय पर बिस्तर पर लेट गए। उन्होंने तब तक इंतज़ार किया जब तक कि नेविल, डीन और सीमस रहस्यमयी तहख़ाने पर चर्चा बंद करके सो नहीं गए। इसके बाद हैरी और रॉन ने उठकर दुबारा कपड़े पहने और चोगा ओढ़ लिया।

महल के अँधेरे और ख़ामोश गलियारों से बाहर निकलना आनंददायक नहीं था। हैरी पहले भी कई बार रात को महल में घूम चुका था, परंतु उसने दिन ढलने के बाद वहाँ पहले कभी इतनी भीड़ नहीं देखी थी। टीचर्स, प्रिफ़ेक्ट्स और भूत जोड़ियाँ बनाकर गलियारों में पहरा दे रहे थे और किसी असामान्य गतिविधि की तलाश में चारों तरफ़ नज़र रखे हुए थे। उनके अदृश्य चोगे के बावज़ूद उनकी आवाज़ें सबको सुनाई दे सकती थीं। इस बारे में एक ख़ास तौर पर तनाव भरा क्षण तब आया, जब रॉन के पैर का अँगूठा उस स्थान से सिर्फ़ कुछ गज़ की दूरी पर मुड़ गया, जहाँ स्नेप पहरेदारी कर रहे थे। शुक्र था कि जिस पल रॉन ने ग़ाली बकी, उसी वक़्त स्नेप को छींक आ गई। राहत की साँस लेते हुए वे बलूत की लकड़ी के अगले दरवाज़े तक पहुँचे और उसे खोल दिया।

रात का आसमान साफ़ था और सितारे चमक रहे थे। वे तेज़ी से हैग्रिड के घर की रोशनी भरी खिड़कियों की ओर बढ़े। सामने वाले दरवाज़े के ठीक बाहर पहुँचकर उन्होंने अपना चोगा उतार दिया।

उनके खटखटाने के कुछ ही क्षण बाद हैग्रिड ने दरवाज़ा खोला। उन्होंने देखा कि हैग्रिड ठीक सामने खड़ा था और उन पर धनुष-बाण से निशाना साधे हुए था। उसके पीछे उसका फ़ैंग नाम का कुत्ता ज़ोर से भौंक रहा था।

'ओह,' उसने अपना धनुष नीचे किया और उन्हें घूरा। 'तुम दोनों यहाँ क्या कर रहे हो?'

हैरी ने अंदर घुसते समय धनुष की ओर संकेत करते हुए कहा, 'यह किसलिए है?'

'कुछ नहीं ... कुछ नहीं,' हैग्रिड बुदबुदाया। 'हमें उम्मीद थी ... कोई फ़र्क़ नहीं पड़ता ... बैठ जाओ ... हम चाय बनाते हैं ...'

ऐसा लग रहा था, जैसे उसे ठीक से पता नहीं था कि वह क्या कर रहा है। पहले तो उसने चाय की पतीली से पानी छलकाकर आग लगभग बुझा दी। फिर उसका बड़ा सा हाथ घबराहट में काँपा और इस वजह से केतली टूट गई।

हैरी बोला, 'तुम ठीक तो हो, हैग्रिड? क्या तुमने हर्माइनी के बारे

में सुना?'

हैग्रिड ने काँपती आवाज़ में कहा, 'ओह हाँ, हमने सुना था।'

वह घबराकर बार-बार खिड़की की तरफ़ देख रहा था। उसने उन दोनों को उबले पानी के बड़े मग पकड़ा दिए (वह चाय की पत्ती डालना भूल गया था)। और वह एक प्लेट में फ्रूटकेक का बड़ा टुकड़ा रख ही रहा था कि तभी दरवाज़े पर एक ज़ोरदार दस्तक सुनाई दी।

हैग्रिड के हाथ से फ्रूटकेक छूटकर नीचे गिर गया। हैरी और रॉन ने दहशत भरी निगाहों से एक-दूसरे को देखा, फिर वे अदृश्य चोगा ओढ़कर एक कोने में चले गए। यह तसल्ली कर लेने के बाद कि वे छुप गए हैं, हैग्रिड ने अपना धनुष उठाया और एक बार फिर दरवाज़ा खोला।

'गुड ईवनिंग, हैग्रिड।'

बाहर डम्बलडोर खड़े थे। अंदर आते समय वे बहुत गंभीर दिख रहे थे। एक पल बाद ही एक बहुत अजीब सा दिखने वाला आदमी उनके पीछे-पीछे अंदर आया।

वह नाटा और मोटा था। उसके भूरे बाल बिखरे हुए थे और उसके चेहरे पर परेशानी के भाव थे। वह अजीब तरह के कपड़े पहने था : धारीदार सूट, लाल टाई, लंबा काला चोगा और नुकीले बैंगनी जूते। उसकी बाँह के नीचे पीले-हरे रंग का हैट दबा था।

रॉन बोला, 'ये डैडी के बॉस हैं! कॉर्नेलियस फ़ज, जादू मंत्री!'

हैरी ने रॉन को चुप करने के लिए ज़ोर से कोहनी मारी।

हैग्रिड अब पीला और पसीना-पसीना हो गया था। वह एक कुर्सी पर गिर गया और कभी डम्बलडोर को, तो कभी कॉर्नेलियस फ़ज को देखने लगा।

'बुरा हुआ, हैग्रिड,' फ़ज ने कहा। 'बहुत ही बुरा हुआ। मुझे आना ही पड़ा। मगलुओं पर चार हमले। बात बहुत बढ़ गई है। मंत्रालय को कुछ तो करना ही पड़ेगा।'

'हमने यह नहीं,' हैग्रिड ने डम्बलडोर की तरफ़ याचना भरी निगाहों से देखते हुए कहा, 'आप तो जानते हैं कि हमने यह नहीं किया, प्रोफ़ेसर डम्बलडोर, सर ...'

'मैं यह बात अच्छी तरह कहे देता हूँ कॉर्नेलियस कि हैग्रिड पर मुझे पूरा भरोसा है,' डम्बलडोर ने फ़ज की ओर भृकुटी तानते हुए कहा।

इस पर फ़ज थोड़े परेशान दिखते हुए बोले, 'देखो एल्बस, हैग्रिड का रिकॉर्ड उसके ख़िलाफ़ है। मंत्रालय को कुछ तो करना ही पड़ेगा - स्कूल के गवर्नर

बार-बार मुझसे संपर्क कर रहे हैं और सवाल पूछ रहे हैं।'

'फिर भी कार्नेलियस, मैं तुम्हें बता दूँ कि हैग्रिड को ले जाने से कोई फ़ायदा नहीं होगा,' डम्बलडोर ने कहा। उनकी नीली आँखों में एक ऐसी आग थी, जो हैरी ने पहले कभी नहीं देखी थी।

फ़ज ने अपने हैट के साथ खेलते हुए कहा, 'इसे मेरे नज़रिए से देखें। मुझ पर इस समय बहुत दबाव है। लोगों को यह लगना चाहिए कि मैं कुछ कर रहा हूँ। अगर बाद में यह पता चलता है कि हैग्रिड ने यह काम नहीं किया, तो उसे छोड़ दिया जाएगा और कुछ नहीं कहा जाएगा। परंतु इस समय तो मुझे उसे ले जाना ही होगा। मजबूरी है। अगर मैं ऐसा नहीं करूँगा, तो यह तो अपने कर्तव्य से मुँह मोड़ना होगा -'

'हमें ले जाएँगे?' हैग्रिड ने काँपते हुए कहा, 'हमें कहाँ ले जाएँगे?'

'सिर्फ़ कुछ दिनों की ही बात है,' फ़ज ने हैग्रिड से नज़रें चुराते हुए कहा। 'यह सज़ा नहीं है हैग्रिड, सिर्फ़ सावधानी बरतना है। अगर कोई और पकड़ा जाएगा, तो तुमसे माफ़ी माँगकर तुम्हें रिहा कर दिया जाएगा ...'

'कहीं अज़्काबान जेल में तो नहीं?' हैग्रिड भर्राई आवाज़ में बोला।

इससे पहले कि फ़ज जवाब दे पाएँ, दरवाज़े पर एक और ज़ोरदार दस्तक हुई।

डम्बलडोर ने दरवाज़ा खोला। अब पसलियों में कोहनी खाने की हैरी की बारी थी : उसने ज़ोर से साँस खींची थी।

लूसियस मैल्फ़ॉय हैग्रिड की झोंपड़ी में अंदर आ गए। वे सफ़र वाला लंबा काला चोगा पहने थे। उनके चेहरे पर एक ठंडी तथा संतुष्टि भरी मुस्कान थी। फ़ैंग गुर्राने लगा।

उन्होंने बहुत प्रसन्नता भरे स्वर में कहा, 'तुम पहले से ही यहाँ हो, फ़ज। बहुत बढ़िया, बहुत बढ़िया ...'

हैग्रिड ग़ुस्से से बोला, 'तुम यहाँ क्या कर रहे हो? हमारे घर से निकल जाओ!'

'भले आदमी, मेरा विश्वास करें, मुझे कोई ख़ुशी नहीं हो रही है आपके इस - अर - आप इसे घर कहते हैं?' लूसियस मैल्फ़ॉय ने व्यंग्यपूर्ण दृष्टि से छोटे कमरे में चारों तरफ़ देखते हुए कहा। 'मैं तो स्कूल गया था और वहाँ मुझे बताया गया कि हेडमास्टर यहाँ हैं।'

'और आपको मुझसे क्या काम था, लूसियस?' डम्बलडोर ने कहा। वे विनम्रता से बोल रहे थे, परंतु अब भी उनकी नीली आँखें सुलग रही थीं।

'*दुखद है*, डम्बलडोर,' मिस्टर मैल्फ़ॉय ने अलसाए अंदाज़ में बोलते हुए चर्मपत्र का लंबा रोल बाहर निकाला, 'परंतु गवर्नरों को लगता है कि अब आपके हटने का समय आ चुका है। यह रहा आपकी बर्ख़ास्तगी का आदेश – आपको इस पर पूरे बारह दस्तख़त मिलेंगे। हम सब यह महसूस करते हैं कि अब स्थिति सँभालना आपके बस की बात नहीं है। इतने सारे हमले हो चुके हैं! आज दोपहर को ही दो और हमले हुए हैं, है ना ? इस तरह से तो हॉगवर्ट्स में एक भी मगलू बच्चा नहीं बचेगा, और हम सब जानते हैं कि इससे स्कूल को कितना *भारी नुक़सान* होगा।'

'ओह, देखो लूसियस,' फ़ज ने स्तब्ध दिखते हुए कहा, 'डम्बलडोर की बर्ख़ास्तगी ... नहीं, नहीं ... जो आख़िरी चीज़ हम चाहते हैं, वह है ...'

'फ़ज, हेडमास्टर की नियुक्ति – या बर्ख़ास्तगी – गवर्नरों के हाथ में होती है,' मिस्टर मैल्फ़ॉय ने रेशमी अंदाज़ में कहा। 'और चूँकि डम्बलडोर इन हमलों को नहीं रोक पाए हैं ...'

'देखो लूसियस, अगर *डम्बलडोर* उन्हें नहीं रोक पाए –' फ़ज ने कहा, जिनके ऊपरी होंठ पर अब पसीना आ रहा था, 'मेरे कहने का मतलब यह है, तो फिर कौन *रोक सकता है* ?'

'यह तो वक़्त ही बताएगा,' लूसियस मैल्फ़ॉय ने कुटिलता से मुस्कराते हुए कहा। 'परंतु हम बारह गवर्नरों की यही राय है ...'

हैग्रिड उछलकर खड़ा हो गया। उसका झबरीला काला सिर छत को छू रहा था।

'यह तो बताओ मैल्फ़ॉय कि तुमने उनमें से कितनों को धमकाया या ब्लैकमेल किया था, जिसके बाद वे इस पर दस्तख़त करने को तैयार हुए ?'

लूसियस मैल्फ़ॉय ने कहा, 'देखो हैग्रिड, तुम्हारा यह ग़ुस्सा तुम्हें एक न एक दिन मुसीबत में डाल देगा। मैं तुम्हें सलाह दूँगा कि तुम अज़्काबान जेल के पहरेदारों पर इस तरह से मत चिल्लाना। वे लोग इस बात को क़तई पसंद नहीं करेंगे।'

'तुम डम्बलडोर को नहीं हटा सकते!' हैग्रिड चीख़ा। उसकी चीख़ सुनकर फ़ैंग अपनी बास्केट में दुबक गया और किकियाने लगा। 'उन्हें हटा दिया, तो मगलू बच्चों के बचने की कोई उम्मीद ही नहीं रहेगी! इसके बाद तो हत्याएँ होंगी!'

'शांत हो जाओ, हैग्रिड,' डम्बलडोर ने तीखे स्वर में कहा और फिर उन्होंने लूसियस मैल्फ़ॉय की तरफ़ देखा।

'अगर सभी गवर्नर चाहते हैं कि मैं हट जाऊँ लूसियस, तो मैं निश्चित रूप से हट जाऊँगा।'

'परंतु –' फ़ज हकलाते हुए बोले।

'नहीं!' हैग्रिड गुर्राया।

डम्बलडोर ने अपनी चमकती नीली आँखें लूसियस मैल्फ़ॉय की ठंडी भूरी आँखों पर से नहीं हटाईं।

'बहरहाल,' डम्बलडोर ने बहुत धीमे-धीमे और बहुत स्पष्ट स्वर में आगे कहा, ताकि सब लोग उनके एक-एक शब्द को अच्छी तरह से सुन लें, 'तुम पाओगे कि मैं इस स्कूल से *सचमुच* बाहर तभी जाऊँगा, जब यहाँ मेरा एक भी वफ़ादार नहीं बचेगा। तुम यह भी पाओगे कि मदद माँगने वालों को हॉगवर्ट्स में हमेशा मदद मिलेगी।'

एक पल के लिए तो हैरी को लगा कि डम्बलडोर की आँखें उसी कोने को देख रही थीं, जहाँ वह और रॉन छुपकर खड़े थे।

'बेहतरीन जज़्बात,' मैल्फ़ॉय ने सिर नीचा करते हुए कहा। 'एल्बस, हम सब आपकी – अर – काम करने की बहुत व्यक्तिगत शैली को याद रखेंगे, और हम यही उम्मीद करते हैं कि आपका उत्तराधिकारी किसी तरह से – *हत्याओं* – को रोकने में सफल होगा।'

मैल्फ़ॉय ने दरवाज़े तक पहुँचकर उसे खोला और डम्बलडोर को सिर झुकाकर बाहर निकलने का संकेत किया। डम्बलडोर बाहर चले गए। फ़ज, जो अपने हैट से छेड़छाड़ कर रहे थे, हैग्रिड के अपने से आगे जाने का इंतज़ार करने लगे, परंतु हैग्रिड अपनी जगह पर ही खड़ा रहा। उसने एक गहरी साँस ली और सावधानी से कहा, 'अगर कोई *कुछ* जानना चाहता है, तो उसे सिर्फ़ *मकड़ियों* का पीछा करना होगा। इससे वह सही जगह पर पहुँच जाएगा! हमें बस इतना ही कहना है।'

फ़ज ने उसकी तरफ़ हैरानी से देखा।

हैग्रिड ने छछूँदर की खाल वाला अपना ओवरकोट पहनते हुए कहा, 'ठीक है, हम चल रहे हैं।' परंतु जब वह दरवाज़े से फ़ज के पीछे निकलने ही वाला था कि तभी वह एक बार फिर रुका और ज़ोर से बोला, 'और जब हम बाहर रहेंगे, तो किसी को फ़ैंग को खाना भी खिलाना होगा।'

दरवाज़ा धड़ाम से बंद हुआ और रॉन ने अदृश्य चोगा उतार दिया।

उसने भरे गले से कहा, 'अब हम मुश्किल में फँस चुके हैं। डम्बलडोर भी चले गए हैं। हो सकता है वे लोग आज रात को ही स्कूल बंद कर दें। उनके जाने के बाद तो स्कूल में हर दिन एक हमला होगा।'

फ़ैंग गुर्राते हुए बंद दरवाज़े पर पंजा मारने लगा।

अध्याय पंद्रह

एरेगॉग

गर्मी का मौसम महल के चारों तरफ़ के मैदान में चुपके से प्रवेश कर चुका था। आसमान और झील दोनों ही नीले रंग के हो गए तथा ग्रीनहाउसों में लगे फूल पत्तागोभी की तरह बड़े होकर खिल गए। परंतु महल की खिड़कियों से अब यह नज़ारा नहीं दिखता था कि हैग्रिड मैदान में घूम रहा है और फ़ैंग उसके पीछे-पीछे उछल-कूद मचा रहा है, इसलिए हैरी का मन इस नज़ारे को सही मानने को तैयार नहीं था। दरअसल बाहर का माहौल भी महल के अंदर के माहौल से कोई ख़ास बेहतर नहीं था, जहाँ चीज़ें भयानक रूप से गड़बड़ थीं।

हैरी और रॉन ने हर्माइनी से मिलने की कोशिश की, परंतु अब मिलने वालों को अस्पताल में प्रवेश करने की इजाज़त नहीं थी।

अस्पताल के दरवाज़े की दरार से मैडम पॉमफ्री ने उन्हें गंभीरता से बताया, 'हम कोई ख़तरा नहीं उठाना चाहते। नहीं, मुझे खेद है। इस बात की पूरी संभावना है कि हमलावर इन लोगों को जान से मारने के लिए यहाँ आ सकता है ...'

डम्बलडोर के चले जाने के बाद हॉगवर्ट्स में दहशत अपनी चरम सीमा पर थी, इसलिए सूरज महल की दीवारों को बाहर से तो गरमाता था, परंतु बंद खिड़कियों पर आकर ठहर जाता था। स्कूल में ऐसा एक भी चेहरा नहीं था, जो चिंतित या तनावग्रस्त न हो। यहाँ तक कि जब कोई गलियारे में हँसता था, तो उसकी गूँज इतनी तेज़ और अस्वाभाविक लगती थी कि उस हँसी को जल्दी ही दबा लिया जाता था।

हैरी बार-बार डम्बलडोर के आख़िरी शब्दों को दोहराता जा रहा था, '*मैं इस स्कूल से सचमुच बाहर तभी जाऊँगा, जब यहाँ मेरा एक भी वफ़ादार नहीं बचेगा ... मदद माँगने वालों को हॉगवर्ट्स में हमेशा मदद मिलेगी।*' परंतु इन शब्दों का क्या फ़ायदा? वे किससे मदद माँगें, जब सभी उन्हीं की तरह

दुविधाग्रस्त और डरे हुए थे?

इसके बजाय हैग्रिड का मकड़ियों का इशारा समझना ज़्यादा आसान था। समस्या यह थी कि महल में एक भी मकड़ी नहीं बची थी, जिसका वे पीछा कर सकें। हैरी ने हर तरफ़ मकड़ियों की तलाश की। रॉन ने भी मन मारकर उसकी मदद की। ज़ाहिर है इस काम में एक बड़ी बाधा यह भी थी कि उन्हें अकेले बाहर घूमने की इजाज़त नहीं थी। वे महल में जहाँ भी जाते थे, उन्हें गरुड़द्वार के दूसरे विद्यार्थियों के साथ समूह में जाना पड़ता था। उनके अधिकांश सहपाठी ख़ुश थे कि उन्हें टीचर एक क्लास से दूसरी क्लास में भेड़ों की तरह हाँककर सुरक्षित ले जाते थे, परंतु हैरी को इससे बहुत कष्ट होता था।

बहरहाल, ऐसा लगता था कि दहशत और शंका के इस माहौल में एक विद्यार्थी को बहुत मज़ा आ रहा था। ड्रेको मैल्फ़ॉय स्कूल में चारों तरफ़ ऐसे अकड़कर चलता था, जैसे उसे हेड बॉय बना दिया गया हो। हैरी को यह मालूम नहीं था कि वह इतना ख़ुश क्यों था, जब तक कि डम्बलडोर और हैग्रिड के जाने के लगभग पंद्रह दिन बाद उसने जादुई काढ़े की क्लास में मैल्फ़ॉय की बातें नहीं सुनीं। हैरी मैल्फ़ॉय के ठीक पीछे बैठा था, जब वह क्रैब और गॉइल को आँखें नचा-नचाकर कुछ बता रहा था।

अपनी आवाज़ नीची रखने का कष्ट किए बिना वह बोला, 'मैं हमेशा सोचता था कि डैडी ही हमें डम्बलडोर से मुक्ति दिलाएँगे। मैंने तुम्हें पहले ही बताया था कि उनके हिसाब से डम्बलडोर इस स्कूल के अब तक के सबसे बुरे हेडमास्टर हैं। अब शायद हमें कोई अच्छा हेडमास्टर मिल जाएगा। ऐसा हेडमास्टर, जो रहस्यमयी तहख़ाने को बंद नहीं रखना *चाहता* होगा। मैक्गॉनेगल ज़्यादा समय तक नहीं चलेंगी, वे तो सिर्फ़ कामचलाऊ व्यवस्था हैं ...'

स्नेप हैरी के पास से गुज़रे, परंतु उन्होंने हर्माइनी की ख़ाली सीट और कड़ाही को देखकर कोई टिप्पणी नहीं की।

मैल्फ़ॉय ने ज़ोर से कहा, 'सर, *आप* हेडमास्टर के पद के लिए आवेदन क्यों नहीं देते?'

'अरे, अरे, मैल्फ़ॉय,' स्नेप ने कहा, हालाँकि रोकते-रोकते भी उनके पतले होंठों पर मुस्कान आ ही गई। 'प्रोफ़ेसर डम्बलडोर को गवर्नरों ने सिर्फ़ बर्ख़ास्त किया है। मैं तो यही कहूँगा कि वे जल्दी ही हमारे बीच लौट आएँगे।'

'वह तो ठीक है, सर,' मैल्फ़ॉय ने दाँत निकालते हुए कहा। 'परंतु सर, अगर आप इस पद के लिए आवेदन करें, तो मुझे उम्मीद है कि डैडी का वोट आपको ही मिलेगा। सर, *मैं* डैडी को बता दूँगा कि आप यहाँ के सबसे अच्छे टीचर हैं ...'

स्नेप जब तहख़ाने में चारों तरफ़ घूम रहे थे, तो उनके चेहरे पर दबी मुस्कान थी। सौभाग्य से उन्होंने सीमस फ़िनिगन को नहीं देखा, जो अपनी कड़ाही में उलटी करने का नाटक कर रहा था।

'मैं हैरान हूँ कि अब तक बदज़ातों ने अपना सामान क्यों नहीं बाँधा,' मैल्फ़ॉय ने आगे कहा। 'पाँच गैलियन की शर्त लगा सकता हूँ कि अगली बार जिस पर भी हमला होगा, वह ज़रूर मरेगा। अफ़सोस कि वह ग्रेंजर नहीं होगी ...'

उसी समय घंटी बजी, जो बहुत अच्छी बात रही। मैल्फ़ॉय के आख़िरी शब्द सुनकर रॉन ने अपने स्टूल से उछलकर उस तक पहुँचने की कोशिश की थी। परंतु बैग तथा किताबें बटोरने की हड़बड़ी में इस तरफ़ किसी का भी ध्यान नहीं गया।

जब हैरी और डीन ने उसके हाथ पकड़ लिए, तो रॉन गुर्राया, 'मुझे उसे मज़ा चखाने दो। मुझे किसी की परवाह नहीं है। मुझे अपनी छड़ी की भी ज़रूरत नहीं है। मैं अपने हाथों से उसका गला दबा दूँगा –'

'जल्दी करो, मुझे तुम लोगों को जड़ी-बूटियों का ज्ञान की क्लास में ले जाना है,' स्नेप बेचैनी से खड़े होकर गरजे और वे सब भेड़ों की तरह चल दिए। हैरी, रॉन और डीन सबसे पीछे चल रहे थे। रॉन अब भी अपने हाथ छुड़ाने की कोशिश कर रहा था। परंतु हैरी और डीन के हिसाब से उसे तभी छोड़ना सुरक्षित था, जब स्नेप उन्हें महल के बाहर ले जाएँ और वे सब्ज़ियों के बगीचे के पार ग्रीनहाउस के रास्ते पर पहुँच जाएँ।

जड़ी-बूटियों का ज्ञान की क्लास बहुत ख़ामोश थी। अब इसके दो विद्यार्थी कम हो गए थे : जस्टिन और हर्माइनी।

प्रोफ़ेसर स्प्राउट ने उन सबको सूखे अफ़्रीकी अंजीरों की कटाई-छँटाई के काम पर लगा दिया। हैरी जब मुरझाए हुए डंठलों को हाथों में भरकर खाद के ढेर पर रखने गया, तो अर्नी मैकमिलन उसके ठीक सामने खड़ा था। अर्नी ने गहरी साँस ली और बहुत औपचारिक ढंग से बोला, 'मैं बस इतना कहना चाहता हूँ हैरी कि मुझे अफ़सोस है, जो मैंने कभी तुम पर शक किया। मैं जानता हूँ कि तुम कभी हर्माइनी ग्रेंजर पर हमला नहीं करोगे और मैं अपनी कही सभी बातों के लिए माफ़ी माँगता हूँ। हम सब अब एक ही नाव पर सवार हैं, और, तो –'

उसने दोस्ती के लिए अपना गोल-मटोल हाथ आगे बढ़ाया और हैरी ने उससे हाथ मिला लिया।

अर्नी और उसकी मित्र हान्ना भी सूखे अंजीरों के उसी ढेर पर काम करने लगे, जिस पर हैरी और रॉन काम कर रहे थे।

अर्नी ने सूखी टहनियों को तोड़ते हुए कहा, 'वह ड्रेको मैल्फ़ॉय ... वह इस सबके बारे में बहुत ख़ुश नज़र आता है, है ना? मुझे तो यही लगता है कि *वह* नागशक्ति का वारिस हो सकता है, तुम क्या सोचते हो?'

'तुमने बड़ी समझदारी की बात कही है,' रॉन बोला, जिसने अर्नी को उतनी आसानी से माफ़ नहीं किया था, जितनी आसानी से हैरी ने कर दिया था।

अर्नी ने पूछा, 'हैरी, क्या *तुम्हें* लगता है कि नागशक्ति का वारिस मैल्फ़ॉय है?'

'नहीं,' हैरी ने इतनी दृढ़ता से कहा कि अर्नी और हान्ना उसे घूरने लगे।

एक सेकंड बाद हैरी को ऐसी चीज़ दिखी, जिसकी वजह से उसने पौधों को कतरने वाली कैंची रॉन के हाथ पर दे मारी।

'*आउच!* तुम क्या कर –'

हैरी इशारा करके ज़मीन पर कुछ फ़ुट दूर कुछ दिखा रहा था। कई बड़ी मकड़ियाँ ज़मीन पर दौड़ती हुई जा रही थीं।

'अरे हाँ,' रॉन ने ख़ुश दिखने की नाकामयाब कोशिश की। 'परंतु हम इस समय उनका पीछा नहीं कर सकते ...'

अर्नी और हान्ना उत्सुकता से सुन रहे थे।

हैरी ने मकड़ियों को दूर भागते देखा।

'ऐसा लगता है कि वे अँधेरे जंगल की तरफ़ जा रही हैं ...'

यह सुनकर रॉन और भी दुखी हो गया।

क्लास ख़त्म होने के बाद प्रोफ़ेसर स्प्राउट सभी विद्यार्थियों को गुप्त कलाओं से रक्षा की क्लास में छोड़ने के लिए ले गईं। हैरी और रॉन बाक़ी सबसे पीछे रह गए, ताकि कोई दूसरा उनकी बातें न सुन ले।

हैरी ने रॉन से कहा, 'हमें एक बार फिर अदृश्य चोगे का प्रयोग करना पड़ेगा। हम फ़ैंग को अपने साथ ले चलेंगे। उसे हैग्रिड के साथ जंगल में जाने की आदत है। वह हमारे काम आ सकता है।'

'ठीक है,' रॉन ने कहा, जो घबराहट में अपनी छड़ी को उँगलियों में घुमा रहा था। 'अर – कहीं जंगल में – कहीं जंगल में आदम भेड़िए तो नहीं रहते हैं?' उसने आगे कहा, जब वे लॉकहार्ट की क्लास में हमेशा की तरह पीछे वाली सीट पर बैठे।

इस सवाल का जवाब देना पसंद न करते हुए हैरी ने कहा, 'वहाँ पर अच्छी चीज़ें भी रहती हैं। सेन्टॉर्स अच्छे हैं और यूनिकॉर्न भी।'

रॉन पहले कभी अँधेरे जंगल में नहीं गया था। हैरी वहाँ सिर्फ़ एक बार गया था और उसे आशा थी कि उसे दुबारा वहाँ नहीं जाना पड़ेगा।

लॉकहार्ट कमरे में धड़धड़ाते हुए आए और क्लास उनकी तरफ़ घूरने लगी। स्कूल में बाक़ी सभी टीचर्स सामान्य से ज़्यादा गंभीर थे, परंतु लॉकहार्ट का चेहरा बहुत ख़ुश नज़र आ रहा था।

वे चारों तरफ़ मुस्कान बिखेरते हुए बोले, 'चलो अब अपना मूड ठीक करो। इस तरह मुँह लटकाकर क्यों बैठे हो?'

विद्यार्थियों ने एक-दूसरे की तरफ़ उत्तेजित होकर देखा, परंतु किसी ने जवाब नहीं दिया।

'क्या तुम लोगों को यह समझ में नहीं आ रहा है,' लॉकहार्ट धीमे-धीमे बोले, जैसे उन लोगों की समझने की शक्ति कमज़ोर हो, 'कि अब ख़तरा गुज़र चुका है! अपराधी को पकड़कर दूर भेज दिया गया है!'

'कौन कहता है?' डीन थॉमस ज़ोर से बोला।

'मेरे प्यारे बच्चे, जादू मंत्री कभी हैग्रिड को पकड़कर नहीं ले गए होते, अगर उन्हें यह शत-प्रतिशत विश्वास नहीं होता कि दोषी वही है,' लॉकहार्ट ने इस तरह से समझाया, जैसे यह समझा रहे हों कि एक और एक दो होते हैं।

रॉन डीन से भी ज़्यादा ज़ोर से बोला, 'नहीं, वे फिर भी उसे पकड़कर ले जाते।'

इस पर लॉकहार्ट ने गर्व से कहा, 'वीज़्ली, मैं ख़ुद को दाद देता हूँ कि मैं हैग्रिड की गिरफ़्तारी के बारे में तुमसे *थोड़ा* ज़्यादा जानता हूँ।'

रॉन कहने ही वाला था कि ऐसी बात नहीं है, परंतु वह बोलते-बोलते रुक गया, क्योंकि हैरी ने उसे टेबल के नीचे से कसकर लात मार दी थी।

हैरी बुदबुदाया, 'याद रखना, हम वहाँ नहीं थे।'

परंतु लॉकहार्ट की बेहूदा ख़ुशी उसे भी नागवार गुज़री। जब लॉकहार्ट ने कहा कि वे हमेशा से जानते थे कि हैग्रिड भला आदमी नहीं है और उन्हें विश्वास है कि अब सारा मामला ख़त्म हो चुका है, तो इससे हैरी चिढ़ गया। उसका मन हुआ कि वह *पिशाचों के साथ भटकना* किताब उठाकर लॉकहार्ट के मूर्खतापूर्ण चेहरे पर दे मारे। इसके बजाय उसने ख़ुद को संतुष्ट करने के लिए काग़ज़ पर लिखकर रॉन को यह दिखाया : *'हम यह काम आज रात को करेंगे।'*

रॉन ने संदेश पढ़ा, थूक निगला और कनखियों से बग़ल वाली ख़ाली सीट की तरफ़ देखा, जहाँ आम तौर पर हर्माइनी बैठती थी। यह देखकर उसका

संकल्प दृढ़ हो गया और उसने सहमति में सिर हिला दिया।

*

इन दिनों गरुड़द्वार के हॉल में बहुत भीड़ रहती थी, क्योंकि छह बजे के बाद गरुड़द्वार के विद्यार्थी कहीं नहीं जा सकते थे। उनके पास बातें करने के लिए मसाला भी बहुत रहता था, जिस वजह से हॉल अक्सर आधी रात के बाद तक ख़ाली नहीं होता था।

डिनर के ठीक बाद हैरी संदूक से अपना अदृश्य चोगा निकालने के लिए गया और काफ़ी देर तक उसी पर बैठा रहा। वह हॉल के ख़ाली होने का इंतज़ार कर रहा था। फ्रेड और जॉर्ज ने हैरी तथा रॉन को *एक्सप्लोडिंग स्नैप* खेलने की चुनौती दी। जहाँ आम तौर पर हर्माइनी बैठा करती थी, वहाँ पर आज जिनी मायूस सी बैठकर उन्हें खेलते देखती रही। खेल जल्दी ख़त्म करने की कोशिश में हैरी और रॉन जान-बूझकर हारते रहे। परंतु इसके बाद भी जब अंततः फ्रेड, जॉर्ज और जिनी वहाँ से गए, तो रात आधी से भी ज़्यादा गुज़र चुकी थी।

हैरी और रॉन ने दो कमरों के दरवाज़े बंद होने की आवाज़ों का इंतज़ार किया। इसके बाद उन्होंने चोगा निकाला, ओढ़ा और तस्वीर के छेद में से बाहर निकल गए।

सभी टीचर्स को चकमा देते हुए एक बार फिर उन्होंने महल के बाहर जाने वाली मुश्किल यात्रा की। आख़िरकार वे प्रवेश द्वार तक पहुँच गए। उन्होंने बलूत की लकड़ी के दरवाज़े पर लगी साँकल खोली और बाहर निकले। इस दौरान उन्होंने पूरी कोशिश की कि किसी तरह की आवाज़ न हो। अब वे चाँदनी में नहाए मैदान में आ चुके थे।

जब वे अँधेरे में काली दिख रही घास के मैदान के पार क़दम बढ़ा रहे थे, तो रॉन अचानक बोला, 'देखो, यह भी हो सकता है कि हम जंगल में तो पहुँच जाएँ, परंतु वहाँ पीछा करने के लिए हमें मकड़ियाँ ही न मिलें। हो सकता है हमने जो मकड़ियाँ देखी थीं, वे वहाँ जा ही नहीं रही हों। मैं जानता हूँ उन्हें देखकर ऐसा लग रहा था कि वे उसी दिशा में जा रही थीं, परंतु ...'

उसकी आवाज़ आशा भरे स्वर में ख़त्म हुई।

वे हैग्रिड के घर के सामने पहुँच गए, जिसकी अँधेरे में डूबी खिड़कियों की वजह से वहाँ का माहौल बड़ा उदास दिख रहा था। जब हैरी ने धक्का देकर दरवाज़ा खोला, तो उन्हें देखकर फ़ैंग ख़ुशी से पागल हो गया। उन लोगों को यह चिंता सताने लगी कि कहीं फ़ैंग अपनी तेज़ और गूँजने वाली आवाज़ से महल में सोने वाले हर व्यक्ति को जगा न दे। इसलिए उन्होंने जल्दी से मैंटलपीस पर रखे डिब्बे से ट्रिकल टॉफ़ी निकालकर फ़ैंग को खिला दी, जिससे उसके दाँत

चिपक गए।

हैरी ने अदृश्य चोगा हैग्रिड की टेबल पर ही छोड़ दिया। गहरे अँधेरे जंगल में इसकी कोई ज़रूरत नहीं थी।

'चलो फ़ैंग, हम घूमने चलते हैं,' हैरी ने उसका पैर थपथपाते हुए कहा। यह सुनकर फ़ैंग ख़ुश होकर घर से बाहर निकला और उनके पीछे-पीछे चल दिया। वह जंगल के कोने तक दौड़कर गया और उसने अंजीर के एक बड़े पेड़ के पास जाकर अपना पैर उठा दिया।

हैरी छड़ी निकालकर बुदबुदाया, *'प्रकाशित भव!'* छड़ी के सिरे पर हलकी सी रोशनी हो गई, सिर्फ़ इतनी कि वे चल रही मकड़ियों को देख सकें।

रॉन बोला, 'तुम्हारे दिमाग़ में बहुत बढ़िया विचार आया। मैं भी अपनी छड़ी से रोशनी कर लेता, परंतु तुम जानते हो - यह या तो फट जाएगी या ऐसी ही कोई और दुर्घटना हो जाएगी ...'

हैरी ने रॉन का कंधा थपथपाया और घास की तरफ़ इशारा किया। दो मकड़ियाँ छड़ी की रोशनी से दूर होती हुई पेड़ों की छाया में जा रही थीं।

'ठीक है,' रॉन ने आह भरी। ऐसा लग रहा था जैसे उसने किसी भी बुरी से बुरी घटना के लिए ख़ुद को तैयार कर लिया था, 'मैं तैयार हूँ। चलो, चलें।'

जब वे जंगल में दाख़िल हुए, तो फ़ैंग उनके चारों तरफ़ मँडराते हुए पेड़ों की जड़ें और पत्तियाँ सूँघता हुआ चलने लगा। हैरी की छड़ी की रोशनी के सहारे उन्होंने मकड़ियों का पीछा किया, जो पगडंडी पर ही चल रही थीं। वे लगभग बीस मिनट तक बिना बोले चलते रहे और टूटती टहनियों तथा खरखराती पत्तियों के अलावा दूसरी आवाज़ें सुनने की कोशिश करते रहे। फिर जब पेड़ इतने ज़्यादा घने हो गए कि आसमान के सितारे नज़र आना बंद हो गए और अँधेरे के समुद्र में सिर्फ़ हैरी की छड़ी ही चमक रही थी, तब उन्होंने देखा कि मकड़ियाँ पगडंडी छोड़ रही हैं।

हैरी ठहरा और उसने यह देखने की कोशिश की कि मकड़ियाँ कहाँ जा रही थीं, परंतु उसकी रोशनी के छोटे से दायरे के बाहर की हर चीज़ गहरे अँधेरे में डूबी थी। वह पहले कभी जंगल में इतनी गहराई तक नहीं गया था। उसे अच्छी तरह याद था कि जब वह पिछली बार यहाँ आया था, तो हैग्रिड ने उसे सलाह दी थी कि वह जंगल में जाते समय पगडंडी न छोड़े। परंतु अब हैग्रिड मीलों दूर था, शायद अज़्काबान जेल की किसी कालकोठरी में। और उसी ने तो उनसे मकड़ियों का पीछा करने को कहा था।

किसी नम चीज़ ने हैरी का हाथ छुआ, जिससे वह पीछे की तरफ़ उछल पड़ा। इससे रॉन का पैर दबकर चकनाचूर सा हो गया। हैरी ने देखा कि वह नम

चीज़ कुछ और नहीं, बल्कि फ़ैंग की नाक थी।

'तुम क्या कहते हो ?' हैरी ने रॉन से पूछा, जिसकी आँखें उसे छड़ी की रोशनी में दिख रही थीं।

रॉन बोला, 'हम इतनी दूर तक तो आ ही गए हैं।'

इसलिए वे पेड़ों के बीच में जा रही मकड़ियों की छायाओं के पीछे-पीछे चल दिए। वे अब बहुत तेज़ी से नहीं चल सकते थे, क्योंकि रास्ते में पेड़ों की जड़ें और ठूँठ आ रहे थे, जो घुप्प अँधेरे में मुश्किल से नज़र आते थे। हैरी को अपने हाथ पर फ़ैंग की गर्म साँस महसूस हो रही थी। वे कई बार रुके, ताकि हैरी नीचे झुककर छड़ी की रोशनी में मकड़ियों को खोज सके।

वे काफ़ी देर तक चलते रहे। ऐसा लग रहा था, जैसे वे आधा घंटे तक चले होंगे। उनके दुशाले नीचे झुकी शाखाओं और काँटेदार झाड़ियों में उलझ रहे थे। कुछ समय बाद उन्होंने देखा कि ज़मीन पर नीचे की तरफ़ ढलान शुरू हो गई थी, हालाँकि पेड़ अब भी उतने ही घने थे।

तभी फ़ैंग अचानक ज़ोर से भौंका। उसकी आवाज़ इतनी तेज़ी से गूँजी कि हैरी और रॉन दोनों ही उछल पड़े।

'क्या है ?' रॉन ने घुप्प अँधेरे में चारों तरफ़ देखते हुए तेज़ी से कहा और हैरी की कोहनी कसकर पकड़ ली।

हैरी बोला, 'वहाँ कोई चीज़ हिल रही है। सुनो ... ऐसा लगता है कोई बड़ी चीज़ है।'

उन्होंने सुनने की कोशिश की। उनकी दाईं तरफ़ थोड़ी दूर कोई बड़ी चीज़ पेड़ों के बीच से निकलने का रास्ता बनाते हुए टहनियाँ तोड़ रही थी।

'अरे नहीं,' रॉन बोला, 'अरे नहीं, अरे नहीं, अरे -'

'चुप रहो,' हैरी ने उत्तेजित होकर कहा। 'वह तुम्हारी आवाज़ सुन लेगा।'

रॉन असामान्य रूप से तेज़ आवाज में बोला, '*मेरी* आवाज़ ? उसने पहले ही फ़ैंग की आवाज़ सुन ली होगी!'

जब वे दहशत में खड़े होकर इंतज़ार कर रहे थे, तो अँधेरा उनकी आँखों की पुतलियों पर दबाव डालने लगा। एक अजीब सी घरघराहट की आवाज़ उनके कानों में पड़ी और फिर ख़ामोशी छा गई।

हैरी ने पूछा, 'तुम्हें क्या लगता है वह क्या कर रहा होगा ?'

रॉन ने जवाब दिया, 'शायद हमला करने की तैयारी।'

काँपते हुए, हिलने तक से डरते हुए, वे इंतज़ार करते रहे।

हैरी फुसफुसाया, 'तुम्हें क्या लगता है वह चला गया है?'

'पता नहीं –'

तभी उनकी दाईं तरफ़ अचानक रोशनी का विस्फोट सा हुआ। यह रोशनी अँधेरे में इतनी तेज़ी से चमक रही थी कि दोनों ने अपनी आँखों को चौंधियाने से बचाने के लिए उन पर हाथ रख लिए। फ़ैंग किकियाने लगा और उसने भागने की कोशिश की, परंतु इस प्रयास में वह काँटों भरी एक झाड़ी में जा गिरा और पहले से भी ज़्यादा तेज़ी से किकियाने लगा।

'हैरी!' रॉन चिल्लाया; उसकी आवाज़ अब राहत से भरी थी। 'हैरी, यह तो हमारी कार है!'

'क्या?'

'देखो तो सही!'

हैरी रॉन के पीछे-पीछे लड़खड़ाता हुआ रोशनी की दिशा में गया। वे दोनों गिरते-पड़ते हुए चलते रहे और एक पल बाद एक खुली जगह पर पहुँच गए।

मिस्टर वीज़्ली की कार वहाँ पर मोटे वृक्षों के घेरे के बीच खड़ी थी। पेड़ों की घनी शाखाओं की छत के नीचे खड़ी इस कार की हेडलाइट्स जल रही थीं। जब रॉन मुँह खोले उसकी तरफ़ बढ़ा, तो कार धीमे से उसकी तरफ़ आगे बढ़ी, ठीक उसी तरह जिस तरह कोई बड़ा कुत्ता अपने मालिक का स्वागत करता है।

'यह पूरे समय यहीं पर थी!' रॉन ख़ुशी से कार के चारों तरफ़ घूमते हुए बोला। 'इसकी तरफ़ देखो। जंगल ने इसका क्या हाल कर दिया है ...'

कार पर चारों तरफ़ खरोंचों और कीचड़ के निशान थे। यह स्पष्ट था कि इस दौरान कार अपनी मर्ज़ी से जंगल में चारों तरफ़ घूमती रही थी। फ़ैंग कार में ज़्यादा दिलचस्पी नहीं ले रहा था; वह हैरी से चिपककर खड़ा रहा और काँपता रहा। हैरी की साँस दुबारा सामान्य गति से चलने लगी और उसने अपनी छड़ी वापस अपने दुशाले में रख ली।

'और हम सोच रहे थे कि यह हम पर हमला करने वाली है!' रॉन ने कार पर टिकते हुए और उसे थपथपाते हुए कहा। 'मैं यही सोच रहा था कि यह न जाने कहाँ चली गई!'

हैरी ने रोशनी से नहाई ज़मीन पर चारों तरफ़ मकड़ियों की तलाश की, परंतु वे सब हेडलाइट की रोशनी से दूर चली गई थीं।

उसने कहा, 'हम जिन मकड़ियों का पीछा कर रहे थे, वे अब दूर चली गई हैं। चलो, चलकर उन्हें खोजते हैं।'

रॉन कुछ नहीं बोला। वह हिला तक नहीं। उसकी आँखें हैरी के ठीक पीछे

ज़मीन से दस फ़ुट ऊपर किसी चीज़ पर जमी हुई थीं और उसका चेहरा दहशत के मारे काला पड़ गया था।

हैरी को पलटने तक का समय नहीं मिला। एक ज़ोरदार खटखट की आवाज़ हुई और उसे अचानक महसूस हुआ कि किसी लंबी और बालों वाली चीज़ ने उसे कमर से पकड़कर ज़मीन से ऊपर उठा लिया। अब वह उलटा लटक रहा था और उसका सिर नीचे की तरफ़ था। वह संघर्ष करने लगा, परंतु तभी खटखट की और आवाज़ें सुनकर वह आतंकित हो गया। उसने देखा कि अब रॉन के पैर भी हवा में झूल रहे थे। फिर फ़ैंग के बिसूरने और गुर्राने की आवाज़ें आईं। अगले पल उन लोगों को तेज़ी से अँधेरे वृक्षों के बीच से ले जाया जा रहा था।

हैरी ने हवा में झूल रहे सिर से देखा कि जिसने उसे पकड़ रखा था, वह अपने छह लंबे, बालों वाले पैर से चल रहा था। उसके मुँह की जगह पर चमकती ब्लेड जैसी दो काली चिमटियाँ थीं और उसने अपने अगले दो पैरों से हैरी को कसकर पकड़ रखा था। अपने पीछे उसे एक और जीव की आवाज़ें सुनाई दे रही थीं, जो निःसंदेह रॉन को ला रहा था। वे जंगल के बीचोबीच चल दिए। हैरी सुन सकता था कि फ़ैंग तीसरे भयानक जीव से स्वतंत्र होने के लिए संघर्ष करते हुए चीख़ रहा था, परंतु हैरी चाहकर भी नहीं चीख़ सकता था। ऐसा लग रहा था कि वह अपनी आवाज़ कार के पास ही छोड़ आया था।

हैरी को यह नहीं मालूम था कि वह कितनी देर तक उस जीव के शिकंजे में रहा; उसे तो सिर्फ़ इतना मालूम था कि अँधेरा अचानक कम हो गया। वह देख सकता था कि पत्तियों से भरी धरती अब मकड़ियों से भरी थी। उसने अपनी गर्दन तिरछी की और उसे एहसास हुआ कि वह एक बड़ी घाटी के किनारे पर पहुँच गया था। इस घाटी के पेड़ साफ़ कर दिए गए थे। इसलिए अब उसे सितारे दिख रहे थे और उसकी आँखों के सामने इतना ज़्यादा भयानक दृश्य था, जितना उसने आज तक नहीं देखा था।

मकड़ियाँ। छोटी मकड़ियाँ नहीं, जो नीचे पत्तियों पर चल रही थीं; बल्कि घोड़े के आकार की आठ आँखों और आठ पैरों वाली, काली, बालों वाली, दैत्याकार मकड़ियाँ। हैरी को ले जाने वाली भीमकाय मकड़ी अब ढलान पर नीचे की तरफ़ जा रही थी। वह उसे घाटी के ठीक बीच में गुंबद के आकार वाले एक धुँधले जाले की तरफ़ ले जा रही थी। उसके साथी उसे चारों तरफ़ से घेरे थे और उसके वज़नी शिकार को देखकर रोमांचित स्वर में अपनी चिमटियों से खटखट कर रहे थे।

जब मकड़ी ने हैरी को छोड़ा, तो वह हाथ-पैरों के बल ज़मीन पर गिरा।

रॉन और फ़ैंग भी उसके पास आकर गिरे। फ़ैंग अब बिलकुल नहीं चीख़ रहा था, बल्कि अपनी जगह पर चुपचाप दुबका हुआ था। रॉन का हाल भी हैरी की तरह ही था। उसका मुँह ख़ामोश चीख़ की मुद्रा में चौड़ा फैला था और उसकी आँखें बाहर निकली पड़ रही थीं।

अचानक हैरी को यह एहसास हुआ कि जिस मकड़ी ने उसे गिराया था, वह कुछ कह रही थी। वह क्या कह रही थी, यह समझना मुश्किल था, क्योंकि वह हर शब्द बोलने के साथ अपनी चिमटियों से खटखट कर रही थी।

'एरेगॉग!' उसने आवाज़ दी, 'एरेगॉग!'

और गुंबद के आकार वाले धुँधले जाले के बीच से छोटे हाथी जैसा एक बड़ा मकड़ा बहुत धीमे-धीमे चलकर सामने आया। उसके काले शरीर और पैरों पर सफ़ेद धब्बे थे और उसके चिमटियों वाले बदसूरत सिर में लगी आँखें दूध की तरह सफ़ेद थीं। वह अंधा था।

'क्या है ?' उसने अपनी चिमटियों से तेज़ी से खटखट करते हुए पूछा।

'इंसान,' हैरी को पकड़ने वाली मकड़ी ने चिमटियाँ बजाते हुए कहा।

'क्या हैग्रिड है ?' एरेगॉग ने पास आते हुए पूछा। उसकी आठ दूधिया आँखें इधर-उधर भटक रही थीं।

'अजनबी हैं,' रॉन को लाने वाली मकड़ी ने जवाब दिया।

'उन्हें मार डालो,' एरेगॉग ने चिड़चिड़े स्वर में कहा। 'मैं सो रहा था...'

'हम हैग्रिड के दोस्त हैं,' हैरी चिल्लाया। उसे लग रहा था, जैसे उसका दिल उसके सीने से बाहर निकलकर उसके गले में धड़कने लगा था।

घाटी में चारों तरफ़ मकड़ियों की चिमटियों की आवाज़ आने लगी - खटखट, खटखट, खटखट।

एरेगॉग ठहरा।

वह धीमे से बोला, 'हैग्रिड ने पहले कभी इंसानों को यहाँ नहीं भेजा।'

हैरी ने बहुत तेज़ी से साँस लेते हुए कहा, 'हैग्रिड मुश्किल में है, इसलिए हम यहाँ आए हैं।'

'मुश्किल में,' बूढ़े मकड़े ने कहा और हैरी को लगा कि उसकी चिमटियों की खटखट के बीच में चिंता का भाव भी छुपा था। 'परंतु उसने तुम्हें क्यों भेजा ?'

हैरी ने खड़े होने के बारे में सोचा, परंतु इरादा बदल दिया। उसे विश्वास नहीं था कि उसके पैर उसे सहारा दे पाएँगे, इसलिए वह ज़मीन पर पड़े-पड़े ही

यथासंभव शांत स्वर में बोला।

'स्कूल के लोग सोचते हैं कि हैग्रिड विद्यार्थियों पर कोई चीज़ - कोई भयानक जानवर - छोड़ रहा है। इसलिए उसे पकड़कर अज़्काबान जेल भेज दिया गया है।'

एरेगॉग ने अपनी चिमटियों से बेतहाशा खटखट की और घाटी में चारों तरफ़ जमा मकड़ियों ने उसे दोहराया। ऐसा लग रहा था जैसे तालियाँ बज रही हों; फ़र्क़ सिर्फ़ इतना था कि तालियाँ बजने से आम तौर पर हैरी डर के मारे जम नहीं जाता था।

एरेगॉग ने सोचते हुए कहा, 'परंतु वह तो बरसों पहले की बात है ... बरसों पहले की। मुझे अच्छी तरह याद है। इसीलिए उन्होंने उसे स्कूल से निकाल दिया था। उन्हें यक़ीन था कि *मैं* ही वह भयानक जानवर था, जो वहाँ रहता है, जिसे लोग रहस्यमयी तहख़ाना कहते हैं। वे सोचते थे कि हैग्रिड ने तहख़ाना खोल दिया था और मुझे आज़ाद कर दिया था।'

'और तुम ... तुम रहस्यमयी तहख़ाने वाले भयानक जानवर नहीं हो?' हैरी ने कहा, जिसके माथे पर ठंडा पसीना आ गया था।

'मैं!' एरेगॉग ग़ुस्से में बोला, 'मैं महल में पैदा नहीं हुआ हूँ। मैं दूर देश से आया हूँ। जब मैं अंडे में था, तब एक मुसाफ़िर मुझे हैग्रिड को दे गया था। हैग्रिड तब छोटा था, परंतु उसने मेरा ध्यान रखा, मुझे महल में एक अलमारी में छुपाकर रखा, मुझे बचा-खुचा भोजन खिलाया। हैग्रिड मेरा अच्छा दोस्त है और एक अच्छा इंसान भी है। जब मेरा भेद खुला और मुझ पर लड़की की हत्या का दोष मढ़ा गया, तब उसने मेरी रक्षा की। मैं तब से इसी जंगल में यहाँ रह रहा हूँ। हैग्रिड अब भी मुझसे मिलने आता रहता है। उसने मेरे लिए एक पत्नी मोसाग भी खोजी थी और तुम देख सकते हो कि हमारा परिवार कितना फल-फूल गया है। और यह सब हैग्रिड की दयालुता की वजह से हुआ है ...'

हैरी ने अपने बचे हुए साहस को बटोरा।

'तो तुमने कभी - कभी किसी पर हमला नहीं किया?'

'कभी नहीं,' बूढ़े मकड़े ने टूटती आवाज़ में कहा। 'यह मेरा स्वभाव हो सकता है, परंतु हैग्रिड के प्रति सम्मान दिखाते हुए मैंने कभी किसी इंसान को नुक़सान नहीं पहुँचाया। जो लड़की मरी थी, उसकी लाश बाथरूम में मिली। मैं जिस अलमारी में बड़ा हुआ था, उसके सिवाय मैंने कभी महल का कोई और हिस्सा नहीं देखा। हम लोग अँधेरे और शांति को पसंद करने वाले जीव हैं ...'

'परंतु फिर ... क्या तुम जानते हो कि उस लड़की को किसने *मारा*?' हैरी

ने कहा। 'क्योंकि वह जो भी है, अब वापस आ चुका है और एक बार फिर लोगों पर हमला कर रहा है –'

उसके शब्द कई लंबे पैरों की खटखट और सरसर में डूब गए, जो ग़ुस्से से जगह बदल रहे थे। उसके चारों तरफ़ बड़ी काली मकड़ियाँ बेचैनी से इधर-उधर हो रही थीं।

एरेगॉग बोला, 'महल में रहने वाली चीज़ एक बहुत प्राचीन जानवर है, जिससे हम मकड़ियाँ सबसे ज़्यादा डरती हैं। मुझे अच्छी तरह याद है कि जब मुझे उस जानवर के स्कूल में घूमने का एहसास हुआ था, तो मैंने हैग्रिड से आग्रह किया कि वह मुझे वहाँ से दूर भेज दे।'

हैरी ने बेचैनी से पूछा, 'उसका नाम क्या है ?'

और ज़ोरदार खटखट, और ज़्यादा सरसर; मकड़ियाँ अब घेरे को सँकरा कर रही थीं।

एरेगॉग ने ग़ुस्से से कहा, 'हम उसके बारे में बात नहीं करते हैं! हम उसका नाम तक नहीं लेते हैं! मैंने हैग्रिड को भी कभी उस भयानक जानवर का नाम नहीं बताया, हालाँकि उसने मुझसे कई बार पूछा था।'

हैरी इस विषय पर दबाव नहीं डालना चाहता था। कम से कम इस हालत में तो कभी नहीं, जब मकड़ियाँ चारों तरफ़ से पास आती जा रही थीं। ऐसा लग रहा था, जैसे एरेगॉग बातें करते-करते थक गया था। वह अपने गुंबद के आकार वाले जाले में धीरे-धीरे वापस जाने लगा, परंतु उसकी साथी मकड़ियाँ हैरी और रॉन की तरफ़ लगातार आगे बढ़ती रहीं।

'अच्छा, तो अब हम जाना चाहेंगे,' हैरी ने हताश होने के बावज़ूद हिम्मत करके एरेगॉग से कहा। उसे अपने पीछे से पत्तियों के खरखराने की आवाज़ें सुनाई दे रही थीं।

'जाना ? जाओगे कैसे ...' एरेगॉग ने धीमे-धीमे कहा।

'परंतु – परंतु –'

'मेरे बेटे-बेटियाँ मेरे आदेश पर हैग्रिड को नुक़सान नहीं पहुँचाते। परंतु जब ज़िंदा गोश्त ख़ुद चलकर अपनी इच्छा से हमारे बीच आए, तो मैं उन्हें रोक नहीं सकता। अलविदा, हैग्रिड के दोस्तों।'

हैरी पलटकर घूमा। उसने देखा कि उससे कुछ फ़ुट दूर मकड़ियों की ऊँची ठोस दीवार थी। वे अपने काले बदसूरत सिरों में चमकती बहुत सी आँखों से देखते हुए अपनी चिमटियाँ खटखटा रही थीं ...

जब हैरी ने अपनी छड़ी की तरफ़ हाथ बढ़ाया, तो वह जानता था कि

लड़ने से कोई फ़ायदा नहीं होगा। मकड़ियों की संख्या बहुत ज़्यादा थी, परंतु फिर भी उसने खड़े होने की कोशिश की। उसने संकल्प किया कि वह अगर मरेगा, तो संघर्ष करने के बाद ही मरेगा। तभी एक तेज़ और लंबी आवाज़ गूँजी तथा घाटी रोशनी में नहा गई।

मिस्टर वीज़्ली की कार ढलान पर गरजती हुई चली आ रही थी। इसकी हेडलाइट जल रही थी, हॉर्न बज रहा था और यह मकड़ियों को टक्कर मारकर दूर हटा रही थी। कुछ मकड़ियाँ अपनी पीठ के बल गिर गईं। उनके बहुत से पैर हवा में ऊपर उठे हुए थे। कार हैरी तथा रॉन के सामने आकर रुक गई और दरवाज़े खुल गए।

'फ़ैंग को बिठाओ!' हैरी कूदकर अगली सीट में बैठते हुए चिल्लाया। रॉन ने किकियाते फ़ैंग को कमर से पकड़कर कार की पीछे वाली सीट पर फेंक दिया। दरवाज़े धड़ाम से बंद हो गए। रॉन ने एक्सीलरेटर को छुआ तक नहीं, परंतु कार को उसकी ज़रूरत भी नहीं थी; इंजन गरजा और कार कई मकड़ियों को टक्कर मारकर गिराती हुई चल पड़ी। वे तेज़ी से ढलान की चढ़ाई पर चढ़े और घाटी से बाहर निकले। जल्दी ही वे जंगल से धड़धड़ाते हुए गुज़र रहे थे। पेड़ों की शाखाएँ खिड़कियों से टकरा रही थीं, परंतु कार ख़ाली जगह में से कुशलता से अपना रास्ता बनाती जा रही थी। ऐसा लगता था जैसे वह जाने-पहचाने रास्ते पर चल रही थी।

हैरी ने कनखियों से रॉन को देखा। उसका मुँह अब भी एक ख़ामोश चीख़ में खुला हुआ था, परंतु उसकी आँखें अब बाहर नहीं निकल रही थीं।

'तुम ठीक तो हो ?'

रॉन सामने की तरफ़ घूरता रहा; वह बोल नहीं पा रहा था।

वे नीचे झुकी झाड़ियों को चीरकर चलते रहे। फ़ैंग पिछली सीट पर ज़ोर से भौंक रहा था। इसके बाद हैरी ने देखा कि जब वे बलूत के एक बड़े पेड़ से टकराते हुए गुज़रे, तो खिड़की के बाहर लगा आईना टूट गया। शोर भरे तूफ़ानी दस मिनटों के बाद पेड़ कम घने होने लगे और हैरी को दुबारा आसमान की झलक दिखने लगी।

कार इतने झटके से रुकी कि वे लगभग विंडस्क्रीन से टकरा गए। वे जंगल के किनारे पर पहुँच चुके थे। बाहर कूदने की हड़बड़ी में फ़ैंग खिड़की से टकरा गया और जब हैरी ने दरवाज़ा खोला, तो फ़ैंग पेड़ों के बीच से लपकता हुआ हैग्रिड के घर की तरफ़ दौड़ पड़ा। उसकी पूँछ उसके पैरों के बीच में दुबकी हुई थी। हैरी भी बाहर निकल आया। रॉन के पैरों में ताक़त आने में लगभग एक मिनट का समय लगा। इसके बाद वह भी बाहर निकल आया। अब भी उसकी

गर्दन सख़्त थी और वह घूर रहा था। हैरी ने कृतज्ञता के भाव से कार को सहलाया। इसके बाद कार पलटकर जंगल की तरफ़ चल पड़ी और उनकी नज़रों से ओझल हो गई।

अपना अदृश्य चोगा लाने के लिए हैरी हैग्रिड के घर के अंदर गया। फ़ैंग अपनी बास्केट में कंबल के नीचे छुपकर काँप रहा था। जब हैरी बाहर लौटा, तो उसने देखा कि रॉन क़द्दू की बेलों के बीच में उलटी कर रहा था।

'मकड़ियों का पीछा करो,' रॉन ने अपना मुँह आस्तीन से पोंछते हुए धीमे से कहा। 'मैं हैग्रिड को कभी माफ़ नहीं करूँगा। हमारी क़िस्मत अच्छी है, जो हम अब तक ज़िंदा हैं।'

हैरी बोला, 'मुझे लगता है उसने सोचा होगा कि एरेगॉग उसके दोस्तों को नुक़सान नहीं पहुँचाएगा।'

'हैग्रिड के साथ यही तो समस्या है!' रॉन हैग्रिड के घर की दीवार पर मुक्का मारते हुए बोला। 'वह हमेशा सोचता है कि भयानक जानवर उतने बुरे नहीं है, जितना कि उन्हें माना जाता है। देखो, इसी कारण वह कहाँ पहुँच गया है! अज़्काबान जेल की कालकोठरी में!' अब रॉन बुरी तरह काँप रहा था। 'मैं यह जानना चाहता हूँ कि हमें वहाँ भेजने से क्या फ़ायदा हुआ? हमें वहाँ क्या मालूम चला?'

'यही कि हैग्रिड ने रहस्यमयी तहख़ाना नहीं खोला था,' हैरी ने कहा। फिर उसने रॉन के ऊपर चोगा डाला और उसका हाथ खींचा, ताकि वह चलना शुरू करे। 'हैग्रिड निर्दोष है।'

रॉन ज़ोर से फुफकारने लगा। ज़ाहिर है, उसके हिसाब से एरेगॉग को अलमारी में पालना *निर्दोष* की श्रेणी में नहीं आता था।

जब महल क़रीब आया, तो हैरी ने अच्छी तरह से तसल्ली कर ली कि उनके पैर चोगे में छुपे थे। फिर उन्होंने चरमराने वाले अगले दरवाज़े को धक्का देकर थोड़ा सा खोला। वे सावधानी से प्रवेश हॉल के पार जाते हुए संगमरमर की सीढ़ियों से ऊपर चढ़े। जब वे उन गलियारों के पास से गुज़रे, जहाँ चौकन्ने पहरेदार पहरा दे रहे थे, तो वे अपनी साँस रोककर चले। आख़िरकार वे गरुड़द्वार के हॉल में सुरक्षित पहुँच गए, जहाँ आग अब सुलगती राख में बदल चुकी थी। उन्होंने चोगा उतारा और अपने कमरे की तरफ़ जाने वाली सीढ़ियों पर चढ़ने लगे।

कपड़े बदलने का कष्ट किए बगैर रॉन अपने बिस्तर पर लुढ़क गया। बहरहाल, हैरी को ज़्यादा नींद नहीं आ रही थी। वह पलंग के सिरहाने पर बैठकर एरेगॉग की कही हर बात पर देर तक विचार करता रहा।

हैरी ने सोचा कि महल में छुपा हुआ जीव एक तरह से जानवरों का वोल्डेमॉर्ट लगता है – दूसरे भयानक जानवर उसका नाम नहीं लेना चाहते। परंतु उसे और रॉन को यह पता नहीं चल पाया था कि वह भयानक जानवर कौन है या वह अपने शिकारों को किस तरह बेजान करता है। हैग्रिड को भी यह नहीं मालूम था कि रहस्यमयी तहख़ाने में कौन सा भयानक जानवर है।

हैरी ने अपने पैर बिस्तर पर रखे और तकिए से टिक गया। वह टॉवर की खिड़की से चमकते हुए चाँद को देख रहा था।

उसे यह नहीं सूझ रहा था कि अब क्या किया जा सकता है। वे जिस रास्ते पर भी गए थे, वह बंद मिला था। रिडल ने ग़लत आदमी को पकड़ लिया था, नागशक्ति का वारिस बच निकला था और किसी को भी यह नहीं मालूम था कि इस बार जो व्यक्ति रहस्यमयी तहख़ाना खोल रहा था, वह वही व्यक्ति है या नहीं जिसने पिछली बार उसे खोला था। कोई भी ऐसा नहीं था, जिससे यह पूछा जा सके। हैरी लेट गया, वह अब भी एरेगॉग की कही बातों के बारे में सोच रहा था।

वह आधी नींद में पहुँच गया था कि तभी उसके मन में एक विचार आया। वह जानता था कि यह उनकी आख़िरी उम्मीद थी, इसलिए वह सीधे तनकर बैठ गया।

'रॉन,' हैरी अँधेरे में फुसफुसाया। 'रॉन!'

रॉन फ़ैंग की तरह किकियाते हुए जागा। चारों तरफ़ बौखलाकर घूरने के बाद उसने हैरी को देखा।

कोने से आ रहे नेविल के तेज़ खर्राटों को नज़रअंदाज़ करते हुए हैरी बोला, 'रॉन – वह लड़की जो मरी थी। एरेगॉग ने कहा था कि वह बाथरूम में मिली थी। कहीं ऐसा तो नहीं कि उसने कभी बाथरूम छोड़ा ही न हो? कहीं ऐसा तो नहीं कि वह अब भी वहीं हो?'

रॉन ने अपनी आँखें मलीं और चाँदनी में त्योरियाँ चढ़ाईं; और फिर वह समझ गया।

'तुम्हें यह तो *नहीं* लगता – *कहीं मायूस मीना* तो नहीं?'

अध्याय सोलह

रहस्यमयी तहख़ाना

रॉन ने अगले दिन नाश्ते के समय आह भरते हुए कहा, 'हम कितनी बार उस बाथरूम में गए थे और वह सिर्फ़ तीन टॉयलेट दूर थी। तब हम उससे आसानी से पूछ सकते थे, परंतु अब ...'

मकड़ियों की तलाश करना उनके लिए जितना मुश्किल था, उससे ज़्यादा मुश्किल था मायूस मीना से कुछ पूछना। यह लगभग असंभव था कि वे टीचर्स की नज़र बचाकर इतनी देर तक ग़ायब रहें ताकि लड़कियों के बाथरूम में चोरी छुपे घुस सकें- ख़ास तौर पर लड़कियों के उस बाथरूम में, जिसके पास पहला हमला हुआ था।

बहरहाल उनकी पहली क्लास यानी रूप-परिवर्तन की क्लास में एक ऐसी घटना हुई, जिससे कई सप्ताह में पहली बार उनके दिमाग़ से रहस्यमयी तहख़ाने का विचार निकल गया। क्लास में आने के दस मिनट बाद प्रोफ़ेसर मैक्गॉनेगल ने उन्हें बताया कि उनकी परीक्षाएँ एक हफ़्ते बाद एक जून को शुरू होंगी।

'परीक्षाएँ ?' सीमस फ़िनिगन चीख़ा। 'हमें इस माहौल में भी *परीक्षाएँ* देना पड़ेंगी ?'

हैरी के पीछे एक ज़ोरदार धमाका हुआ; नेविल लाँगबॉटम की छड़ी फिसलकर गिर गई थी, जिससे उसकी टेबल का एक पैर ग़ायब हो गया। प्रोफ़ेसर मैक्गॉनेगल ने अपनी छड़ी घुमाकर उसे वापस ठीक किया और त्योरियाँ चढ़ाकर फ़िनिगन की तरफ़ मुड़ीं।

उन्होंने गंभीरता से कहा, 'ऐसे माहौल में भी स्कूल को खुला रखने का मक़सद ही यह है कि आपको शिक्षा मिल सके। इसलिए परीक्षाएँ जैसे होती हैं, वैसी ही होंगी और मुझे विश्वास है कि आप सब इन दिनों जमकर रिवीज़न कर रहे होंगे।'

रिवीज़न! हैरी ने सपने में भी नहीं सोचा था कि ऐसे माहौल में हॉगवर्ट्स में परीक्षाएँ हो सकती हैं। कमरे में चारों तरफ़ विद्रोह भरी सुगबुगाहट होने लगी, जिससे प्रोफ़ेसर मैक्गॉनेगल की त्योरियाँ और गहरी हो गईं।

वे बोलीं, 'प्रोफ़ेसर डम्बलडोर के निर्देश थे कि स्कूल को यथासंभव सामान्य ढंग से चलाया जाए। और शायद मुझे बताने की ज़रूरत नहीं है कि इसमें यह पता लगाना भी शामिल है कि इस साल आपने कितना सीखा।'

हैरी ने सफ़ेद खरगोशों की जोड़ी की तरफ़ देखा, जिसे उसे चप्पलों में बदलना था। उसने इस साल अब तक क्या सीखा था ? वह किसी ऐसी चीज़ के बारे में नहीं सोच पा रहा था, जो परीक्षा में उपयोगी साबित होगी।

रॉन की शक्ल देखकर ऐसा लग रहा था, जैसे उससे हमेशा के लिए अँधेरे जंगल में जाकर रहने के लिए कहा गया हो।

'ज़रा सोचो तो सही, मैं इस टूटी छड़ी से किस तरह परीक्षा दूँगा ?' उसने हैरी को अपनी छड़ी दिखाते हुए कहा, जो इस समय ज़ोर से सीटी बजाने लगी थी।

*

परीक्षाएँ शुरू होने के तीन दिन पहले प्रोफ़ेसर मैक्गॉनेगल ने नाश्ते के समय एक और घोषणा की।

'मेरे पास एक अच्छी ख़बर है,' वे बोलीं। यह सुनते ही बड़े हॉल में ख़ामोशी छाने के बजाय अटकलें सुनाई देने लगीं।

कुछ विद्यार्थी ख़ुशी से चिल्लाए, 'डम्बलडोर वापस आ रहे हैं!'

चीलघात की टेबल पर बैठी एक लड़की बोली, 'आपने नागशक्ति के वारिस को पकड़ लिया है!'

वुड रोमांचित होकर चीख़ा, 'क्विडिच मैच अब फिर से शुरू हो सकते हैं!'

जब कोलाहल शांत हो गया, तो प्रोफ़ेसर मैक्गॉनेगल बोलीं, 'प्रोफ़ेसर स्प्राउट ने मुझे यह ख़बर दी है कि मंत्रकवच अब कटाई के लिए तैयार हैं। जिन लोगों को बेजान किया गया है, आज रात को हम उन्हें दुबारा होश में ले आएँगे। मुझे आपको यह याद दिलाने की ज़रूरत नहीं है कि शायद उनमें से कोई हमें यह बता देगा कि उस पर किस आदमी या चीज़ ने हमला किया था। मुझे आशा है कि इस भयानक वर्ष का अंत सुखद होगा और हम अपराधी को पकड़ लेंगे।'

ख़ुशी का धमाका हो गया। हैरी ने नागशक्ति की टेबल की तरफ़ देखा। उसे यह देखकर हैरानी नहीं हुई कि ड्रेको मैल्फ़ॉय ख़ुशियाँ नहीं मना रहा था। बहरहाल रॉन कई दिनों बाद काफ़ी ख़ुश दिख रहा था।

उसने हैरी से कहा, 'अब इससे कोई फ़र्क़ नहीं पड़ता कि हम मीना से नहीं पूछ पाए! जब हर्माइनी होश में आएगी, तो शायद उसके पास सारे जवाब होंगे! देखना, वह यह सुनकर पागल हो जाएगी कि परीक्षा शुरू होने में सिर्फ़ तीन दिन का समय बाक़ी है। उसने रिवीज़न जो नहीं किया है। मेरे ख़्याल से उस पर दया करते हुए उसे परीक्षाएँ ख़त्म होने तक बेजान ही रखा जाना चाहिए।'

तभी जिनी वीज़्ली आई और रॉन के बग़ल में बैठ गई। वह तनावग्रस्त और घबराई दिख रही थी। हैरी ने देखा कि उसके हाथ उसकी गोद में आपस में बँधे थे।

रॉन ने अपनी प्लेट में थोड़ा और दलिया डालते हुए पूछा, 'क्या हुआ ?'

जिनी ने कहा कुछ नहीं, पर उसने गरुड़द्वार की टेबल पर चारों तरफ़ नज़रें घुमाकर देखा। उसके चेहरे पर डर के भाव देखकर हैरी को किसी की याद आई। हालाँकि वह याद नहीं कर पा रहा था कि जिनी को देखकर उसे किसकी याद आ रही थी।

रॉन ने उसे देखते हुए कहा, 'जो भी बात हो, कह डालो।'

हैरी को अचानक एहसास हुआ कि जिनी किसके जैसी लग रही थी। वह अपनी कुर्सी पर आगे-पीछे हिल रही थी, ठीक उसी तरह जिस तरह डॉबी तब करता था, जब वह कोई गोपनीय बात कहने वाला होता था।

'मुझे तुमसे कुछ कहना है,' जिनी बुदबुदाई। उसने इस बात का पूरा ध्यान रखा कि वह हैरी की तरफ़ न देखे।

हैरी ने पूछा, 'क्या बात है ?'

जिनी को देखकर ऐसा लगा, जैसे उसे सही शब्द नहीं मिल रहे हों।

रॉन बोला, *'क्या ?'*

जिनी ने अपना मुँह खोला, परंतु उसके गले से आवाज़ नहीं निकली। हैरी आगे झुका और शांति से बोला, ताकि सिर्फ़ जिनी और रॉन ही उसकी बात सुन सकें।

'क्या तुम रहस्यमयी तहख़ाने के बारे में कुछ कहना चाहती हो ? क्या तुमने कुछ देखा है ? कोई अजीब तरह से व्यवहार कर रहा है ?'

जिनी ने एक गहरी साँस खींची, परंतु ठीक उसी समय थका और पीला दिख रहा पर्सी वीज़्ली उनके पास आ गया।

'जिनी, अगर तुमने खाना ख़त्म कर लिया हो, तो मैं तुम्हारी कुर्सी पर बैठ जाता हूँ। मैं भूख से मरा जा रहा हूँ। मैं अपनी पहरेदारी की ड्यूटी ख़त्म करके सीधा चला आ रहा हूँ।'

जिनी ऐसे उछली जैसे अचानक उसकी कुर्सी में करंट फैल गया हो। उसने पर्सी की तरफ़ एक, दहशत भरी उड़ती निगाह डाली और भागकर चली गई। पर्सी धम्म से बैठ गया और उसने टेबल से एक मग उठा लिया।

रॉन ग़ुस्से से बोला, 'पर्सी! जिनी हमें अभी कोई महत्वपूर्ण बात बताने वाली थी!'

चाय का आधा घूँट पीने के बीच में ही पर्सी को ठसका लगा।

उसने खाँसते हुए पूछा, 'किस तरह की बात ?'

'मैंने उससे पूछा था कि क्या उसने कोई अजीब चीज़ देखी थी और वह कुछ बताने ही वाली थी –'

पर्सी तत्काल बोला, 'अरे – वह – उसका रहस्यमयी तहख़ाने से कोई लेना–देना नहीं है।'

रॉन ने अपनी भृकुटी चढ़ाकर कहा, 'तुम्हें कैसे मालूम ?'

'देखो, अह, अगर तुम जानना ही चाहते हो, तो जिनी ने, अह, एक दिन मुझे देख लिया था जब मैं – अह, ख़ैर छोड़ो – मुद्दे की बात यह है कि उसने मुझे कुछ करते देख लिया था और मैंने, अह, उससे कहा था कि वह उसका ज़िक्र किसी से भी न करे। मुझे लगता था कि वह अपना वायदा नहीं तोड़ेगी। कोई ख़ास बात नहीं है, सचमुच, मैं तो बस थोड़ा सा –'

हैरी ने पर्सी को कभी इतना परेशान और व्यग्र नहीं देखा था।

रॉन ने दाँत दिखाते हुए पूछा, 'तुम क्या कर रहे थे, पर्सी ? चलो भी, बता भी दो, हम नहीं हँसेंगे।'

परंतु इसके जवाब में पर्सी नहीं मुस्कराया।

'मेरी तरफ़ रोल बढ़ा देना, हैरी। मैं भूख से मरा जा रहा हूँ।'

*

हैरी जानता था कि कल तक पूरी गुत्थी बिना उनकी मदद के सुलझ जाएगी, परंतु इसके बावज़ूद वह तैयार था कि अगर उसे मौक़ा मिला, तो वह मायूस मीना से बात करने का अवसर नहीं गँवाएगा। और उसे यह देखकर ख़ुशी हुई कि दोपहर के पहले ही उसे यह मौक़ा मिल गया। यह तब हुआ, जब गिल्ड्रॉय लॉकहार्ट विद्यार्थियों को जादू का इतिहास विषय की क्लास में ले जा रहे थे।

लॉकहार्ट ने उन्हें कई बार आश्वस्त किया था कि ख़तरा गुज़र चुका है और वे हर बार ग़लत साबित हुए थे। परंतु इस बार उन्हें सचमुच यक़ीन था कि विद्यार्थियों को गलियारों से सुरक्षित पहुँचाने की झंझट उठाने की कोई ज़रूरत नहीं थी। आज उनके बाल हमेशा की तरह चिकने नहीं थे। ऐसा लग रहा था,

जैसे वे रात को बहुत देर तक सोए नहीं थे और चौथी मंज़िल पर पहरा दे रहे थे।

उन्होंने एक मोड़ पर मुड़ते हुए कहा, 'मेरे शब्दों को अच्छी तरह से सुन लो। बेजान लोग जब होश में आएँगे, तो उनके मुँह से निकलने वाले पहले शब्द यही होंगे, ''*यह हैग्रिड ने किया है।*'' सच कहूँ, तो मैं हैरान हूँ कि प्रोफ़ेसर मैक्गॉनेगल इन सब सुरक्षा प्रबंधों को ज़रूरी मानती हैं।'

'मैं आपसे सहमत हूँ, सर,' हैरी ने कहा। उसकी बात सुनकर रॉन ने हैरानी में अपनी किताबें गिरा दीं।

'धन्यवाद हैरी,' लॉकहार्ट ने शालीनता से कहा, जब उन्होंने मेहनतकश हाउस के विद्यार्थियों की लंबी लाइन के गुज़र जाने का इंतज़ार किया। 'मेरा मतलब है, हम टीचर्स के पास विद्यार्थियों को उनकी क्लास तक पहुँचाने और सारी रात गश्त लगाने के अलावा भी बहुत से काम रहते हैं ...'

'आप बिलकुल ठीक कह रहे हैं,' रॉन भी अब हैरी की बात का मतलब समझ गया था। 'आप हमें यहीं क्यों नहीं छोड़ देते सर, हमें अब सिर्फ़ एक और गलियारा पार करना है।'

लॉकहार्ट बोले, 'तुम ठीक कह रहे हो वीज़्ली, मैं सोचता हूँ कि मुझे यही करना चाहिए। मुझे जाकर अगली क्लास की तैयारी भी तो करना है।'

और वे जल्दी से चल दिए।

'क्लास की तैयारी,' रॉन ने उनके पीछे व्यंग्य से मुस्कराते हुए कहा। 'इस बात की ज़्यादा संभावना है कि वे अपने बाल सँवारने गए होंगे।'

हैरी और रॉन ने गरुड़द्वार के बाक़ी विद्यार्थियों को अपने से आगे जाने दिया, फिर उन्होंने बग़ल वाले गलियारे में दौड़ लगा दी और तेज़ी से मायूस मीना के बाथरूम की तरफ़ चल दिए। परंतु जब वे अपनी शानदार योजना की सफलता पर एक-दूसरे को बधाइयाँ दे रहे थे, तभी ...

'पॉटर! वीज़्ली! तुम लोग यहाँ क्या कर रहे हो?'

वहाँ पर प्रोफ़ेसर मैक्गॉनेगल खड़ी थीं और उनका मुँह इस समय बहुत ज़्यादा पतला दिख रहा था।

'हम लोग – हम लोग –' रॉन अटकते हुए बोला, 'हम लोग जा रहे थे –'

'हर्माइनी को देखने,' हैरी ने कहा; रॉन और प्रोफ़ेसर मैक्गॉनेगल दोनों उसे घूरने लगे।

'उसे देखे हुए बहुत लंबा समय हो गया है, प्रोफ़ेसर।' हैरी ने जल्दी से बात आगे बढ़ाई और रॉन के पैर पर चढ़ गया, 'और हम सोच रहे थे कि हम

अस्पताल में किसी न किसी तरह घुस जाएँगे और उसे बताएँगे कि मंत्रकवच लगभग तैयार हैं और, अब, चिंता करने की कोई बात नहीं है।'

प्रोफ़ेसर मैक्गॉनेगल अब भी उसकी तरफ़ घूर रही थीं। एक पल के लिए तो हैरी को लगा कि वे ग़ुस्सा होने वाली हैं, परंतु जब वे बोलीं, तो उनकी आवाज़ भर्रा रही थी।

'ज़ाहिर है,' उन्होंने कहा। हैरी ने आश्चर्य से देखा कि उनकी मनकेदार आँखों में एक आँसू चमक रहा था। 'ज़ाहिर है, मैं समझती हूँ कि यह उनके दोस्तों के लिए सबसे मुश्किल समय है, जिन्हें बेजान ... मैं अच्छी तरह समझती हूँ। हाँ पॉटर, निश्चित रूप से तुम मिस ग्रेंजर से मिलने जा सकते हो। मैं प्रोफ़ेसर बिन्स को बता दूँगी कि तुम कहाँ गए हो। मैडम पॉमफ्री से कह देना कि मैंने तुम्हें इजाज़त दे दी है।'

हैरी और रॉन चल पड़े। उन्हें विश्वास ही नहीं हो रहा था कि वे सज़ा से बच गए थे। जब वे मोड़ पर मुड़े, तो उन्हें प्रोफ़ेसर मैक्गॉनेगल के नाक सुड़कने की आवाज़ साफ़ सुनाई दी।

रॉन ने गर्मजोशी से कहा, 'यह तुम्हारे द्वारा अब तक गढ़ी गई सबसे बढ़िया कहानी थी।'

उनके पास अब और कोई विकल्प नहीं था, सिवाय इसके कि वे अस्पताल जाएँ और मैडम पॉमफ्री को बताएँ कि प्रोफ़ेसर मैक्गॉनेगल ने उन्हें हर्माइनी से मिलने की इजाज़त दे दी थी।

मैडम पॉमफ्री ने उन्हें अंदर तो जाने दिया, परंतु अनिच्छा से।

'किसी बेजान व्यक्ति से बात करने का कोई *फ़ायदा* नहीं है,' वे बोलीं और उन दोनों को यह स्वीकार करना पड़ा कि वे सही थीं। वे हर्माइनी के पास बैठ गए। यह साफ़ था कि हर्माइनी को ज़रा भी आभास नहीं था कि कोई उससे मिलने आया था। अगर हर्माइनी को तसल्ली देने के बजाय उन्होंने उसके सिरहाने के पास रखे कैबिनेट से भी कहा होता कि चिंता करने की कोई बात नहीं है, तो भी कोई फ़र्क़ नहीं पड़ता।

हर्माइनी के सख़्त चेहरे को दुखी होकर देखते हुए रॉन बोला, 'मैं सोच रहा हूँ कि क्या उसने हमलावर को देखा होगा ? क्योंकि अगर वह चुपचाप, चोरी से उसके पास पहुँचा होगा, तो उसे कैसे पता चला होगा ...'

परंतु हैरी हर्माइनी के चेहरे की तरफ़ नहीं देख रहा था। वह उसके दाएँ हाथ में ज़्यादा रुचि ले रहा था। हर्माइनी का हाथ उसके कंबल के ऊपर रखा था और उसकी मुट्ठी बँधी हुई थी। हैरी ने पास झुककर देखा कि हर्माइनी ने अपनी मुट्ठी में एक मुड़े हुए काग़ज़ को कसकर पकड़ रखा था।

यह तसल्ली करने के बाद कि मैडम पॉमफ्री आसपास नहीं हैं, उसने यह बात रॉन को बताई।

'उसे बाहर निकालने की कोशिश करो,' रॉन फुसफुसाया और उसने अपनी कुर्सी सरका ली, ताकि मैडम पॉमफ्री हैरी को न देख पाएँ।

यह आसान काम नहीं था। हर्माइनी ने काग़ज़ को मुट्ठी में इतनी कसकर पकड़ रखा था कि हैरी को यक़ीन था कि यह फट जाएगा। जब रॉन पहरा दे रहा था, तो हैरी ने काग़ज़ को खींचा, मरोड़ा और आख़िरकार, तनाव भरे कई क्षणों के बाद काग़ज़ बाहर निकल आया।

यह काग़ज़ लाइब्रेरी की एक बहुत पुरानी किताब में से फाड़ा गया था। हैरी ने इसे उत्सुकता से सीधा किया और रॉन क़रीब आ गया, ताकि वह भी इसे पढ़ सके।

> *हमारी धरती पर पाए जाने वाले भयानक जानवरों में सबसे अजीब और ख़तरनाक जानवर है कालदृष्टि, जिसे सर्प-सम्राट के नाम से भी जाना जाता है। यह दैत्याकार साँप सैकड़ों साल जीता है। यह मुर्गी के अंडे से तब पैदा होता है, जब इसे मेंढक के नीचे सेया जाता है। अपने शिकार को मारने के इसके तरीक़े बहुत अजीब हैं, क्योंकि घातक ज़हरीले दाँतों के अलावा कालदृष्टि की निगाह भी मारक होती है और इसकी आँखों में देखने वाला तत्काल मर जाता है। मकड़ियाँ कालदृष्टि से दूर भागती हैं, क्योंकि यह उनका मारक शत्रु है। कालदृष्टि सिर्फ़ मुर्गे की आवाज़ से दूर भागता है, क्योंकि वह इसके लिए घातक होती है।*

और इन पंक्तियों के नीचे एक अकेला शब्द लिखा हुआ था, जिसे देखते ही हैरी पहचान गया कि इसे हर्माइनी ने लिखा था : *पाइप्स*।

ऐसा लगा, जैसे किसी ने हैरी के दिमाग़ की बत्तियाँ जला दी हों।

वह रोमांचित होकर बोला, 'रॉन, अब भेद खुल गया। यह रहा जवाब। तहख़ाने में जो भयानक जानवर है, वह *कालदृष्टि* है – एक विशाल सर्प! *इसी वजह से* मैं उसकी आवाज़ सुन सकता हूँ और दूसरा कोई नहीं सुन सकता। ऐसा इसलिए है क्योंकि मैं सर्पभाषी हूँ ...'

हैरी ने अपने चारों तरफ़ लगे बिस्तरों की तरफ़ देखा।

'कालदृष्टि की आँखों में देखने वाला मर जाता है। परंतु कोई भी नहीं मरा – क्योंकि किसी ने भी सीधे उसकी आँखों में नहीं देखा। कॉलिन ने उसे अपने

कैमरे से देखा। कालदृष्टि ने इसके अंदर की पूरी रील को जला डाला, परंतु कॉलिन सिर्फ़ बेजान हुआ। जस्टिन ... जस्टिन ने कालदृष्टि को लगभग सिरकटे निक के आरपार देखा होगा! निक पर दृष्टि का पूरा प्रभाव पड़ा, परंतु वह *दुबारा* कैसे मर सकता था ... और हर्माइनी तथा चीलघात की प्रिफ़ेक्ट के पास शीशा था। हर्माइनी को उसी समय यह पता चला था कि भयानक जानवर कालदृष्टि था। मैं शर्त लगाता हूँ कि उसने प्रिफ़ेक्ट को चेतावनी दे दी होगी कि मोड़ मुड़ने से पहले वह शीशे में देखे! और उस लड़की ने अपना शीशा बाहर निकाला होगा– और–'

रॉन का जबड़ा लटक गया।

उसने उत्सुकता से फुसफुसाते हुए पूछा, 'और मिसेज़ नॉरिस ?'

हैरी ने थोड़ी देर सोचा और हैलोवीन की रात के दृश्य को याद किया।

'पानी ...' उसने धीमे से कहा, 'मायूस मीना के बाथरूम से पानी की बाढ़ बाहर निकली थी। मैं शर्त लगाता हूँ कि मिसेज़ नॉरिस ने सिर्फ़ उसकी परछाई देखी होगी ...'

उसने अपने हाथ में रखे काग़ज़ को ध्यान से देखा। वह उसे जितना देखता था, उसे उसमें उतनी ही ज़्यादा समझदारी नज़र आती थी।

'कालदृष्टि सिर्फ़ मुर्गे की आवाज़ से दूर भागता है, क्योंकि यह इसके लिए घातक होती है!' उसने ज़ोर से पढ़ा। 'हैग्रिड के मुर्गों को किसी ने मार डाला था! नागशक्ति का वारिस नहीं चाहता था कि जब तहख़ाना खुले, तो एक भी मुर्गा महल के आस-पास रहे! *मकड़ियाँ कालदृष्टि से दूर भागती हैं!* यह सब पूरी तरह से फ़िट बैठ रहा है!'

रॉन ने पूछा, 'परंतु कालदृष्टि महल में चारों तरफ़ कैसे घूमता है ? एक गंदा विशालकाय साँप ... किसी को तो वह नज़र आता ...'

बहरहाल हैरी उस शब्द की तरफ़ इशारा कर रहा था, जिसे हर्माइनी ने काग़ज़ के निचले हिस्से पर लिखा था।

'पाइप्स,' उसने कहा। 'पाइप्स ... रॉन। वह पाइप में घूमता था। तभी तो मुझे दीवारों के भीतर से उसकी आवाज़ सुनाई देती थी ...'

रॉन ने अचानक हैरी की बाँह पकड़ ली।

उसने भारी आवाज़ में कहा, 'रहस्यमयी तहख़ाने का प्रवेशद्वार! कहीं यह बाथरूम तो नहीं ? कहीं यह –'

'– मायूस मीना का बाथरूम तो नहीं,' हैरी बोला।

वे वहाँ बैठे रहे। ऐसा लग रहा था, जैसे उनका रोम-रोम रोमांचित हो गया था। उन्हें यक़ीन ही नहीं हो रहा था कि वे सब कुछ जान गए थे।

हैरी बोला, 'इसका मतलब यह है कि इस स्कूल में सिर्फ़ मैं ही सर्पभाषी नहीं हूँ। नागशक्ति का वारिस भी है। इसी तरह वह कालदृष्टि को नियंत्रित करता होगा।'

रॉन की आँखों में चमक थी। उसने पूछा, 'अब हम क्या करें ? सीधे मैक्गॉनेगल के पास चलें ?'

हैरी ने उछलकर खड़े होते हुए कहा, 'हम स्टाफ़ रूम में चलते हैं। वे वहाँ पर दस मिनट में आ जाएँगी, छुट्टी होने ही वाली है।'

वे नीचे की मंज़िल की तरफ़ भागे। वे नहीं चाहते थे कि उन्हें किसी और गलियारे में पकड़ा जाए, इसलिए वे सीधे वीरान स्टाफ़ रूम में चले गए। यह एक बड़ा कमरा था, जिसमें गहरे रंग की लकड़ी की कुर्सियाँ भरी थीं। हैरी और रॉन चारों तरफ़ चहलक़दमी करते रहे। वे इतने रोमांचित थे कि उनसे बैठा नहीं जा रहा था।

परंतु छुट्टी का संकेत देने वाली घंटी कभी नहीं बजी।

इसके बजाय गलियारों में प्रोफ़ेसर मैक्गॉनेगल की आवाज़ गूँजी, जो जादू से बहुत तेज़ हो गई थी।

'सभी विद्यार्थी तत्काल अपने-अपने हाउस के हॉल में पहुँचें। सभी टीचर्स स्टाफ़ रूम में पहुँचें। तत्काल।'

हैरी ने घूमकर रॉन को घूरा।

'कहीं एक और हमला तो नहीं हुआ ? इस समय ?'

दहशत में आते हुए रॉन ने पूछा, 'हम क्या करें ? वापस हॉल में चलें ?'

'नहीं,' हैरी ने चारों तरफ़ देखते हुए कहा। उसकी बाईं तरफ़ एक बदसूरत सा वार्डरोब था, जिसमें टीचर्स के चोगे भरे थे। 'इसके अंदर छुप जाते हैं। पहले हम सुन तो लें कि क्या हुआ है। फिर हम उन्हें बता देंगे कि हमें क्या पता चला है।'

उन्होंने ख़ुद को वार्डरोब में छुपा लिया। उन्हें ऊपर से सैकड़ों क़दमों की आवाज़ें आ रही थीं। स्टाफ़ रूम का दरवाज़ा बार-बार खुलता रहा। चोगों की तह के बीच में से उन्होंने टीचर्स को कमरे में आते देखा। उनमें से कई हैरान थे और कई डरे हुए। फिर प्रोफ़ेसर मैक्गॉनेगल आईं।

उन्होंने स्टाफ़ रूम में एकत्रित ख़ामोश टीचर्स को बताया, 'जिसका डर था, वही हुआ। भयानक जानवर एक विद्यार्थी को उठाकर ले गया है। सीधे अपने तहख़ाने में।'

प्रोफ़ेसर फ़्लिटविक की चीख़ निकल गई। प्रोफ़ेसर स्प्राउट ने अपने मुँह

पर हाथ रख लिया। स्नेप ने कुर्सी की पीठ को बहुत कसकर पकड़ा और पूछा, 'आप इतने विश्वास से कैसे कह सकती हैं?'

प्रोफ़ेसर मैक्गॉनेगल, जिनका चेहरा बिलकुल सफ़ेद पड़ चुका था, बोलीं, 'नागशक्ति के वारिस ने एक और संदेश छोड़ा है। पहले वाले संदेश के ठीक नीचे। *उसका कंकाल हमेशा के लिए तहख़ाने में पड़ा रहेगा।*'

प्रोफ़ेसर फ़्लिटविक आँसुओं में डूब गए।

कमज़ोर घुटनों के कारण मैडम हूच ने एक कुर्सी पर गिरते हुए पूछा, 'भयानक जानवर किसे उठाकर ले गया है?'

'जिनी वीज़्ली को,' प्रोफ़ेसर मैक्गॉनेगल ने कहा।

हैरी ने महसूस किया कि यह सुनकर रॉन बिना आवाज़ किए फिसला और वार्डरोब के फ़र्श पर गिर गया।

प्रोफ़ेसर मैक्गॉनेगल बोलीं, 'हमें सभी विद्यार्थियों को कल ही घर भेजना होगा। अब हॉगवर्ट्स बंद हो जाएगा। डम्बलडोर हमेशा कहते थे ...'

स्टाफ़ रूम का दरवाज़ा एक बार फिर धड़ाक से खुला। एक पल के लिए तो हैरी को लगा कि डम्बलडोर आए होंगे। परंतु जो प्रोफ़ेसर अंदर आए थे, वे डम्बलडोर नहीं, बल्कि लॉकहार्ट थे और वे मुस्करा रहे थे।

'माफ़ कीजिए – ज़रा आँख लग गई थी – क्या हो गया?'

उसका ध्यान इस तरफ़ नहीं गया कि बाक़ी टीचर्स उनकी तरफ़ ऐसे अंदाज़ में देख रहे थे, जो नफ़रत से मिलता-जुलता था। स्नेप आगे बढ़े।

वे बोले, 'आख़िरकार हमारे बीच अब वह आदमी आ गया है, जिसकी हमें ज़रूरत है। लॉकहार्ट, भयानक जानवर एक लड़की को उठाकर ले गया है। वह उसे रहस्यमयी तहख़ाने के भीतर ले गया है। अब आपकी परीक्षा की घड़ी आ चुकी है।'

लॉकहार्ट का चेहरा पीला पड़ गया।

'यह सही है, गिल्ड्रॉय,' प्रोफ़ेसर स्प्राउट बोलीं। 'पिछली रात को आप ही तो कह रहे थे कि आप पहले से जानते हैं कि रहस्यमयी तहख़ाने का प्रवेश द्वार कहाँ है?'

'मैं – अच्छा, मैं –' लॉकहार्ट ने एकदम हड़बड़ाकर कहा।

प्रोफ़ेसर फ़्लिटविक ने सुरीली आवाज़ में कहा, 'हाँ, आपने मुझे भी तो बताया था कि आप यक़ीन के साथ जानते हैं कि इसके भीतर क्या था?'

'क्या, मैंने बताया था? मुझे याद नहीं आ रहा है ...'

स्नेप बोले, 'मुझे अच्छी तरह याद है, आपने मुझसे कहा था कि आपको इस बात का अफ़सोस है कि हैग्रिड के गिरफ़्तार होने से पहले आपको उस भयानक जानवर से जूझने का मौक़ा क्यों नहीं मिला। क्या आपने नहीं कहा था कि पूरे मामले को ग़लत तरीक़े से सँभाला गया था और आपको शुरू से ही इस मामले में पूरी छूट दी जाना चाहिए थी?'

लॉकहार्ट ने अपने सख़्त चेहरे वाले सहयोगियों की तरफ़ घूरा।

'मैं ... मैं सचमुच नहीं ... आपने शायद ग़लत समझ लिया ...'

'तो यही तय रहा, हम यह काम आप पर छोड़ते हैं, गिल्ड्रॉय,' प्रोफ़ेसर मैक्गॉनेगल ने कहा। 'यह काम करने के लिए आज रात का समय बहुत अच्छा रहेगा। हम आपको वचन देते हैं कि आपके रास्ते में कोई नहीं आएगा। आप भयानक जानवर से अकेले ही मुक़ाबला करने में सक्षम हैं। अब अंततः हम आपको उससे अपने तरीक़े से निबटने की पूरी छूट देते हैं।'

लॉकहार्ट ने घबराकर चारों तरफ़ देखा, परंतु उनके बचाव के लिए कोई आगे नहीं आया। वे इस समय दूर-दूर तक आकर्षक नहीं दिख रहे थे। उनके होंठ काँप रहे थे और आम तौर पर नज़र आने वाली उनकी दाँतदिखाऊ मुस्कान के न रहने से उनकी ठुड्डी कमज़ोर दिख रही थी और वे दुबले नज़र आ रहे थे।

आख़िरकार वे बोले, 'बहुत अच्छा! मैं अपने - मैं अपने ऑफ़िस में जाता हूँ और तैयारी - तैयारी करता हूँ।'

और वे कमरे से चले गए।

'ठीक है,' प्रोफ़ेसर मैक्गॉनेगल बोलीं, जिनके नथुने फड़क रहे थे, 'इस तरह *इससे* तो हमारा पीछा छूटा। अब सारे हाउसों के प्रमुख जाएँ और अपने विद्यार्थियों को बताएँ कि क्या हुआ है। उन्हें बता दें कि हॉगवर्ट्स एक्सप्रेस उन्हें कल सुबह उनके घर ले जाएगी। बाक़ी के लोग कृपया यह सुनिश्चित करें कि कोई विद्यार्थी हाउस के हॉल के बाहर न रह गया हो।'

टीचर्स उठे और एक-एक करके चले गए।

*

यह शायद हैरी के जीवन का अब तक का सबसे बुरा दिन था। वह, रॉन, फ़्रेड और जॉर्ज गरुड़द्वार के हॉल के एक कोने में एक साथ बैठे थे, परंतु एक-दूसरे से कुछ कहने में असमर्थ थे। पर्सी वहाँ नहीं था। वह पहले तो मिस्टर और मिसेज़ वीज़्ली को उल्लू भेजने गया और फिर उसने ख़ुद को अपने कमरे में बंद कर लिया।

दोपहर पहले कभी इतनी लंबी नहीं लगी थी। न ही कभी गरुड़द्वार का

टॉवर इतना भीड़ भरा होने के बावजूद ख़ामोश रहा था। सूर्यास्त के क़रीब फ्रेड और जॉर्ज से वहाँ नहीं बैठा गया, इसलिए वे अपने बिस्तर पर चले गए।

'वह कुछ जानती थी, हैरी,' रॉन बोला। स्टाफ़ रूम के वार्डरोब में जब वे अंदर घुसे थे, उसके बाद रॉन का मुँह पहली बार खुला था। 'इसीलिए उसे भयानक जानवर ले गया। वह हमें जो बताने वाली थी, वह पर्सी के बारे में कोई मूर्खतापूर्ण बात नहीं थी। ज़रूर उसे रहस्यमयी तहख़ाने के बारे में कोई बात पता चल गई थी, इसीलिए उसे वहाँ –' रॉन ने अपनी आँखें तेज़ी से मलीं। 'मेरा मतलब है, उसका ख़ून तो शुद्ध है। कोई और कारण हो ही नहीं सकता।'

हैरी डूबते सूरज को देख रहा था, जो ख़ून की तरह लाल रंग का था। यह उसका सबसे बुरा अनुभव था। पहले कभी उसे इतना बुरा महसूस नहीं हुआ था। काश वे कुछ कर सकते! कुछ भी!

रॉन बोला, 'हैरी, क्या तुम्हें लगता है कि इस बात की ज़रा भी संभावना है कि वह ज़िंदा –'

हैरी नहीं जानता था कि क्या कहे। उसे समझ में नहीं आ रहा था कि जिनी अब तक ज़िंदा कैसे रह सकती थी।

फिर रॉन ने कहा, 'क्यों न हम एक काम करें ? मैं सोचता हूँ कि हमें जाकर लॉकहार्ट से मिलना चाहिए। हमें जो मालूम है, वह हम उन्हें बता देते हैं। वे तहख़ाने में घुसने की कोशिश करने तो जा ही रहे हैं। हम उन्हें बता देते हैं कि हमारे हिसाब से उसका प्रवेश द्वार कहाँ होना चाहिए और यह भी कि वहाँ पर कालदृष्टि नाम का भयानक सर्प रहता है।'

चूँकि हैरी के दिमाग़ में कुछ और करने का विचार नहीं आ रहा था, पर चूँकि वह कुछ तो करना चाहता था, इसलिए वह सहमत हो गया। उनके आस-पास बैठे गरुड़द्वार के बाक़ी विद्यार्थी इतने दुखी थे और उनके मन में वीज़्ली भाइयों के लिए इतनी हमदर्दी थी कि जब वे उठे, कमरे के पार गए और तस्वीर के छेद में से निकलकर बाहर चले गए, तो किसी ने भी उन्हें रोकने की कोशिश नहीं की।

जब वे लॉकहार्ट के ऑफ़िस में पहुँचे, तो अँधेरा होने लगा था। अंदर से कई आवाज़ें आ रही थीं। उन्हें खुरचने, उखाड़ने, ठोंकने और तेज़-तेज़ चलने की आवाज़ें सुनाई दीं।

जब हैरी ने दरवाज़ा खटखटाया, तो अंदर अचानक ख़ामोशी छा गई। फिर दरवाज़े में एक हलकी सी दरार दिखी और उन्होंने देखा कि लॉकहार्ट की एक आँख उसमें से बाहर झाँक रही थी।

'ओह... पॉटर... वीज़्ली...' उन्होंने दरवाज़े को थोड़ा और खोलते हुए

कहा। 'मैं इस समय ज़रा व्यस्त हूँ। तुम लोग जल्दी से बता दो, तुम्हें क्या कहना है...'

हैरी ने कहा, 'प्रोफ़ेसर, हम आपको कुछ बताना चाहते हैं। हम सोचते हैं कि इससे आपको मदद मिलेगी।'

लॉकहार्ट के चेहरे का जो हिस्सा उन्हें दिख रहा था, वह बहुत परेशान सा था, 'अरे - अच्छा - वैसे अगर यह बहुत ज़रूरी न हो तो - मेरा मतलब है - अच्छा - ठीक है।'

उन्होंने दरवाज़ा खोला और हैरी तथा रॉन अंदर घुस गए।

उनका ऑफ़िस लगभग पूरी तरह ख़ाली हो गया था। दो बड़े संदूक फ़र्श पर खुले पड़े थे। गहरे हरे, नीले, हर तरह के दुशाले जल्दबाज़ी में तह करके एक संदूक में भरे गए थे। दूसरे संदूक में किताबें अस्त-व्यस्त तरीक़े से फेंकी गई थीं। दीवारों पर जो तस्वीरें लगी थीं, वे अब डेस्क पर रखे बक्सों में बंद थीं।

हैरी ने पूछा, 'आप कहीं जा रहे हैं ?'

'अर, अच्छा, हाँ,' लॉकहार्ट ने कहा। यह बोलते समय उन्होंने दरवाज़े के पीछे से अपना आदमक़द पोस्टर निकाला और उसे लपेटना शुरू किया। 'तत्काल बुलावा आया है.. टाला नहीं जा सकता ... जाना ही पड़ेगा ...'

'और मेरी बहन का क्या होगा ?' रॉन ने सख़्त लहज़े में पूछा।

'उस बारे में - बहुत दुर्भाग्यपूर्ण है,' लॉकहार्ट ने कहा। एक ड्रॉअर खोलकर उसका सामान एक बैग में ख़ाली करते हुए और उनसे नज़रें चुराते हुए वे बोले, 'मुझसे ज़्यादा अफ़सोस किसी को नहीं होगा -'

हैरी बोला, 'आप गुप्त कलाओं से रक्षा के टीचर हैं! आप इस समय नहीं जा सकते! जब इतनी सारी गुप्त चीज़ें यहाँ पर हो रही हैं!'

लॉकहार्ट ने अपने कपड़ों पर मोज़े रखते हुए कहा, 'देखो ... जब मैंने यह नौकरी की थी ... तो मुझे किसी ने नहीं बताया था कि मुझे इस तरह का काम भी करना पड़ेगा ... मुझे बिलकुल उम्मीद ही नहीं थी ...'

हैरी ने अविश्वास से पूछा, 'आपके कहने का मतलब है, आप डरकर *भाग रहे हैं*? उन सारे कारनामों के बाद भी, जो आपने अपनी किताबों में किए हैं ?'

'किताबें ग़ुमराह कर सकती हैं,' लॉकहार्ट ने नज़ाकत से कहा।

हैरी चिल्लाया, 'परंतु आपने उन्हें लिखा है!'

'मेरे प्यारे बच्चे,' लॉकहार्ट सीधे तनकर खड़े हुए और हैरी की तरफ़ त्योरियाँ चढ़ाकर देखते हुए बोले, 'अपनी बुद्धि का इस्तेमाल करो। अगर लोग

यह सोचते कि मैंने वे सारे हैरतअँगेज़ कारनामे नहीं किए हैं, तो मेरी किताबें आधी भी नहीं बिकतीं। कोई भी किसी बदसूरत बूढ़े आर्मेनियन जादूगर के बारे में नहीं पढ़ना चाहता, भले ही उसने किसी गाँव को आदम भेड़ियों से बचाया हो। वह पुस्तक के कवर पर भयानक दिखेगा। उसे कपड़े पहनने का सलीक़ा नहीं होगा। और जिस जादूगरनी ने ख़तरनाक परी को भगाया था, उसकी ठुड्डी पर बाल थे। मेरा मतलब है, इसे इस तरह से देखो ...'

हैरी ने अविश्वास से कहा, 'तो आपने उन कामों का श्रेय लिया है, जो दूसरों ने किए हैं।'

'हैरी, हैरी,' लॉकहार्ट अपने सिर को अधीरता से हिलाते हुए बोले, 'यह इतना आसान नहीं था। इसमें बहुत मेहनत करना पड़ी। मुझे उन लोगों को खोजना पड़ा। उनसे पूछना पड़ा कि उन्होंने वह काम किस तरह से किया था। फिर मुझे उन पर याददाश्त भुलाने वाले मंत्र का प्रयोग करना पड़ा, ताकि उन्हें याद न रहे कि उन्होंने वह काम किया था। अगर कोई चीज़ है, जिस पर मुझे गर्व है, तो वह यह है कि मैं याददाश्त भुलाने वाले मंत्र बहुत अच्छी तरह पढ़ सकता हूँ। नहीं, यह आसान नहीं था। इसमें बहुत मेहनत करना पड़ी, हैरी। यह सिर्फ़ किताबों पर ऑटोग्राफ़ देने या प्रचार के लिए फ़ोटो खिंचवाने जितना आसान नहीं था। अगर आपको शोहरत चाहिए, तो आपको लंबे समय तक कड़ी मेहनत करने के लिए तैयार रहना चाहिए।'

लॉकहार्ट ने अपने संदूक बंद करके उन पर ताला लगाया।

फिर वे बोले, 'अब क्या बचा है ? मुझे लगता है, सब कुछ हो गया। हाँ। बस एक चीज़ बची है।'

उन्होंने अपनी छड़ी निकाली और हैरी व रॉन की ओर मुड़े।

'बहुत अफ़सोस है लड़कों, परंतु मुझे अब तुम पर भी याददाश्त भुलाने वाले मंत्र का प्रयोग करना पड़ेगा। मैं यह बर्दाश्त नहीं कर सकता कि तुम लोग मेरे रहस्यों को सबके सामने चिल्लाते फिरो। तब तो मेरी एक भी किताब नहीं बिकेगी ...'

हैरी का हाथ सही समय पर अपनी छड़ी तक पहुँच गया। लॉकहार्ट ने अपनी छड़ी मुश्किल से उठाई ही थी कि तभी हैरी गरजा, '*निरस्त्र भव!*'

लॉकहार्ट धमाके के साथ पीछे जाकर अपने संदूक पर गिर गए। उनकी छड़ी उनके हाथ से छूटकर हवा में उड़ी, जिसे रॉन ने झेल लिया और खुली खिड़की से बाहर फेंक दिया।

'प्रोफ़ेसर स्नेप को हमें यह नहीं सिखाने देना चाहिए था,' हैरी ने ग़ुस्से से कहा और लॉकहार्ट के संदूक को लात मारकर एक तरफ़ कर दिया। लॉकहार्ट

उसकी तरफ़ देखते रहे और एक बार फिर कमज़ोर से दिखने लगे। हैरी ने अपनी छड़ी उनकी तरफ़ तान रखी थी।

'तुम मुझसे क्या करवाना चाहते हो?' लॉकहार्ट ने मरी हुई आवाज़ में कहा। 'मैं नहीं जानता कि रहस्यमयी तहख़ाना कहाँ है। ऐसा कुछ नहीं है, जो मैं कर सकता हूँ।'

'तुम्हारी क़िस्मत अच्छी है,' लॉकहार्ट को छड़ी दिखाकर खड़े होने का इशारा करते हुए हैरी बोला, '*हम* जानते हैं कि तहख़ाना कहाँ है *और* उसके भीतर क्या है। आओ चलें।'

उन्होंने लॉकहार्ट को उसके ऑफ़िस से बाहर निकाला और सबसे पास वाली सीढ़ियों से नीचे उतरते हुए उस अँधेरे गलियारे में ले गए, जहाँ दीवार पर संदेश चमक रहे थे। फिर वे मायूस मीना के बाथरूम के दरवाज़े तक पहुँच गए।

उन्होंने सबसे पहले लॉकहार्ट को अंदर भेजा। हैरी यह देखकर ख़ुश हुआ कि लॉकहार्ट काँप रहा था।

मायूस मीना आख़िरी टॉयलेट में बैठी थी।

हैरी को देखकर वह बोली, 'अच्छा, तो तुम हो! इस बार तुम क्या चाहते हो?'

हैरी ने कहा, 'मैं तुमसे यह पूछना चाहता हूँ कि तुम्हारी मौत कैसे हुई थी?'

मीना का पूरा हुलिया तत्काल बदल गया। वह ऐसी दिख रही थी, जैसे उससे इस तरह का ख़ुशनुमा सवाल पहले कभी नहीं पूछा गया था।

'ऊऊऊऊह, वह भयानक हादसा था,' वह मज़े लेते हुए बोली। 'यहीं पर हुआ था। मैं इसी टॉयलेट में मरी थी। मुझे पूरी घटना अच्छी तरह याद है। मैं इसमें इसलिए छुपी थी, क्योंकि ओलिव हॉर्नबी मुझे मेरे चश्मे की वजह से चिढ़ा रही थी। दरवाज़े पर चटकनी लगी थी और मैं रो रही थी। और फिर मैंने किसी के अंदर आने की आवाज़ सुनी। उसने कोई अजीब बात कही। मुझे लगता है उसने किसी दूसरी भाषा में कुछ कहा था। जो भी हो, जिस बात पर मुझे ग़ुस्सा आया, वह यह थी कि यह किसी *लड़के* की आवाज़ थी। इसलिए मैंने दरवाज़ा खोला, ताकि उसे वहाँ से भगाकर लड़कों के टॉयलेट में भेज दूँ। और फिर –' मीना गर्व से फूल गई, उसका चेहरा चमक रहा था, '*मैं मर गई*।'

'कैसे?' हैरी ने पूछा।

'पता नहीं,' मीना ने दबी आवाज़ में कहा। 'मुझे तो बस इतना याद है कि मैंने दो बड़ी पीली आँखों में देखा था। मेरा पूरा शरीर जकड़ सा गया, फिर मैं दूर

तैरने लगी ...' उसने सपनीली नज़रों से हैरी को देखा। 'और फिर मैं दुबारा यहाँ वापस आ गई। मैंने ठान लिया था कि मैं ओलिव हॉर्नबी को सताऊँगी। ओह, वह पूरी ज़िंदगी अफ़सोस करती रही कि उसने मेरे चश्मे की हँसी क्यों उड़ाई थी।'

हैरी ने पूछा, 'तुमने वे आँखें ठीक-ठीक कहाँ देखी थीं ?'

'वहीं कहीं पर,' मीना ने अपने टॉयलेट के सामने वाले सिंक की तरफ़ अस्पष्ट संकेत करते हुए कहा।

हैरी और रॉन जल्दी से उस तरफ़ गए। लॉकहार्ट उनके पीछे खड़ा था और उसके चेहरे पर दहशत के भाव थे।

यह एक सामान्य सिंक की तरह ही दिख रहा था। उन्होंने इसकी बारीक़ी से जाँच की, अंदर भी और बाहर भी। उन्होंने नीचे के पाइप की भी जाँच की। और फिर हैरी को एक चीज़ दिखी : ताँबे के नल के पास एक छोटे साँप की तस्वीर थी।

जब हैरी ने उस नल को चलाने की कोशिश की, तो मीना ने उत्साह से कहा, 'वह नल कभी नहीं चलता था।'

रॉन ने कहा, 'हैरी, कुछ बोलो। सर्पभाषा में कुछ बोलो।'

'परंतु –' हैरी ने काफ़ी सोचा। वह अब तक सर्पभाषा सिर्फ़ तभी बोल पाया था, जब उसके सामने असली साँप था। उसने छोटी सी तस्वीर को घूरा और यह कल्पना करने की कोशिश की कि साँप असली था।

उसने कहा, 'खुल जाओ।'

उसने रॉन की तरफ़ देखा, जिसने अपना सिर हिलाया।

रॉन बोला, 'हिंदी।'

हैरी ने दुबारा साँप की तरफ़ देखा और अपनी पूरी कल्पना शक्ति से यह विश्वास करने की कोशिश की कि वह असली था। सिर हिलाने पर मोमबत्ती की रोशनी में उसे साँप हिलता हुआ दिख रहा था।

उसने कहा, 'खुल जाओ।'

उसने कहा तो यही था, परंतु जो सुनाई दिया, वह यह नहीं था। उसके मुँह से एक अजीब सी फुफकार निकली। तत्काल नल चमकदार सफ़ेद रोशनी में नहा गया और घूमने लगा। अगले ही पल सिंक हिलने लगा। फिर सिंक नीचे धँस गया, नज़रों से ओझल हो गया और उसकी जगह अब एक बड़ा पाइप दिखने लगा। यह पाइप इतना चौड़ा था कि उसमें आदमी भी आराम से फिसलकर जा सकता था।

हैरी ने रॉन को हाँफकर साँस लेते सुना और दुबारा ऊपर देखा। उसने

फ़ैसला कर लिया था कि वह क्या करेगा।

वह बोला, 'मैं वहाँ नीचे जा रहा हूँ।'

जब उन्होंने तहख़ाने का प्रवेश द्वार खोज लिया था और जब तक इस बात की ज़रा सी भी, हलकी सी भी, दूर तक भी संभावना थी कि जिनी ज़िंदा हो सकती है, तो अब वह पीछे कैसे हट सकता था।

'मैं भी,' रॉन ने कहा।

कुछ देर तक ख़ामोशी छाई रही।

'अच्छा, तुम लोगों को मेरी ज़रूरत तो पड़ेगी नहीं,' लॉकहार्ट ने कहा और उसके चेहरे पर उसकी पुरानी मुस्कराहट की छाया दिख रही थी। 'मैं बस–'

उसने अपना हाथ दरवाज़े के हैंडल पर रखा, परंतु रॉन और हैरी दोनों ने अपनी छड़ियाँ उसकी तरफ़ मोड़ दीं।

रॉन गुर्राया, 'तुम सबसे पहले अंदर जाओगे।'

सफ़ेद चेहरे वाला लॉकहार्ट खुले पाइप के पास गया। उसके पास छड़ी नहीं थी।

'बच्चों,' वह मरी सी आवाज़ में बोला, 'बच्चों, इससे क्या फ़ायदा होगा?'

हैरी ने उसकी पीठ में अपनी छड़ी चुभोई। लॉकहार्ट ने अपने पैर पाइप में लटकाए।

'मैं सचमुच नहीं सोचता –' उसने कहना शुरू किया, परंतु तभी रॉन ने लॉकहार्ट को धक्का दे दिया और वह फिसलता हुआ नज़रों से ओझल हो गया। हैरी तत्काल उसके पीछे गया। उसने ख़ुद को पाइप में धीमे से डाला और फिर छोड़ दिया।

यह एक बहुत लंबी, कीचड़ भरी, अँधेरी फिसलपट्टी पर फिसलने की तरह था। अंदर बहुत से पाइप कई दिशाओं में शाखाओं की तरह निकल रहे थे, परंतु और कोई पाइप इसके जितना बड़ा नहीं था। इस पाइप में कई मोड़ और घुमाव आए और फिर यह नीचे की तरफ़ सीधी ढाल में बदल गया। हैरी जानता था कि वह स्कूल के बहुत नीचे गहराई में चला जा रहा है, तहख़ानों से भी ज़्यादा गहराई में। अपने पीछे उसे रॉन की आवाज़ सुनाई दे रही थी, जो मोड़ों पर हलका सा टकरा रहा था।

और फिर, जब वह चिंता करने लगा कि ज़मीन से टकराने पर क्या होगा, तभी पाइप समतल हो गया और वह इसके सिरे से बाहर निकलकर धप्प की आवाज़ के साथ गिरा। वह पत्थर की अँधेरी सुरंग के गीले फ़र्श पर गिरा

था। यह सुरंग इतनी ऊँची थी कि उसमें खड़ा हुआ जा सकता था। थोड़ी दूरी पर लॉकहार्ट खड़ा था। उसका पूरा शरीर कीचड़ में सना था और उसका चेहरा भूत की तरह सफ़ेद दिख रहा था। हैरी एक तरफ़ खड़ा रहा और कुछ समय बाद रॉन भी पाइप से सरसराता हुआ बाहर आ गया।

हैरी बोला, 'हम स्कूल के मीलों नीचे होंगे।' उसकी आवाज़ उस काली सुरंग में गूँज रही थी।

'शायद झील के नीचे,' रॉन ने अँधेरी और गंदी दीवारों पर नज़रें दौड़ाते हुए कहा।

वे तीनों अँधेरे में आगे देखने के लिए मुड़े।

'प्रकाशित भव!' हैरी ने बुदबुदाकर अपनी छड़ी से कहा और उसमें रोशनी हो गई। 'चलो,' उसने रॉन और लॉकहार्ट से कहा और वे चल पड़े। उनके क़दम गीले फ़र्श पर ज़ोर से छप-छप की आवाज़ करते जा रहे थे।

सुरंग में इतना अँधेरा था कि उन्हें सिर्फ़ कुछ दूर तक ही दिख रहा था। छड़ी की रोशनी में गीली दीवारों पर उनकी छायाएँ भयानक दिख रही थीं।

जब वे सावधानी से आगे बढ़े, तो हैरी ने धीमे स्वर में कहा, 'याद रखना, कोई भी हरकत नज़र आए, तो अपनी आँखें तत्काल बंद कर लेना ...'

परंतु सुरंग क़ब्र की तरह शांत थी। उन्होंने जो पहली अप्रत्याशित आवाज़ सुनी, वह थी एक ज़ोरदार *चरमराहट*; रॉन किसी चीज़ पर चढ़ गया था, जो बाद में चूहे की खोपड़ी निकली। हैरी ने फ़र्श पर देखने के लिए अपनी छड़ी नीचे की। वहाँ उसे जानवरों की छोटी-छोटी हड्डियाँ बिखरी दिखीं। उसने बहुत कोशिश की कि वह यह कल्पना न करे कि जब जिनी उन्हें मिलेगी, तो किस तरह दिख रही होगी। हैरी सबसे आगे चलने लगा और सुरंग में एक अँधेरे मोड़ पर मुड़ गया।

'हैरी, वहाँ पर कुछ है ...' रॉन ने हैरी का कंधा पकड़ते हुए भर्राई आवाज़ में कहा।

वे पत्थर की तरह खड़े होकर देखते रहे। हैरी को सुरंग के पार किसी बड़ी और घुमावदार चीज़ की आकृति दिख रही थी, जो स्थिर थी।

'शायद वह सोया होगा,' उसने बाक़ी दोनों की तरफ़ देखते हुए धीमे से कहा। लॉकहार्ट ने अपने हाथ अपनी आँखों पर कसकर रख लिए थे। हैरी उस चीज़ की तरफ़ देखने के लिए पलटा। उसका दिल इतनी तेज़ी से धड़क रहा था कि उसके सीने में दर्द होने लगा।

हैरी बहुत धीमे-धीमे, अपनी आँखें कम से कम खोलकर देखते हुए आगे

बढ़ा। उसने अपनी छड़ी उठा रखी थी।

छड़ी की रोशनी एक दैत्याकार केंचुली पर पड़ी। ज़हरीले हरे रंग की यह मुड़ी हुई केंचुली सुरंग के फ़र्श पर पड़ी थी। जिस साँप ने यह केंचुली छोड़ी थी, वह कम से कम बीस फ़ुट लंबा होगा।

'हे भगवान,' रॉन हौले से बोला।

अचानक उनके पीछे हरकत हुई। गिल्ड्रॉय लॉकहार्ट के पैर जवाब दे गए।

'उठो,' रॉन ने तेज़ी से कहा और अपनी छड़ी लॉकहार्ट की तरफ़ कर दी।

लॉकहार्ट उछलकर खड़ा हुआ - फिर उसने रॉन पर छलाँग लगा दी और उसे जमीन पर गिरा दिया।

हैरी आगे की तरफ़ कूदा, परंतु तब तक देर हो चुकी थी। लॉकहार्ट हाँफते हुए तनकर खड़ा हो रहा था। रॉन की छड़ी अब उसके हाथ में थी और एक बार फिर उसके चेहरे पर चमकती मुस्कराहट नज़र आ रही थी।

वह बोला, 'तुम्हारा खेल यहीं ख़त्म होता है, बच्चों! मैं इस केंचुली का कुछ हिस्सा स्कूल में ले जाऊँगा और सबसे कहूँगा कि बच्ची को बचाने में मुझे ज़रा सी देर हो गई और उसके बुरी तरह क्षतिग्रस्त शरीर को देखकर *दुर्भाग्य से* तुम्हारी याददाश्त चली गई। अपनी याददाश्त को अलविदा कह दो!'

उसने रॉन की स्पेलोटेप लगी छड़ी अपने सिर के ऊपर उठाई और चिल्लाया, 'विस्मृत भव!'

छड़ी में किसी छोटे बम की तरह धमाका हुआ। हैरी ने अपने हाथ अपने सिर के ऊपर रख लिए और दौड़ लगा दी। वह साँप की केंचुली की कुंडलियों पर फिसलते हुए आगे भाग रहा था। वह सुरंग की छत से गिरते बड़े पत्थरों से दूर जा रहा था, जो फ़र्श पर धड़ाधड़ गिर रहे थे। अगले ही पल वह टूटी चट्टान की ठोस दीवार को देखता हुआ अकेला खड़ा था।

'रॉन!' वह चिल्लाया। 'तुम **ठीक** तो हो ? रॉन!'

'मैं यहाँ हूँ!' चट्टान के पीछे से रॉन की दबी आवाज़ आई। 'मैं तो **ठीक** हूँ, परंतु यह आदमी ठीक नहीं है - उसके मंत्र से उसकी ख़ुद की याददाश्त चली गई।'

एक हलकी धम्म और एक ज़ोरदार 'आह!' सुनाई दी। ऐसा लगा, जैसे रॉन ने लॉकहार्ट के पैर में लात मारी हो।

रॉन हताशा भरे स्वर में बोला, 'अब क्या करें ? हम पार नहीं आ सकते। इसमें सदियाँ लग जाएँगी ...'

हैरी ने सुरंग की छत की तरफ़ देखा। उसमें कई बड़ी-बड़ी दरारें उभर

आई थीं। उसने पहले कभी जादू से इन चट्टानों जितनी बड़ी चीज़ को तोड़ने की कोशिश नहीं की थी। वैसे भी ऐसी कोशिश करने के लिए यह समय सही नहीं था – यह भी तो हो सकता था कि पूरी सुरंग ही धँस जाए ?

चट्टानों के पीछे से धम्म तथा 'आह!' की आवाज़ें फिर से आईं। वे समय बर्बाद कर रहे थे। जिनी कई घंटों से रहस्यमयी तहख़ाने में थी। हैरी जानता था कि सिर्फ़ एक ही रास्ता था, जिससे काम बन सकता था।

वह रॉन से बोला, 'वहीं इंतज़ार करो। लॉकहार्ट के पास ठहरो। मैं आगे जाता हूँ। अगर मैं एक घंटे में वापस नहीं आया तो ...'

इसके बाद एक बहुत अर्थपूर्ण विराम था।

'मैं चट्टानों को थोड़ा खिसकाने की कोशिश करूँगा,' रॉन बोला। ऐसा लग रहा था कि वह अपनी आवाज़ को सामान्य बनाए रखने की बहुत कोशिश कर रहा था। 'ताकि तुम – ताकि तुम वापस लौटकर इसमें से आ सको। और, हैरी –'

'थोड़ी देर बाद मिलते हैं,' हैरी अपनी काँपती आवाज़ में थोड़ा आत्मविश्वास भरने की कोशिश करते हुए बोला।

और फिर विशाल सर्प की केंचुली को पार करता हुआ वह अकेला ही आगे चल दिया।

कुछ समय तक तो हैरी को रॉन के चट्टानें खिसकाने की आवाज़ें सुनाई दीं, परंतु थोड़ी देर बाद उसे आवाज़ें सुनाई देना भी बंद हो गईं। सुरंग में मोड़ पर मोड़ आते गए। हैरी के शरीर की नस-नस दुख रही थी। वह चाहता था कि सुरंग ख़त्म हो जाए, परंतु साथ ही उससे डर भी रहा था जिससे सुरंग ख़त्म होने पर उसकी मुठभेड़ होगी। और फिर आख़िरकार जब वह एक और मोड़ पर मुड़ा, तो उसने अपने सामने एक ठोस दीवार देखी। इस पर दो गुँथे हुए साँप उकेरे गए थे, जिनकी आँखें बड़े चमकदार पन्नों से बनी थीं।

हैरी पास गया। उसका गला बुरी तरह से सूख रहा था। यह कल्पना करने की ज़रूरत नहीं थी कि ये पत्थर के साँप असली हैं, क्योंकि उनकी आँखें अजीब तरह से सजीव लग रही थीं।

हैरी ने अंदाज़ा लगा लिया कि उसे क्या करना होगा। जब उसने खँखारकर अपना गला साफ़ किया, तो पन्ने की आँखें हिलती नज़र आईं।

'खुल जाओ,' हैरी ने धीमे से फुफकारते हुए कहा।

साँप अलग-अलग हो गए और दीवार खुल गई। दीवार के दोनों हिस्से ओझल हो गए और सिर से पैर तक काँपता हुआ हैरी अंदर चला गया।

अध्याय सत्रह

नागशक्ति का वारिस

हैरी एक बहुत लंबे और कम रोशनी वाले तहख़ाने के सिरे पर खड़ा था। वहाँ पर पत्थर के ऊँचे खंभे थे, जिन पर साँप उकेरे गए थे। ये खंभे अँधेरे में डूबी छत को सहारा दे रहे थे और लंबी काली परछाई बना रहे थे। पूरे तहख़ाने में अँधेरा था और एक अजीब सी गहरी उदासी भरी थी।

हैरी का दिल बहुत तेज़ी से धड़क रहा था। वह डरावनी ख़ामोशी में खड़े-खड़े आहट सुनने का इंतज़ार करता रहा। क्या कालदृष्टि किसी अँधेरे कोने में छुपा है ? या फिर किसी खंभे के पीछे ? और जिनी कहाँ है ?

फिर उसने अपनी छड़ी बाहर निकाली और साँपों वाले खंभों के बीच से होते हुए आगे बढ़ा। सावधानी से बढ़ाए जा रहे उसके हर क़दम की आवाज़ अँधेरी दीवारों से टकराकर तेज़ी से गूँज रही थी। उसने अपनी आँखें सिकोड़ लीं और ज़रा सी भी गतिविधि दिखने पर वह उन्हें बंद करने के लिए तैयार था। पत्थर के साँपों की आँखों के खोखले कटोरे जैसे उसे ही देख रहे थे। उसका दिल कई बार धक्क रह गया, क्योंकि उसे ऐसा लगा जैसे पत्थर के साँप हिल रहे हों।

फिर जब वह आख़िरी दो खंभों के बीच में आया, तो उसे तहख़ाने जितनी ही ऊँची एक मूर्ति दिखी, जो पीछे की दीवार से टिकी थी।

दैत्याकार चेहरे को देखने के लिए हैरी को अपनी गर्दन ऊपर उठाना पड़ी। यह एक प्राचीन और बंदर जैसा चेहरा था। उनकी लंबी पतली दाढ़ी जादूगरों के नीचे तक लहराते पथरीले दुशाले के निचले सिरे को छू रही थी, जहाँ दो विशाल भूरे पैर तहख़ाने के चिकने फ़र्श पर खड़े थे। और उन विशाल पैरों के बीच में मुँह के बल काले कपड़ों में एक छोटी आकृति लेटी थी, जिसके बाल लाल थे।

'जिनी!' हैरी बुदबुदाता हुआ उसकी तरफ़ भागा और घुटनों के बल बैठ गया। 'जिनी! काश तुम ज़िंदा हो! काश तुम ज़िंदा हो!' उसने अपनी छड़ी एक

तरफ़ रख दी, जिनी के कंधे पकड़े और उसे पलटकर सीधा कर दिया। जिनी का चेहरा संगमरमर की तरह सफ़ेद था और उतना ही ठंडा। उसकी आँखें बंद थीं, इसलिए यह तो तय था कि उसे बेजान नहीं किया गया था, परंतु तब तो वह शायद मर ...

'जिनी, उठो, जाग जाओ,' हैरी हताशा से उसे हिलाते हुए बुदबुदाया। जिनी का सिर एक तरफ़ से दूसरी तरफ़ लटकता ही रहा।

'वह नहीं जागेगी,' एक धीमी आवाज़ आई।

हैरी उछल पड़ा और घुटनों पर बैठे-बैठे ही घूम गया।

काले बालों वाला एक लंबा लड़का सबसे पास वाले खंभे से टिककर उसे देख रहा था। वह कोनों से धुँधला दिख रहा था, मानो हैरी उसे धुंध भरी खिड़की से देख रहा हो। परंतु उसे पहचानने में कोई ग़लती नहीं हो सकती थी।

'टॉम – *टॉम रिडल?*'

रिडल ने सिर हिलाया, परंतु उसने हैरी के चेहरे से अपनी नज़रें नहीं हटाईं।

'''वह नहीं जागेगी'' से तुम्हारा क्या मतलब है?' हैरी ने हताशा से कहा, 'कहीं वह – कहीं वह मर तो नहीं गई?'

'वह अब भी ज़िंदा है,' रिडल ने कहा। 'परंतु बस ज़रा सी।'

हैरी ने उसकी तरफ़ घूरा। टॉम रिडल हॉगवर्ट्स में पचास साल पहले पढ़ता था, परंतु धुंध भरी चमकती रोशनी के बीच खड़ा हुआ वह सोलह साल से एक दिन भी ज़्यादा बड़ा नहीं दिख रहा था।

'क्या तुम भूत हो?' हैरी ने अनिश्चितता से पूछा।

'एक याद,' रिडल ने शांति से जवाब दिया। 'एक याद, जो डायरी में पचास साल से सुरक्षित है।'

उसने मूर्ति के विशाल अंगूठों के पास के फ़र्श की तरफ़ इशारा किया। वहाँ पर वह छोटी काली डायरी खुली थी, जो हैरी को मायूस मीना के बाथरूम में मिली थी। एक पल के लिए तो हैरी ने सोचा कि डायरी यहाँ कैसे आ गई – परंतु उसे इससे भी ज़्यादा ज़रूरी मामले निबटाने थे।

'तुम्हें मेरी मदद करना होगी, टॉम,' हैरी ने जिनी का सिर दुबारा उठाते हुए कहा। 'हमें इसे यहाँ से बाहर ले जाना होगा। यहाँ कालदृष्टि नाम का भयानक साँप है ... मैं नहीं जानता कि वह कहाँ है, परंतु वह किसी भी समय आ सकता है। मेहरबानी करके मेरी मदद करो ...'

रिडल अपनी जगह से नहीं हिला। हैरी पसीना-पसीना होकर जिनी को फ़र्श से आधा उठाने में कामयाब हो गया और अपनी छड़ी दुबारा उठाने के लिए झुका।

परंतु उसकी छड़ी जा चुकी थी।

'क्या तुमने मेरी छड़ी - ?'

उसने ऊपर की तरफ़ देखा। रिडल अब भी उसे देख रहा था और हैरी की छड़ी को अपनी लंबी उँगलियों में घुमा रहा था।

'धन्यवाद,' हैरी ने कहा और छड़ी लेने के लिए अपना हाथ बढ़ाया।

रिडल के मुँह के कोनों पर तिरछी मुस्कान उभरी। वह हैरी की तरफ़ घूरता रहा और अलसाए अंदाज़ में छड़ी घुमाता रहा।

'सुनो,' हैरी ने बेचैन होकर कहा, क्योंकि उसके घुटने जिनी के बोझ से झुके जा रहे थे, *'हमें यहाँ से निकलना होगा!* अगर कालदृष्टि आ गया ...'

'वह तब तक नहीं आएगा, जब तक कि उसे बुलाया न जाए,' रिडल ने शांत स्वर में कहा।

हैरी ने जिनी को दुबारा फ़र्श पर लिटा दिया, क्योंकि अब वह उसका वज़न नहीं उठा पा रहा था।

'तुम्हारा क्या मतलब है ?' उसने कहा। 'देखो, मुझे मेरी छड़ी दे दो। मुझे उसकी ज़रूरत पड़ सकती है।'

रिडल की मुस्कराहट और चौड़ी हो गई।

वह बोला, 'तुम्हें इसकी ज़रूरत नहीं पड़ेगी।'

हैरी ने उसे घूरा।

'तुम्हारा क्या मतलब है, ज़रूरत नहीं पड़ेगी ?'

रिडल बोला, 'हैरी पॉटर, मैं काफ़ी समय से इस पल का इंतज़ार कर रहा था। तुम्हें देखने के अवसर का। तुमसे बातें करने के अवसर का।'

'देखो,' हैरी ने अपना धैर्य खोते हुए कहा। 'मुझे नहीं लगता कि तुम स्थिति की गंभीरता को समझ रहे हो। हम *रहस्यमयी तहख़ाने* में हैं। ये बातें हम बाद में भी कर सकते हैं।'

'ये बातें हम अभी करेंगे,' रिडल बोला। उसके चेहरे पर अब भी एक चौड़ी मुस्कान थी और उसने हैरी की छड़ी अपनी जेब में रख ली।

हैरी ने उसकी तरफ़ घूरा। यहाँ कोई बहुत अजीब चीज़ हो रही थी।

फिर उसने धीमे से पूछा, 'जिनी का यह हाल कैसे हुआ ?'

'अहा, यह एक रोचक सवाल है,' रिडल ने ख़ुश होते हुए जवाब दिया। 'और एक बहुत लंबी कहानी है। मैं समझता हूँ कि जिनी वीज़्ली का यह हाल दरअसल इस वजह से हुआ कि उसने एक अदृश्य अजनबी के सामने अपना दिल खोलकर रख दिया और उसे अपने सारे रहस्य बता दिए।'

हैरी ने पूछा, 'यह तुम क्या कह रहे हो ?'

'डायरी,' रिडल बोला। '*मेरी* डायरी। जिनी कई महीनों से मेरी डायरी में लिख रही थी, मुझे अपनी छोटी-छोटी चिंताएँ और दुखड़े बता रही थी : किस तरह उसके भाई उसे *चिढ़ाते* हैं, किस तरह वह सेकंड हैंड दुशालों और किताबों के साथ स्कूल आई, किस तरह –' रिडल की आँखों में चमक आ गई, '– किस तरह उसे लगता है कि मशहूर, अच्छा, महान हैरी पॉटर उसे *कभी* पसंद नहीं करेगा ...'

जितने समय भी रिडल बोला, उसकी आँखें हैरी के चेहरे से एक पल के लिए भी नहीं हटीं। उनमें एक भूखा भाव था।

वह आगे बोला, 'एक ग्यारह साल की लड़की की मूर्खतापूर्ण बचकानी समस्याओं को सुनना बड़ी *बोरियत* का काम था, परंतु मैंने धैर्य रखा। मैंने जवाब दिया। मैंने सहानुभूति जताई, मैंने दया-ममता दिखाई। जिनी को मुझसे गहरा *लगाव* हो गया। *टॉम, जितनी अच्छी तरह तुमने मुझे समझा है, उतनी अच्छी तरह किसी ने नहीं समझा... मैं बहुत ख़ुश हूँ कि मुझे बात करने के लिए यह डायरी मिल गई ... यह एक दोस्त की तरह है, जिसे मैं अपनी जेब में लेकर घूम सकती हूँ ...*'

रिडल एक तीखी, ठंडी हँसी हँसा, जो उस पर अच्छी नहीं लग रही थी। इससे हैरी की गर्दन के पीछे के बाल खड़े हो गए।

'अगर मैं अपने बारे में कहूँ, तो हैरी, मैं हमेशा उन लोगों का दिल जीतने में कामयाब रहा हूँ, जिनकी मुझे ज़रूरत थी। इसीलिए जिनी ने मेरे सामने अपनी आत्मा निकालकर रख दी और उसकी आत्मा ठीक वैसी ही थी, जिसकी मुझे ज़रूरत थी। मुझे उसके सबसे गहरे डरों और सबसे अँधेरे रहस्यों की ख़ुराक़ से शक्ति मिलती गई। मैं ताक़तवर बनता गया, छोटी जिनी से बहुत ज़्यादा ताक़तवर। इतना ताक़तवर कि मैं जिनी को *अपने* कुछ रहस्यों की ख़ुराक़ देने लगा, *उसकी* आत्मा में *अपनी* थोड़ी सी आत्मा डालने लगा ...'

'तुम्हारा क्या मतलब है,' हैरी ने कहा, जिसका मुँह बहुत सूख गया था।

रिडल ने धीमे से कहा, 'क्या तुम अब तक नहीं समझ पाए, हैरी पॉटर ? जिनी वीज़्ली ने ही रहस्यमयी तहख़ाना खोला था। उसी ने स्कूल के मुर्गों की हत्या की थी और दीवारों पर चेतावनी भरे संदेश लिखे थे। उसी ने चार बदज़ातों और

फ़िल्च की बिल्ली पर नागशक्ति का साँप छोड़ा था।'

हैरी फुसफुसाया, 'नहीं।'

'हाँ,' रिडल ने शांति से कहा। 'ज़ाहिर है, पहले तो जिनी यह नहीं *जानती* थी कि वह क्या कर रही थी। यह बहुत मज़ेदार था। काश तुम डायरी में उसकी लिखी बातें पढ़ सकते ... वे बहुत दिलचस्प होने लगी थीं' ... उसने उन्हें सुनाते हुए हैरी का दहशत से भरा चेहरा देखा, *'प्रिय टॉम, मैं सोचती हूँ कि मेरी याददाश्त जा रही है। मेरे कपड़ों पर मुर्गे के पंख लगे हैं और मैं नहीं जानती कि वे वहाँ कैसे आए। प्रिय टॉम, मैं याद नहीं कर पा रही हूँ कि हैलोवीन की रात को मैंने क्या किया, परंतु एक बिल्ली पर हमला हुआ था और मेरे कपड़ों के अगले हिस्से पर रंग लगा हुआ था। प्रिय टॉम, पर्सी मुझसे कहता रहता है कि मैं पीली दिख रही हूँ और बदल गई हूँ। मैं सोचती हूँ कि उसे मुझ पर शक हो गया है ... आज एक और हमला हुआ, और मैं नहीं जानती कि उस समय मैं कहाँ थी। टॉम, मैं क्या करूँ? मुझे लगता है कि मैं पागल हो रही हूँ ... टॉम, मुझे लगता है कि मैं ही सब पर हमला कर रही हूँ!'*

हैरी की मुट्ठियाँ भिंच गईं। उसके नाख़ून उसकी हथेलियों में गहराई तक धँस गए थे।

रिडल बोला, 'मूर्ख जिनी को अपनी डायरी पर शक करने में बहुत समय लगा, परंतु आख़िरकार उसे शक हो गया और उसने इससे पीछा छुड़ाने की कोशिश की। और यहाँ पर *तुम* सामने आ गए, हैरी। यह डायरी तुम्हें मिल गई और मेरे लिए इससे ज़्यादा ख़ुशी की बात और क्या हो सकती थी। इसे जितने सारे लोग उठा सकते थे, उनमें से *तुम* ही तो थे, जिससे मिलने के लिए मैं सबसे ज़्यादा बेताब था ...'

'तुम मुझसे क्यों मिलना चाहते थे?' हैरी ने कहा। अब उसके शरीर में ग़ुस्सा बह रहा था और उसे अपनी आवाज़ सामान्य रखने के लिए कोशिश करना पड़ रही थी।

रिडल बोला, 'देखो हैरी, जिनी ने मुझे तुम्हारे बारे में सब कुछ बता दिया था। तुम्हारी पूरी *दिलचस्प* कहानी,' उसकी आँखें हैरी के माथे के बिजली जैसे निशान पर ठहरीं और उसके चेहरे पर भूख का भाव ज़्यादा गहरा हो गया। 'मैं जानता था कि मुझे तुम्हारे बारे में ज़्यादा बातें मालूम करना होंगी, अगर संभव हो तो तुमसे बात करना और मिलना भी होगा। इसलिए मैंने तुम्हारा विश्वास हासिल करने के लिए तुम्हें उस महामूर्ख हैग्रिड को पकड़ने वाली मेरी मशहूर याद को दिखाने का फ़ैसला किया।'

'हैग्रिड मेरा दोस्त है,' हैरी ने कहा। अब उसकी आवाज़ काँप रही थी।

'और तुमने उसे फँसाया, है ना ? मुझे लगा था कि तुमसे ग़लती हुई थी, परंतु –'

रिडल एक बार फिर ज़ोर से हँसा।

'हैरी, एक तरफ़ मेरी बात का वज़न था और दूसरी तरफ़ हैग्रिड की बात का। क्या तुम इस बात की कल्पना कर सकते हो कि यह पूरा मामला बूढ़े अर्मान्डो डिपेट को कैसा दिखा होगा ? एक तरफ़ तो था टॉम रिडल, ग़रीब परंतु प्रतिभाशाली, अनाथ परंतु बहुत *बहादुर*, स्कूल का प्रिफ़ेक्ट, आदर्श विद्यार्थी; दूसरी तरफ़ था भीमकाय, हमेशा ग़लतियाँ करने वाला हैग्रिड, जो हर दूसरे सप्ताह संकट में फँस जाता था, अपने पलंग के नीचे आदमभेड़ियों के बच्चे पालने की कोशिश करता था, दैत्यों के साथ कुश्ती करने के लिए चुपके से अँधेरे जंगल में जाता था। परंतु मैं यह स्वीकार करता हूँ कि जितनी अच्छी तरह यह योजना कामयाब हुई, उससे *मैं* ख़ुद भी हैरान रह गया। मुझे लग रहा था कि *किसी को* तो यह एहसास होगा कि हैग्रिड नागशक्ति का वारिस नहीं हो सकता। रहस्यमयी तहख़ाने के बारे में सब कुछ पता लगाने में और गोपनीय प्रवेश द्वार खोजने में मुझे पूरे पाँच साल लग गए थे ... जबकि हैग्रिड में इतनी बुद्धि या शक्ति थी ही नहीं!

'सिर्फ़ रूप-परिवर्तन के टीचर डम्बलडोर ही थे, जो हैग्रिड को निर्दोष मानते थे। उन्होंने डिपेट को राज़ी कर लिया कि हैग्रिड को हॉगवर्ट्स से बाहर न निकालें और उसे गेमकीपर बनने का प्रशिक्षण दें। हाँ, मैं सोचता हूँ कि डम्बलडोर ने शायद अंदाज़ा लगा लिया था। मुझे लगता है कि डम्बलडोर मुझे कभी उतना पसंद नहीं करते थे, जितना बाक़ी टीचर्स करते थे ...'

'मैं शर्त लगा सकता हूँ कि डम्बलडोर ने तुम्हारी असलियत जान ली थी,' हैरी ने कहा, उसके दाँत किटकिटा रहे थे।

रिडल लापरवाही से बोला, 'देखो, निश्चित रूप से हैग्रिड को स्कूल से निकालने के बाद उन्होंने मुझ पर चिढ़ाने वाली पैनी नज़र रखी। मैं जानता था कि जब तक मैं स्कूल में रहूँगा, तब तक तहख़ाने को दुबारा खोलना सुरक्षित नहीं होगा। परंतु मैं उन लंबे सालों को बर्बाद नहीं करना चाहता था, जो मैंने इसकी खोज में लगाए थे। इसलिए मैंने अपने पीछे एक डायरी छोड़ने का फ़ैसला किया, जो अपने पन्नों में मेरी सोलह साल की उम्र की याद को सुरक्षित रखे, ताकि अगर क़िस्मत मेरा साथ दे, तो किसी दिन मैं किसी दूसरे को अपने पीछे राह दिखा सकूँ और नागेश नागशक्ति के महान काम को पूरा कर सकूँ।'

'पर तुम उस काम को पूरा नहीं कर पाए,' हैरी ने विजयी भाव से कहा। 'इस बार कोई भी नहीं मरा, बिल्ली भी नहीं। कुछ ही घंटों में मंत्रकवच का काढ़ा तैयार हो जाएगा और सभी बेजान लोग फिर से ठीक हो जाएँगे।'

रिडल ने धीमे से कहा, 'क्या मैं तुम्हें पहले ही नहीं बता चुका हूँ कि बदज़ातों को मारना अब मेरे लिए महत्वपूर्ण नहीं रह गया है? पिछले कुछ महीनों से मेरा नया निशाना हो – *तुम।*'

हैरी ने उसे घूरकर देखा।

'कल्पना करो कि मुझे तब कितना ग़ुस्सा आया होगा, जब अगली बार मेरी डायरी खुली और उसमें तुम नहीं, बल्कि जिनी लिख रही थी। उसने तुम्हारे पास डायरी देखी और वह दहशत में आ गई। उसने सोचा, अगर तुम्हें यह पता चल गया कि यह डायरी कैसे काम करती है और अगर मैंने उसके सारे रहस्य तुम्हें बता दिए, तो क्या होगा? इससे भी बुरी बात यह कि अगर मैंने तुम्हें यह बता दिया कि मुर्गों की हत्या कौन कर रहा है, तो क्या होगा? इसलिए उस मूर्ख लड़की ने तुम्हारे कमरे के ख़ाली होने का इंतज़ार किया और डायरी चुरा ली। परंतु मैं जानता था कि अब मुझे क्या करना चाहिए। मैं अच्छी तरह समझ गया था कि तुम नागशक्ति के वारिस को पकड़ने की कोशिश कर रहे हो। जिनी ने मुझे तुम्हारे बारे में जो बताया था, उससे मैं जानता था कि तुम इस रहस्य को सुलझाने के लिए किसी भी हद तक चले जाओगे – ख़ासकर तब, जब तुम्हारे किसी अच्छे दोस्त पर हमला किया जाए। और जिनी ने मुझे यह भी बता दिया था कि पूरे स्कूल में तहलका मचा हुआ था, क्योंकि तुम सर्पभाषा बोल सकते हो...

'इसलिए मैंने जिनी से दीवार पर उसका ख़ुद का विदाई-संदेश लिखवाया और उसे यहाँ नीचे आकर इंतज़ार करने के लिए मजबूर किया। उसने संघर्ष किया, वह रोई और *बहुत* बोर करने लगी। परंतु उसमें अब ज़्यादा जान नहीं बची है। उसने डायरी में यानी मुझमें बहुत ज़्यादा जान डाल दी है। इतनी ज़्यादा कि अब मैं आख़िरकार इसके पन्नों से बाहर निकल आया हूँ। जब से वह यहाँ आई है, तब से मैं तुम्हारे आने का इंतज़ार कर रहा हूँ। मैं जानता था कि तुम आओगे। हैरी पॉटर, मुझे तुमसे कुछ सवाल पूछने हैं।'

'किस तरह के सवाल?' हैरी ने थूक उड़ाते हुए कहा। उसकी मुट्ठियाँ अब भी भिंची हुई थीं।

'देखो,' रिडल ने ख़ुश होकर मुस्कराते हुए कहा, 'यह कैसे संभव हुआ कि एक बच्चे ने किसी असाधारण जादुई प्रतिभा के बिना दुनिया के सबसे महान जादूगर को हरा दिया? *तुम* सिर्फ़ एक निशान के साथ कैसे बच गए, जबकि लॉर्ड वोल्डेमॉर्ट की सारी शक्तियाँ नष्ट हो गईं?'

उसकी भूखी आँखों में अब एक अजीब सी लाल चमक थी।

'तुम्हें इस बात की क्यों परवाह है कि मैं कैसे बचा?' हैरी ने धीमे से

कहा। 'वोल्डेमॉर्ट तो तुम्हारे समय के बाद आया है।'

रिडल धीरे से बोला, 'हैरी पॉटर, वोल्डेमॉर्ट मेरा अतीत, वर्तमान और भविष्य है...'

उसने अपनी जेब से हैरी की छड़ी निकाली और हवा में घुमाई। हवा में तीन चमकते शब्द उभर आए :

TOM MARVOLO RIDDLE

उसने एक बार फिर छड़ी घुमाई और उसके नाम के शब्दों से अक्षर निकलकर जगह बदलने लगे :

I AM LORD VOLDEMORT

रिडल फुसफुसाया, 'तुमने देखा? इस नाम का प्रयोग मैं हॉगवर्ट्स में पहले से ही कर रहा था, ज़ाहिर है सिर्फ़ अपने सबसे अंतरंग मित्रों के बीच। तुम्हें क्या लगता है, मैं हमेशा के लिए अपने गंदे मगलू पिता के नाम का प्रयोग करता? मैं, जिसके शरीर में अपनी माँ के ख़ानदान की तरफ़ से ख़ुद नागेश नागशक्ति का ख़ून बह रहा था? मैं एक बुरे सामान्य से मगलू का नाम क्यों रखूँ, जिसने मुझे पैदा होने से पहले ही छोड़ दिया था, सिर्फ़ इसलिए क्योंकि उसे यह पता चल गया था कि उसकी पत्नी एक जादूगरनी थी? नहीं, हैरी। मैंने ख़ुद के लिए एक नया नाम ईज़ाद किया। मैं जानता था कि एक वक़्त ऐसा आएगा, जब मैं दुनिया का सबसे महान जादूगर बन जाऊँगा, इसलिए मेरा नाम ऐसा होना चाहिए कि जादूगर मेरा नाम लेने से डरें!'

ऐसा लग रहा था, जैसे हैरी के दिमाग़ ने काम करना बंद कर दिया हो। वह स्तब्ध होकर रिडल को देखता रहा। उस अनाथ लड़के को, जो बड़ा होकर हैरी के माता-पिता और बहुत से अन्य लोगों की हत्या करेगा ... आख़िरकार उसने ख़ुद को बोलने के लिए विवश किया।

'तुम नहीं हो,' उसने कहा। उसकी शांत आवाज़ नफ़रत से भरी थी।

'क्या नहीं हूँ?' रिडल ने पलटकर पूछा।

'तुम दुनिया के सबसे महान जादूगर नहीं हो,' हैरी ने तेज़ी से साँस लेते हुए कहा। 'तुम्हें निराश करने के लिए माफ़ी चाहता हूँ, परंतु दुनिया के सबसे महान जादूगर एल्बस डम्बलडोर हैं। सब यही कहते हैं। यहाँ तक कि जब तुम ताक़तवर थे, तब भी हॉगवर्ट्स पर कब्ज़ा करने की तुम्हारी हिम्मत नहीं हुई थी। जब तुम स्कूल में थे, तभी डम्बलडोर ने तुम्हारी असलियत भाँप ली थी और तुम्हें उनसे अब भी डर लगता है, चाहे तुम आजकल जहाँ भी छुपे हुए हो।'

रिडल के चेहरे से मुस्कान ग़ायब हो चुकी थी। अब इसकी जगह पर एक

बहुत बदसूरत भाव आ गया था।

'डम्बलडोर को इस महल से भगाने के लिए मेरी *याद* ही काफ़ी है!' उसने फुफकारते हुए कहा।

'वे उतनी दूर नहीं गए हैं, जितना कि तुम सोचते हो!' हैरी ने पलटकर कहा। वह बिना किसी उद्देश्य के बोल रहा था, वह रिडल को डराना चाहता था, वह अपनी कही बातों को सच मानना चाहता था, भले ही उसे उन पर विश्वास न हो।

रिडल ने अपना मुँह खोला, परंतु अचानक रुक गया।

कहीं से संगीत सुनाई दे रहा था। रिडल पलटकर ख़ाली तहख़ाने में घूरने लगा। संगीत अब तेज़ होता जा रहा था। यह अलौकिक, सिहराने वाला और डरावना संगीत था। इसे सुनकर हैरी के सिर के बाल खड़े हो गए और उसे ऐसा लगा जैसे उसका दिल सामान्य से दोगुना बड़ा हो गया था। फिर जब संगीत इतना तेज़ हो गया कि हैरी की पसलियों के भीतर कंपकंपी होने लगी, तो सबसे क़रीबी खंभे के ऊपर लपटें उठने लगीं।

हंस के आकार का एक बैंगनी-लाल पक्षी तहख़ाने की छत की तरफ़ चोंच करके अपना अजीब संगीत सुना रहा था। उसकी चमकती सुनहरी पूँछ थी, जो मोर की पूँछ जितनी लंबी थी। अपने चमकदार सुनहरे पंजों में उसने एक फटी-पुरानी पोटली पकड़ रखी थी।

एक पल बाद पक्षी सीधे हैरी की तरफ़ उड़कर आया। जिस फटी-पुरानी पोटली को वह अपने पंजों में पकड़े था, उसे उसने गिरा दिया। फिर वह ज़ोर से उसके कंधे पर बैठ गया। जब उसने अपने बड़े पंख समेटे, तो हैरी ने ऊपर देखा और उसे एक लंबी, पैनी सुनहरी चोंच तथा मनकेदार काली आँखें दिखीं।

पक्षी ने गाना बंद कर दिया। उसका शरीर गर्म था और वह हैरी के गाल से चिपककर स्थिर बैठा रहा। वह रिडल को लगातार घूर रहा था।

'यह तो फ़ीनिक्स है ...' रिडल ने उसकी तरफ़ घूरते हुए कहा।

'ज्वाला ?' हैरी ने साँस खींची और उसे महसूस हुआ कि पक्षी के सुनहरे पंजे उसके कंधे को हलके से दबा रहे थे।

'और *वह* –' रिडल ने कहा। अब उसकी आँखें उस फटी-पुरानी चीज़ पर थीं, जो ज्वाला ने गिराई थी, 'वह तो स्कूल की पुरानी बोलती टोपी है।'

वह सचमुच टोपी ही थी। फटी, गंदी और पैबंद लगी टोपी हैरी के पैरों के पास पड़ी थी।

रिडल दुबारा हँसने लगा। वह ज़ोर से हँसा। अँधेरे तहख़ाने में उसकी

आवाज़ इतनी तेज़ी से गूँजने लगी, जैसे दस रिडल एक साथ हँस रहे हों।

'तो डम्बलडोर ने अपने रक्षक के लिए यह भेजा है! एक गाने वाली चिड़िया और एक पुरानी टोपी! क्या इनसे तुम्हारी हिम्मत बढ़ गई, हैरी पॉटर ? क्या अब तुम सुरक्षित अनुभव कर रहे हो ?'

हैरी ने जवाब नहीं दिया। उसे समझ में नहीं आ रहा था कि ज्वाला या बोलती टोपी से क्या फ़ायदा होगा, परंतु अब वह अकेला नहीं था और उसने बढ़ती हिम्मत के साथ रिडल की हँसी के थमने का इंतज़ार किया।

'अब काम की बात करें हैरी,' रिडल बोला। उसके चेहरे पर अब भी चौड़ी मुस्कान थी। 'तुम्हारे *अतीत* में और मेरे *भविष्य* में - हम दो बार मिल चुके हैं। और दोनों ही बार मैं तुम्हें नहीं मार पाया। *तुम बच कैसे गए ?* मुझे सब कुछ बताओ। तुम जितनी ज़्यादा देर तक बोलोगे,' उसने धीमे से कहा, 'उतनी ही ज़्यादा देर तक ज़िंदा रहोगे।'

हैरी तेज़ी से सोच रहा था और अपने अवसरों को तौल रहा था। रिडल के पास छड़ी थी। हैरी के पास ज्वाला और बोलती टोपी थी, जिनसे लड़ाई में कोई ख़ास मदद नहीं मिल सकती थी। स्थिति बुरी दिख रही थी। परंतु जितनी देर तक रिडल वहाँ खड़ा रहेगा, जिनी के शरीर में जीवन उतना ही कम होता जाएगा... और इसी दौरान, हैरी ने अचानक देखा कि समय बीतने के साथ-साथ रिडल की आकृति ज़्यादा स्पष्ट और ठोस होती जा रही थी। अगर उसके और रिडल के बीच लड़ाई होना है, तो यह जितनी जल्दी शुरू हो जाए, उतना ही बेहतर है।

'कोई नहीं जानता कि जब तुमने मुझ पर हमला किया, तो तुम्हारी शक्तियाँ क्यों चली गईं,' हैरी ने तत्परता से कहा। 'मैं ख़ुद यह नहीं जानता। परंतु मैं यह ज़रूर जानता हूँ कि तुम मुझे क्यों नहीं *मार पाए*। क्योंकि मेरी माँ ने मुझे बचाने के लिए अपनी जान दी थी। मेरी सामान्य *मगलू माँ,*' उसने दबे हुए ग़ुस्से से काँपते हुए कहा। 'उसकी वजह से तुम मुझे नहीं मार पाए। और जब मैंने तुम्हें पिछले साल देखा, तो मुझे तुम्हारा असली रूप दिखा। तुम एक खंडहर थे। मुश्किल से ज़िंदा थे। तुम्हारी सारी शक्तियों के बावज़ूद तुम इस हाल में पहुँच गए हो। तुम छुपे हुए हो, बदसूरत हो, बुरे हो!'

रिडल का चेहरा ऐंठने लगा। परंतु वह मजबूरी में अपने चेहरे पर एक भयानक मुस्कान लाया।

'तो तुम्हारी माँ ने तुम्हें बचाने के लिए अपनी जान दी। हाँ, यह एक सशक्त मंत्र-विरोधी उपाय है। मैं अब समझ सकता हूँ - आख़िरकार तुममें कोई ख़ास बात नहीं है। देखो, मैं हैरान हो रहा था। क्योंकि हम दोनों में अजीब सी

समानताएँ हैं, हैरी पॉटर। इसे शायद तुमने भी महसूस किया होगा। हम दोनों आधे जादूगर ख़ून के हैं। हम दोनों अनाथ हैं, जिन्हें मगलुओं ने पाला। और शायद महान नागशक्ति के बाद हॉगवर्ट्स में आने वाले इकलौते सर्पभाषी भी। हम दोनों कुछ हद तक एक जैसे *दिखते भी हैं*... परंतु जो भी हो, यह सिर्फ़ एक संयोग ही था, जिसने तुम्हें मेरे हाथ से बचा लिया। मैं यही जानना चाहता था।'

हैरी तनाव में खड़ा रहा और रिडल के छड़ी उठाने का इंतज़ार करता रहा। परंतु रिडल की विकृत मुस्कान अब दुबारा चौड़ी होती जा रही थी।

'हैरी, मैं अब तुम्हें एक छोटा सा सबक़ सिखाने वाला हूँ। हम नागेश नागशक्ति के वारिस लॉर्ड वोल्डेमॉर्ट की शक्तियों का मुक़ाबला मशहूर हैरी पॉटर से करवाते हैं, जिसके पास वे सर्वश्रेष्ठ हथियार हैं, जो डम्बलडोर उसे दे सकते हैं।'

उसने ज्वाला और बोलती टोपी को दिलचस्पी से देखा और फिर दूर चला गया। हैरी के पैर डर के मारे सुन्न हो गए। उसने देखा कि रिडल ऊँचे खंभों के बीच में जाकर रुक गया और नागेश नागशक्ति के पत्थर के चेहरे की तरफ़ देखने लगा, जो उसके ऊपर आधे अँधेरे में था। रिडल ने अपना मुँह खोला और फुफकारा - परंतु हैरी समझ गया कि वह क्या कह रहा था।

'मुझसे बात करो नागशक्ति, हॉगवर्ट्स के चारों संस्थापकों में सबसे महान।'

हैरी मूर्ति की तरफ़ देखने के लिए घूमा। ज्वाला उसके कंधे पर हिल रहा था।

नागशक्ति का पत्थर का दैत्याकार चेहरा हिल रहा था। दहशत से हैरी ने उसका मुँह खुलते देखा। वह चौड़ा होता चला गया, जिससे एक बड़ा काला छेद बन गया।

और मूर्ति के मुँह के भीतर कोई चीज़ हिल रही थी। कोई चीज़ उसकी गहराइयों से फिसलती हुई बाहर आ रही थी।

हैरी पीछे हटता चला गया, जब तक कि वह अँधेरे तहख़ाने की दीवार से नहीं टकरा गया। जब उसने अपनी आँखें कसकर बंद कर लीं, तो उसने ज्वाला के उड़ते समय अपने गाल पर उसके पंख टकराते हुए महसूस किए। हैरी चिल्लाना चाहता था, 'मुझे छोड़कर मत जाओ!' परंतु सर्पों के सम्राट कालदृष्टि के सामने एक फ़ीनिक्स कर भी क्या सकता था ?

तहख़ाने के पथरीले फ़र्श पर कोई बड़ी चीज़ टकराई। हैरी ने महसूस किया कि फ़र्श काँप गया। वह जानता था कि क्या हो रहा था। वह इसे महसूस कर सकता था। एक तरह से अपने मन में वह नागशक्ति के मुँह से निकलने वाले

विशाल सर्प को कुंडली खोलते हुए देख सकता था। फिर उसने रिडल के फुफकारने की आवाज़ सुनी, *'उसे मार डालो।'*

कालदृष्टि हैरी की तरफ़ बढ़ने लगा। हैरी को कालदृष्टि के भारी शरीर के फ़र्श पर लहराकर फिसलने की आवाज़ सुनाई दे रही थी। हैरी ने अब भी आँखें कसकर बंद कर रखी थीं, इसके बावज़ूद वह अंधों की तरह इधर-उधर भागने लगा। उसके हाथ फैले हुए थे और वह रास्ते को टटोल रहा था। रिडल हँस रहा था ...

हैरी गिर गया। वह पत्थर से ज़ोर से टकराया और उसे अपने ही ख़ून का स्वाद आया। साँप उससे कुछ फ़ुट दूर था; हैरी को उसके क़रीब आने की आवाज़ सुनाई दे रही थी।

तभी उसे अपने ठीक ऊपर तेज़ विस्फोटक चिंगारियाँ निकलने की आवाज़ सुनाई दी और किसी भारी चीज़ ने हैरी को इतनी कसकर मारा कि वह दीवार से टकरा गया। अपने शरीर में दाँत घुसने का इंतज़ार करते हुए उसने बेतहाशा फुफकार सुनी। कोई चीज़ खंभों पर लगातार टकरा रही थी।

अब उससे सब्र नहीं हुआ। उसने अपनी आँखें इतनी खोल लीं, ताकि यह देख सके कि क्या हो रहा था।

चमकीला, ज़हरीला हरा, बलूत के तने की तरह मोटा विशाल साँप अब हवा में फ़न फैलाए खड़ा था और उसका बड़ा तथा भोथरा सिर खंभों के बीच में शराबियों की तरह लहरा रहा था। हैरी काँप गया। अगर साँप अचानक मुड़ जाए, तो वह अपनी आँखें बंद करने के लिए तैयार था। तभी उसने देखा कि साँप का ध्यान किस चीज़ ने भटकाया था।

ज्वाला कालदृष्टि के सिर के ऊपर उड़ रहा था और कालदृष्टि अपने तलवार जैसे लंबे और नुकीले दाँतों से उस पर ग़ुस्से से प्रहार करने की कोशिश कर रहा था।

ज्वाला ने गोता लगाया। उसकी लंबी सुनहरी चोंच नज़रों से ओझल हो गई और अचानक फ़र्श काले ख़ून में नहा गया। साँप ने अपनी पूँछ ज़मीन पर ज़ोर से पटकी, हैरी बाल-बाल बचा और इससे पहले कि हैरी अपनी आँखें बंद कर पाए, साँप पलट गया। हैरी की निगाह सीधे इसके चेहरे पर गई। उसने देखा कि ज्वाला ने साँप की दोनों बड़ी गोल पीली आँखें फोड़ डाली थीं, फ़र्श पर ख़ून की धाराएँ बह रही थीं और साँप दर्द में कराह रहा था।

'नहीं!' हैरी ने रिडल के चीख़ने की आवाज़ सुनी। *'पक्षी को छोड़ दो! पक्षी को छोड़ दो! लड़का तुम्हारे पीछे है! तुम अब भी उसे सूँघ सकते हो! उसे मार डालो!'*

अंधा साँप लहराया। वह दुविधा में था, परंतु वह अब भी घातक था। ज्वाला उसके सिर के ऊपर चक्कर लगा रहा था और अपना अलौकिक गीत गा रहा था। कालदृष्टि की फूटी आँखों से लगातार ख़ून बह रहा था और उसकी पपड़ीदार नाक पर ज्वाला यहाँ-वहाँ चोंच मार रहा था।

'मेरी मदद करो, मेरी मदद करो,' हैरी हताशा में बुदबुदाया, 'कोई तो करो, कोई भी!'

साँप ने एक बार फिर फ़र्श पर अपनी पूँछ पटकी। हैरी झुक गया। कोई नर्म चीज़ उसके चेहरे से टकराई।

कालदृष्टि ने बोलती टोपी को उछालकर हैरी के हाथ में पहुँचा दिया था। हैरी ने उसे पकड़ लिया। उसके पास अब बस यही थी, उसका इकलौता अवसर। उसने अपने सिर पर टोपी लगाई और जब कालदृष्टि की पूँछ उसके ऊपर दुबारा घूमी, तो उसने ख़ुद को फ़र्श पर सीधा फेंक दिया ।

'मेरी मदद करो ... मेरी मदद करो ...' हैरी ने सोचा, उसकी आँखें टोपी के नीचे कसकर बंद थीं। *'मेहरबानी करके मेरी मदद करो!'*

जवाब में कोई आवाज़ सुनाई नहीं दी। इसके बजाय टोपी सिकुड़ गई, जैसे कोई अदृश्य हाथ इसे कसकर दबा रहा हो।

कोई बहुत सख़्त और भारी चीज़ हैरी के सिर पर गिरी, जिससे वह लगभग बेहोश हो गया। उसकी आँखों के सामने सितारे नाचने लगे। जब उसने टोपी उतारने के लिए इसके ऊपरी सिरे को पकड़ा, तो उसने महसूस किया कि इसके नीचे कोई लंबी और सख़्त चीज़ थी।

टोपी के अंदर से चाँदी की एक चमकती तलवार प्रकट हुई। इसकी मूठ पर अंडे जितने बड़े माणिक रत्न चमक रहे थे।

'लड़के को मार डालो! पक्षी को छोड़ दो! लड़का तुम्हारे पीछे है! अपनी नाक का इस्तेमाल करो – उसे सूँघो!'

हैरी अब अपने पैरों पर तैयार खड़ा था। जब कालदृष्टि उसका सामना करने के लिए मुड़ने लगा, तो उसका सिर नीचे आ रहा था, शरीर कुंडलियाँ बना रहा था और खंभों पर प्रहार कर रहा था। हैरी उसकी ख़ूनी आँखों के बड़े कटोरों को देख सकता था, उसके मुँह को चौड़ा खुलते देख सकता था, जो इतना चौड़ा था कि वह उसे साबुत निगल सकता था। उसके दाँत उतने ही लंबे थे, जितनी कि उसकी तलवार। नुकीले, चमकते, ज़हरीले दाँत ...

वह अंधेपन की स्थिति में झपटा। हैरी बचा और साँप का मुँह तहख़ाने की दीवार से टकराया। वह एक बार फिर झपटा और उसकी जीभ हैरी के बाजू

को छूती हुई निकल गई। हैरी ने तलवार अपने दोनों हाथों में पकड़कर उठा ली।

कालदृष्टि एक बार फिर झपटा और इस बार उसका निशाना सही था। हैरी ने तलवार के पीछे अपना पूरा वज़न लगा दिया और उसे मूठ तक साँप के मुँह की छत में ठूँस दिया।

परंतु जब हैरी के हाथ गर्म ख़ून में नहा गए, तो उसे अपनी कोहनी के ठीक ऊपर तेज़ दर्द महसूस हुआ। एक लंबा ज़हरीला दाँत उसकी बाँह में गहराई से धँसता जा रहा था। जब कालदृष्टि छटपटाते हुए फ़र्श पर गिरा, तो दाँत कालदृष्टि के मुँह से टूटकर हैरी के शरीर में ही गड़ा रह गया।

हैरी दीवार से लुढ़क गया। उसने उस दाँत को पकड़ा, जो उसके शरीर में ज़हर फैला रहा था और उसे खींचकर अपनी बाँह से बाहर निकाल दिया। परंतु वह जानता था कि बहुत देर हो चुकी थी। सफ़ेद गर्म दर्द धीरे-धीरे, परंतु लगातार घाव वाली जगह से पूरे शरीर में फैल रहा था। जब उसने दाँत को नीचे गिराया और अपने कपड़ों पर अपना ही ख़ून गिरते देखा, तो उसकी आँखों के सामने धुंध छा गई। तहख़ाना अब बोझिल रंग के घुमावदार चक्कर में घूमने लगा था।

कोई लाल चीज़ पास से गुज़री और हैरी ने अपने पास पंजों की हलकी खटरपटर सुनी।

'ज्वाला,' हैरी ने भर्राए गले से कहा। 'तुमने तो कमाल कर दिया, ज्वाला ...' उसने महसूस किया कि पक्षी ने अपना सुंदर सिर वहाँ रख दिया था, जहाँ साँप का दाँत गड़ा था।

उसे गूँजते क़दमों की आहट सुनाई दी और फिर एक अँधेरी छाया उसके सामने हिली।

रिडल की आवाज़ ऊपर से आई, 'तुम मर चुके हो, हैरी पॉटर। सचमुच मर चुके हो। यहाँ तक कि डम्बलडोर का पक्षी भी यह जानता है। तुम्हें पता है पॉटर, वह क्या कर रहा है? वह रो रहा है।'

हैरी ने पलकें झपकाईं। ज्वाला का सिर उसे कभी धुँधला, तो कभी साफ़ दिख रहा था। उसके चमकदार पंखों से मोती जैसे मोटे आँसू फिसल रहे थे।

'हैरी पॉटर, मैं यहाँ बैठकर इंतज़ार करूँगा और तुम्हें मरते हुए देखूँगा। आराम से मरो। मुझे कोई जल्दी नहीं है।'

हैरी को नींद सी आने लगी। उसे अपने चारों तरफ़ की हर चीज़ घूमती लग रही थी।

उसके कानों में रिडल की दूर से आती आवाज़ पड़ी, 'तो इस तरह मशहूर

हैरी पॉटर का अंत हुआ। रहस्यमयी तहख़ाने में अकेले। जब उसके मित्रों ने उसका साथ छोड़ दिया। आख़िरकार लॉर्ड वोल्डेमॉर्ट ने उसे हरा ही दिया, जिसने उन्हें इतने मूर्खतापूर्ण ढंग से चुनौती दी थी। तुम जल्दी ही अपनी प्यारी बदज़ात माँ के पास पहुँच जाओगे, हैरी ... उसने तुम्हारे लिए बारह साल का समय उधार लिया था ... परंतु लॉर्ड वोल्डेमॉर्ट ने आख़िरकार तुम्हें मार ही डाला और तुम जानते थे कि यही होना था।'

हैरी ने सोचा, अगर यह मरना था, तो यह उतना बुरा नहीं था। उसका दर्द भी कम हो रहा था ...

परंतु क्या वह मर रहा था ? काला होने के बजाय तहख़ाना दुबारा ठीक से दिखाई देने लगा था। हैरी ने अपने सिर को हलका सा झटका दिया और वहाँ पर उसे ज्वाला दिखा, जो हैरी की बाँह पर अब भी अपना सिर टिकाए था। उसके मोती जैसे आँसू हैरी के ज़ख़्म के चारों तरफ़ चमक रहे थे - सिवाय इस बात के कि ज़ख़्म अब *ग़ायब* हो चुका था।

अचानक रिडल की आवाज़ आई, 'दूर हटो, पक्षी। उससे दूर हटो। मैंने कहा, दूर *हटो!*'

हैरी ने अपना सिर उठाया। रिडल हैरी की छड़ी ज्वाला की तरफ़ घुमा रहा था। बंदूक चलने जैसा धमाका हुआ और ज्वाला ने एक बार फिर सुनहरे और लाल झोंके की तरह उड़ान भरी।

'फ़ीनिक्स के आँसू ...' रिडल ने शांति से हैरी के हाथ की तरफ़ घूरते हुए कहा। 'ज़ाहिर है ... घाव भरने की शक्ति ... मैं भूल गया था ...'

उसने हैरी की आँखों में आँखें डालकर देखा। 'परंतु इससे कोई फ़र्क़ नहीं पड़ता। दरअसल मुझे यही तरीक़ा ज़्यादा पसंद है। सिर्फ़ तुम और मैं, हैरी पॉटर ... तुम और मैं ...'

उसने अपनी छड़ी उठाई।

तभी पंखों की तेज़ खड़खड़ाहट के साथ ज्वाला उसके सिर के ऊपर वापस आया और उसने हैरी की गोद में एक चीज़ गिरा दी - *डायरी*।

एक पल के लिए तो हैरी उसे घूरता रहा। रिडल भी, जिसने छड़ी उठा रखी थी। फिर बिना सोचे, बिना विचारे, जैसे वह शुरू से ही यह काम करना चाहता था, हैरी ने अपने पास फ़र्श पर पड़े कालदृष्टि के दाँत को उठाया और उसे सीधे डायरी के बीच में गड़ा दिया।

एक लंबी, भयानक, दर्द भरी चीख़ निकली। डायरी से स्याही बाढ़ की धाराओं की तरह निकल पड़ी। स्याही में हैरी के हाथ नहा गए और फ़र्श पर बाढ़

सी आ गई। रिडल दर्द से छटपटा रहा था, अकड़ रहा था, चीख़ रहा था और तड़प रहा था और फिर...

वह ग़ायब हो गया। हैरी की छड़ी खट की आवाज़ के साथ फ़र्श पर गिर पड़ी और तहख़ाने में ख़ामोशी छा गई। सिर्फ़ स्याही की *टपटप* की आवाज़ आ रही थी, जो अब भी डायरी से निकल रही थी। कालदृष्टि के दाँत का ज़हर डायरी के बीच के छेद को अब भी जला रहा था।

बुरी तरह काँपते हुए हैरी जैसे-तैसे खड़ा हुआ। उसका सिर इस तरह घूम रहा था, जैसे वह छू पाउडर से मीलों लंबा सफ़र करके आ रहा हो। धीरे से उसने अपनी छड़ी और बोलती टोपी उठाई तथा एक ज़ोरदार झटके के साथ चमकती हुई तलवार कालदृष्टि के मुँह की छत से बाहर खींच ली।

फिर तहख़ाने के कोने से किसी के कराहने की आवाज़ आई। जिनी हिल रही थी। जब हैरी जल्दी से उसके पास पहुँचा, तो वह बैठ गई। उसने हैरानी से पहले मरे हुए कालदृष्टि के विशाल शरीर को देखा, फिर ख़ून सने कपड़े पहने हैरी को और फिर उसके हाथ की डायरी को। इसके बाद उसने एक लंबी, कंपकंपाने वाली गहरी साँस अंदर खींची और उसके चेहरे पर आँसू बहने लगे।

'हैरी - ओह, हैरी - मैंने तुम्हें ना-नाश्ते के वक़्त बताने की कोशिश की थी, परंतु मैं पर्सी के सामने यह बात नहीं कह स-*सकती* थी। वह *मैं* थी, हैरी - परंतु मैं - मैं क़-क़सम खाती हूँ कि मैं यह नहीं क-करना चाहती थी - रि-रिडल ने मुझसे ज़बर्दस्ती यह काम करवाया, वह मुझ पर हावी हो गया था - और - तुमने उस - उस भयानक जानवर को *कैसे* मारा ? रिडल क-कहाँ है ? आख़िरी चीज़ जो मुझे या-याद है, वह यह है कि रिडल अपनी डायरी में से बाहर निकल रहा था -'

'सब कुछ ठीक है,' हैरी ने डायरी उठाई और जिनी को उसमें ज़हरीले दाँत का छेद दिखाया, 'रिडल ख़त्म हो गया है। देखो! वह *और* कालदृष्टि दोनों ही ख़त्म हो गए हैं। चलो जिनी, यहाँ से बाहर चलते हैं -'

जब हैरी ने खड़े होने में जिनी की मदद की, तो वह रोने लगी, 'मुझे स्कूल से निकाल दिया जाएगा! जब से बि-बिल हॉगवर्ट्स आया था, तभी से मैं यहाँ आने का सपना देख रही थी और अ-अब मुझे यहाँ से बाहर निकाल दिया जाएगा और - *मम्मी-डैडी क-क्या कहेंगे ?'*

ज्वाला तहख़ाने के प्रवेश द्वार पर मंडराते हुए उनका इंतज़ार कर रहा था। हैरी ने जिनी को आगे बढ़ने का इशारा किया। वे मरे हुए कालदृष्टि की बेजान कुंडलियों को लाँघते हुए आगे बढ़े। गूँजती हुई उदासी के बीच चलते हुए वे एक बार फिर सुरंग में पहुँच गए। हैरी ने सुना कि उनके निकलने के बाद

पत्थर का दरवाज़ा हलकी फुफकार के साथ बंद हो गया।

कुछ मिनट तक अँधेरी सुरंग में चलने के बाद हैरी को दूर से चट्टान खिसकने की धीमी-धीमी आवाज़ें सुनाई दी।

'रॉन!' हैरी तेज़ी से चलते हुए चीख़ा। 'जिनी है! मैं उसे ले आया हूँ!'

उसे रॉन की तालियों की दबी आवाज़ सुनाई दी। जब वे अगला मोड़ मुड़े, तो रॉन का उत्सुक चेहरा एक बड़े छेद में से झाँकता दिख रहा था। रॉन गिरी हुई चट्टान में पर्याप्त बड़ा छेद बनाने में सफल हो गया था।

'जिनी!' रॉन ने चट्टान में बने छेद से अपना हाथ बढ़ाया, ताकि उसे पहले अंदर खींच ले। 'तुम ज़िंदा हो! मुझे यक़ीन नहीं होता! क्या हुआ था?'

उसने जिनी को गले लगाने की कोशिश की, परंतु जिनी उससे दूर ही रही और सुबकती रही।

'अब तुम ठीक हो, जिनी,' रॉन मुस्कराते हुए बोला। 'अब सब ख़त्म हो चुका है - यह पक्षी कहाँ से आया?'

जिनी के पीछे-पीछे ज्वाला भी छेद में से अंदर उड़कर आ गया।

'यह डम्बलडोर का है,' हैरी ने अंदर घुसते हुए कहा।

रॉन ने हैरी के हाथ में चमकती तलवार को देखकर आश्चर्य से कहा, 'और तुम्हारे हाथ में यह *तलवार* कहाँ से आ गई?'

हैरी कनखियों से जिनी की तरफ़ देखते हुए बोला, 'यहाँ से बाहर निकलने के बाद मैं तुम्हें सब कुछ बता दूँगा!'

'परंतु -'

'बाद में,' हैरी ने जल्दी से कहा। उसे लगा कि रॉन को यह बताना अच्छा नहीं रहेगा कि तहख़ाना कौन खोल रहा था, कम से कम जिनी के सामने तो बिलकुल भी नहीं। 'लॉकहार्ट कहाँ है?'

'पीछे वहाँ पर,' रॉन ने मुस्कराते हुए कहा और अपने सिर को पीछे झटका दिया। वह पाइप और सुरंग के ऊपर वाले हिस्से की तरफ़ इशारा कर रहा था। 'उसकी हालत ख़राब है। आओ और ख़ुद देख लो।'

ज्वाला के पीछे-पीछे, जिसके चौड़े लाल पंखों से अँधेरे में भी हलकी सुनहरी चमक निकल रही थी, वे सब पाइप के मुँह की तरफ़ वापस चल दिए। गिल्ड्रॉय लॉकहार्ट वहाँ बैठा था और आराम से गुनगुना रहा था।

'उसकी याददाश्त चली गई है,' रॉन ने कहा। 'याददाश्त भुलाने वाला मंत्र उलट गया था। हमारे बजाय उसे ही लग गया। उसे ज़रा भी पता नहीं है कि

वह कौन है, कहाँ है या हम कौन हैं ? मैंने उससे यहाँ रुकने और इंतज़ार करने के लिए कहा था। वह ख़ुद के लिए ख़तरा बन चुका है।'

लॉकहार्ट ने अच्छे भाव से उन सबको देखा।

'हैलो,' उसने कहा। 'यह थोड़ी अजीब सी जगह है, है ना ? क्या तुम यहाँ रहते हो ?'

'नहीं,' रॉन ने हैरी की तरफ़ भौंहें उठाते हुए कहा।

हैरी नीचे झुका और लंबे अँधेरे पाइप में ऊपर देखा।

फिर उसने रॉन से पूछा, 'क्या तुमने सोचा है कि हम ऊपर कैसे पहुँचेंगे ?'

रॉन ने अपना सिर हिलाया, परंतु ज्वाला हैरी के पास मंडरा रहा था और अब उसके सामने पंख फड़फड़ा रहा था। उसकी मनकेदार आँखें अँधेरे में चमक रही थीं। वह अपनी पूँछ के लंबे सुनहरे पंख लहरा रहा था। हैरी ने अनिश्चितता से उसकी तरफ़ देखा।

'ऐसा लगता है, वह चाहता है कि तुम उसे पकड़ लो ...' परेशान दिखते हुए रॉन ने कहा। 'परंतु तुम तो इतने भारी हो। एक पक्षी तुम्हें ऊपर कैसे ले जा सकता है ?'

हैरी बोला, 'ज्वाला कोई साधारण पक्षी नहीं है।' वह तेज़ी से दूसरों की तरफ़ मुड़ा, 'हमें एक-दूसरे को पकड़ना होगा। जिनी, रॉन का हाथ पकड़ लो। प्रोफ़ेसर लॉकहार्ट –'

'वह तुमसे कुछ कह रहा है,' रॉन ने तेज़ी से लॉकहार्ट से कहा।

'तुम जिनी का दूसरा हाथ पकड़ लो।'

हैरी ने तलवार और बोलती टोपी अपने बेल्ट में खोंसी। रॉन ने हैरी के कपड़ों का सिरा पकड़ लिया और हैरी ने आगे बढ़कर ज्वाला की पूँछ के गर्म पंख पकड़ लिए।

उसका पूरा शरीर असाधारण रूप से हलका हो गया और अगले ही पल एक झटके के साथ वे पाइप में ऊपर की तरफ़ उड़ने लगे। हैरी सुन सकता था कि लॉकहार्ट उसके नीचे लटकते हुए यह कह रहे थे, 'अद्‌भुत! अद्‌भुत! यह तो जादू की तरह लगता है!' ठंडी हवा हैरी के बालों को उड़ा रही थी और इससे पहले कि वह इस यात्रा का आनंद ले पाए, यात्रा ख़त्म हो गई। वे चारों मायूस मीना के बाथरूम के गीले फ़र्श पर उतर गए। जब लॉकहार्ट ने अपना हैट सीधा किया, तो वह सिंक, जिसमें पाइप छिपा था, दुबारा अपनी जगह पर खिसक गया।

मीना ने उन्हें आँखें फाड़कर देखा।

बड़े निराश भाव से उसने हैरी से कहा, 'तुम ज़िंदा हो!'

हैरी ने अपने चश्मे से ख़ून और कीचड़ के छींटे पोंछते हुए थोड़े कठोर स्वर में कहा, 'तुम्हें इतना निराश होने की ज़रूरत नहीं है।'

'ओह, अच्छा ... मैं तो बस सोच रही थी कि अगर तुम मर जाते, तो तुम मेरे टॉयलेट में मेरे साथ रह सकते थे,' यह बोलते समय मायूस मीना का चेहरा शर्म के मारे सफ़ेद हो गया था।

जब वे बाथरूम से बाहर निकलकर अँधेरे वीरान गलियारे में आ गए, तो रॉन बोला, 'हैरी! मुझे लगता है कि मीना तुम्हें *पसंद* करने लगी है! जिनी, अब तुम्हें मीना से टक्कर लेना पड़ेगी!'

परंतु जिनी के ख़ामोश चेहरे पर अब भी आँसू तेज़ी से बह रहे थे।

रॉन ने जिनी की तरफ़ चिंता भरी निगाह डालते हुए पूछा, 'अब कहाँ ?' हैरी ने इशारा किया।

ज्वाला गलियारे में सुनहरी चमक फेंकता हुआ आगे-आगे जा रहा था। वे उसके पीछे-पीछे चल दिए और कुछ पल बाद वे प्रोफ़ेसर मैक्गॉनेगल के ऑफ़िस के बाहर खड़े थे।

हैरी ने दस्तक दी और धक्का देकर दरवाज़ा खोला।

अध्याय अठारह

डॉबी का पुरस्कार

हैरी, रॉन, जिनी और लॉकहार्ट जब दरवाज़े की चौखट पर खड़े थे, तो एक पल के लिए अंदर ख़ामोशी छा गई। वे गंदगी, कीचड़ और ख़ून (हैरी के मामले में) से सने हुए थे। फिर एक चीख़ सुनाई दी।

'जिनी!'

चीख़ने वाली मिसेज़ वीज़्ली थीं, जो अँगीठी के सामने बैठकर रो रही थीं। वे उछलकर खड़ी हुईं और उनके ठीक पीछे मिस्टर वीज़्ली भी। दोनों ने लपककर अपनी बेटी को गले लगा लिया।

बहरहाल हैरी उन्हें नहीं, बल्कि उनके पीछे देख रहा था। मैंटलपीस के पास खड़े प्रोफ़ेसर डम्बलडोर मुस्करा रहे थे। पास ही प्रोफ़ेसर मैक्गॉनेगल भी खड़ी थीं और वे अपनी छाती पर हाथ रखकर गहरी साँसें ले रही थीं। ज्वाला हैरी के कान के पास से उड़ता हुआ गया और डम्बलडोर के कंधे पर बैठ गया। और फिर मिसेज़ वीज़्ली ने हैरी और रॉन को भी कसकर गले लगा लिया।

'तुमने इसे बचा लिया! तुमने इसे बचा लिया! तुमने यह *कैसे* किया?'

प्रोफ़ेसर मैक्गॉनेगल धीमे से बोलीं, 'मुझे लगता है कि हम सब यह जानना चाहते हैं।'

मिसेज़ वीज़्ली ने हैरी को छोड़ दिया। वह एक पल के लिए झिझका, फिर टेबल के पास तक गया और वहाँ बोलती टोपी, माणिक जड़ी तलवार और रिडल की डायरी रख दी।

फिर उसने उन लोगों को सब कुछ बताना शुरू किया। वह लगभग पंद्रह मिनट तक बोलता रहा और उत्सुक लोग ख़ामोशी से उसकी बातें सुनते रहे। उसने उन्हें बताया कि किस तरह उसे अदृश्य आवाज़ सुनाई देती थी, किस तरह हर्माइनी ने आख़िरकार यह समझ लिया कि उसे जो आवाज़ सुनाई दे रही थी वह पाइपों में घूम रहे कालदृष्टि की आवाज़ थी, किस तरह उसने और रॉन ने अँधेरे

जंगल में मकड़ियों का पीछा किया, जहाँ एरेगॉग ने उन्हें बताया कि कालदृष्टि का पिछला शिकार कहाँ मरा था, किस तरह उसने अनुमान लगाया कि वह शिकार मायूस मीना ही रही होगी और रहस्यमयी तहख़ाने का प्रवेशद्वार बाथरूम में ही होना चाहिए ...'

जब वह रुका, तो प्रोफ़ेसर मैक्गॉनेगल ने उसे प्रोत्साहित करते हुए कहा, 'बहुत बढ़िया! तो तुमने पता लगा लिया कि प्रवेशद्वार कहाँ था। साथ ही मैं यह भी कहना चाहूँगी कि ऐसा करते समय तुमने स्कूल के लगभग सौ नियम तोड़े होंगे। परंतु पॉटर, तुम सब लोग वहाँ से ज़िंदा *कैसे* निकल आए?'

अब तक बहुत ज़्यादा बोलने के कारण हैरी की आवाज़ भर्राने लगी थी। इसी भर्राई आवाज़ में उसने बताया कि ज्वाला सही समय पर आ गया था और बोलती टोपी ने उसे तलवार दे दी थी। परंतु तभी वह रुक गया। उसने जान-बूझकर अब तक रिडल की डायरी या जिनी का ज़िक्र नहीं किया था। जिनी अपनी माँ के कंधे से सिर टिकाकर खड़ी थी और उसके गालों पर अब भी आँसू ख़ामोशी से बहे जा रहे थे। हैरी ने दहशत से सोचा, कहीं ऐसा तो नहीं कि जिनी को स्कूल से निकाल दिया जाएगा? रिडल की डायरी अब काम नहीं करेगी ... अब यह कैसे साबित किया जा सकता है कि डायरी ने ही जिनी को यह सब करने के लिए मजबूर किया था?

हैरी ने मदद के लिए डम्बलडोर की तरफ़ देखा, जो हलके से मुस्कराए। उनके आधे चाँद के आकार के चश्मे में आग की रोशनी चमक रही थी।

डम्बलडोर धीरे से बोले, '*मेरी* सबसे ज़्यादा रुचि यह जानने में है कि लॉर्ड वोल्डेमॉर्ट ने जिनी को किस तरह अपने वश में कर लिया, जबकि मेरे सूत्रों के अनुसार वह इस समय अल्बानिया के जंगलों में छुपा हुआ है।'

हैरी को बहुत राहत मिली। उसे ज़बर्दस्त राहत का एहसास हो रहा था।

'क-क्या?' मिस्टर वीज़्ली ने सदमे में कहा। '*तुम-जानते-हो-कौन? जिनी* को व-वश में? परंतु जिनी वश में नहीं है ... जिनी वश में नहीं थी ... क्या सचमुच?'

हैरी ने जल्दी से डायरी उठाकर डम्बलडोर को दिखाते हुए कहा, 'यह काम इस डायरी ने किया था। जब रिडल सोलह साल का था, तब उसने यह डायरी लिखी थी।'

डम्बलडोर ने हैरी से डायरी ले ली और अपनी लंबी, मुड़ी हुई नाक के नीचे रखकर उत्सुकता से उसके जले और गीले पन्ने देखे।

'बेहतरीन,' वे धीमे से बोले। 'यह बात तो तय है, वह हॉगवर्ट्स का अब

तक का शायद सबसे प्रतिभाशाली विद्यार्थी था।' वे वीज़्ली परिवार की ओर मुड़े, जो पूरी तरह हैरान दिख रहे थे।

'बहुत कम लोग जानते हैं कि लॉर्ड वोल्डेमॉर्ट का असली नाम टॉम रिडल था। पचास साल पहले मैंने ख़ुद उसे हॉगवर्ट्स में पढ़ाया था। स्कूल से निकलने के बाद वह ग़ायब हो गया ... बहुत दूर-दूर तक घूमा ... गुप्त कलाओं में गहराई तक डूब गया, बुरे से बुरे जादूगरों की सोहबत में रहा, इतने सारे ख़तरनाक जादुई रूप-परिवर्तनों से गुज़रा कि जब वह लॉर्ड वोल्डेमॉर्ट बनकर दुबारा सामने आया, तो उसे पहचानना आसान नहीं था। शायद ही किसी ने लॉर्ड वोल्डेमॉर्ट को उस बुद्धिमान और आकर्षक लड़के के साथ जोड़कर देखा, जो कभी यहाँ हेड बॉय था।'

'परंतु जिनी,' मिसेज़ वीज़्ली बोलीं, 'हमारी जिनी का *उससे* क्या लेना-देना था?'

जिनी ने सुबकते हुए कहा, 'उसकी डायरी! मैं उसमें लिखती रही थी और वह पूरे साल मुझे जवाब देता रहा।'

मिस्टर वीज़्ली हक्के-बक्के दिखते हुए बोले, *'जिनी!* क्या मैंने तुम्हें *कुछ नहीं* सिखाया? मैंने तुमसे हमेशा क्या कहा था? कभी किसी सोचने वाली चीज़ पर विश्वास मत करना, *जिसके बारे में यह मालूम न हो कि उसका मस्तिष्क कहाँ है।* तुमने यह डायरी मुझे या अपनी माँ को क्यों नहीं दिखाई? इतनी संदिग्ध चीज़! *स्पष्ट रूप से* इसमें काला जादू भरा था!'

'मैं न-नहीं जानती,' जिनी सुबकने लगी। 'मुझे यह डायरी उन किताबों के भीतर मिली थी, जो मम्मी ने मुझे दी थीं। मुझे ल-लगा किसी ने उसे वहाँ बस छोड़ दिया है और उसके बारे में भूल गया है ...'

डम्बलडोर सख़्त लहज़े में बीच में बोले, 'मिस वीज़्ली को सीधे अस्पताल जाना चाहिए। यह उसके लिए बहुत यातना का दौर रहा है। उसे कोई सज़ा नहीं दी जाएगी। उससे बड़े और ज़्यादा समझदार जादूगर लॉर्ड वोल्डेमॉर्ट से धोखा खा चुके हैं।' उन्होंने दरवाज़े की तरफ़ क़दम बढ़ाकर उसे खोला। 'बिस्तर पर आराम और शायद गर्म चॉकलेट का एक बड़ा, धुआँ निकालता मग। मैंने हमेशा पाया है कि इससे मेरी हालत सुधर जाती है,' उन्होंने जिनी की तरफ़ दयालुता से मुस्कराते हुए कहा। 'मैडम पॉमफ़्री तुम्हें इस समय भी जागती हुई मिलेंगी। वे बेजान लोगों को मंत्रकवच का काढ़ा पिला रही होंगी - मुझे लगता है, कालदृष्टि के शिकार किसी भी पल होश में आ जाएँगे।'

रॉन ने ख़ुश होते हुए कहा, 'तो हर्माइनी आज ठीक हो जाएगी!'

डम्बलडोर बोले, 'ऐसा कोई नुक़सान नहीं हुआ है, जो ठीक न हो सके।'

मिसेज़ वीज़्ली जिनी को बाहर ले गईं और मिस्टर वीज़्ली भी उनके पीछे चले गए। वे अब भी बुरी तरह विचलित दिख रहे थे।

प्रोफ़ेसर डम्बलडोर ने कुछ सोचते हुए प्रोफ़ेसर मैक्गॉनेगल से कहा, 'देखो मिनर्वा, मैं सोचता हूँ कि इसके बाद एक अच्छा *जश्न* होना चाहिए। मेरा आपसे आग्रह है कि आप किचन में जाकर इसकी तैयारी करने की ख़बर दे दें।'

'ठीक है,' प्रोफ़ेसर मैक्गॉनेगल ने फुर्ती से कहा और दरवाज़े की तरफ़ बढ़ीं। 'पॉटर और वीज़्ली से निबटने की ज़िम्मेदारी मैं आपको सौंपती हूँ, ठीक है?'

'बिलकुल,' डम्बलडोर ने जवाब दिया।

प्रोफ़ेसर मैक्गॉनेगल चली गईं। हैरी और रॉन अनिश्चितता से डम्बलडोर को ताकते रहे। 'उनसे *निबटने की ज़िम्मेदारी*' से प्रोफ़ेसर मैक्गॉनेगल का ठीक-ठीक क्या मतलब था? कहीं ऐसा तो नहीं - *कहीं ऐसा तो नहीं* - कि उन्हें सज़ा मिलने वाली हो?

डम्बलडोर बोले, 'मुझे अच्छी तरह से याद है कि मैंने तुम दोनों को पहले ही चेतावनी दे दी थी कि अगर तुमने स्कूल के नियम तोड़े, तो मुझे तुम्हें स्कूल से बाहर निकालना पड़ेगा।'

रॉन ने दहशत से अपना मुँह फाड़ा।

'जिससे यह पता चलता है कि अच्छे से अच्छे आदमी को भी कई बार अपने शब्द वापस लेना पड़ते हैं,' डम्बलडोर मुस्कराते हुए आगे बोले। 'तुम दोनों को स्कूल की सेवाओं के लिए विशेष पुरस्कार मिलेगा और - मुझे देखने दो - हाँ, मैं सोचता हूँ कि तुम दोनों को गरुड़द्वार के लिए दो-दो सौ पॉइंट भी मिलना चाहिए।'

रॉन का चेहरा लॉकहार्ट के वैलेंटाइन के फूलों की तरह चमकीला गुलाबी हो गया और उसने अपना मुँह दुबारा बंद कर लिया।

डम्बलडोर ने आगे कहा, 'परंतु हममें से कोई अब भी इस ख़तरनाक अभियान में अपनी भूमिका के बारे में बिलकुल ख़ामोश है। इतनी विनम्रता क्यों दिखा रहे हो, गिल्ड्रॉय?'

हैरी चौंक गया। वह लॉकहार्ट के बारे में तो बिलकुल ही भूल गया था। वह पलटा और उसने देखा कि लॉकहार्ट कमरे के एक कोने में खड़ा हुआ था और अब भी बेवजह मुस्करा रहा था। जब डम्बलडोर ने उसकी तरफ़ देखते हुए उसका नाम लिया, तो लॉकहार्ट ने पीछे मुड़कर देखा कि वे किससे बोल रहे थे।

'प्रोफ़ेसर डम्बलडोर,' रॉन ने तुरंत कहा, 'रहस्यमयी तहख़ाने में एक

दुर्घटना घट गई थी, प्रोफ़ेसर लॉकहार्ट –'

'क्या मैं प्रोफ़ेसर हूँ?' लॉकहार्ट ने हलके आश्चर्य से कहा। 'बहुत बढ़िया। मुझे तो लग रहा था कि मैं किसी लायक नहीं हूँ!'

रॉन ने डम्बलडोर को शांतिपूर्वक बताते हुए कहा, 'लॉकहार्ट ने हम पर याददाश्त भुलाने का मंत्र पढ़ने की कोशिश की थी, परंतु छड़ी ने पलटकर उन्हीं पर मंत्र दे मारा।'

'अच्छा,' डम्बलडोर ने कहा और अपना सिर हिलाया। उनकी लंबी सफ़ेद मूँछें फड़क रही थीं। 'अपनी ही तलवार से चोट खा गए, *गिल्ड्रॉय!*'

'तलवार?' लॉकहार्ट ने सकपकाते हुए कहा। 'मेरे पास तलवार नहीं है। उस लड़के के पास है।' उन्होंने हैरी की ओर संकेत किया। 'वह आपको तलवार दे सकता है।'

डम्बलडोर रॉन से बोले, 'क्या तुम प्रोफ़ेसर लॉकहार्ट को अस्पताल ले जा सकते हो? मैं हैरी से अकेले में कुछ बातें करना चाहता हूँ ...'

लॉकहार्ट टहलते हुए बाहर चला गया। दरवाज़ा बंद करते समय रॉन ने डम्बलडोर तथा हैरी की तरफ़ पलटकर अजीब निगाहों से देखा।

डम्बलडोर आग के पास वाली एक कुर्सी तक पहुँचे।

फिर वे बोले, 'बैठ जाओ, हैरी।' और हैरी न जाने क्यों घबराहट महसूस करते हुए बैठ गया।

'हैरी, सबसे पहले तो मैं तुम्हें धन्यवाद देना चाहता हूँ,' डम्बलडोर ने कहा। उनकी आँखों में एक बार फिर चमक दिख रही थी। 'तुमने तहख़ाने में मेरे प्रति सच्ची वफ़ादारी दिखाई होगी। इसके अलावा कोई दूसरी चीज़ ज्वाला को तुम तक नहीं पहुँचा सकती थी।'

उन्होंने ज्वाला को थपथपाया, जो अपने पंख फड़फड़ाते हुए उनके घुटने पर बैठ गया था। जब डम्बलडोर ने उसे देखा, तो हैरी अजीब ढंग से मुस्कराया।

'तो तुम टॉम रिडल से मिल लिए,' डम्बलडोर ने सोचते हुए कहा। 'मैं कल्पना कर सकता हूँ कि तुमसे मिलने में उसकी *सबसे ज़्यादा* रुचि रही होगी...'

हैरी को जो बात सबसे ज़्यादा परेशान कर रही थी, अचानक वह उसके मुँह से धड़धड़ाती हुई निकल गई।

'प्रोफ़ेसर डम्बलडोर ... रिडल ने कहा था कि मैं उसकी तरह हूँ। उसने कहा था, हमारे बीच अजीब सी समानताएँ हैं ...'

'उसने *ऐसा* कहा ?' डम्बलडोर ने अपनी मोटी सफ़ेद भौंहों के नीचे से हैरी की तरफ़ विचारपूर्वक देखते हुए कहा। 'और तुम्हें क्या लगता है, हैरी ?'

'मुझे नहीं लगता कि मैं उसकी तरह हूँ!' हैरी ने अपनी उम्मीद से ज़्यादा तेज़ आवाज़ में बोलते हुए कहा। 'मेरा मतलब है, मैं तो – मैं तो *गरुड़द्वार* में हूँ, मैं तो ...'

परंतु वह ख़ामोश हो गया। उसके मन में छुपी शंका दुबारा उभरने लगी।

उसने एक पल बाद दुबारा बोलना शुरू किया, 'प्रोफ़ेसर, बोलती टोपी ने मुझसे कहा था कि अगर मैं – अगर मैं नागशक्ति में होता, तो बेहतर होता। कुछ समय के लिए सब लोग यही मानने लगे थे कि मैं ही नागशक्ति का वारिस हूँ ... क्योंकि मैं सर्पभाषा बोल सकता हूँ ...'

'तुम सर्पभाषा इसलिए बोल सकते हो, हैरी,' डम्बलडोर ने शांति से कहा, 'क्योंकि लॉर्ड वोल्डेमॉर्ट – जो नागेश नागशक्ति का आख़िरी बचा हुआ वारिस है – सर्पभाषा बोल सकता है। अगर मैं ग़लत नहीं हूँ, तो जिस रात को उसने तुम्हें यह निशान दिया था, उसी रात को उसने तुम्हें अपनी कुछ शक्तियाँ भी दे दी थीं। हालाँकि मुझे पूरा यक़ीन है कि तुम्हें शक्तियाँ देने का उसका कोई इरादा नहीं था ...'

हैरी ने भौचक्के होते हुए पूछा, 'वोल्डेमॉर्ट ने *मुझे* अपनी कुछ शक्तियाँ भी दी हैं ?'

'निश्चित रूप से ऐसा ही लगता है।'

हैरी ने डम्बलडोर की तरफ़ हताशा से देखते हुए कहा, 'तब तो मुझे नागशक्ति में होना *चाहिए*। बोलती टोपी को मुझमें नागशक्ति की शक्तियाँ दिख गई होंगी और उसने –'

'इसके बावज़ूद तुम्हें गरुड़द्वार में रख दिया,' डम्बलडोर ने शांति से कहा। 'मेरी बात ध्यान से सुनो, हैरी। तुममें ऐसे कई गुण हैं, जिन्हें नागेश नागशक्ति अपने चुने हुए विद्यार्थियों में सबसे ज़्यादा पसंद करता था। उसकी ख़ुद की बहुत दुर्लभ क्षमता यानी कि सर्पभाषा ... चतुराई ... संकल्प ... कुछ हद तक नियम तोड़ने की आदत भी,' उन्होंने आगे कहा। उनकी मूँछ एक बार फिर फड़कने लगी थी। 'परंतु इसके बाद भी बोलती टोपी ने तुम्हें गरुड़द्वार में रखा। तुम जानते हो, ऐसा क्यों हुआ। सोचो।'

हैरी ने हारे हुए अंदाज़ में कहा, 'उसने मुझे गरुड़द्वार में सिर्फ़ इसलिए रखा, क्योंकि मैंने उससे अनुरोध किया था कि वह मुझे नागशक्ति में न भेजे...'

'बिलकुल ठीक,' डम्बलडोर का चेहरा ख़ुशी से एक बार फिर चमकने लगा था। 'इसी वजह से तुम टॉम रिडल से बहुत *अलग* हो। हम क्या हैं, यह हमारी योग्यताओं से नहीं, बल्कि हमारे फ़ैसलों से ज़ाहिर होता है।' परंतु हैरी अब भी अपनी कुर्सी पर स्तब्ध और स्थिर बैठा रहा। 'और हैरी, अगर तुम्हें इस बात का सबूत चाहिए कि तुम्हारी असली जगह गरुड़द्वार है, तो मैं यह सुझाव देता हूँ कि तुम *इसे* ज़रा ग़ौर से देखो।'

डम्बलडोर प्रोफ़ेसर मैक्गॉनेगल की टेबल तक पहुँचे। उस पर से उन्होंने ख़ून से सनी चाँदी की तलवार उठाई और हैरी को दे दी। हैरी ने उसे धीमे से पलटकर देखा। आग की रोशनी में बड़े-बड़े माणिक चमक रहे थे। और फिर उसने मूठ के ठीक नीचे लिखा नाम देखा।

गौरव गरुड़द्वार।

डम्बलडोर ने समझाते हुए कहा, 'हैरी, सिर्फ़ एक सच्चा गरुड़द्वार वाला ही इस तलवार को टोपी में से निकाल सकता था।'

एक मिनट तक दोनों चुप रहे। फिर डम्बलडोर ने प्रोफ़ेसर मैक्गॉनेगल की टेबल का एक ड्रॉअर बाहर खींचकर उसमें से एक क़लम और स्याही की बोतल निकाली।

'अब तुम्हें जिस चीज़ की ज़रूरत है हैरी – वह है अच्छा भोजन और अच्छी नींद। मैं तुम्हें सुझाव देता हूँ कि तुम नीचे जश्न में जाओ। तब तक मैं अज़्काबान में एक पत्र भिजवाता हूँ – हमें हमारा हैग्रिड वापस चाहिए। और मुझे *दैनिक जादूगर* में छपवाने के लिए एक विज्ञापन भी तैयार करना होगा,' उन्होंने सोचते हुए कहा। 'हमें गुप्त कलाओं से रक्षा के एक नए टीचर की ज़रूरत है। न जाने क्यों, हमारे यहाँ गुप्त कलाओं से रक्षा का कोई टीचर टिक ही नहीं पाता है, है ना?'

हैरी उठा और दरवाज़े की तरफ़ बढ़ा। उसने अभी हैंडल की तरफ़ हाथ बढ़ाया ही था कि तभी दरवाज़ा इतनी ज़ोर से खुला कि दीवार से टकराकर वापस लौट गया।

वहाँ पर लूसियस मैल्फ़ॉय खड़े थे। उनका चेहरा ग़ुस्से से लाल था। और उनकी बाँह के नीचे *डॉबी* खड़ा था, जिसके पूरे शरीर पर पट्टियाँ बँधी थीं।

'गुड ईवनिंग, लूसियस,' डम्बलडोर चहकते हुए बोले।

मिस्टर मैल्फ़ॉय जब कमरे में तेज़ी से घुसे, तो उन्होंने हैरी को लगभग गिरा ही दिया। डॉबी उनके पीछे-पीछे दौड़ते हुए अंदर आया। वह उनके चोगे के सिरे को पकड़े खड़ा था और उसके चेहरे पर दहशत का भाव था।

'तो!' लूसियस मैल्फ़ॉय ने अपनी ठंडी नज़रें डम्बलडोर पर जमाते हुए कहा। 'आप वापस आ गए। गवर्नरों ने आपको बर्ख़ास्त कर दिया था, परंतु इसके बावज़ूद आपने हॉगवर्ट्स लौटना बेहतर समझा।'

'देखो लूसियस,' डम्बलडोर ने एक शांत मुस्कान के साथ कहा, 'बाक़ी ग्यारह गवर्नरों ने आज मुझसे संपर्क किया था। सच कहा जाए तो एक तरह से मैं उल्लुओं के तूफ़ान में घिर गया था। उन्हें यह पता चला था कि आर्थर वीज़्ली की बेटी की हत्या हो गई है और वे चाहते थे कि मैं यहाँ तत्काल लौट आऊँ। उनके ख़्याल से इस स्थिति से निबटने के लिए मैं ही सर्वश्रेष्ठ व्यक्ति हूँ। उन्होंने मुझे बहुत अजीब कहानियाँ भी सुनाईं। उनमें से कुछ ने तो यह बताया कि मेरी बर्ख़ास्तगी के लिए उनके दस्तख़त करवाते समय आपने उन्हें धमकी दी थी कि अगर उन्होंने दस्तख़त नहीं किए, तो आप उनके परिवारों को शाप दे देंगे।'

मिस्टर मैल्फ़ॉय हमेशा से ज़्यादा पीले दिखने लगे, परंतु उनकी आँखें अब भी आक्रोश में सिकुड़ी हुई थीं।

'तो – क्या आपने हमले रुकवा दिए हैं ?' मैल्फ़ॉय ने व्यंग्य से पूछा। 'क्या आपने अपराधी को पकड़ लिया है ?'

'हाँ,' डम्बलडोर ने मुस्कराते हुए कहा।

'*अच्छा ?*' मिस्टर मैल्फ़ॉय ने तेज़ी से कहा। 'वह कौन है ?'

'वही जो पिछली बार था, लूसियस,' डम्बलडोर बोले। 'परंतु इस बार लॉर्ड वोल्डेमॉर्ट किसी दूसरे के माध्यम से काम कर रहा था। इस डायरी के माध्यम से।'

उन्होंने छोटी काली किताब उठाई, जिसके बीच में बड़ा छेद साफ़ दिख रहा था। फिर उन्होंने मिस्टर मैल्फ़ॉय को ग़ौर से देखा। बहरहाल, हैरी डॉबी को देख रहा था।

घरेलू जिन्न बहुत अज़ीब हरकतें कर रहा था। उसकी बड़ी आँखें हैरी को अर्थपूर्ण ढंग से देख रही थीं। वह डायरी की तरफ़ इशारा कर रहा था, फिर मिस्टर मैल्फ़ॉय की तरफ़ और फिर अपनी मुट्ठी से ख़ुद के सिर पर कसकर मार रहा था।

'अच्छा ...' मिस्टर मैल्फ़ॉय ने धीमे से डम्बलडोर से कहा।

'बहुत चतुराई भरी योजना थी,' डम्बलडोर ने सामान्य लहज़े में कहा। वे अब भी मिस्टर मैल्फ़ॉय की आँखों में आँखें डालकर देख रहे थे। 'क्योंकि अगर हैरी –' मिस्टर मैल्फ़ॉय ने हैरी पर ग़ुस्से भरी तीखी निगाह डाली, 'और उसका दोस्त रॉन इस डायरी को नहीं खोजते तो – जिनी वीज़्ली पर ही सारा दोष मढ़ा

जाता। कोई भी कभी यह साबित नहीं कर पाता कि उसने अपनी मर्ज़ी से यह काम नहीं किया था ...'

मिस्टर मैल्फ़ॉय कुछ नहीं बोले। उनका चेहरा अचानक एक मुखौटे की तरह हो गया।

'और कल्पना करो,' डम्बलडोर ने आगे कहा, 'उस स्थिति में क्या हुआ होता ... वीज़्ली परिवार हमारे सबसे प्रमुख शुद्ध-ख़ून वाले परिवारों में से एक है। ज़रा सोचो, अगर लोगों को यह पता चलता कि आर्थर वीज़्ली की बेटी मगलुओं पर हमले कर रही थी और उनकी हत्या कर रही थी, तो आर्थर वीज़्ली और उनके मगलू संरक्षण अधिनियम पर इसका क्या प्रभाव पड़ता? यह तो बहुत अच्छा रहा कि हमें यह डायरी मिल गई और इससे रिडल की यादें मिट गईं। अगर ऐसा नहीं होता, तो न जाने इसके क्या परिणाम होते ...'

मिस्टर मैल्फ़ॉय ने ख़ुद को बोलने के लिए विवश किया।

'बहुत अच्छा रहा,' उन्होंने कड़क आवाज़ में कहा।

अभी भी डॉबी मैल्फ़ॉय की पीठ के पीछे से इशारे कर रहा था - पहले डायरी की तरफ़, फिर लूसियस मैल्फ़ॉय की तरफ़ और इसके बाद वह माथे पर हाथ ठोंक रहा था।

और अचानक हैरी समझ गया। उसने डॉबी की तरफ़ सिर हिलाया। डॉबी ख़ुद को सज़ा देते हुए अपने कान उमेठने लगा और पीछे एक कोने में चला गया।

'मिस्टर मैल्फ़ॉय, क्या आप यह नहीं जानना चाहेंगे कि जिनी को यह डायरी कैसे मिली?' हैरी ने पूछा।

लूसियस मैल्फ़ॉय मुड़कर उसकी तरफ़ घूमे।

वे बोले, 'मुझे क्या मालूम, यह डायरी उस मूर्ख लड़की तक कैसे पहुँची?'

'क्योंकि यह आपने ही उस तक पहुँचाई थी,' हैरी ने कहा। 'फ़्लरिश एंड ब्लॉट्स नामक किताबों की दुकान में। आपने रूप-परिवर्तन की उसकी पुरानी किताब उठाई थी और डायरी उसके भीतर रख दी थी, है ना?'

उसने देखा कि मिस्टर मैल्फ़ॉय के सफ़ेद हाथों की मुट्ठी बार-बार बंद हो रही थी और खुल रही थी।

'इसे साबित करके दिखाओ,' उन्होंने फुफकारते हुए कहा।

'अरे, कोई भी यह साबित नहीं कर पाएगा,' डम्बलडोर बोले और हैरी की तरफ़ देखकर मुस्कराए। 'अब नहीं, जब रिडल उस डायरी से ग़ायब हो गया है। परंतु लूसियस, मैं आपको यह सलाह देना चाहूँगा कि आप लॉर्ड वोल्डेमॉर्ट की स्कूल की बाक़ी पुरानी चीज़ें भविष्य में किसी तक न पहुँचाएँ। अगर और कोई

चीज़ मासूम हाथों में पहुँची, तो मैं सोचता हूँ कि आर्थर वीज़्ली उसके लिए आपको ज़िम्मेदार ठहराने की पूरी व्यवस्था करना चाहेंगे ...'

लूसियस मैल्फ़ॉय एक पल के लिए खड़े रहे। हैरी को साफ़ दिख रहा था कि उनका दायाँ हाथ हिला, जैसे वे अपनी छड़ी बाहर निकालने के लिए बेताब हों। बहरहाल, इसके बजाय वे अपने घरेलू जिन्न की ओर मुड़े।

'डॉबी, वापस चलो!'

उन्होंने दरवाज़ा ज़ोर से खोला और जब घरेलू जिन्न जल्दी से उनके पीछे आया, तो उन्होंने उसे लात मारकर सीधे दरवाज़े से बाहर कर दिया। पूरे गलियारे में डॉबी चीख़ते हुए गया और उसकी दर्द भरी चीख़ दूर-दूर तक सुनाई दे रही थी। हैरी एक पल के लिए ठहरा और सोचता रहा। फिर उसके मन में एक विचार आया।

'प्रोफ़ेसर डम्बलडोर,' उसने जल्दी से कहा, 'क्या मैं यह डायरी मिस्टर मैल्फ़ॉय को *वापस* कर सकता हूँ, प्लीज़?'

'क्यों नहीं, हैरी,' डम्बलडोर ने शांति से कहा। 'परंतु जल्दी। याद रखना, तुम्हें जश्न में भी जाना है।'

हैरी ने डायरी उठाई और ऑफ़िस से बाहर दौड़ लगा दी। वह मोड़ के पास डॉबी की दर्द भरी चीख़ों को धीमा होते सुन सकता था। वह यह सोच रहा था कि उसकी योजना सफल होगी या नहीं। बहरहाल, उसने जल्दी से अपना एक जूता उतारा और फिर अपने गंदे मोज़े को बाहर खींचते हुए उसके अंदर डायरी रख दी। फिर वह अँधेरे गलियारे में दौड़ पड़ा।

वह सीढ़ियों के ऊपर उनके पास पहुँचा।

'मिस्टर मैल्फ़ॉय,' उसने हाँफते हुए और दौड़ना बंद करते हुए कहा, 'मुझे आपको कुछ लौटाना है।'

यह कहते हुए उसने अपना बदबूदार मोज़ा लूसियस मैल्फ़ॉय के हाथ में ज़बर्दस्ती पकड़ा दिया।

'क्या है -'

मिस्टर मैल्फ़ॉय ने डायरी के ऊपर से मोज़े को हटाया और मोज़े को एक तरफ़ फेंक दिया। फिर वे ग़ुस्से से कभी डायरी को, तो कभी हैरी को देखते रहे।

इसके बाद मिस्टर मैल्फ़ॉय धीमे से बोले, 'हैरी पॉटर, तुम्हारा भी किसी दिन वही बुरा हाल होगा, जो तुम्हारे माँ-बाप का हुआ था। वे भी मूर्ख थे और दूसरों के मामलों में टाँग अड़ाते थे।'

मैल्फ़ॉय पलटकर चलने के लिए आगे बढ़े।

'चलो, डॉबी। मैंने कहा, *चलो!*'

परंतु डॉबी हिला तक नहीं। उसके हाथ में हैरी का बदबूदार गंदा मोज़ा था और वह इसकी तरफ़ ऐसे देख रहा था, जैसे उसे कोई अनमोल ख़ज़ाना मिल गया हो।

'मालिक ने डॉबी को मोज़ा दिया है,' घरेलू जिन्न ने हैरानी से कहा। 'मालिक ने डॉबी को मोज़ा दिया है।'

'क्या ?' मिस्टर मैल्फ़ॉय ने थूक उड़ाते हुए कहा। 'यह तुम क्या कह रहे हो ?'

'डॉबी को एक मोज़ा मिल गया,' डॉबी ने अविश्वास से कहा। 'मालिक ने इसे फेंका और डॉबी ने इसे पकड़ लिया, और डॉबी – डॉबी अब *आज़ाद* है।'

लूसियस मैल्फ़ॉय अपनी जगह पर जमे रह गए और घरेलू जिन्न को घूरते रहे। फिर उन्होंने हैरी पर छलाँग लगाई।

'लड़के, तुमने मुझसे मेरा ग़ुलाम छीन लिया!'

परंतु डॉबी चिल्लाया, 'आप हैरी पॉटर को कोई नुक़सान नहीं पहुँचाएँगे!'

एक तेज़ धमाका हुआ और मिस्टर मैल्फ़ॉय पीछे की तरफ़ फिंका गए। एक बार में तीन सीढ़ियाँ पार करते हुए वे मुड़ी-तुड़ी हालत में नीचे जाकर फ़र्श पर गिरे। उठते समय उनका चेहरा ग़ुस्से से लाल हो रहा था। उन्होंने अपनी छड़ी बाहर निकाली, परंतु डॉबी ने उन्हें चेतावनी देते हुए अपनी लंबी उँगली उठाई।

'आप अब चले जाएँ,' उसने मिस्टर मैल्फ़ॉय की तरफ़ उँगली हिलाते हुए ग़ुस्से से कहा, 'आप हैरी पॉटर को हाथ भी न लगाएँ। अब आप यहाँ से चले जाएँ।'

लूसियस मैल्फ़ॉय के पास और कोई विकल्प नहीं था। उन दोनों पर आख़िरी बार क़हर ढाती निगाह डालने के बाद उन्होंने अपना चोगा अपने चारों तरफ़ लहराया और तेज़ क़दमों से चलते हुए ओझल हो गए।

'हैरी पॉटर ने डॉबी को आज़ाद कर दिया!' घरेलू जिन्न ने चीख़ते हुए हैरी की तरफ़ देखा। सबसे पास वाली खिड़की से आती चाँदनी उसकी गेंद जैसी गोल आँखों में चमक रही थी। 'हैरी पॉटर ने डॉबी को आज़ाद कर दिया!'

'मैं कम से कम इतना तो कर ही सकता था, डॉबी,' हैरी ने मुस्कराते हुए कहा। 'बस इतना वायदा करो कि अब दुबारा कभी मेरी जान बचाने की कोशिश नहीं करोगे।'

घरेलू जिन्न के बदसूरत भूरे चेहरे पर अचानक एक चौड़ी, दाँत दिखाने वाली मुस्कान आ गई।

जब डॉबी ने काँपते हाथों से हैरी का मोज़ा पहना, तो हैरी ने कहा, 'डॉबी, मैं तुमसे सिर्फ़ एक सवाल पूछना चाहता हूँ। याद है, तुमने मुझसे कहा था कि इसका तुम-जानते-हो-कौन से कोई लेना-देना नहीं था! तो -'

'यह एक इशारा था, सर,' डॉबी ने कहा। उसकी आँखें फैल गई थीं, जैसे यह इतना स्पष्ट इशारा था कि हैरी को उसे पहली बार में ही समझ लेना चाहिए था। 'डॉबी आपको इशारा कर रहा था। शैतानी जादूगर के नाम बदलने से पहले सब लोग उसका नाम ले सकते थे। अब आपको समझ में आया?'

'हाँ, समझ में आया,' हैरी ने धीमे से कहा। 'अच्छा, तो बेहतर होगा कि मैं चल दूँ। जश्न हो रहा है और मेरी दोस्त हर्माइनी भी अब तक जाग गई होगी ...'

डॉबी ने अपनी बाँहें हैरी की कमर में डालीं और उससे लिपट गया।

'डॉबी हैरी पॉटर को जितना महान मानता था, हैरी पॉटर तो उससे भी महान निकला!' वह सुबकते हुए बोला। 'अलविदा, हैरी पॉटर!'

और एक तेज़ चुटकी की आवाज़ के साथ डॉबी ग़ायब हो गया।

*

हैरी कई बार हॉगवर्ट्स के जश्नों में शामिल हो चुका था, परंतु इस बार जैसा जश्न पहले कभी नहीं मनाया गया था। सब अपने पायजामे पहने सारी रात वहाँ ख़ुशियाँ मनाते रहे। हैरी नहीं जानता था कि सबसे अच्छी बात कौन सी थी : जब हर्माइनी उसकी तरफ़ चीख़ती हुई भागकर आई, 'तुमने इसे सुलझा दिया! तुमने इसे सुलझा दिया!' या जब जस्टिन तेज़ी से मेहनतकश की टेबल से उससे हाथ मिलाने आया और बहुत देर तक माफ़ी माँगता रहा कि उसने हैरी पर ख़ामख़्वाह शक किया। या जब हैग्रिड रात को साढ़े तीन बजे आया और उसने हैरी तथा रॉन के कंधों पर इतनी ज़ोर से शाबाशी दी कि वे लगभग अपने केक की प्लेट पर गिर गए। या जब उसके और रॉन के चार सौ पॉइंटों के कारण गरुड़द्वार लगातार दूसरे साल हाउस कप जीत गया। या जब प्रोफ़ेसर मैक्गॉनेगल ने खड़े होकर उन सबको यह बताया कि इस उपलक्ष्य में परीक्षाएँ निरस्त कर दी गई थीं (जिस पर हर्माइनी बोली, 'अरे *नहीं!*')। या जब डम्बलडोर ने यह घोषणा की कि दुर्भाग्य से प्रोफ़ेसर लॉकहार्ट अगले साल नहीं पढ़ा पाएँगे, क्योंकि उन्हें जाकर अपनी याददाश्त वापस लाने की कोशिश करना पड़ेगी। इस ख़बर पर ख़ुश होकर जिन बहुत से लोगों ने तालियाँ बजाईं, उनमें कुछ टीचर्स भी शामिल थे।

'शर्म की बात है,' रॉन ने अपनी प्लेट में एक जैम वाला केक रखते हुए कहा। 'मैं अब उसे सचमुच पसंद करने लगा था।'

*

स्कूल में सत्र के बचे हुए गर्मियों के दिन सूरज की चमकती धुंध में बीते। हॉगवर्ट्स एक बार फिर सामान्य हो गया था, सिर्फ़ कुछ छुटपुट परिवर्तन हुए थे : गुप्त कलाओं से रक्षा के विषय की क्लासें अब नहीं लगती थीं ('परंतु हमने उसका वैसे भी काफ़ी अभ्यास कर लिया है,' रॉन ने असंतुष्ट हर्माइनी से कहा) और लूसियस मैल्फ़ॉय को स्कूल के गवर्नर पद से हटा दिया गया था। ड्रेको अब स्कूल में इस तरह इतराता नहीं फिरता था, जैसे वह यहाँ का मालिक हो। इसके विपरीत, वह चिड़चिड़ा और अप्रसन्न दिख रहा था। दूसरी तरफ़ जिनी वीज़्ली एक बार फिर पूरी तरह ख़ुश दिखने लगी थी।

बहुत जल्दी ही हॉगवर्ट्स एक्सप्रेस से घर वापस लौटने का समय आ गया। हैरी, रॉन, हर्माइनी, फ़्रेड, जॉर्ज और जिनी एक ही कम्पार्टमेंट में साथ-साथ बैठे। छुट्टियाँ शुरू होने के बाद उन्हें जादू करने की मनाही थी, इसलिए उन्होंने उन आख़िरी घंटों की आज़ादी का भरपूर आनंद लिया। उन्होंने एक्सप्लोडिंग स्नैप खेला, फ़्रेड और जॉर्ज के फ़िलिबस्टर पटाख़े चलाए और एक-दूसरे को जादू से निरस्त्र करने का अभ्यास किया। हैरी इसमें बहुत निपुण हो गया था।

वे लोग लगभग किंग्स क्रॉस स्टेशन पर पहुँच ही गए थे कि तभी हैरी को कोई चीज़ याद आई।

'जिनी - तुमने पर्सी को ऐसा क्या करते देखा था, जो उसने तुम्हें किसी को भी बताने से मना किया था?'

'अच्छा, वह,' जिनी ने हँसते हुए कहा। 'देखो - पर्सी की एक *गर्लफ़्रेंड* है।'

फ़्रेड ने जॉर्ज के सिर पर किताबों का ढेर गिरा दिया।

'क्या?'

जिनी बोली, 'वो है चीलघात की प्रिफ़ेक्ट, पेनीलोप क्लियरवाटर। पर्सी ने पिछली गर्मियों भर उसी को ख़त भेजे थे। वह उससे स्कूल में छुपकर मिलता भी था। एक दिन जब वे एक ख़ाली क्लास रूम में एक-दूसरे को चूम रहे थे, तो मैंने उन्हें देख लिया। वह इतना परेशान हुआ, जब पेनीलोप पर - तुम जानते हो - हमला हुआ। तुम उसे चिढ़ाओगे तो नहीं ना?' उसने चिंता से आगे कहा।

'इस बारे में तो हम सपने में भी नहीं सोच सकते,' फ़्रेड बोला। जबकि उसकी शक्ल से साफ़ लग रहा था, जैसे उसका जन्मदिन जल्दी ही आ गया था।

'बिलकुल नहीं,' जॉर्ज ने खी-खी करते हुए कहा।

हॉगवर्ट्स एक्सप्रेस धीमी हुई और आख़िरकार रुक गई।

हैरी ने अपनी क़लम बाहर निकाली और चर्मपत्र भी। फिर वह रॉन और

हर्माइनी की तरफ़ मुड़ा।

उसने चर्मपत्र पर दो बार कुछ लिखा, फिर उसे दो हिस्सों में फाड़ा और उन दोनों को एक-एक हिस्सा दे दिया। इसके बाद उसने रॉन को बताया, 'इसे टेलीफ़ोन नंबर कहते हैं। पिछली गर्मियों में मैंने तुम्हारे डैडी को टेलीफ़ोन का इस्तेमाल करना सिखा दिया था, उनसे पूछ लेना। डर्स्ली परिवार में मुझे फ़ोन करते रहना, ठीक है? मैं सिर्फ़ डडली के साथ बातें करके पूरे दो महीने नहीं गुज़ार सकता। यह मुझसे सहन नहीं होगा ...'

जब वे ट्रेन से उतरे और जादू के बैरियर की तरफ़ जाती भीड़ में शामिल हो गए, तो हर्माइनी बोली, 'तुम्हारे अंकल-आंटी तो गर्व के मारे फूले नहीं समाएँगे, जब वे सुनेंगे कि तुमने इस साल क्या कमाल किया, है ना?'

'गर्व?' हैरी ने कहा। 'क्या तुम पागल हो गई हो? इतने सारे मौक़े थे जब मैं मर सकता था और फिर भी मैं बच गया? वे लोग अपने सिर के बाल नोंच लेंगे ...'

और फिर वे मगलुओं की दुनिया में ले जाने वाले बैरियर से एक साथ बाहर निकल गए।